Rire d'Afrique

Doris Lessing

Rire d'Afrique

Voyages au Zimbabwe

Traduit de l'anglais
par Pierre-Emmanuel Dauzat

Albin Michel

« *LES GRANDES TRADUCTIONS* »

Édition originale anglaise :

AFRICAN LAUGHTER : FOUR VISITS TO ZIMBABWE
© 1992 by Doris Lessing

Traduction française :
© Éditions Albin Michel S.A., 1993
22, rue Huyghens, 75014 Paris

ISBN 2-226-06643-8

Toute ma gratitude au Dr. Antony Chennells, de l'Université du Zimbabwe, pour son aide, sa patience, sa générosité, l'intensité de son attachement au Zimbabwe et sa connaissance de l'histoire de l'Afrique australe. Ma gratitude, aussi, pour avoir pu puiser dans sa bibliothèque et ses documents sur les tout premiers jours du pays.

Merci infiniment aux membres du Book Team du Community Publishing Programme, lancé par le ministère de la Communauté et de la Coopération. Le Livre des Femmes, le troisième de la série, est publié conjointement avec le ministère des Affaires politiques.

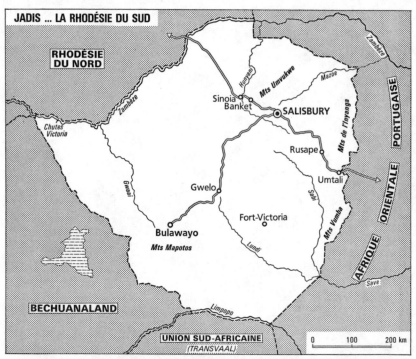

JADIS ... LA RHODÉSIE DU SUD

RHODÉSIE
DU NORD

Zambèze

Chutes
Victoria

Hunyani

Mts Umvukwe

Mazoe

Sinoia
Banket
SALISBURY

Gwaai

Rusape

Mts de l'Inyanga

Umtali

Gwelo

Sabi

Fort-Victoria

Bulawayo

Mts Mapotos

Mts Vumba

Lundi

AFRIQUE ORIENTALE PORTUGAISE

Save

BECHUANALAND

Limpopo

UNION SUD-AFRICAINE
(TRANSVAAL)

0   100   200 km

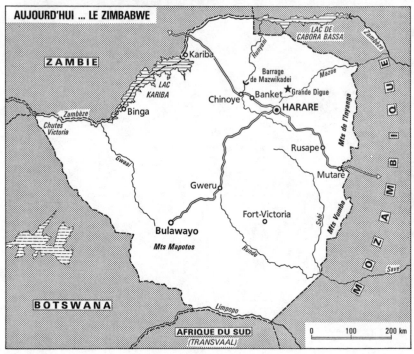

AUJOURD'HUI ... LE ZIMBABWE

ZAMBIE

LAC DE
CABORA BASSA

Zambèze

Kariba

Hunyani

Barrage
de Mazwikadei

Mazoe

LAC
KARIBA

Chinoye
Banket
★ Grande Digue

HARARE

Zambèze

Chutes
Victoria

Binga

Gwaai

Mts de l'Inyanga

Rusape

Mutare

Gweru

Sabi

Fort-Victoria

Bulawayo

Mts Mapotos

Runde

Mts Vumba

M O Z A M B I Q U E

Save

BOTSWANA

Limpopo

AFRIQUE DU SUD
(TRANSVAAL)

0   100   200 km

Parce que nous avons la mémoire courte, le climat présent nous paraît normal. Comme si un homme qui avait plusieurs milliers de pages sous les yeux — en réalité, les pages du temps terrestre — lisait l'ultime phrase de la dernière page et déclarait que telle était l'histoire. La glace a reculé, il est vrai, mais le climat mondial n'a pas entièrement rebondi. Nous sommes encore sur l'arête escarpée de l'hiver ou des premiers jours du printemps. La température a atteint des hauteurs modérées. Pareils à des réfugiés, nous avons sommeillé sans mémoire quelques petits millénaires devant le brise-vent d'un roc réchauffé par le soleil. Dans l'hiver de la Laponie européenne, qui jadis régnait au sud, jusqu'en Angleterre, la température était de dix-huit degrés Fahrenheit inférieure à ce qu'elle est aujourd'hui.

A l'échelle du monde, ce froid n'est pas arrivé sans signe annonciateur. Quelque part dans les montagnes d'Afrique et d'Asie, s'amorça la longue baisse des températures du tertiaire. Ce fut, avec le recul, le prélude à la glaciation. On en repère la présence dans l'étendue des herbages et la disparition, dans de vastes régions, des anciens brouteurs des forêts. Les continents s'élevaient. Nous savons qu'au pliocène, où la trace de l'homme se perd dans l'herbe, l'histoire de l'homme est loin de se résumer à celle d'un chimpanzé tardivement descendu d'un arbre, ainsi que l'ont parfois imaginé nos précurseurs victoriens. C'est une histoire dont nous sommes encore loin d'avoir démêlé les complications.

Loren EISELEY, *The Unexpected Universe*

Alors

1982

De bonne heure, le lendemain matin, nous laissâmes le fleuve pour traverser une région dont le paysage était fort joli — le plus pittoresque que j'eusse jamais vu, ou peu s'en fallait. Collines et vallées, cours d'eau et rivières, herbes et arbres — tout se mêlait pour offrir une diversité de panoramas des plus charmantes.

Le major Johnson et moi ouvrions la route, précédant le chariot de quelques pas et, lorsque nous arrivâmes au sommet d'une petite colline, nous nous arrêtâmes pour attendre Mr. Rhodes et le Dr. Jameson. Je fus tellement saisi par la beauté du pays que je décidai d'installer les fermes, que Mr. Venter et moi-même devions avoir au Mashonaland, au pied de cette colline. Mr. Rhodes eut tôt fait de deviner mes pensées, car lorsqu'il vint vers notre voiture, il me dit, avant que j'eusse proféré le moindre mot :

« Ne me dites rien, De Waal, et je m'en vais vous dire pourquoi vous avez arrêté la voiture et m'avez attendu !

— Eh bien pourquoi ? demandai-je.

— Parce que vous vouliez me dire que vous avez choisi cet endroit pour votre ferme et celle de Venter.

— Exactement, répliquai-je, vous avez deviné juste.

— Eh bien, dit-il, je parlais à l'instant à mes amis de la grandeur du site, et je leur disais ma certitude que vous ne passeriez point votre chemin sans en désirer une tranche. »

Mr. Rhodes demande alors à Mr. Duncan, l'ingénieur géographe en chef du Mashonaland, qui était précisément avec nous, d'y mesurer deux fermes, l'une pour Mr. Venter, l'autre pour moi. Je suis certain que la propriété foncière en cette région du pays sera sous peu fort précieuse, surtout quand passera la voie de chemin de fer — ça ne saurait tarder — de Beira à Salisbury.

D. C. DE WAAL, *With Rhodes in Mashonaland*

17

Ce passage décrit les environs de Rusape, sur la route de Salisbury et d'Umtali. Les voyages dont il est question eurent lieu en 1890 et en 1891, pendant l'Occupation, mais avant la conquête militaire.

UN PEU D'HISTOIRE

La Rhodésie du Sud était un pays en forme de bouclier au milieu de la carte d'Afrique australe, et elle était rose vif parce que Cecil Rhodes avait dit que la carte de l'Afrique devait être peinte en rouge du Cap jusqu'au Caire, en signe extérieur de sa bienheureuse allégeance à l'Empire britannique. Le cœur d'hommes et de femmes sans nombre répondit avec une ferveur idéaliste à son clairon, parce qu'il allait sans dire qu'il était bon pour l'Afrique, comme pour qui que ce soit, de devenir britannique. A ce stade, il serait sans doute utile de se demander lequel des idéalismes qui font battre plus vite notre cœur paraîtra pervers d'ici une centaine d'années.

En 1890, un petit peu plus de cent ans avant que je n'écrive ce livre, la Colonne des Pionniers arrivait dans les plaines herbeuses à mille cinq cents mètres au-dessus de la mer lointaine : un pays sec avec quelques rares habitants. Les cent quatre-vingts hommes, et quelques policiers, en avaient fait la douloureuse expérience, pour avoir parcouru plusieurs centaines de kilomètres depuis Le Cap à travers un paysage grouillant de fauves et d'autochtones que l'on prenait pour des sauvages. Ils s'aventuraient dans l'inconnu, car tandis que les explorateurs, les chasseurs et les missionnaires étaient venus par ici, les *homesteaders* — ceux qui comptaient s'implanter — n'en avaient pas fait autant. Ils s'étaient lancés dans l'aventure au nom de l'Empire, pour Cecil Rhodes dont ils savaient que c'était un grand homme, pour la reine, et parce qu'ils étaient de la race des pionniers, de ceux qui voient chaque horizon comme un défi. Bientôt s'éleva une ville avec des banques, des églises, un hôpital, des écoles et, bien sûr, de ces hôtels dont, aujourd'hui comme hier, les bars n'ont pas moins d'importance que les chambres. Ce fut Salisbury, une ville blanche, britannique dans son ambiance, son atmosphère et ses mœurs.

Les Africains observèrent la progression de la Colonne des Pionniers et rirent, dit la Chronique, au spectacle de ces Blancs trempés de sueur dans leurs habits épais. Un an plus tard arrivèrent mère Patrick et sa bande de dominicaines, avec leurs habits noirs et blancs aussi épais que volumineux. Elles se mirent aussitôt à éduquer les enfants et à soigner les malades. Puis, très vite, vinrent les femmes, tout emmaillotées et alourdies par leurs vêtements. Les respectables victoriennes n'auraient jamais retiré leur col, leur corset ou leur jupon en voyage. Mary Kingsley, ce modèle des explorateurs, s'habilla toujours comme pour aller prendre le thé aussi longtemps qu'elle vécut dans le climat chaud et humide d'Afrique de l'Ouest. Les Africains ne savaient pas qu'ils étaient sur le point de perdre leur pays. Ils consentaient volontiers à céder leur terre quand on les en priait, car l'idée que la terre, notre terre nourricière, puisse appartenir à une personne plutôt qu'à une autre ne faisait pas partie de leur façon de penser. Pour commencer, c'est à peine s'ils prêtèrent attention à ces ridicules envahisseurs, bien que leurs chamanes, hommes et femmes, n'aient pas manqué de les prévenir des temps mauvais. Ils découvrirent bientôt qu'ils avaient bel et bien tout perdu. Il ne servait à rien de partir dans la brousse, car on les y traquait pour les obliger à travailler comme domestiques ou manœuvres et, quand ils refusaient, on les soumettait à ce qu'on appelait une *poll tax* (capitation) ; et quand ils ne payaient pas — et comment l'auraient-ils pu puisque l'argent n'avait point cours chez eux — des soldats et des policiers venaient arme au poing leur expliquer qu'ils devaient gagner de quoi payer l'impôt. Ils devaient aussi écouter des leçons sur la dignité du travail. Cet impôt, modeste somme d'argent du point de vue des Blancs, fut la plus puissante cause de changement dans les anciennes sociétés tribales.

Bientôt les Africains se rebellèrent et furent écrasés. Les conquérants furent brutaux et sans merci. Il n'est rien dont on puisse être fier dans cette parcelle d'histoire britannique, mais le récit de la rébellion Mashona et de son écrasement fut présenté aux petits enfants blancs comme une glorieuse entreprise.

De tout temps et partout, les envahisseurs, forts de leur supériorité technique, ont soumis des pays dans leur quête de terres et de richesses, et les Européens, les Blancs, ne sont jamais que les derniers en date. S'étant réservé les meilleures terres et ayant mis en place un appareil de domination efficace, les Britanniques de Rhodésie du Sud purent se convaincre — comme il est fréquent chez les conquérants — que les populations conquises étaient inférieures, que la tutelle des Blancs était tout à leur avantage, qu'ils ne pouvaient être que les bénéficiaires reconnaissants d'une civilisation supérieure. Les Britanniques étaient ainsi fort satisfaits d'eux-mêmes, en partie parce qu'ils ne se livrèrent jamais à un massacre en bonne et due forme, qu'ils n'essayèrent jamais d'exterminer toute une population indigène, ainsi que le firent les Néo-Zélandais, et comme cela se passe aujourd'hui au Brésil, où l'on massacre des tribus indiennes sous le regard impassible du monde. Jamais ils n'inoculèrent sciemment des maladies, pas plus qu'ils n'eurent recours aux drogues ou à l'alcool pour asseoir leur domination. Au contraire, il y eut toujours des hôpitaux pour les Noirs, et la liqueur de l'homme blanc fut proscrite, car on avait vu le tort que la gnôle avait fait aux populations indigènes d'Amérique du Nord.

Si l'on se demande comment ces hommes, ni plus ni moins intelligents que nous, purent s'accommoder dans leur tête de tant d'éléments incompatibles, on est renvoyé à une interrogation plus générale : comment et pourquoi le faisons-nous tous, souvent sans y prendre garde ? Je me souviens, enfant, d'avoir entendu cette remarque dans la bouche de fermiers, avec cette bonne nature cynique qui est la marque d'une certaine forme de mauvaise conscience : « Un de ces jours, ils vont tous se soulever et nous jeter à la mer. » Cet aveu relevait à n'en pas douter d'une région du cerveau isolée de celle où séjournaient les satisfactions de l'Empire.

En 1900, il y avait donc la Rhodésie du Sud, toute rose vif, à l'intérieur de ses frontières bien délimitées, avec le Mozambique, ou l'Afrique-Orientale portugaise, d'un côté, l'Angola (ou l'Afrique-Occidentale portugaise) et le Protectorat du Bechuanaland (rose) de l'autre, sans oublier, juste au-dessus, la Rhodésie du Nord (rose).

Le Transvaal, théâtre de la guerre des Boers, était au sud.

La même forme aux contours nets est aujourd'hui baptisée Zimbabwe. L'ennui est que ces frontières font peu de cas de l'histoire, notamment de l'influence portugaise, car des négociants, des aventuriers et des explorateurs portugais voyagèrent puis vécurent parfois dans des régions qui furent plus tard badigeonnées en rose. Il n'y avait alors pas de frontières, et si un pays d'Europe avait dû revendiquer le territoire au nom de la préséance, ce n'aurait pu être que le Portugal. Ces histoires se trouvent dans les archives portugaises, beaucoup moins dans les britanniques, et l'on n'enseignait pas le portugais aux écoliers du Monomotapa ou du royaume de Lo Magondi. Pourtant les aventuriers britanniques ne pouvaient guère ignorer que les Portugais étaient là avant eux. Il est certaine vallée merveilleusement fertile encore pleine des citronniers plantés par les Portugais, qui introduisirent également le maïs et d'autres cultures.

Les frontières ignorent aussi l'existence politique pré-européenne des Shonas : par exemple de l'État de Mutapa qui, au XVIe siècle, recouvrait largement le centre du Mozambique.

Le tableau du Mashonaland que l'on présentait sous couvert d'histoire aux héritiers de la Colonne des Pionniers ressemblait à quelque chose comme ceci : Quand nous sommes arrivés, nous les Blancs, nous avons trouvé les Matabélés, une branche des Zoulous. Ils avaient gagné le Nord pour fuir les rois meurtriers des Zoulous, et pris la terre des Mashonas, qu'ils harcelaient et pillaient. Les Mashonas étaient des groupes de clans vaguement apparentés et toujours en mouvement, car ils ne restaient à un endroit donné qu'assez longtemps pour en épuiser le sol et effaroucher les animaux. C'est nous, les Britanniques, qui avons apporté la paix aux Mashonas, en même temps que la civilisation chrétienne.

En fait, les Mashonas étaient des paysans et des mineurs de talent, dont les chercheurs n'étudient qu'aujourd'hui les techniques. Les Britanniques avaient besoin de voir en eux des sauvages ignorants qui devaient tout à leurs conquérants.

Les Britanniques administrèrent des populations butées, mais pas très longtemps, car bientôt, à l'aube des années 1950, des mouvements de résistance commencèrent à se former. A la fin des années 1940, ceux qui, comme moi, s'intéressaient aux possibilités de la résistance noire ne trouvèrent pas grand-chose, bien qu'il y eût « un dangereux agitateur noir », Joshua Nkomo, qui enflammait les foules à Bulawayo par ses talents oratoires, et un certain Benjamin Burombo. Dix ans plus tard, les mouvements nationaux étaient puissants grâce à l'élan reçu d'une notion creuse, la Fédération centre-africaine, dont l'ambition était de réunir la Rhodésie du Nord, le Nyassaland et la Rhodésie du Sud. L'idée de cette Fédération exerçait un attrait irrésistible sur bon nombre d'âmes idéalistes, presque toutes blanches. Il était pourtant bien tentant de réunir des réalités incompatibles. Les deux pays du Nord étaient des protectorats britanniques, et leurs populations noires croyaient bel et bien aux promesses que leur avait faites la reine Victoria, que leurs intérêts seraient toujours prioritaires, que l'on administrerait leur pays pour leur bien. On ne gagne jamais rien à ignorer les possibilités explosives d'émotions aussi « naïves » que celles-ci. Pendant ce temps, la Rhodésie du Sud avait toujours pris modèle sur l'Afrique du Sud, adaptant chaque loi répressive qui y était votée, l'intégrant dans un arsenal oppressif aussi systématique que celui de l'Afrique du Sud. Ceux qui voulaient croire à l'unification de ces trois pays faisaient peu de cas des aspirations des Noirs, et en fait les mouvements nationalistes de Rhodésie du Nord et du Nyassaland (devenus la Zambie et le Malawi à l'indépendance) mirent aussitôt fin à leur projet insensé.

Pendant ce temps, les mouvements nationalistes de Rhodésie du Sud, encouragés par le succès de leurs alliés du Nord, fomentèrent partout des « troubles », avec beaucoup de succès. Dès 1956, je rencontrai deux jeunes hommes, dont on me tut les noms, qui brossèrent le tableau d'une vie clandestine, avec des libelles politiques passés en contrebande, des harcèlements policiers et des arrestations arbitraires, des volées de coups et des emprisonnements. Les gens en parlaient, certes, mais la presse fit le silence sur cette guerre clandestine, encore mineure. Au fil des années 1960, les graffitis sur les murs se firent toujours plus visibles, mais les Blancs, qui n'avaient tiré aucune leçon du Kenya, affectèrent de ne pas les voir. Comme de bien d'autres guerres, on aurait pu faire l'économie de la guerre d'indépendance en Rhodésie du Sud. Les Blancs ne furent jamais plus de deux cent cinquante mille. Et, parmi eux, beaucoup, je crois, pour peu qu'ils eussent été dirigés autrement, eussent accepté un compromis et consenti à partager le pouvoir avec les Noirs. Mais une minorité de Blancs, sous la houlette de Ian Smith, était bien décidée à se battre pour la suprématie blanche. On ne saurait fixer de date précise au commencement de cette guerre, qui fermenta peu à peu jusqu'à devenir l'un des conflits les plus graves de notre temps. Les armées en présence n'opposaient pas franchement les Blancs et les Noirs. Des soldats et des policiers noirs se battaient du côté des Blancs. Loin d'être soudés de prime abord, les Blancs s'unirent à la faveur des passions belliqueuses, et la poignée de ceux qui étaient convaincus que la guerre était une erreur, et qu'il fallait y mettre fin, qu'on ne pouvait pas la gagner (il n'était qu'à regarder ce qui se passait au Mozambique, d'où les Blancs se faisaient chasser à l'issue d'une terrible guerre), étaient la cible d'une haine hystérique, persécutés, brimés, vilipendés. Les Noirs étaient eux aussi divisés à l'infini. Non seulement il y avait plusieurs armées avec des chefs et des idées différents, mais la division régnait au sein des armées elles-mêmes. L'armée de Robert Mugabe n'en était qu'une parmi d'autres, mais c'était la plus extrémiste, d'obédience communiste, ou marxiste, et à mesure que l'on s'enfonçait dans la guerre la plupart des gens pensaient que la majorité des Noirs allaient se rallier à Joshua Nkomo ou à l'évêque Muzorewa, aux modérés ou aux démocrates.

Dans aucun des deux camps, on ne recula devant la cruauté. Les villageois connurent des moments difficiles, car les forces gouvernementales comme les armées noires les punissaient de venir en aide à l'autre camp, alors qu'il leur fallait aider tous les soldats qui se présentaient et les réquisitionnaient. Des foules de villageois furent arrachées à leurs foyers et placées dans l'équivalent de camps de concentration : « pour leur protection », cela va de soi. A peine étaient-ils assez âgés que les jeunes gens, garçons et filles, s'enfuyaient pour rejoindre la guérilla, en Zambie, au Mozambique, voire dans les forêts de la Rhodésie du Sud, car là, au moins, ils ne risquaient pas d'être harcelés, torturés ou massacrés par les troupes gouvernementales. Toute une génération de jeunes Noirs fit ainsi, pour partie, son éducation dans les armées de la guérilla, parfois sur fond de slogans marxistes, mais toujours unis dans la haine des Blancs.

La guerre terminée, on consentit avec indulgence à oublier les atrocités des deux camps, car lorsque la population noire vota — pour la première fois de sa vie — c'est Robert Mugabe qu'elle choisit, qui proclama aussitôt l'avènement d'une société multiraciale et la fin de la haine des races. On sait ce que Samora

Machel du Mozambique (comme d'autres) dit à Robert Mugabe : « Gardez-vous bien de l'erreur que nous avons commise, ne chassez pas les Blancs, parce qu'il ne vous restera qu'une économie dévastée. » La ruine ne fut pas entièrement le fait de la guerre, parce que les Portugais sur le départ s'étaient fait un devoir de brûler et de détruire tout ce qu'ils pouvaient : le même comportement dont nous avons été dernièrement les témoins lorsque Saddam Hussein a été contraint de quitter le Koweït.

La jeune nation du Zimbabwe vit le jour en 1980. Autrement dit, de l'arrivée de la Colonne des Pionniers au pied de la petite colline qui marquerait la naissance de Salisbury, la Kopje, à l'indépendance, il s'était écoulé quatre-vingt-dix années. Quatre-vingt-dix ans, c'est-à-dire rien. A cette époque, pourtant, la culture de cette vaste région — en gros de la taille de l'Espagne — avait été détruite ; la population avait été soumise par la force des armes modernes, de la police et de la propagande ; elle avait fini par se rebeller contre des troupes équipées des armements les plus sophistiqués, et elle avait gagné. Le Zimbabwe devait maintenant entrer de plain-pied dans le monde moderne. La difficulté majeure était la même que celle de toutes les nouvelles nations noires. Le pays manquait d'hommes rompus à l'administration, bien que la Rhodésie du Sud eût mieux réussi que la plupart, en particulier dans l'agriculture, car le Zimbabwe disposait au départ d'un fort contingent d'ouvriers agricoles noirs bien formés. C'est pourquoi, entre autres raisons et à la différence des nations noires qui l'entourent, le Zimbabwe se nourrit et dispose de solides excédents qu'il est fier de vendre en Afrique du Sud ou de donner aux régions faméliques de la Corne de l'Afrique. Malgré tous ses défauts, malgré ses erreurs, et bien qu'il ait dû soutenir le Mozambique, qui est une catastrophe, le Zimbabwe a réussi. Pour aider à maintenir l'ordre au Mozambique, nourrir ses réfugiés, maintenir à flot le pipe-line de Beira, le Zimbabwe, qui est un pays pauvre, dépense plus d'un million de livres par jour. Il a maintenu le Mozambique en vie, alors que l'Afrique du Sud a fait tout son possible pour le détruire. Si l'Afrique du Sud a cessé de chercher à « déstabiliser » ses voisins noirs, les dégâts qu'elle a provoqués ne se cicatriseront pas du jour au lendemain, et les bandes rebelles qu'elle a armées et financées ne se sont pas toutes transformées en bons citoyens, elles continuent à saboter et à détruire. Pour le meilleur ou pour le pire, l'Afrique du Sud domine l'Afrique australe et continuera à le faire : dès 1991, le gouvernement anciennement communiste du Mozambique invita la capitale sud-africaine à soigner et développer le pays délabré.

Comme d'autres jeunes pays noirs, le Zimbabwe a une élite dirigeante corrompue. Celle-ci est loin d'être une classe de voleurs portés à s'excuser. Au contraire, ils sont très fiers d'eux, paradent et étalent leur richesse. Joshua Nkomo qui, comme Robert Mugabe, avait tenté de mettre un frein à la corruption a fini par se rendre à l'évidence de ce qu'il observait tout autour de lui. « J'imagine qu'il nous faut apprendre à être riches comme il nous faut apprendre tout le reste », déclara-t-il dans un discours en 1989.

La première décennie de l'histoire du Zimbabwe fut un tissu de violences et de discordes, contradictoire, exubérante, toujours surprenante. Le pire des chapitres en fut la vague de meurtres et d'incendies criminels des « dissidents » du Matabeleland, censés représenter tous les Ndébélés, la province entière. Les armées de Mugabe firent régner la terreur dans la région, décimèrent les villages sans merci, traitèrent le Matabeleland en province ennemie. Il apparut que les dissidents, que l'on prenait pour une armée de guérilla, n'étaient qu'une poignée de desperados qui, loin de représenter leur peuple, se voyaient refuser l'entrée de leurs villages quand ils retournaient chez eux. « En mémoire de... » quelque incident vieux de plus d'un siècle, du temps où les Matabélés volaient le bétail, incendiaient les récoltes et les cases, prenaient les femmes, annonçaient, dit-on, les troupes du Mashona, pillant, tuant ou opérant des razzias dans le Matabeleland, et ce n'est — peut-être — pas sans signification pour l'avenir.

Quant au meilleur pan de l'histoire du Zimbabwe, c'est la vigueur, l'optimisme, la détermination du peuple. Au retour d'un séjour de plusieurs semaines au Zimbabwe, et vous retrouvant dans les climats agaçants de l'Europe, vous pouvez réaliser que vous avez été nuit et jour avec le peuple, noir et blanc, qui ne parle de rien d'autre que des moyens de faire avancer le Zimbabwe, des idées nouvelles qu'on y peut adopter, et qui s'identifie aux rouages de l'administration et du gouvernement, ce qui veut dire qu'il ne se passe rien qui ne suscite les réactions les plus enflammées, pour ou contre. Ceux qui arrivent au Zimbabwe après le Mozambique, ou la Zambie, où rien ne réussit, où le cynisme empoisonne tout, disent retrouver leur foi en l'Afrique et que, pour une raison ou pour une autre, le Zimbabwe est unique en Afrique du fait de l'énergie créatrice de ses habitants. Ils sont fiers d'eux..., ainsi pouvez-vous entendre un Noir observer au sujet de la Zambie ou du Mozambique : « Ils ne savent pas s'y prendre, nous allons leur montrer. » Cet amour-propre, voire cette présomption, est le prolongement de l'amour d'eux-mêmes et de « leur » pays que cultivaient les Blancs de Rhodésie du Sud, un amour qui se perpétue bien que le pays leur ait échappé. Parlant d'un succès en Afrique du Sud, de quelque chantier nouveau, d'une ferme, vous entendrez cette remarque de Blanc : « Bien sûr les Rhodies du Sud ont toutes les chances de réussir : nous savons nous y prendre. »

Avant l'indépendance, les Blancs étaient tous convaincus que la Rhodésie du Sud était le paradis sur terre, et que leur administration valait mieux que celle de tout autre pays soumis à la domination blanche. Au cours de mon séjour de 1989, je n'ai cessé d'entendre que tel ou tel avait dit (le président Chissano au président Mugabe, notamment) : « Vous avez eu bien de la chance d'avoir les Britanniques, au moins laissent-ils derrière eux une infrastructure décente. »

1982

Quand je retournai dans le pays où j'avais vécu pendant vingt-cinq ans — arrivée enfant de cinq ans, j'en étais repartie jeune femme de trente —, plus de vingt-cinq années s'étaient écoulées. Parce que j'étais une Émigrée Proscrite. Un statut dénué d'ambiguïté, croirait-on : on est un bon citoyen ou un mauvais, proscrit ou non. Mais ce n'était pas si simple. J'étais déjà une Émigrée Proscrite en 1956 mais je n'en savais rien. Jamais il ne me vint à l'esprit que je pouvais l'être : l'impossibilité était un fait psychologique, qui n'avait rien à voir avec les réalités du grand jour. On ne saurait vous interdire la terre où vous avez grandi, ainsi le veut la trame des sensations, des souvenirs, de l'expérience qui vous attachent à ce paysage. En 1956, on me convia au cabinet du Premier ministre. C'était Garfield Todd. S'avançant à grands pas dans un bureau où il se sentait manifestement à l'étroit, bel homme bourru, un peu dans le style d'Abraham Lincoln, il déclara : « J'ai tendu la main sur vous, mon enfant. » Il avait dix ans de plus que moi. J'attribuai sa manière de propriétaire à son passé de missionnaire, et je n'entendis pas vraiment ce qu'il disait : il me souhaitait la bienvenue en Rhodésie du Sud parce qu'il savait que je pouvais faire l'éloge de la Fédération. « Je vous ai laissée entrer... » Je dis qu'il m'était impossible d'approuver la Fédération. Deux heures durant, nous eûmes une discussion véhémente et chaleureuse. Plus tard, je demandai à interviewer lord Malvern qui, sous le nom de Dr. Huggins, avait été notre médecin de famille, et je lui dis que je souhaitais visiter la Rhodésie du Nord et le Nyassaland, alors agité par les émeutes, les dissidents, les troubles sociaux et d'autres manifestations d'une indépendance imminente. « Ah oui, vraiment ! » dit-il. Au cours d'échanges bien moins cordiaux qu'avec Garfield Todd, il déclara : « Je n'allais pas vous laisser troubler nos autochtones. » Je n'entendais toujours pas ce qui se disait. Finalement, il me dit que je pouvais me rendre en Rhodésie du Nord et au Nyassaland pendant deux semaines : « Je suppose que vous n'aurez pas le temps de faire grand mal. » Il va sans dire que j'en fus flattée : ceux qui se voient comme des chroniqueurs et des observateurs sont toujours surpris d'être vus comme des acteurs et des agitateurs. (Ces événements fort anciens ne présentent aujourd'hui quelque intérêt que lorsque j'essaie de m'arranger de l'irrationalité de mes réactions.) Rentrée à Londres, je commençai à me dire qu'il y avait là quelque chose que je pouvais voir. Que j'eusse été proscrite de Rhodésie du Nord et du Nyassaland, des pays où je n'étais jamais allée, ne me touchait pas, mais je n'arrivais pas à « encaisser » d'avoir été proscrite du pays où j'avais grandi. Je priai un avocat de m'accompagner à la Maison de Rhodésie du Sud où un fonctionnaire, rendu grincheux par une situation qu'il jugeait manifestement fausse, déclara : « Nom de nom ! Vous m'avez forcé la main ! » Ainsi me signifia-t-on enfin que j'étais une Émigrée Proscrite. Le Premier ministre Huggins avait décrété de longue date, quand j'étais partie pour rentrer

au pays, qu'il ne fallait pas me laisser troubler ses autochtones [1].
Les choses étant ce qu'elles étaient, j'étais fière d'être
proscrite. Depuis, il est devenu clair que les pays dont les
mobiles sont assez purs pour répondre à l'idée de citoyens du
monde que nous voulons nous donner ne sont pas nombreux.

Je n'avais aucune envie de vivre en Rhodésie du Sud, car si
son climat est idyllique, probablement le meilleur du monde, et
son paysage magnifique, elle était provinciale et ennuyeuse. Je
voulais vivre à Londres. En fait, cette proscription revenait à
m'empêcher de rendre visite à mes parents et à mes amis qui
eux, cependant, pouvaient venir à Londres. Ces considérations
rationnelles n'atteignirent point quelque mystérieuse région de
moi-même qui était visiblement une intarissable source de
larmes, car nuit après nuit je pleurais dans mon sommeil et me
réveillais sachant que j'étais injustement exclue de mon meilleur
moi. Nuit après nuit, le rêve se répétait. J'étais dans la brousse,
ou à Salisbury, mais illégalement, sans papiers. Les « miens » —
je veux dire, les Blancs — avec qui, somme toute, j'avais grandi,
me chassaient du pays sous bonne escorte, tandis que j'étais
invisible à « mon » peuple — les Noirs, les multitudes aimables.
Cela dura des mois. Un jour ou l'autre, la plupart des gens
finissent par comprendre qu'à l'intérieur de notre peau nous ne
sommes pas faits d'une substance uniforme et également distri-
buée, comme une préparation pour gâteaux ou une purée de
pommes de terre, voire du *sadza*[2], mais que nous hébergeons
plutôt diverses entités mal disposées les unes envers les autres. Il
me fallut bien plus de temps pour me poser la vraie question :
quel effet peuvent avoir ces ennemis souterrains sur notre
conduite, sur nos décisions ? Ce lac de larmes aurait-il débordé,
suinté, fui, humectant secrètement ce que je croyais tenir au
sec ?

Je vois aujourd'hui dans ce refus, cette incapacité à « encaisser » mon exclusion, un symptôme de mon infantilisme inné : le
mien, mais aussi celui des habitants des pays privilégiés, des pays
sûrs, car il est de plus en plus de gens dans le monde qui ont dû

---

1. Le Dr. Huggins fut de longues années Premier ministre de Rhodésie du
Sud. Dans le cadre de la Fédération, sous le nom de lord Malvern, il fut
Premier ministre de la Fédération en 1956, tandis que Garfield Todd était
Premier ministre de Rhodésie du Sud.
2. Voir Glossaire en début d'ouvrage.

partir, qui ont été chassés, d'un pays, de la vallée, de la ville qu'ils appellent leur foyer, pour cause de guerre, d'épidémie, de tremblement de terre ou de famine. Ils finissent par revenir, mais ces endroits ont parfois disparu, ils ont été détruits ou érodés ; car si au premier coup d'œil, comme un enfant reconnaît le visage de sa mère après une trop longue absence, tout est comme autrefois, il faut bien admettre peu à peu que les choses ne sont pas les mêmes, qu'il y a des brèches ou des trous, que la substance s'est amenuisée, comme si la lumière qui inondait la rue ou la vallée aimée s'était tarie. Très bientôt, ceux qui auront connu une seule vallée ou une seule ville toute leur vie seront des oiseaux rares, et d'aucuns imaginent même que l'humanité devra quitter la planète avec des projets de retour après un intervalle qui lui permettra de se régénérer, tel un organisme malade ou empoisonné, mais quand elle reviendra après de longues générations, elle trouvera...

AIR ZIMBABWE

En 1982 je réservai une place sur un appareil d'Air Zimbabwe avec des sentiments plus mélangés qu'à l'ordinaire.

Comme je m'asseyais, des émotions déplacées se manifestèrent, beaucoup trop fortes. Pour commencer, les hôtesses étaient noires, chose naguère impossible. Comme la quasi-totalité des passagers étaient blancs, et que ces filles noires n'avaient aucune raison d'attendre de leur part la moindre courtoisie, elles étaient sur la défensive et ne regardaient personne. L'atmosphère était désagréable. J'avais espéré être assise à côté d'un Noir, pour savoir ce qui se disait, mais je me retrouvai à côté d'un Blanc d'une quarantaine d'années, propriétaire de chevaux de race, qui passa son temps à grommeler de manière obsessionnelle contre le nouveau gouvernement noir les dix heures que dura le vol. Ce ton de dépit hargneux ne m'était pas inconnu : aux fêtes d'indépendance de la Zambie, les fonctionnaires blancs d'une administration qui n'avait rien fait pour inculquer aux Noirs le sens des responsabilités égrenaient la liste des exemples d'inefficacité, le visage resplendissant d'une triomphante méchanceté. Je le retrouvais ici. Cet homme affirma haut et fort d'un seul trait que c'était encore le paradis terrestre et qu'il pouvait y élever et y entraîner des chevaux de course à meilleur compte et mieux que partout ailleurs au monde ; sa famille et lui menaient une vie merveilleuse et il ne partirait pour rien au monde — mais le gouvernement noir... J'écoutais d'une oreille distraite, songeant que bientôt, lorsque je me serais acquittée de mon dû envers le monde blanc, je pourrais le quitter et partir à la découverte du nouveau Zimbabwe. En attendant, je pris en grippe cet homme dont l'impatience était identique à celle que j'avais ressentie voilà de longues années, dans ce pays où j'avais grandi. Puéril, gâté, sybarite, vindicatif... oui, il était tout cela, et ils étaient tous comme lui, la plupart d'entre eux du moins, mais de quoi s'agissait-il au juste, et pourquoi fallait-il que je reste impliquée à ce point ?

Tandis qu'il maugréait au sujet des privations dont ils souffraient sur le plan alimentaire, on servit le petit déjeuner : tranches de bacon, œufs brouillés, saucisses, pain grillé, de quoi sustenter des travailleurs agricoles ou des fossoyeurs.

Le petit aéroport n'avait pas changé : c'est à peine si je le vis. Les odeurs, les couleurs de la terre avaient eu raison de moi et de mon équilibre émotionnel. Au bureau de l'immigration, un jeune homme timide, hésitant, inexpérimenté, me demanda si je comptais m'installer ici maintenant : parmi « nos amis », beaucoup trop étaient partis à cause de l'ancien gouvernement. Il s'enquit de mon passeport : parce que j'étais née en Perse, et je lui expliquai que l'on pouvait — vaguement — assimiler la Perse et l'Iran à la Rhodésie du Sud et au Zimbabwe. Lorsque je changeai de l'argent à la banque de l'aéroport, l'employé me demanda si j'étais l'écrivain et me souhaita la bienvenue au nom du Zimbabwe. Je sortis dans l'air sec et parfumé et pleurai. Là m'attendait le jeune homme qui avait conduit la voiture de location jusqu'à l'aéroport. J'étais tellement occupée à rappeler à l'ordre mes conduits lacrymaux que je ne vis guère les rues. Je déposai le jeune homme à la société de location et me garai. Je me retrouvai livrée à moi-même dans les rues de l'agglomération qui avait jadis été ma grande ville.

31

Naturellement, l'ancienne ville de rien du tout avec ses maisons de plain-pied avait disparu... bien que partout des éléments en aient survécu parmi les nouvelles constructions élevées. Qu'est-ce qui n'allait pas ? Quelque chose était... L'atmosphère ? Oui, il faisait froid, hivernal, et sec, et les cieux étincelaient d'un soleil discret. Il n'y avait qu'une poignée de passants à l'entour, et ils marchaient d'un pas lent, sans animation. Des clients étaient assis à la terrasse d'un café, peu nombreux, tous blancs, apparemment sur la défensive. Comme je me promenais, d'humeur plus lugubre à chaque instant, je fus accostée par des mendiants, des blessés de guerre. Ils étaient agressifs et grossiers, agitant des moignons de bras et de jambes, et quand on leur donnait un peu d'argent, ils l'agitaient dans leurs paumes, comme pour le rejeter, pleins de haine. J'entrai dans le bar Meikles. L'hôtel, unique et plein de caractère, avait été démoli pour laisser place à un nouvel hôtel, réplique exacte de plusieurs milliers d'autres à travers la terre entière. Qu' « ils » aient pu détruire le Meikles m'emplit d'une colère impuissante comme nous en éprouvons tous lorsqu'on démolit quelque part des bâtiments. « Eh bien, ce fut une erreur », diront-ils bientôt, avec désinvolture, nous le savons. L'ancien hôtel apparaît sur des photographies épinglées sur les murs du bar. J'avais l'impression de faire partie de ces photos et je me serais volontiers laissée aller à les examiner à la dérobée, à l'affût de visages connus, voire de moi-même jeune femme. Je quittai le Meikles, affligée, et entrai dans une librairie. Le jeune homme qui s'avança se montra si agressif que je sus aussitôt comment les Blancs entraient dans cette boutique. Je demandai des romans et des nouvelles écrits par des auteurs noirs, et il me les trouva sans me regarder une seule fois ni sourire. Je dis que j'étais un écrivain dont il vendait peut-être même les livres, et comme il ne me demanda pas mon nom, je le lui dis. D'abord soupçonneux et sceptique, il devint amical. Il dit qu'il avait lu l'une de mes nouvelles. « Vous revenez vivre ici ? Tous les Blancs qui étaient bons sont partis pendant la guerre. » Je dis que j'étais en visite.

Et qui est-ce que je venais voir ? Des Blancs qui ne voulaient rien entendre et qui, si jamais ils mettaient les pieds dans ce magasin, un magasin de Noirs, se conduiraient comme ils l'avaient toujours fait. Nous nous dîmes au revoir, pleins d'une bienveillance circonspecte, comme si des bombes traînaient dans les parages et pouvaient nous souffler tous les deux au moindre mot déplacé.

Je décidai de quitter Harare. Je n'y avais même pas passé une matinée, mais tout en elle me glaçait, me déprimait, et pas seulement parce que je me faisais l'impression d'un triste spectre.

Je vais dire maintenant de quoi il retournait, bien que ce ne fût ni ce jour-là ni le lendemain que ce diagnostic me sauta aux yeux. C'était une ville qui ne s'était pas encore remise de la guerre. Le pays avait connu plus de dix années d'une guerre qui s'était terminée deux ans plus tôt. Il n'est pas possible de mener ce genre de guerre — une guerre civile — sans que les poisons ne pénètrent profondément. Quand je me rendis au Pakistan pour voir les réfugiés afghans et les moudjahidin, la même atmosphère régnait. Quelque chose a été anéanti ou déchiré au plus profond de ces gens, une colère qui a pris un mauvais tour, qui respire l'amertume, on a peine à croire que cette horreur puisse se produire. Une torpeur, une maussaderie se manifestent dans la lenteur du mouvement, des réactions.

J'allai acheter des fleurs sur la vieille place Cecil, qui doit son nom à la famille Cecil et à lord Salisbury. En vérité, j'avais envie de parler avec les fleuristes. C'étaient tous des hommes, comme il y a bien longtemps, mais plus les mêmes, car ils s'attroupèrent pour me mettre les fleurs sous le nez comme les mendiants avaient agité leurs moignons. Il y avait beaucoup trop de fleuristes, et les temps étaient difficiles, tant les touristes étaient rares, et il leur fallait bien vendre leurs fleurs. Quand je dis non, que deux bouquets suffiraient, les vendeurs qui n'avaient pas eu de chance cédèrent à la colère, à cette même colère non dissimulée, comme patentée, que les mendiants.

Je déposai les fleurs sur la banquette arrière et m'engageai sur la vieille route d'Umtali, à l'est.

La famille allait souvent à Marandellas, qui a repris aujourd'hui le nom de Marondera, de même que le vrai nom d'Umtali eût été Mutare, si les Blancs n'avaient envahi ces régions. Nous n'allions pas à Umtali, car c'était une ville lointaine. Je n'y mis pas les pieds avant l'âge de quinze ans, et Marandellas n'était plus alors qu'une gare routière parmi d'autres le long d'une route où je visitais des fermes, parfois plusieurs semaines durant. Mais dans mon enfance, Marandellas était aux antipodes de notre ferme, qui se trouvait dans le district de Banket, Lomagundi (ou Lo Magondi) à cent douze kilomètres au nord de Salisbury, sur la route de la vallée du Zambèze. Il ne se passait jamais rien sur notre route, hormis la routine excitante des rivières en crue, qui nous obligeaient parfois à patienter quatre ou cinq heures, le temps que les eaux se retirent, avant d'affronter le gué dans lequel l'inondation avait pu creuser des nids-de-poule, de nous embourber dans cette boue rouge épaisse, puis de nous faire pousser sur des branchages fraîchement coupés et disposés en travers du passage, quand nous n'apercevions pas fugitivement des animaux sauvages... « Regarde, une antilope ! » Un koudou, ou un petit troupeau d'élands. Voilà de quoi était faite la trame de la vie ordinaire, et ce que nous tenions pour acquis. Ce n'est que de l'autre côté de Salisbury que le choc et la secousse des impressions nouvelles commençaient, un chatoiement dans l'air, comme des ondes de chaleur mentales, que je savais propres à la route d'Umtali. Marandellas était à quatre-vingts kilomètres environ au sud-est de Salisbury, mais si vous demandez : Qu'est-ce que deux cents kilomètres ? c'est, d'un point de vue pratique, prosaïque. Notre voiture était une Overland, contemporaine des premières Ford, que l'on sort désormais des musées de l'automobile pour tourner dans les films sur la crise des années trente. Elle était d'occasion quand nous l'avions achetée, et elle roulait à vive allure : cinquante kilomètres à l'heure. Ajoutez à cela le caractère de mes parents, et le voyage devenait une véritable épopée, qu'il fallait prévoir et préparer des semaines à l'avance. « Nous ne pouvons pas nous le permettre ! » étaient les mots que l'on entendait le plus souvent à la maison, généralement prononcés d'un air triomphant par mon père à ma mère, histoire de prouver que quelque chose était impossible, en l'occurrence nous offrir une semaine près de Ruzawi au Marandellas Hotel. Mon frère était à l'école de Ruzawi, une école préparatoire à l'anglaise, et le voyage avait pour but de nous permettre de prendre part à une journée de sports, à une journée portes ouvertes, à un match de cricket, dont la réussite se jugeait à l'exactitude de la réplique des festivités comparables dans les écoles préparatoires britanniques! Impossible — Dieu merci! —, mon père n'aurait donc pas à quitter la ferme et à remplacer sa tenue kaki par des habits respectables pour faire un brin de causette avec les autres parents. Car son « Nous ne pouvons pas nous le permettre! » n'était pas un symptôme de mesquinerie, mais plutôt celui du besoin alors le plus pressant en lui, qu'on le laisse rêver en paix.

Mais ma mère triomphait. Sacs de couchage, conserves alimentaires, valises emplissaient l'arrière de la voiture où le « boy » et moi nous faufilions, et nous partions. A la vitesse à laquelle mon père tenait à voyager, il fallait bien trois ou quatre heures pour parcourir les quelque cent dix kilomètres qui nous séparaient de Salisbury. (« Un homme qui doit se servir du frein ne sait pas conduire une voiture. ») Les Packard et les Studebaker nous dépassaient en trombe dans un tourbillon de poussière (c'étaient d'anciennes routes et l'on mordait sur la poussière) car les Ford et les Overland étaient déjà des anachronismes. (« Pourquoi renoncer à sa voiture, quand elle marche encore parfaitement, pour la seule et bonne raison qu'*ils* veulent vous en vendre une nouvelle? ») Le trajet de Banket à Marandellas en un jour, ou une après-midi, fût-ce sur ces routes, était chose facile — pour tout le monde. Nous descendions au vieil hôtel Meikles, mais dans l'annexe, à l'arrière, parce que c'était meilleur marché. Nous faisions un pique-nique dans notre chambre, parce que nous ne pouvions nous offrir la salle à manger de l'hôtel. Après quoi nous prenions un café dans le hall du Meikles, où un orchestre jouait au milieu des palmiers et des colonnes dorées.

Le lendemain matin, la voiture plus pleine à craquer que jamais de vivres, nous prenions de bonne heure la route de Marandellas, afin d'avoir tout le temps de dresser notre campement. Le trajet n'en finissait pas, le besoin de se concentrer sur chaque chose allongeant les kilomètres. C'est le *sandveld*, pas les sols lourds rouges, bruns et rose vif de Banket, et le paysage a un caractère aérien, léger et sec. Les montagnes succèdent aux montagnes le long de la route, mais à des distances qui les colorent en bleu, en mauve, en pourpre, tandis que les abords de la route sont jalonnés de gros blocs de granit uniques au monde ; du moins n'en ai-je vu nulle part ailleurs de semblables, même en photographie. Les blocs surgissent du sol pâle et reposent les uns sur les autres en un équilibre si délicat qu'on a peine à croire qu'un vent fort ne va pas les renverser. Les grandes pierres, d'un gris léger et vif, étincellent quand on s'en approche mais, parsemées et parées de lichens, elles rayonnent de chaleur dans le bleu intense du ciel. Quiconque passe devant se demande depuis combien de temps elles maintiennent cet impossible équilibre et se plaît à imaginer que des géants ont joué avec des galets. « Celle-là, là », me disais-je, gravant dans mon esprit sa forme et sa position exactes, « il se pourrait qu'elle soit tombée la semaine prochaine, quand nous reviendrons. » Mais cette pierre, de la taille d'une case ou d'un baobab, qui ne repose sur la pierre inférieure que sur cinq ou six centimètres carrés, avait défié la gravité, et elle était encore là en 1982, le jour où je filais sur cette route, non pas en direction de Marandellas et d'Umtali, mais vers Marondera et Mutare, après tant d'orages, de vents déchaînés et de coups de foudre ; après un demi-siècle d'histoire et les années de guerre civile : la guerre de libération, la guerre du Bush.

La route grimpait. La route descendait. Elles le font partout, mais jamais de manière aussi marquée que dans ces déplacements à cinquante kilomètres-heure, la voiture peinant jusqu'au sommet d'une crête qu'elle atteint au comble de ses efforts, avant la récompense d'une descente de la vallée en roue libre et l'attaque pénible de la montée suivante, en seconde, parce que la seconde vitesse a quelque chose de solide, de responsable, alors que la quatrième a je ne sais quoi de frivole, voire d'irréfléchi. Chaque crête offrait un nouveau panorama magnifique, et ma mère s'exclamait et attirait notre attention de sa façon bien à elle, où se mêlaient regret et admiration, comme s'il fallait payer en chagrin la rançon de tant de beauté. Pendant ce temps, je me bourrais la tête, comme un album de photos, de ces vues et de ces panoramas qui ne devaient jamais rester figés, mais changeaient au gré du souvenir, ainsi que je le découvrais au voyage

36

suivant. Une « vue » que j'avais crue à jamais fixée avait disparu. Un enroulement de montagnes était plus bas que je n'en avais gardé le souvenir. Un pic s'était avancé et attirait vers lui une moindre colline. Une rivière avait changé de cours et gagné un affluent qui m'avait tout simplement échappé. Peut-être y avait-il bel et bien une « vue » différente et m'étais-je méprise ? Non, parce que *cette* colline-*là,* près de la route, n'avait pas changé, et je m'en étais servi comme point de repère. Si fort que j'eusse peiné sur cette vue, pourtant, j'écarquillais les yeux quand une vision furtive modifiait une perspective ou distrayait mon attention, mon esprit prêt à recevoir et engranger. J'étais engagée dans une lutte avec le temps, et je le savais. J'étais obsédée par le temps, je l'avais toujours été, et mes tout premiers souvenirs sont cette façon que j'avais de me dire : « Retiens bien ceci... ne l'oublie pas » — comme si j'avais eu la conscience innée de ses fourberies et de ses duperies. Quand j'étais toute petite, pas plus de deux ou trois ans peut-être, quelqu'un a dû me dire : « C'est moi qui te le dis, c'est comme ci. » Mais je savais bien, moi, que c'était comme ça. Ils disaient : « *Voici* ce qui s'est passé, *voici* la vérité », mais je savais que ça s'était passé comme *cela,* que la vérité la *voilà.* Je savais bien la vérité et quelqu'un a dû chercher à me persuader du contraire : voilà sans doute ce qui m'a marquée le plus profondément dans mon enfance, car je ne cessais de m'accrocher à ces instants, où je me disais à moi-même : « Souviens-t'en. Souviens-toi de ce qui s'est vraiment passé. Ne t'en laisse pas conter. » Aujourd'hui encore, je conserve une série de petites scènes bien nettes, pareilles à des photographies, ou une mémoire eidétique, dans laquelle je puise. Ainsi, quand je m'évertuais à graver une « vue », une perspective sur une route, ce petit effort n'était que le premier d'une longue liste. Le temps n'était pas moins retors que les adultes, mais pour peu que l'on s'en donnât la peine, on faisait d'un événement, d'un instant, quelque chose de solide, que l'on pouvait revisiter... Est-il toujours là ? Est-il toujours le même ? En attendant, le temps érode, le temps écorne et estompe, le temps dégage des halos bleus, mauves, pourpres et blancs, comme la glace artificielle au théâtre : « Attends, une minute, je ne vois pas. »

Le temps s'égrenait lentement, si l-e-n-t-e-m-e-n-t, il se traînait et rampait, et je savais que j'étais dans le temps de

37

l'enfance, parce que mes parents le disaient. « Quand tu auras notre âge, les années iront au galop ! » Mais à mon âge, chaque jour durait une éternité et j'étais résolue à grandir aussi vite que possible, pour me défaire de l'enfance, de cette impuissance. Je me demande aujourd'hui si ceux à qui l'enfance répugne, qui ont hâte que le temps passe, vivent le temps autrement lorsqu'ils vieillissent : va-t-il plus vite pour nous que pour ceux qui n'ont pas passé des années à lui apprendre à se presser ? Les voyages à Marandellas, qui se renouvelaient deux ou trois fois l'an, étaient une manière de mesurer le chemin parcouru : encore quatre mois d'écoulés, une nouvelle saison de pluies derrière nous, et c'est toute l'année qui est finie — l'an prochain à la même époque paraît bien loin. Les voyages eux-mêmes, lents, laborieux, dont la préparation demandait tant d'efforts à ma mère et qui obligeaient mon père à déployer tant d'énergie pour regarder la vie en face et rester maître de ce satané véhicule (« Nous aurions été beaucoup mieux inspirés d'en rester aux chevaux et de nous servir de nos pieds ! ») étaient à chaque fois une petite vie, lointaine, différente des précédentes, avec sa saveur, ses incidents et ses aventures propres.

« C'est à cette occasion que Mrs. C. nous rendit visite dans notre campement. Je la trouvai un peu dédaigneuse. Eh bien, je crois que nous sommes les mieux lotis : vous ne passeriez pas toute la nuit à la belle étoile si vous étiez au Marandellas Hotel ! » Ou, « C'est la fois où notre *boy* — comment s'appelait-il ? Reuben ? — (Ces sacrés missionnaires !) — est parti deux jours durant boire de la bière parce qu'il avait rencontré un frère dans le village voisin, et il a resurgi le plus calmement du monde et il a expliqué qu'il n'avait pas revu son frère depuis cinq ans. Son frère, mon œil ! Pour autant que j'en puisse juger, le premier quidam venu qui croise leur chemin est toujours un frère. » « Allons, allons, vieille branche, sois honnête ! La deuxième personne qui croise leur chemin est toujours un frère — tu te souviens de cette lettre dans le *Rhodesia Herald* ? Ils ont un système de parenté différent. Et de toute façon, nous nous en sortons très bien sans domestiques, n'est-ce pas ? De toute façon, je ne vois vraiment pas de quelle utilité peut nous être un boy en voyage. » « C'est une question de principe », répondait ma mère, furieuse. Mais ce qu'elle ne disait pas, ce qu'elle ne pouvait dire, et que seul a jamais dit son visage à sa place, comme celui d'une fillette injustement punie : « Pour toi, c'est très bien comme ça ! Qui prépare les repas, met les bagages dans la voiture et déballe tout, qui trouve le campement, installe le couchage et s'occupe des enfants ? Ce n'est pas toi, jamais toi ! Bien entendu, ce n'est pas sur moi que l'on compte pour s'occuper de tout, toujours ? » Eh oui, c'était sur elle ; et comme toujours, elle s'acquittait de sa tâche.

Une fois à Marandellas, nous quittions la route principale qui conduisait à Umtali et traversions la petite ville bien entretenue avec ses jardins, ses jacarandas et ses tritomes, avant de suivre sur quelques kilomètres la route de Ruzawi. La brousse était pleine, ici, de *kopjes* rocailleuses et de petits cours d'eau. La terre sablonneuse étincelait. Bien avant d'arriver à l'école, nous trouvions un endroit parmi les *musasas,* encore assez près de la route pour qu'on l'aperçût. Le « boy » coupait des branches pour faire une clôture de sept mètres sur sept, mais arrondie, dans l'esprit du pays. Cette barrière de feuillages était censée tenir en respect les léopards qui, quoique menacés, subsistaient encore dans leurs repaires des collines. Nous aurions pu aussi bien nous installer sous les arbres sans cette barricade car le moindre léopard digne de ce nom aurait pu la sauter en un éclair pour s'emparer de l'un de nous. Non, les murs étaient l'expression d'autre chose : il s'agissait moins de nous protéger que de serrer les rangs, étrangers en pays étranger. Mes parents avaient besoin de se sentir entourés par ces branchages. A peine plus âgé, en revanche, mon frère partait des jours durant à l'aventure dans la brousse, seul ou avec le fils du Noir qui nous préparait la cuisine et il dormait, comme cela se pratiquait alors et se pratique encore aujourd'hui, enroulé dans une couverture près du feu.

A l'intérieur de ce *boma,* on installait cinq petites plates-formes d'herbe fraîche — longue, verte et pleine de sève ou longue, jaune et sèche, au gré des saisons — sur lesquelles on étalait nos couchages. Mon frère avait l'autorisation de quitter l'école et de passer une nuit ou deux avec nous. Et mes parents ont toujours insisté pour que le Noir dormît avec nous, en sécurité, à l'intérieur du *lager.*

Cela n'allait pas sans illogismes ni incohérences de toutes sortes, mais j'y étais habituée, et ne les remis en cause que bien plus tard. Reuben (ou Isaiah, Jacob, Simon, Abraham, Sixpence

[Six-sous] ou Tickie — car ils ne restaient jamais bien longtemps) faisait son petit feu, hors du *boma,* sur lequel il préparait sa bouillie de maïs, mais il mangeait aussi la même chose que nous : bacon, œufs, steaks, gâteaux, pain et confiture. La nuit, tandis qu'assis autour du grand feu nous regardions les flammèches s'envoler en tourbillonnant vers les arbres et les étoiles, il nous tournait le dos et s'appuyait à un arbre pour regarder son feu, plus modeste. Plus tard, alors que nous étions en pyjama sous nos couvertures, on l'appelait et il s'enveloppait à son tour dans ses couvertures pour s'allonger, toujours en nous tournant le dos, les yeux braqués sur la paroi de branchages. Le matin de bonne heure, à notre réveil, il était déjà debout : son feu était allumé et il était assis à côté, une couverture sur les épaules ; il portait tout ce qu'il possédait : une chemise en lambeaux, un short et un tricot que mon père avait mis au rebut. Les matinées pouvaient être glaciales et la gelée creusait parfois le contour des feuilles de gerçures de glace. Dans notre région, bien plus chaude, il gelait rarement.

Plus tard, je devais me demander ce que pensait cet homme, que l'on emmenait dans cet étonnant voyage en voiture (rares étaient ses pareils qui en avaient fait l'expérience) dans un coin du pays trop reculé pour qu'il pût songer s'y rendre en temps ordinaire, à des jours et des jours de marche, avec la famille des Blancs qui choisissaient — brièvement — de vivre à la manière de son peuple, s'exclamant à chaque instant que c'était merveilleux, tout en conservant leurs habitudes comme s'ils n'avaient pas quitté leurs pénates. Ils ne manquaient pas d'enfiler des habits spéciaux pour dormir. Ils passaient leur temps à se laver à l'aide d'une bassine en émail blanc installée sur une caisse à savon placée sous un arbre. Et ils n'arrêtaient pas de manger, exactement comme tous les Blancs. « Ils mangent tout le temps, ne manquerait-il pas de faire savoir aux siens. A peine ont-ils fini un repas qu'ils se mettent à préparer le prochain. »

Aujourd'hui je m'étonne surtout, avec le chagrin impuissant que tant d'entre nous conçoivent de ce temps-là, quand nous nous souvenons de la destruction des animaux et des plantes, de l'abattage incessant des rameaux et des arbrisseaux. Quand nous quittions un site, nous prenions soin d'enfouir les détritus, mais restait le gâchis des branchages alentour, que nous retrouvions tel quel quelques mois plus tard, alors que nous nous apprêtions à dresser une nouvelle clôture de jeunes rameaux. Au-dessus de nos brasiers déchaînés, les feuilles flétries demeuraient suspendues, grises et fragiles. En ce temps-là, la brousse, le gibier, les oiseaux semblaient en nombre illimité. Peu de temps avant de quitter la Rhodésie du Sud pour venir à Londres, je fus dactylo d'une commission parlementaire sur la maladie du sommeil, qui planchait sur l'éradication de la mouche tsé-tsé et suivait la progression des chasseurs à travers d'immenses régions, massacrant par centaines de milliers les animaux sauvages, les koudous, les antilopes, les *guibs,* les céphalophes, surtout les céphalophes, ces créatures légères et gracieuses aux yeux bruns liquides qui peuplaient jadis la brousse, au point que l'on ne pouvait avancer de quelques pas sans en apercevoir une.

De retour au Zimbabwe après une si longue absence, je m'attendais à toutes sortes de changements, mais il en était un auquel je n'avais pas songé : la faune avait pour l'essentiel disparu. La brousse était quasiment silencieuse. Jadis, le chœur de l'aube blessait les oreilles. Emmaillotés dans nos couvertures sous les arbres du *sandveld* de Marandellas, ou à la maison, dans notre ferme de Banket, les cris stridents, les vociférations et l'exultation des oiseaux au lever du soleil étaient si bruyants que les oreilles semblaient se hérisser et gémir avant que nous nous décidions à nous lever dans le petit matin — il n'y avait rien d'autre à faire — pour participer à tout ce tumulte et ce remueménage. Mais dans les années 1980, le chœur de l'aube était devenu discret. Jadis, à travers la brousse, on apercevait partout des céphalophes, des guibs, des sangliers, des porcs-épics, des fourmiliers ; dressés sur les fourmilières, les koudous tournaient leurs imposantes cornes pour vous examiner avant de s'en aller d'un bond ; les élands se déplaçaient en groupes, comme du bétail. Être dans la brousse, c'était partager la vie des animaux, être des leurs.

La nuit, allongés à l'intérieur de notre cercle de feuillages, nous écoutions les chouettes, les engoulevents, les cris mystérieux des singes. Parfois, des petits yeux étincelaient à travers les arbres au-dessus de nos têtes : un singe ou un chat sauvage observait, comme nous, le feu ronflant dont les flammes, en ce début de soirée, envoyaient leurs brandons jusque dans les branches ; plus tard, lorsque le feu mourait, les flammèches se détachaient, moins nombreuses, et claquaient une à une, comme ces météores que l'on pouvait observer quand le feu s'était éteint. Il nous arrivait encore d'être réveillés par quelque gros animal qui, sidéré de trouver cet obstacle sur son trajet habituel, s'en allait en bondissant dans le silence. Jusque-là chassée par le ronflement du feu, la lune aux formes changeantes s'était maintenant rapprochée et apparaissait à travers les arbres, juste au-dessus de nous.

Tous les soirs, mon père, mon frère et moi luttions pour rester autour du feu, mais ma mère tenait à ce que nous nous mettions au lit de bonne heure, afin que nous soyons frais pour le but qu'elle s'était fixé : la visite de l'école. Car le meilleur à nos yeux — la brousse, les animaux, les oiseaux, les étoiles, le feu — n'était pour elle qu'un pas en avant vers l'instant où elle se retrouverait assise avec les autres parents dans les tribunes pour regarder son fils manier la batte, jouer au bowling, échanger des balles ou disputer des courses avec d'autres petits garçons dans leurs habits blancs tout neufs. Le terrain de sport, une grande surface de terre pâle, s'étendait parmi les eucalyptus. Les bâtiments de l'école étaient de style Cape Colonial, ou Cape Dutch, blancs et bas, avec des tuiles rouges et des volets verts. Tout était propre et ordonné, et il y avait des pelouses vertes à l'anglaise. Je ne me sentais pas chez moi. Parce que je ne me sentais pas chez moi au sein de la bourgeoisie anglaise, qui accomplissait ici ses rituels, comme sur une scène. Je savais dès cette époque que ces gens étaient anachroniques, absurdes et, bien sûr, admirables par leur ténacité. Tels étaient les « gens bien » que ma mère brûlait de retrouver, exilée qu'elle était dans son district de terre rouge au milieu de représentants — elle en était convaincue — de la mauvaise classe. Ici, on nous invitait à déjeuner, à prendre le thé, à souper, avec le maître d'école, et aussi les autres maîtres et maîtresses ; les rituels pouvaient se prolonger des journées durant, suivant des règles strictes. Mais souvent on retrouvait mon père allongé sur le dos à l'ombre des gommiers, et il n'était pas question pour lui de bouger, de céder devant ma mère, scandalisée, blessée, que — comme d'habitude ! — il fît si peu de cas de son objectif, de son ambition, de sa raison d'être. Malgré notre pauvreté, malgré les efforts que nous devions faire, nous, les fermiers, pour nous arracher à cette terrible crise, malgré son désintérêt, nous étions ici, où nous devions être, avec nos pairs, et son fils était sur une voie digne de lui et de nous. « Vas-y donc, ma vieille », disait mon père, allongé sur le dos, les yeux fixés sur les bras blancs et ballants des gommiers verdoyants et le ciel toujours bleu. « Tu aimes ça, pas moi. » Il l'humiliait et il le savait, au point qu'il lui arrivait de se relever, de manœuvrer sa jambe de bois malhabile, pour l'accompagner au thé, au casse-croûte, à une réunion de parents. A moins qu'il ne bougeât pas d'un pouce. Parfois le rejoignaient d'autres pères qui, le voyant allongé là parmi les feuilles odoriférantes et fragiles des gommiers, n'y pouvaient résister, et deux, trois, voire dix pères se retrouvaient alors à scruter le ciel bleu à travers le feuillage, jusqu'à ce que leurs épouses vinssent les rappeler à l'ordre sous le regard ravi ou choqué de leurs enfants, impatients d'entendre ce que leurs mères allaient dire. « Mais qu'est-ce que tu fais là ? Que vont-ils penser de toi ? »

Cet endroit était celui de mon frère, pas le mien. Ruzawi était ce qu'il fallait à ma mère pour lui, l'expression de sa nature la plus profonde, que nous comprenions et admettions, si loin que fussent « l'Angleterre » et le « Home ». Pour moi, il lui fallait le Couvent. De même que Ruzawi, c'était un choix de snob. A mes yeux, ce n'était qu'un endroit sinistre et oppressif, plein de femmes chargées de leurs robes de serge noires et blanches qui sentaient quand il faisait chaud. Je savais, sans trop savoir pourquoi, que c'était un endroit détestable. Puis je grandis et j'y passai cinq ans, qui me firent du mal : je découvre aujourd'hui encore à quel point. Cette loi tacite, ce mystérieux oukase qui interdit aux enfants de répondre aux parents autre chose que « Tout va bien » quand on leur demande : « Eh bien, comment ça s'est passé à l'école, cette fois ? », empêchait mes parents de savoir vraiment ce qu'il en était. Cinq années. Cinq années d'enfant. Qu'est-ce que cinq années, quand on est adulte ? Immergée dans ce temps, le temps conventuel, un temps de nonne, avec des éternités à vivre avant que ne viennent les prochaines vacances, qui étaient une période différente, également longue, sans fin, Dieu merci, où je pouvais être libre et dans la brousse, je sombrais, totalement démunie. Et surtout, mes parents m'abandonnaient. J'avais le mal du pays au point d'être physiquement mal en point : si eux ne le savaient pas, je savais, moi, pourquoi j'étais toujours malade à l'école. Quand je demandais à mon frère comment il se sentait à Ruzawi, il disait que tout allait très bien. Mais les gens qui l'éduquaient n'étaient pas des religieuses, pour la plupart des paysannes du sud de l'Allemagne, des femmes frustrées et ignorantes. Il avait pour enseignants des gens vifs, prosaïques, qui n'accrochaient pas des crucifix avec des hommes torturés qui se contorsionnaient dessus, des images de cœur rouge et charnu tout dégouttant de sang sur les murs des chambres où dormaient les petits enfants : des enfants qui marchaient pendant leur sommeil, qui avaient des cauchemars et mouillaient leurs lits. A l'école, nous étions dans des mondes différents, lui et moi, mais tout au long des vacances, nous vivions dans le même monde. Dans la brousse.

Ou dans le cercle vert du *boma*. Là, il pouvait raconter ses histoires d'école, mais je sentais bien qu'il les inventait surtout pour divertir les parents. Une convention à l'honneur dans cet établissement voulait que l'on racontât les prouesses et les exploits de manière tout à la fois vantarde et modeste. Les prouesses elles-mêmes — escalader des rochers dangereux ou des toits interdits, grimper à des arbres, entrer dans des mares où l'on avait aperçu des crocodiles — n'étaient que vanteries, parce que tout cela était bien téméraire. Mais ses récits n'insistaient pas sur les dangers, car ainsi le voulait la modestie prescrite par l'école. Je retrouvais cette convention dans les livres de la bibliothèque de la ferme : *Stalky and Co.,* Kipling d'une manière générale, Buchan, Sapper, les mémoires des soldats de la Première Guerre mondiale. On pouvait traverser une gorge profonde sur une corde de l'épaisseur d'un cil, se jeter dans le feu pour sauver un camarade ou se faufiler d'une fenêtre à une autre sur la corniche très étroite d'un immeuble de trois étages et en parler à tout le monde, mais il fallait le raconter avec une pointe d'humour et de négligence, et tout était pour le mieux.

J'observais le visage de mon frère tandis qu'il racontait ces histoires — admissibles — de l'école. Il avait la modestie humoristique de rigueur. Mais derrière, se cachait autre chose, une excitation secrète et obstinée, et aussi longtemps qu'il parlait, il n'était pas là, près du feu, il n'était pas parmi nous : il revivait l'instant du danger, le frisson, la tension.

Nous étions tous deux liés par un pacte que je n'ai pas souvenir d'avoir passé, bien qu'il dût l'être : nous devions nous aider mutuellement à ne pas sombrer dans le sommeil, faire front commun contre la détermination de notre mère qui voulait nous voir dormir. Dans ce but nous rapprochions nos deux litières d'herbes odoriférantes, ce qui nous valait des commentaires piquants de la part des parents, car d'ordinaire nous n'étions pas si affectionnés. Nous nous allongions sur le dos pour ne pas manquer un seul instant la lune, les étoiles et les flammèches qui s'envolaient, mais nous avions la tête tournée l'un vers l'autre.

« Je dois rester éveillée, il le faut, il le faut », me répétais-je en luttant contre moi, observant les longs cils bruns de mon frère qui s'abaissaient sur sa joue : je posais ma main sur son épaule, et il se secouait prudemment pour rester éveillé, tandis que je voyais son corps se rouler en boule pour dormir. Je pouvais encore le bousculer une fois, deux fois, peut-être — mais alors il avait sombré, et le matin il m'accusait d'avoir failli dans mon rôle de sentinelle contre le sommeil. Pendant ce temps, j'étais allongée, raide, le visage absorbant le clair de lune, le clair des étoiles, comme étendue pour un bain de nuit. Je savais que d'être ainsi couchée sans toiture pour me séparer du ciel était un cadeau, qu'il ne fallait pas dilapider. Je savais déjà comment le temps vous donnait tout d'une main pour le reprendre de l'autre, car cette lamentation résonnait chaque fois que mes parents parlaient de leur vie. Peut-être ne me serait-il plus jamais donné de coucher à la belle étoile. Sous la véranda — oui, mais apparemment il y avait toujours des moustiquaires et des treillis entre vous et la nuit. Et ça ne devait pas se reproduire. Je ne devais plus jamais dormir à la belle étoile en Afrique, même si cela m'arriva en Europe. J'avais raison de m'efforcer de rester éveillée, mais bientôt je me sentais défaillir, et je m'acharnais, et je voyais ma mère en pyjama penchée au-dessus du feu, qu'elle alimentait dans des gerbes d'étincelles ; pour une fois, son visage n'était pas apprêté pour être vu, mais débordait d'émotions dont je ne voulais pas qu'elles fussent miennes un jour. « Je ne veux pas, je ne veux pas. Ne l'oublie pas, surtout ne l'oublie pas », me répétais-je avec véhémence, en voyant le visage éclairé par le feu de cette forte femme, mais elle avait l'air d'une fillette à qui l'on aurait claqué la porte en plein visage. L'instant devait rejoindre les autres sur une liste d'épisodes que je gardais présents à l'esprit, les passant souvent en revue pour m'assurer qu'ils ne s'estomperaient pas. Et je m'endormais et me réveillais, le soleil, non la lune, en plein visage, mon frère pelotonné comme un chat, ma mère déjà au travail, affairée à plier les couchages, et le

« boy » peut-être encore endormi, qui nous tournait le dos. Ou dans une blancheur épaisse qui, parfois, aux premières lueurs de l'aube, déferlait sur nous à travers les arbres, une brume qui s'attachait à nos cils et à notre peau, et nous faisait tous frissonner tandis que, assis autour du feu ranimé, nous buvions des tasses de thé chaud et parfumé. Cette brume était le *guti* de l'est du pays, et comme on ne voyait jamais rien de pareil par chez nous, elle faisait partie de l'excitation du voyage, une gratification de plus à observer et à accueillir avec joie. Quand il faisait ainsi froid et humide, nous restions assis en attendant que le soleil se lève et dissipe la brume, nous nous serrions autour du feu et ma mère faisait signe à Isaiah — Joshua, Aaron, Matthew, Luke ou John — de quitter son petit brasier pour s'asseoir à portée du nôtre, quoique à un mètre derrière nous peut-être. « Tu vas attraper froid », disait-elle, en se mettant aux petits soins pour lui comme elle le faisait avec nous, le pressant sans cesse de reprendre du thé parfumé. Et puis, toujours subitement semblait-il, la brume se dissipait et nous laissait assis sous un soleil éclatant.

AUTO-STOPPEURS

De Harare, il me fallut deux heures pour rejoindre Marondera, pourtant toute proche ; non que la voiture avançât lentement : c'était au contraire une voiture puissante, qui n'aimait pas être ralentie. Je m'arrêtais sans cesse pour saluer ce point de vue-ci, cet amas-là de pierres roulées en équilibre, voire, à une sortie, une ferme que je fréquentais jadis. Non, le paysage n'avait rien perdu de sa magnificence ni ne s'était rabougri, comme cela arrive, bien que j'eusse vu les déserts de l'Arizona, de la Californie et de l'Australie, que je me fusse plongée dans l'espace et la vacuité de diverses parties du monde. La route continuait à s'enrouler en grimpant dans l'air étincelant et, à peine avait-on atteint la crête d'une montée que les distances bleues se déployaient en montagnes puis en chaînes de montagnes. Mais le paysage avait pris une dimension nouvelle, parce que la guerre s'était terminée depuis deux ans à peine, et je considérais un pays où des armées adverses avaient évolué, souvent secrètement, souvent de nuit, une décennie durant. A cette distance, on ne voit pas les villages, c'est encore, en apparence, une terre vierge, mais uniquement parce que les cases se fondent et se mêlent aux arbres, aux collines et aux vallées.

« Sous aucun prétexte ne prenez des Noirs en auto-stop, c'est dangereux », m'avaient prévenu des amis blancs. Les transports en commun sont mauvais et à chaque arrêt attendaient des foules de Noirs. Pour peu qu'une voiture fît mine de ralentir, ils affluaient en masse, criant et gesticulant. Je me rangeai à un arrêt de bus et la voiture fut aussitôt entourée. Pareille scène eût été impossible dans l'ancienne Rhodésie du Sud, où les Noirs devaient savoir rester à leur place. « Montez », dis-je à un vieil homme qui s'était penché pour scruter le siège vide à côté du mien et, péremptoirement, il fit signe à deux femmes de la foule. Il leur ouvrit la portière pour qu'elles se glissent sur la banquette arrière et il monta à côté de moi. Il fit des gestes de menace à l'intention de la foule, qui exprimait sa bruyante insatisfaction. « Allez-y », me dit-il, sur le même ton péremptoire. J'essayai de nouer la conversation avec lui mais il répondait Oui et Non, ou pas du tout. J'essayai avec les femmes, mais il trancha : « Elles ne comprennent pas ce que vous dites. » Je voyais bien, à leur visage, que ce n'était pas vrai. Je lui dis : « Je reviens dans ce pays après vingt-cinq années. J'ai été élevée à Lomagundi. » Il ne répondit rien, et je me retrouvai sottement désappointée. Qu'avais-je espéré ? Mon intelligence espérait une chose, mes émotions une autre. Au bout d'une quinzaine de kilomètres, il commanda : « Arrêtez ici. » Je m'arrêtai. Je ne voyais pas la moindre construction, aucune route, pas même un sentier, rien que la brousse. Il sortit et s'éloigna, laissant ses femmes le suivre. Elles n'arrivaient pas à actionner la poignée de la portière et s'acharnaient dessus, irritées et courroucées, laissant paraître leurs émotions. Je leur ouvris la porte. Elles sortirent et suivirent leur homme. Mari ? Père ? Il portait un pantalon long kaki et un bon tricot épais. Elles portaient des robes courtes de couleur et des cardigans. Il y a trente ans encore, dans les districts de campagne, cet homme eût sans doute passé une peau d'animal sur ses épaules — singe, léopard ou antilope — et un pagne, un faisceau de javelines à la main. Derrière lui, les femmes dans leur habit traditionnel à motifs bleus eussent porté des récipients

47

en équilibre sur leur tête. L'homme les précédait pour les protéger des ennemis ou des bêtes sauvages. Ces femmes marchaient toujours derrière lorsque tous trois s'enfoncèrent dans la brousse.

Il n'y avait guère de circulation. Le pipe-line qui acheminait le pétrole de Beira à Mutare venait d'être coupé au Mozambique par la Renamo, l'armée de rebelles que soutenait l'Afrique du Sud, et l'on avait du mal à trouver de l'essence. La presse regorgeait d'appels pressants à économiser le carburant. Je ne m'arrêtai plus pour prendre des auto-stoppeurs sur cette portion de route, parce que j'allais bientôt voir mon frère, après tant d'années, et j'avais besoin de toute mon attention.

Aller voir mon frère n'était pas chose aussi simple qu'elle pouvait l'être pour des gens qui ont des relations familiales normales. Normales ? Tout le temps que dura l'Empire britannique (empire éphémère, comme le sont les empires), il était courant que les familles fussent éclatées, un fils ou un frère quelque part à l'armée, des parentes missionnaires (la meilleure amie de ma mère avait une sœur au Japon) ou (comme mon oncle) planteurs de caoutchouc en Malaisie. Tandis que je grandissais dans la brousse, où mes parents étaient si tristement exilés, la famille était en Angleterre : belle-grand-mère, oncles, tantes, cousins. Depuis que je vivais à Londres, la famille était disséminée entre diverses régions d'Afrique australe.

Je puis dire qu'entre mon frère et moi ça n'a jamais marché ou, avec une égale vérité, que ça a toujours collé. Nous ne nous sommes jamais entendus sur rien, mais dès que nous sommes en présence l'un de l'autre (nous sommes parfois restés des années sans nous voir) une mystérieuse intelligence se met en branle. Ce sont les gènes, ai-je lu : on puise dans le même fonds de gènes. De même, lorsqu'on tombe amoureux, apparemment sans rime ni raison, c'est après ses propres gènes récessifs, qui s'incarnent et fleurissent chez une autre personne, que l'on soupire. Un abîme appelle un autre abîme. Aussi vrai que nous ne saurions entendre cette conversation, le stade ultime du narcissisme.

Entre le moment où il quitta la marine et son mariage, nous nous vîmes beaucoup tous les deux, et ce fut notre seule occasion à l'âge adulte. Une année ? Guère plus. Pas longtemps. Si j'avais cessé d'être une vraie croyante, j'étais encore pétrie de grands principes, mais du moins avais-je appris que c'était perdre son temps que d'en discuter. Tout ce que je pensais n'était que sottises, il le savait. Quoi qu'il en soit, il était difficile de discuter, voire de bavarder à bâtons rompus : un coup de canon, pendant la guerre, l'avait rendu sourd, et il opposait au monde un sourire doux, lent, obstiné, empreint de bonne volonté. Notre père était très malade, et nous prîmes l'habitude de nous retrouver dans une maison où un homme mourait à petit feu. Quand je me retourne sur cette époque, je vois tout au ralenti, tout se meut lentement : nous traînassions, nous passions des heures assis au chevet du malade, nous souriions beaucoup. Lorsqu'il était conscient, mon père parlait, parlait encore, parlait même alors, de « sa » guerre, et toujours avec douleur, avec colère. Mon frère ne parlait pas de la sienne.

Depuis trente ans, ou presque, que nous ne nous étions pas revus — et encore brièvement —, en 1956, nous étions demeurés en contact, par des lettres échangées de loin en loin pour donner des nouvelles. Parfois, il m'écrivait sur un ton polémique, certes, mais paternel, par exemple : « Si les communistes comme toi et McCleod pensent pouvoir s'en tirer à bon compte, je crains qu'il ne soit de mon devoir de vous dire que nos Affs sont des gens sensés, qui savent où se trouve leur intérêt. » C'était juste deux mois avant la fin de la guerre et l'élection de Robert Mugabe. (Ian McCleod était un ministre tory.)

De son point de vue, mon existence même était un embarras et le simple fait d'écrire devait lui être difficile. Après tout, la communauté à laquelle il appartenait ne pensait pas grand bien de moi (pour ne pas dire plus). Il m'était dur de lui écrire.

Puis des chercheurs vinrent l'interviewer, en sa qualité de frère de l'écrivain, et il apprit alors qu'il y avait des gens qui pensaient du bien de moi. Sur le plan de l'interview proprement dite, les résultats, je le conçois, ne furent guère satisfaisants. Si l'on m'avait demandé mon avis, j'aurais répondu : Ne perdez pas votre temps. Qui plus est, ce manque de courtoisie m'indisposait. Je reste fidèle à cette idée d'un autre âge, que la vie d'un écrivain lui appartient, du moins jusqu'à l'heure de sa mort. Ce point de vue commence à paraître suranné, sinon excentrique. Je n'étais pas encore d'âge mûr qu'un prétendu biographe se présenta, manifestement certain que je m'empresserais de tout lui raconter de moi. Et si vous n'avez aucune envie de voir paraître une biographie ? Les écrivains qui ont laissé des consignes à cet effet n'ont pas été entendus. Un juge britannique décréta « répugnant » le désir de Philip Larkin que sa vie ne fût pas livrée aux curieux et aux lubriques. Les seules autres personnes que l'on traite comme si leurs désirs ne comptaient pour rien sont les fous. Cette attitude, qui fait des écrivains un gibier de bonne prise, peut rendre la vie difficile à leurs parents. Mon frère avait observé, m'a-t-on dit, que les gens qui venaient le rencontrer avaient une drôle de façon de voir la vie et il avait peur que je fusse en mauvaise compagnie.

Il était peu probable, je le savais, qu'il ait jamais lu un mot de ce que j'avais écrit et, à cette époque, il n'en avait rien fait. Somme toute, il savait bien que j'écrivais de la propagande communiste.

Tout, dans ma vie, devait lui paraître de travers. Hormis pendant la guerre (sa guerre, la Seconde Guerre mondiale) et deux années après la fin des hostilités, il avait passé sa vie dans la brousse. Il se levait à cinq heures ou cinq heures trente, passait la journée dehors et marchait souvent des heures durant, seul. Il était toujours au lit à neuf heures.

Considéré de manière impersonnelle, et force m'avait été de le faire, mon frère ne manquait pas d'intérêt d'un point de vue culturel. Mes parents, qui se voulaient modernes, suivaient le mouvement des idées et les nouveaux écrivains. Les livres des étagères de notre ferme, tous des classiques, n'étaient qu'un aspect des choses. Ma mère avait des idées progressistes en matière d'éducation, elle admirait Ruskin et Montessori. Mon père pouvait citer Shaw et Wells dans la conversation. Les meurtrissures de la vie avaient eu raison de cette couche de culture. Ce qui arrivait à la ferme, tout au long des années 1930, c'était la presse anglaise, et la *Newsletter* de Stephen King Hall. C'était la politique qui les absorbait, et ce à cause de la Première Guerre mondiale et de ses suites, qui suscitaient chez tous deux l'angoisse et la colère, parce que tout était géré en dépit du bon sens en Angleterre et qu'ils se croyaient trahis. Personne ne lisait les livres des étagères, sauf moi. Ils s'abonnaient à des clubs de lecture, mais les paquets de livres qui arrivaient par courrier ne contenaient presque que des mémoires et des histoires de la guerre.

Enfant, mon frère ne lisait pas et, plus tard, il passa sa vie parmi des gens qui ne lisaient pas. En partie parce que certains livres véhiculent des idées, et la plupart des Blancs du *lager* de Rhodésie du Sud ne pouvaient se permettre de prendre en considération des idées susceptibles de bouleverser celle qu'ils se faisaient d'eux, celle de défenseurs de la civilisation, nobles et incompris. Plus tard, il se mit à lire ces livres violents et semi-pornographiques que l'on trouve dans les aéroports. Il me dit qu'en attendant le départ d'un vol, il avait été surpris de voir autant de livres. Il aimait Harold Robbins et surtout Wilbur Smith. Lorsqu'il me rendit visite à Londres, je lui demandai : « Harry, pourquoi ne lis-tu jamais de bons livres ? » — tant j'avais du mal à voir en lui le successeur de mes parents. Mais il releva la tête d'un air éberlué — il était sincèrement éberlué, et il ne comprenait pas la question — et demanda : « De bons livres ? Qu'est-ce que tu entends par là ? »

On aura déjà remarqué que mon frère était en fait sur la même longueur d'onde qu'au moins deux écoles de critique en pointe : celle qui croit qu'il est élitiste de juger qu'un écrivain vaut mieux qu'un autre ; et celle qui prétend qu'il est en tout état de cause impossible de faire la moindre différence entre Goethe, Cervantès, Tolstoï et Barbara Cartland.

« Mais te souviens-tu des livres que nous avions à la ferme ? lui demandai-je.

— Eh bien, tu as toujours été une grosse dévoreuse de bouquins.

— Non, *toi* — tu te souviens de toutes ces bibliothèques et des livres ?

— Je crois bien que oui. Mais ce qui me plaisait, c'était d'aller dans la brousse, tu le sais.

— Tu te souviens que maman nous racontait ces histoires, chaque soir, quand nous étions petits ?

— Ah oui ? Non, je ne me souviens pas.

— Elle inventait des histoires de bêtes et d'oiseaux. Tu te souviens de cette interminable série sur les souris à l'office et leurs aventures ? Et cette histoire de la souris qui bousculait un plateau d'œufs de l'étagère et qui tombait dedans, sur quoi toutes les souris rappliquaient pour la lécher ?

— Non, je ne me souviens pas, désolé.

— Chaque soir, on ne cessait de la supplier : Encore, encore, encore ! »

Il me regarde. Je le regarde.

« De toute façon, dit-il, qu'est-ce qui pourrait être aussi intéressant dans un livre que ce qu'on voit dans la brousse ? Aucun livre au monde ne vaut une heure dans la brousse, à observer ce qui se passe. »

TU TE SOUVIENS ?

Toutes les fermes des Blancs avaient — beaucoup ont encore — de grandes clôtures, Guerre oblige. J'arrêtai la voiture à l'extérieur d'une clôture qui me rappelait des images de camps de prisonniers, quatre bons mètres de haut de mailles serrées. A l'intérieur, deux gros bergers allemands bondissaient et aboyaient, frétillaient de la queue. Je descendis de voiture. A une centaine de mètres à l'intérieur se tenait un solide gaillard grisonnant, que je ne reconnus pas, tandis qu'il se dirigeait vers moi. La dernière fois que j'avais vu mon frère, il était jeune et beau. Il s'arrêta pour me dévisager. Nous nous tenions à distance, le regard inquisiteur, et nos visages confessaient tout.
« Mince ! dit-il.
— *Eh bien* », répondis-je.
Ainsi, j'y étais, j'avais retrouvé la vie des vérandas. Y a-t-il, quelque part au monde, mode de vie plus agréable ? La maison était une enfilade de pièces, côte à côte, avec la cuisine et les offices à l'arrière, et à une extrémité un grand treillis pour couper le vent et soutenir les plantes grimpantes. La véranda couvrait tout l'avant de la maison. C'est mon frère qui avait bâti sa maison, avec le secours d'un maçon noir, l'agrandissant chaque fois qu'il en avait les moyens. Un grand jardin, couvert d'arbustes, descendait jusqu'à la clôture. Nous nous installâmes confortablement dans des fauteuils pour contempler le jardin, où le jardinier promenait son tuyau. Les chiens s'étaient couchés à deux pas. Le thé fut servi aussitôt, apporté par le domestique : la vie des vérandas repose sur les domestiques. De mon temps, *alors,* cette maison aurait compté trois, quatre, voire cinq domestiques, tous sous-payés et sous-employés. Aujourd'hui, un seul domestique suffit à la besogne, généralement un homme, qui cuisine, fait le ménage, organise chaque chose. Il y a un salaire minimum.

Nous nous assîmes, exposés à la forte lumière de l'après-midi, et nous examinâmes l'un l'autre, sans le dissimuler.

« Eh bien, dit enfin Harry, ça nous fait notre affaire, n'est-ce pas, eh bien, la vie, je veux dire.

— On pourrait dire ça », fis-je avec circonspection, songeant que mon père aurait pu dire exactement la même chose, sur ce ton humoristique, philosophe, mais en trouvant une satisfaction à l'inévitable érosion du bien qui — pour une raison ou pour une autre — le justifiait.

« D'une manière, ou d'une autre ça nous fait notre affaire. On a l'air usés.

— La juste usure », ajoutai-je.

Il hocha la tête. « La juste usure est une chose », dit-il, et il me regarda dans les yeux pour s'assurer que je lui prêtais attention. « Je ne crois pas que je vais m'en remettre cette fois-ci. » Sa femme était morte l'année précédente, et l'épreuve avait été rude. « Il faut que je t'en avertisse, ajouta Harry, je ne suis plus l'homme que j'étais. J'ai l'impression qu'une partie de moi est morte, et bien morte.

— D'accord », dis-je.

Entre-temps, j'avais réalisé qu'il y avait du nouveau. Harry était devenu un peu dur d'oreille quand il n'avait pas encore vingt ans. Le coup de canon en Méditerranée n'avait fait qu'aggraver un état déjà assez critique. Pendant un temps, après la guerre, il fut très sourd, malgré une opération par un grand oto-rhino. Il fallait hurler et se contenter de choses simples. Maintenant il avait un appareil auditif efficace. Il parlait à son vrai rythme, dans le style qui était le sien : celui d'un homme circonspect, lent à réagir, mais pas coupé par le silence de ce qu'il voyait autour de lui.

« Quand on est jeune, on se dit qu'on se remettra de tout ce qui nous arrive, dis-je.

— Tu crois ça ? Je ne crois pas l'avoir jamais pensé. Eh bien, il y a des choses dont on ne guérit pas. Il y a des choses qui arrivent... et pas des choses évidentes, d'ailleurs. Je t'ai dit que je suis allé à la ferme ? »

C'était pure rhétorique, comment aurait-il pu me le dire ?

Comme il évoquait la ferme, un *Non* muet me saisit. En 1956, j'aurais pu aller voir la ferme, l'endroit où notre maison s'était dressée sur la colline, mais je conduisais la voiture et n'avais pu me résoudre à donner le coup de volant pour quitter la route principale du nord et m'engager sur la piste qui menait à la ferme. Chaque écrivain a son pays mythique. Celui-ci n'est pas nécessairement l'enfance. J'attribuais l'oukase, le *Non* muet, à la peur de malmener mon mythe, la brousse où j'avais grandi, la vieille maison de terre et d'herbe, les champs autour de la colline, les animaux, les oiseaux. Qui dit mythe ne dit pas nécessairement quelque chose d'inexact, mais un concentré de vérité.

« Tu ne penses pas y retourner ? demande Harry.

— J'y ai pensé, oui.

— Alors, laisse tomber. Je te préviens. Il y a partout des fermes maintenant. Et, dans un premier temps, je n'ai même pas pu retrouver la colline.

— Tu ne trouvais plus la colline ?

— J'ai laissé passer l'embranchement parce que je ne reconnaissais pas la colline. Puis j'ai compris que je m'attendais à voir la vieille maison là-haut et j'ai fait demi-tour. Pour raccourcir une longue histoire, ils ont rasé le sommet de notre colline.

— Rasé...

— Oui. Il y a un plateau là-haut. C'est plat. Dieu sait ce que ça leur a coûté, de la raser et de l'aplanir. »

Je sens l'angoisse m'envahir. Harry me jette un coup d'œil circonspect et hésite.

« Allons-y.

— Très bien, mais ça ne te plaira pas.

— C'était une colline escarpée. Je sais que les choses paraissent énormes aux yeux d'un enfant, mais c'était une colline de bonne taille, n'est-ce pas ? J'aimais m'asseoir à la porte de service et regarder les faucons tournoyer au-dessus du grand champ.

— Et au pied de la colline, il nous fallait passer en seconde pour la montée.

— Et la voiture était tellement inclinée qu'on disait en blaguant qu'elle allait basculer en arrière.

— Et quand on dévalait la colline à bicyclette, on volait si vite...

— Et on dominait tout, les granges, les enclos à bétail, la piste d'Ayreshire.

— C'est toujours le cas, si on regarde en bas, mais attends, ils ont planté des arbres fruitiers et jamais tu ne croirais qu'un jour c'était sauvage, qu'il n'y avait que la brousse. »

Nous nous regardons, horrifiés.

« Des arbres fruitiers ? Qu'est-il arrivé au gros muwanga ? Au bosquet d'acacias ? Tu te souviens, on les appelait les arbres-papillons ? L'arbre-chenille — il était toujours envahi de chenilles, on aurait dit qu'il était feutré et que les cocons étaient dans le feutre...

— Je ne me souviens pas des chenilles. Mais je te l'ai dit, n'y retourne pas. Je ne sais pas l'expliquer, mais ça m'a démoli. Quand je suis rentré de cette excursion, je n'ai pas pu dormir, je n'arrivais pas à m'en remettre. Et tous les animaux sont partis. Les oiseaux sont partis. Je ne cessais de rêver à la vieille maison. Puis Monica est morte. J'ai l'impression que tout a disparu.

— Allons nous promener, maintenant », dis-je.

Ainsi marchons-nous, à travers la brousse, mais la brousse n'est plus maintenant que cette chose qui comble les vides entre les fermes et les exploitations agricoles. C'est une brousse de banlieue.

« Tu ne te dis jamais qu'on avait sacrément de la chance ? demande-t-il.

— Nous habitions l'Eden et nous ne le savions pas.

— Il a disparu à jamais.

— Disparu », et j'entends ma voix, tel un messager qui vient annoncer la défaite.

« Disparu. Mais j'aperçois parfois mon python dans les rochers là-haut. C'est le premier que je vois depuis des années. Il y a tellement de chiens dans les parages qu'ils font passer de mauvais quarts d'heure aux serpents. Ils ont tous disparu. Mais mon python est là. Et il y a deux antilopes, aussi. Parfois, elles rôdent au crépuscule. Et on les voit paître au début de la matinée. Une nuit, je les ai vues paître au clair de lune. Deux antilopes ! Tu te souviens ? On ne pouvait pas faire cinq cents mètres sans en apercevoir une douzaine ? »

Nous nous arrêtons pour regarder l'amas de rochers où vit le python, mais la créature décide de rester invisible.

Puis nous rentrons tristement à la maison, tandis que les chiens courent autour de nous et viennent fourrer leur nez entre nos mains.

« C'est l'heure de prendre un verre », dit-il, de retour sous la véranda. Mais il fait trop froid ici ; nous allons nous installer à l'intérieur, autour d'un grand feu. Il se verse une dose exacte de brandy, avec juste ce qu'il faut d'eau. Il serre sa bouche en regardant ses mains à l'œuvre. Ses mouvements sont lents, réfléchis. Comme mon père. Tout au ralenti.

Il y a un grand repas : soupe, viande et légumes, pudding, fromage. Maintenant, tandis que nous discutons, Tu te souviens, Tu te souviens, nous évitons tous deux un sujet dont nous craignons qu'il ne dissipe cette atmosphère chaleureuse.

« Tu te souviens de cette époque ridicule où tu envisageais de travailler pour une banque ?

— Je travaille dans une *banque !*

— Juste après la guerre. Et pendant un temps tu as même pensé vendre des contrats d'assurance.

— Je vends... Jamais.

— Tu ne te souviens pas que tu es venu me voir et que tu m'as dit que tu préférerais mourir plutôt que de passer ta vie entre quatre murs ?

— Tu en es sûre ?

— Absolument certaine.

— Comme c'est drôle que je ne m'en souvienne pas ! Je crois qu'il y a beaucoup de choses que j'ai oubliées. L'autre jour, quelqu'un est venu me voir et m'en a voulu de ne pas le reconnaître... c'était Jeremy. Tu te souviens de lui ? Il partait en vacances à Madagascar. Il est venu me voir et m'a dit qu'il avait quitté l'hôtel pour aller à l'aventure dans la brousse et qu'il s'était surpris à pleurer. A cause du chant des oiseaux, des papillons. Des insectes. Il m'a dit : " C'était comme la vieille Rhodésie du Sud, du temps où nous étions enfants. Partout la vie sauvage. " Il n'avait pas réalisé à quel point les choses avaient changé. Et ça ne cesse d'empirer. On se dit soudain : Ça fait un moment que je n'ai pas vu tel ou tel oiseau et on réalise qu'il a disparu. Éteint, probablement. Les papillons, dit mon frère d'un ton pitoyable. Les abeilles. Les insectes. Les caméléons. Les lézards. On leur a fait leur affaire à tous, avec nos pulvérisations. Nous détruisons tout, tu vois.

— Tu te souviens comme on tirait quand on était petits ? Avec la vieille .22 ? Ils t'avaient donné la .22 et tu sortais et tu tirais sur tout ce qui bougeait.

— Jamais je n'aurais fait une chose pareille.

— Quand ils t'ont donné ta première carabine à air comprimé, tu es allé jusqu'au bord de la rivière et tu es rentré avec une taie d'oreiller pleine d'oiseaux.

— Je n'aurais jamais pu faire ça... tu en es sûre ?

— Voyait-on un porc-épic, on le tuait. Un chat sauvage, on le tirait. On tirait sur tout ce qu'on voyait. » Il est tellement navré qu'il ne sait plus où se mettre. « C'est comme ça que nous avons tous appris à tirer, enfants. On tirait sur tout.

— En revanche, on se promenait dans la brousse pour retirer les pièges à oiseaux que plaçaient les indigènes et on détruisait les pièges à gibier.

— Ça, c'était plus tard. Quand nous sommes devenus des repentis. Quand on tirait pour la marmite, juste ce dont nous avions besoin.

— Pourquoi ils ne nous en empêchaient pas, papa et maman ?

— Parce que c'était l'époque qui voulait ça — c'était la fin du Raj, la fin de l'Empire. Les gens de la haute tiraient sur tout ce qui bougeait et les classes moyennes faisaient pareil.

— Mais les Affs tiraient eux aussi les animaux et les oiseaux.

— Ils tuaient pour manger.

— Regarde les gosses noirs aujourd'hui, avec leurs frondes, ils n'épargnent rien.

— Exactement comme nous autrefois. »

Je vois à son regard qu'il conteste ma comparaison entre les enfants blancs et noirs, ce qui ne signifie pas qu'il ne l'a pas remarquée.

« Ce dont je me souviens le mieux c'est quand on partait prendre des photos dans la brousse.

— Quel âge avions-nous ?

— Oh... eh bien... Je ne me souviens pas des choses comme toi ; pas des mêmes choses. Tu en es absolument sûre ?

— Je ne comprends pas pourquoi tu ne t'en souviens pas. Je me souviens de tout sur *cette époque*. J'ai oublié des tas de choses de ma vie, je le sais, parce que les gens me disent : Tu te souviens, et je ne me souviens pas. Ils prennent la mouche.

— Oui, ils prennent la mouche, n'est-ce pas ?

— Mais pas cette époque. »

Nous gardons le silence un bon moment. Harry boit régulièrement et précautionneusement. Jamais je ne trouverais le moindre plaisir à boire ainsi. Une de mes amies fait des recherches universitaires sur les façons de boire. Serait-elle intéressée par un homme qui boit comme s'il prenait un médicament ? Mon père, avant d'être diabétique, buvait un whisky, peut-être deux, comme si un mentor pour nous invisible se tenait près de lui et lui disait : Jusque-là, pas plus loin.

« Si nous avions vraiment été comme un frère et une sœur, si on avait grandi ensemble tout le temps, on aurait une sorte de... paysage partagé. Tu sais, l'un dit : Tu te souviens, et l'autre se souvient, et s'il ne se souvient pas il croit bientôt que si.

— J'imagine que nous n'avons pas été frère et sœur, pas vraiment.

— Non.

— Eh bien, dit-il, avec une circonspection mâtinée d'humour, je n'ai jamais eu autant de plaisir à te voir, ces dernières années.

— Moi de même », dis-je. Plaisamment.

« Mais tu ne te portes pas si mal, j'imagine. C'est drôle, quand on ne voit pas quelqu'un pendant longtemps, on se met à imaginer toutes sortes de choses à son sujet, et ça fait un choc quand... Mais j'imagine que tu as encore de ces drôles d'idées sur — eh bien, sur tout.

— Tu pourrais dire que j'ai mes drôles d'idées. Tu pourrais dire qu'au bout du compte elles n'étaient pas si drôles que ça. »

Sur ce il pique un fard, il est vraiment fâché. C'est le moment critique où la discussion risque de s'échauffer. Je m'empresse d'ajouter : « Aujourd'hui, quand je suis passée par Marandellas, j'ai pensé au temps où on installait notre campement près de l'école. »

Il sourit et hoche la tête, histoire de dire : Eh oui, tu as raison, ne nous laissons pas... Et il dit : « Qui campait ? Quand ? »

Cette fois-ci, je suis vraiment surprise, et remuée. « Tu ne te souviens pas qu'on venait camper là-bas ? Parfois une semaine, ou même dix jours ? Quand tu faisais de la compétition ou des choses comme ça.

— Vraiment ?

— Comment peux-tu ne pas t'en souvenir ? Le meilleur temps de mon enfance... On ne pouvait se permettre de passer une nuit à l'hôtel, encore moins une semaine...

— Une minute, oui, ça me revient. Oui, tu as raison.

— Et l'école te donnait toujours l'autorisation de venir camper, une nuit ou deux, avec nous. »

Il se frotte la nuque avec les mains, d'un air tout à la fois interrogateur et frustré. Je me souvenais du geste : le père, le frère.

« On coupait des branches ou des arbustes pour installer un enclos où on dormait.

— Pour quoi faire ?

— Pour écarter les léopards. »

Il rejette la tête en arrière et rit de bon cœur. C'est un rire franc, juvénile, qui remonte d'une tout autre couche de sa vie. Puis, posément : « On n'aurait pas dû faire ça. Ça ne devait pas faire beaucoup de bien à la brousse.

— Dans le cercle des branches mortes, on laissait l'endroit tout piétiné, et les feuilles brûlées qui pendaient au-dessus du feu.

— Mais comment a-t-on pu ? Pourquoi diable faisait-on des choses pareilles ?

— C'est ainsi que tout le monde faisait à l'époque.

— Eh bien, nous en payons tous le prix aujourd'hui. » Les conversations avec mon frère se terminent souvent ainsi : Je, nous, elle, il, ils, vous... le payez aujourd'hui. Crime et châtiment. Mon frère a toujours été entouré de murs invisibles, avec des panneaux de signalisation, *Forbidden... Non... Entrée interdite... Verboten.* Moi aussi, bien sûr, mais des murs différents, des lieux interdits différents.

« Tu te souviens qu'on avait horreur de dormir parce que c'était si merveilleux de dormir à la belle étoile ?

— Non. Mais c'est merveilleux de dormir à la belle étoile. Dans la guerre du Bush, c'était la meilleure chose. Bien sûr, j'étais trop vieux pour me battre correctement, mais quand on patrouillait, on passait souvent la nuit dans la brousse.

— Tu te souviens des vieux prospecteurs qui venaient à la ferme ? Ils vivaient tout le temps dans la brousse.

— Bien sûr que je m'en souviens. Une chose pareille, ça ne s'oublie pas. Peut-être est-ce ce que j'aurais dû faire. Je me demande souvent si j'ai mené ma vie comme je l'aurais dû. J'aurais dû aller dans la brousse.

— Mais tu y es allé, dans la brousse.

— Non, pas vraiment. Ils avaient une gamelle pour l'or, un fusil et une couverture. Ils vivaient de la brousse.

— Et la plupart d'entre eux mouraient de malaria ou d'hématurie.

— C'est très bien comme ça. Qu'est-ce qu'on en a à faire de la mort ? Moi, rien.

— Tu te souviens que beaucoup n'étaient pas des prospecteurs ordinaires ? Il y avait des gars qui avaient perdu leur boulot au cours de la crise, les femmes prenaient un travail en ville où elles pouvaient garder les enfants, généralement intendantes, ménagères ou quelque chose comme ça, et ils allaient vivre dans la brousse en attendant que les choses s'améliorent.

— Non. Mais ce n'est pas idiot. C'était bien pour eux.

— Je suis sûre que papa aurait été heureux de vivre dans la brousse, s'il n'avait pas été tout le temps aussi malade. Tu te souviens à quel point il en avait par-dessus la tête des mondanités, les jours de compétition ; il s'allongeait sous les eucalyptus bleus et regardait le ciel. Maman était hors d'elle et disait qu'il faisait faux bond à la compagnie. Et tu étais gêné toi aussi.

— Moi, pas du tout. J'aurais jamais pu. Je fais toujours ça dans la brousse. Je m'allonge sur le dos pour regarder le ciel. Au bout de quelques minutes, les oiseaux et les animaux — eh bien, les oiseaux et les animaux qui restent — ils t'oublient complètement. Tu pourrais être un caillou ou un buisson. Une fois, un cobra jaune est passé à un mètre cinquante. Il n'a pas fait attention à moi.

— Tu te souviens... ?

— Non. Et tu ne te souviens pas comment... ?

— Non.

— Et vraiment tu ne te souviens pas du jour où... ?

— Non, je ne m'en souviens pas, j'en ai bien peur. »

A neuf heures, Harry déclara qu'il allait se coucher. Il avait bu la dose exacte qu'il lui fallait pour dormir. Il avait le sommeil agité ces derniers jours, dit-il. Il n'allait pas rester éveillé en remuant toutes ces pensées dans sa tête... le médecin lui avait fait une ordonnance, mais il n'allait pas prendre toutes ces cochonneries de médicaments. Le brandy était bien meilleur.

Je lui dis que je ne me couchais jamais avant minuit ou une heure du matin. « Tu te mettras ici, dit-il. Tu n'as qu'à regarder la télévision si ça te dit... mais les Affs, ils ne savent pas faire marcher quoi que ce soit, encore moins la télévision. » Il me fixait, debout sur le pas de la porte, un verre à la main, son pouce juste au-dessus du niveau du brandy, comme pour mémoire. Il ne souffrait pas de remettre à plus tard ce qui lui avait trotté par la tête pendant que nous discutions, et qui ne m'avait pas quitté non plus, et il y alla alors de son monologue, d'une voix chaude, courroucée, frustrée et amère, et c'était exactement la même chose que j'avais entendue la veille, en avion, dans la bouche de l'éleveur de chevaux de course.

« Tes chers Africains, quelle est la première chose qu'ils font ? Ils prennent *notre* Palais du Gouvernement et installent le président Banana, *Banana,* quel nom, et il ne s'est pas passé une semaine avant que des poulets ne courent dans les jardins, *nos* jardins, et que ses amis et ses relations campent sur place, comme dans un kraal. La nouveauté c'est qu'on a entouré l'endroit d'une haute barrière. Le petit commis de la ferme voisine, mais il a Sauté le Pas maintenant, il y allait et il lançait du grain aux poulets à travers la grille et il gloussait bruyamment, foutus paysans, des paysans dans le Palais du Gouvernement. Et Mugabe, *le Camarade* Mugabe, il circule en cortège avec des gardes armés, et si quelqu'un sort du rang un peu vivement, ils le descendent. *Nos* Premiers ministres à nous n'avaient pas besoin de circuler en cortège avec des escortes en armes, ils n'avaient rien à craindre. Et inefficaces... ils ne sont bons à rien... oui, et ce n'est pas tout. » Il est intarissable. « Ils sont inférieurs à nous, un point c'est tout, conclut-il.

— Certaines personnes pourraient trouver plutôt émouvant et même merveilleux que le premier président noir, au moment de s'installer dans le Palais du Gouvernement, c'est-à-dire dans le symbole de l'ancien régime, indique clairement qu'il ne va pas s'élever au-dessus du peuple. Des paysans. Il fait savoir qu'il garde des poulets et que tout le monde peut venir, dans le style africain...

— Personne ne s'y risquerait aujourd'hui. Il est entouré de barrières de sécurité et de gardes armés de kalachnikovs.

— Tu ne crois pas qu'il pourrait y avoir un lien entre les barrières de sécurité et les voyous blancs qui se présentent pour se moquer et crier des menaces ? Tu ne crois pas que Mugabe circule en cortège parce que les gens comme toi lui trancheraient la gorge à la première occasion ?

— Des *voyous ?*

— Des voyous. »

Il me dévisage.

Je le dévisage.

Il partit se coucher. Je sortis dans l'obscurité glacée du jardin et restai là, debout, un bon moment, espérant qu'au-delà de la barrière de sécurité j'apercevrais la vague silhouette d'une antilope courant au clair des étoiles. Mais les chiens se tenaient paisiblement à côté de moi, regardant droit devant eux, et il n'y avait rien dans les parages.

A cinq heures trente, nous étions levés, éveillés avec cet agrément dont j'avais de longue date perdu le goût, le thé du petit matin. A sept heures, nous nous trouvâmes assis devant un petit déjeuner anglais à l'ancienne que nous servit Joseph, un charmant et souriant jeune homme qui avait déjà demandé s'il pouvait venir à Londres et travailler chez moi comme employé de maison. Je lui dis que nous n'avions pas de domestiques : seuls en ont une poignée de riches. Il me fixa d'un air piteux, parce qu'il avait envie de vivre à Londres, où les rues sont pavées d'or. Mais alors : « Qui travaille pour vous ? Qui nettoie votre maison ? Qui fait votre cuisine ? » Quand je lui répondis que la plupart des gens faisaient leur ménage eux-mêmes ainsi que leur cuisine, il hocha la tête en signe de désapprobation.

Harry se montra de méchante humeur au cours du petit déjeuner et j'eus droit une fois de plus au Monologue. Je savais maintenant que j'y aurais droit à maintes reprises au cours de ce voyage. Les gens de la même espèce disent toujours les mêmes choses, souvent avec les mêmes expressions. C'est à ce mécanisme que s'en remettent les journalistes : interrogez deux ou trois personnes et vous savez ce que tout le monde dit. (De la même façon, si vous voulez savoir ce que l'on pense dans le monde des lettres, à Londres, il suffit de passer une demi-heure avec l'un de ses représentants pour savoir quels écrivains sont dans le coup, quels écrivains sont dépassés, et les mots exacts employés pour ces arrêts de l'esprit collectif.)

Harry était de méchante humeur à cause de ses affaires, une fabrique de tableaux en plumes et d'articles divers, tels que des boutons et des porte-clés en corne de bœuf. Ça marchait bien avant l'indépendance, mais maintenant, avec tant de clients qui étaient partis — ils avaient Sauté le Pas —, les affaires allaient cahin-caha. Des filles noires venaient travailler d'un village agricole voisin. Apparemment, il y avait une agitatrice parmi elles, elle les faisait toutes partir, et pourtant les filles avaient obtenu ce qu'elles demandaient. Elles amenaient leurs bébés et leurs petits enfants au travail, elles allaient et venaient suivant leur bon plaisir... non, tout cela était impossible, il était ravi de « sauter le pas ».

D'où venait cette expression ? Les Blancs qui quittaient la Rhodésie du Sud, ou ensuite le Zimbabwe, pour la République[1], « sautaient le pas »[2].

Mon frère était prêt à quitter cette charmante maison, qu'il avait construite avec un maçon noir, un bon gars — c'était un plaisir de travailler avec lui —, à quitter ce grand jardin, qu'avait aménagé sa défunte épouse, à quitter ce district, où il avait vécu le plus clair de sa vie, pour un niveau de vie plus modeste dans la République, non seulement parce qu'il avait une fille là-bas, mais aussi parce que ça lui fichait des crampes d'estomac de vivre sous un pouvoir noir.

« Et maintenant il va falloir que je supporte que leur foutu inspecteur du travail vienne me dire ce que j'ai à faire. Je dois me soumettre à la décision qu'*il* juge bon de me signifier. Je dois faire ce qu'*il* dit. »

L'inspecteur du travail arriva après le petit déjeuner. Il était à bicyclette. Mon frère l'invita à s'asseoir d'un ton froid et formel. Jamais ça n'aurait pu se passer dans l'ancien temps. Nous nous assîmes tous trois sous la véranda et Joseph servit le thé. Il échangea avec l'inspecteur des salutations dans le style shona.

« Bonjour.

— Bonjour.

— Vous avez bien dormi ?

— J'ai bien dormi si vous avez bien dormi.

— J'ai bien dormi.

— Alors j'ai bien dormi. »

L'inspecteur du travail était un homme de trente-cinq ans environ, un solide gaillard avec ce drôle d'air que lui imposait ce travail, qui consistait essentiellement à traiter avec des Blancs difficiles, déraisonnables, injustes et parfois grossiers.

Mon frère ne cessa de rouspéter contre les filles qui ne comprenaient rien à l'obligation de donner une journée de

1. Appellation courante de l'Afrique du Sud.
2. Littéralement : « prenaient le trou » : *Took the Gap*.

travail en contrepartie d'une journée de salaire, et contre l'agitatrice qui faisait des autres ce qu'elle voulait.

L'inspecteur écouta assis. Quand mon frère dut se lever pour répondre au téléphone, je l'interrogeai sur son travail. Il avait reçu une formation agricole sous les Blancs, en même temps que des centaines d'autres : la politique consistait alors à former des spécialistes noirs pour travailler dans les Zones d'achat indigènes et les Réserves — non, c'est ainsi qu'on les appelait, elles portent aujourd'hui des noms différents —, heureusement pour ce gouvernement, parce qu'il était débordé de travail, tous les conseillers culturels et les agents étaient débordés de travail, ils n'étaient pas assez nombreux. Il faudrait deux ou trois ans, expliqua-t-il, pour former les spécialistes dont le Zimbabwe avait besoin. « Bien sûr, dis-je, personne ne va vous accabler de reproches si ça prend plus longtemps ? » Soudain, un regard direct, reconnaissant en moi une amie, non une ennemie. Il fit la grimace, hocha la tête et rit. « De toute façon, ils nous font des reproches », déclara-t-il pour répondre vraiment à ma question. « Vous trouvez ce travail difficile ? » A quoi il me répondit d'un ton convenu : « Je fais de mon mieux, madame. »

Il partit au village à bicyclette pour parler aux filles tandis que mon frère grommelait que cet inspecteur du travail ou ce « je-ne-sais-quoi » prendrait bien entendu leur parti. Deux heures plus tard, l'homme revint. Le plateau de thé refit son apparition. Il pensait avoir trouvé le fin mot de l'affaire, mais il voulait d'abord jeter un coup d'œil sur les livres de paye. Les lèvres serrées, Harry apporta les livres. L'homme les éplucha pendant près d'une demi-heure avant de les refermer d'un coup sec et de rendre son verdict. « Les filles m'ont dit que vous ne les aviez pas payées, mais je vois que si, monsieur. Alors je vous recommande de renvoyer Mary... (l'agitatrice)..., mais vous devriez aussi renvoyer Sarah. C'est d'elle que viennent tous les problèmes. Vous vous êtes trompé, monsieur. Mary fait ce que lui dit Sarah. Je leur ai dit que lorsqu'elles trouveront du travail ailleurs, je les aurai à l'œil. »

Puis il repartit sur sa bicyclette. Il nous dit qu'il allait visiter une ferme où une femme en accusait une autre de lui avoir jeté le mauvais œil. Du coup, il y avait eu des bagarres parmi les ouvriers agricoles.

« Tu entends ça ? Le mauvais œil ! Voilà avec quoi nous

devons nous battre... et ces sottes ne trouveront de travail nulle part, parce qu'il n'y a pas de travail. Elles se mordront les doigts de m'avoir enquiquiné quand elles se rendront compte qu'elles ne trouvent pas de travail. Avec tous ceux parmi nous qui " sautent le pas ", il y a de moins en moins de travail.

— Tu n'es pas content de la manière dont l'affaire a été réglée ? demandai-je.

— Allons déjeuner. »

Un copieux repas de viande et de légumes, pommes de terre en robe de chambre, salades, pudding, fromage et biscuits.

« Je vois que je vais manger beaucoup trop ici, dis-je. En Angleterre, personne n'engloutit de telles quantités. » Je décrivis l'évolution des habitudes alimentaires des Anglais, les repas à emporter, les snacks, les plats préparés, les congélateurs, les micro-ondes. J'expliquai que nous mangions de la cuisine indienne, de la cuisine chinoise, des pizzas, des pâtes, et des hamburgers américains. « Les vieilles habitudes alimentaires — trois solides repas par jour, le thé du matin et de l'après-midi : c'est fini.

— Comme c'est triste. Je crois qu'on devrait respecter les traditions. »

Après le déjeuner, il dormit une demi-heure, pas une minute de plus, puis nous nous installâmes sous la véranda pour prendre le thé. Les deux bergers allemands se posèrent à côté de nous, l'un aux pieds de mon frère et Sheba, la chienne, aux miens. Elle faisait peine à voir depuis la mort de sa maîtresse. Elle quête l'amour d'une autre femme, et elle espère que ce sera moi. Sa soif d'affection féminine la fait trotter jusqu'à la ferme, à près de deux kilomètres de là, où elle fourre son museau dans la main de la maîtresse de maison et geint, implorant son amour. La femme, qui comprend le malheur du chien, s'assied sous la véranda ou sur la pelouse à côté de Sheba, la cajole et la flatte, jusqu'à ce que Sheba lui lèche la figure et retourne à la maison en trottant. Sheba reste toujours dans l'ombre du gros Sparta, un chien tout en puissance et en intelligence qui, lorsque nous jouons avec eux au jardin, est toujours le premier arrivé à hauteur du bout de bois que l'on a lancé, et peut en ramasser deux, trois ou même quatre dans sa gueule, les jeter en l'air et les rattraper sous nos applaudissements, à la manière d'un jongleur. Sheba ne peut en porter qu'un seul. Sparta est obéissant : assis, couché, au pied ! va chercher, aboie une fois — deux fois — trois fois. Mon frère a dressé Sparta, mais Sheba n'a pas été dressée. Elle meurt d'envie d'être pareille à lui, elle ne le quitte pas des yeux, cherche à savoir comment il fait, tandis que Sparta exécute son numéro.

Mon frère paraissait désemparé face à Sheba, il ne savait comment apaiser la douleur de la chienne, qui est à l'image de la sienne. Mais plus tard, lorsque Sheba s'aperçut qu'aucune femme ne viendrait habiter la maison, elle s'attacha à mon frère et réussit à circonvenir Sparta sur le terrain de l'affection, car son besoin d'être aimée d'une seule personne, son attachement farouche ne pouvaient être égalés. Elle dormait sur le lit de mon frère, ne le quittait jamais d'une semelle, sa tête toujours à portée de sa main, ou s'allongeait sans quitter des yeux son visage. Lorsque mon frère Sauta le Pas, les chiens s'en allèrent avec lui. Mais bientôt Sheba s'emmêla dans un rouleau de fil abandonné à l'extrémité d'une clôture et s'étrangla jusqu'à ce que mort s'ensuive, sous les yeux d'un homme pourtant muni d'une paire de pinces coupantes, un éleveur blanc d'un ranch voisin. Il déclara qu'il ne voulait pas prendre le risque de se faire mordre par un berger allemand.

Plus tard, un voisin téléphona pour dire qu'il était allé chercher le courrier à Marondera mais qu'il n'avait pu acheter le journal : ils avaient tous été vendus. Il y avait eu un « incident » sur la route de Victoria Falls, en direction de Bulawayo. Des Terroristes avaient pris des touristes en otages. « Bien entendu ils ne vont pas nous dire la vérité dans nos canards, observa le voisin. Demandez à votre sœur d'appeler Londres ! » Ce que je fis. Et j'appris que les Terroristes — des hommes de Joshua Nkomo, pensait-on — avaient capturé six touristes, mais relâché trois femmes. Les hommes seraient tués si Mugabe ne libérait pas des hommes de Nkomo qu'il avait jetés en prison.

« Tiens, tu vois, dit Harry, il faut téléphoner en Angleterre pour avoir des informations. »

Qui firent la une de tous les journaux télévisés.

« Tiens, *tu* vois », dis-je.

Mais le Monologue l'avait repris. Je compris alors que les Blancs étaient sous le choc, comme après un accident ou une catastrophe. Je m'en voulais de n'avoir pas perçu plus tôt ce qui eût été prévisible dès avant mon départ de Londres.

Après souper nous discutâmes : bien entendu, j'aurais dû savoir à quoi m'en tenir. L'alcool lui monta un peu à la tête et il parla de l'infériorité innée des Noirs. Je devais découvrir que c'est chose fréquente avec les Blancs lorsqu'ils s'enivrent. Pas avec tous, cependant ; et il est intéressant d'essayer de deviner quel vieux Rhodie se mettra à débiter des propos racistes, car ils peuvent tout aussi bien témoigner d'une admiration désenchantée de type rousseauiste : « Ils valent mieux que nous, vous savez. » Mais certains Blancs se définissent en insistant sur l'infériorité des Noirs. Quelle insécurité profonde, quelle insuffisance dissimule pareille insistance sur l'infériorité des autres ? (En 1991, j'étais assise dans un restaurant londonien en compagnie de Noirs du Zimbabwe qui s'adressaient aux serveurs indiens sur le même ton de mépris froid et insultant qui était naguère celui des pires Blancs envers les Noirs.) Je fis observer qu'il parlait comme si les Blancs de Rhodésie du Sud étaient tous remarquables et estimables, alors qu'il y avait beaucoup de pauvres bougres, sous quelque jour qu'on les considérât. Quand ils étaient bien, ils étaient certes très très bien, habiles, souples, pleins de ressource, mais les autres étaient bornés, inintelligents, respiraient ce genre de suffisance qui ne va de pair qu'avec la stupidité. Ils auraient du mal à trouver du travail ailleurs et les Noirs ne seraient que trop heureux d'en être débarrassés. Harry en fut blessé. Amer et accusateur, il ne pouvait croire que je tienne de tels propos ou que je puisse penser ce que je disais.

Le lendemain matin, nous reçûmes la visite d'amis de Banket, parmi lesquels une femme que nous connaissions dans notre enfance. Une convention en vigueur chez les adultes veut que, s'ils sont amis, leurs enfants doivent l'être également. Nos parents nous envoyaient jouer ensemble, cette fille et moi, quand ils se rendaient visite. Aussitôt nous commençâmes à jouer à Tu Te Souviens, ce jeu si utile quand toute autre conversation est difficile. Je me souvenais que par temps chaud on nous mettait dans une baignoire de fer-blanc à l'ombre d'un gros mûrier et qu'on nous arrosait d'eau fraîche. Les serpents raffolent des mûriers et nous ne cessions de lever les yeux vers les innocents branchages, guettant le glissement furtif de leurs anneaux verts, ou le tremblotement d'une langue. On se faisait toutes les deux taquiner « sans merci », comme l'usage le voulait alors, parce que nous étions rondouillardes. Nous jouions toutes les deux suivant les désirs parentaux, faisant gicler de l'eau et poussant des cris perçants. Elle ne s'en souvenait pas. Ce qu'elle savait, c'était qu'on nous envoyait dans les champs ramasser de « l'herbe de sorcière », ces plantes sauvages qui poussent sur les terres brûlées et qui sont la plaie des paysans. On nous donnait de l'argent de poche, quelques pence, pour chaque botte. « Je ne m'en souviens pas », dis-je, et elle prit un air offensé, comme si je venais de l'insulter. « Mais chaque fois que je pense à toi, je te vois debout dans les champs de millet, une grosse botte d'herbe de sorcière dans les bras. » Elle me tourna le dos et alla s'asseoir à table, sous la véranda. En lui refusant ce souvenir, cette partie d'elle-même, un « joli » souvenir, choisi parmi tant d'autres pour lui permettre de songer agréablement à une amie d'enfance bien décevante, je ne fis que la confirmer dans les sentiments que lui inspirait déjà cette époque décourageante, traîtresse et par-dessus tout inique, qui la dépouillait de tout. Elle et son frère, mon frère et un couple de voisins s'attablèrent autour d'une tasse de thé, puis d'une bière, tout en récitant leurs versions du Monologue. Je m'assis un peu à l'écart, pour lire l'un des romans d'écrivains africains que j'avais achetés deux jours plus tôt. J'étais assise là, à l'écart, plongée dans ma lecture, comme quand j'étais petite... ils étaient réunis autour d'une table, légèrement penchés en avant, la tête enfoncée dans les épaules et sur la défensive, me lançant de temps à autre des regards accusateurs depuis leur petit *lager*. Leurs voix qui faisaient peine à entendre disaient la trahison, le chagrin et l'incompréhension.

Quand ils furent repartis, Harry demanda ce que je lisais, et je l'entretins des bons auteurs africains. Avait-il jamais eu l'idée de les lire ? Il n'en avait jamais entendu parler. S'il les lisait, peut-être comprendrait-il mieux la façon de penser des Africains ? Il dit qu'il comprenait fort bien ce qu'ils pensaient et qu'il ne pouvait pas dire qu'il aimait beaucoup ça. Encouragée par cette pointe d'humour, je lui tendis deux livres. Au cours des jours suivants, je les laissai traîner et lui en lus même un paragraphe ou deux. Il écouta comme il aurait écouté les nouvelles d'un pays étranger.

Je n'eus guère plus de chance avec les ménages blancs que je rencontrai lors de ce voyage. Je n'y trouvai personne qui fût disposé ne serait-ce qu'à ouvrir un roman africain ; je bravais, menaçais quelque interdit soigneusement dissimulé, voire inconscient. *Non,* répondaient tous ces visages, quand je posais la question. Ce sont des livres écrits par vos compatriotes, ils ne vous intéressent même pas ?

Le lendemain nous allâmes faire les boutiques à Marondera. Ce ne fut qu'une longue succession de grognements parce qu'il y avait des vides sur les étagères naguère occupées par des marchandises d'importation. Je fis observer qu'il ne manquait pas de vivres. D'humeur querelleuse, nous nous dirigeâmes vers le bureau de poste, où un attroupement de Blancs tenait conciliabule, le visage fermé, leurs épaules repoussant des balles invisibles. L'endroit fourmillait de Noirs d'excellente humeur qui bavardaient, riaient et s'interpellaient sans qu'aucun ne prêtât attention aux Blancs.

Au retour, nous nous arrêtâmes à un étal en bordure de la route pour acheter des champignons, et le vendeur demanda si nous pouvions déposer sa femme au tournant. De mauvaise grâce, mon frère répondit que oui. La fille, enceinte et chargée d'un nouveau-né, s'assit à côté de moi, qui tenais le volant. Quand nous l'eûmes déposée, Harry ne cessa de répéter : « Mais c'est tout près », phrase qui avait plusieurs couches de sens. Un, que les Africains n'avaient pas, comme nous, perdu l'usage de leurs jambes, ce qui était à la fois un motif d'admiration et un symptôme de leur condition primitive. Deux, qu'il ne voyait vraiment pas pourquoi il transportait gratuitement des gens qui venaient de battre déloyalement son camp dans la Guerre.

Ma désapprobation satisfaite des Blancs qui refusaient de prendre des Noirs en stop devait en prendre un coup, six ans plus tard, quand je découvris que personne, pas plus les « libéraux » que les religieux, les « progressistes » que les « réactionnaires », absolument personne ne prenait en stop qui que ce soit, noir ou blanc, dont le visage ne lui fût déjà familier. C'était trop dangereux : il y avait eu beaucoup trop de vols à main armée, de hold-up, d' « incidents » de toutes sortes.

Nous allâmes prendre le thé du matin dans une autre véranda pleine de chiens superbes et de chats somptueux qu'il nous fallut faire descendre des sièges pour nous asseoir, et j'entendis le Monologue dans la bouche de la femme, puis au déjeuner, qui fut servi par une jeune fille noire portant un costume assez voisin de celui d'une bonne du temps d'Édouard, noir, avec des manchettes et des dentelles blanches. Cette fois c'est le mari qui récita le Monologue. Puis tout le monde ricana du drôle de nom du président Banana.

Nous fîmes le tour du jardin. Là encore, un « boy » — le vieux mot est encore employé — faisait office de jardinier et arrosait une variété de pelouses et d'arbrisseaux et, profitant de ce que ses patrons n'écoutaient pas, il me demanda s'il pouvait venir travailler pour moi, qu'il avait besoin de faire des progrès. Il avait le niveau du certificat d'études et n'était que jardinier parce qu'il n'avait pas encore trouvé de bonne place. Je vis à Londres, dis-je. Il demanda si c'était en Amérique, parce que, si ça l'était, il viendrait travailler pour moi. Je dis que la vie n'était pas toujours facile pour les Noirs en Amérique. Il dit qu'il avait vu des Noirs riches à la télévision et au cinéma, et qu'il voulait être comme eux. Ce qui me ramena trente ans en arrière, en ces temps étranges où je vendais la presse communiste dans certaine banlieue « de couleur » (c'était le mot politiquement correct pour les sang-mêlé) de l'ancienne Salisbury. Tandis que je prônais une opposition éclairée à la domination blanche, je me faisais arrêter à chaque coin de rue par d'ambitieux jeunes gens qui voulaient aller en Amérique, où tout le monde était riche. Je leur donnais d'aimables leçons sur la nécessité de faire passer le bien-être de tous avant l'ambition personnelle. Quelle sainte-nitouche ! Quelle idiote ! Je me vois toujours, jeune femme séduisante mais avant toute chose présomptueuse, dans une robe de coton propre et parfaitement repassée — ce qui était en soi un luxe pour des gens qui vivaient entassés dans des chambres miteuses, au guidon d'une belle bicyclette resplendissante trop coûteuse pour presque tous ceux que je rencontrais et, sur le porte-bagages, des piles de journaux et de brochures plaidant, à des degrés divers, la cause du mécontentement social, dont la seule solution était toujours la révolution.

Le lendemain, Harry me dit qu'il allait m'emmener au Club, à quelques kilomètres de là. Je savais qu'il n'en avait pas envie, mais il dit que ça lui ferait du bien. Depuis la mort de sa femme, il fuyait toutes les mondanités. Mais je ne devais pas en attendre grand-chose. Tant de gens avaient « sauté le pas » que le Club était presque désert. Jadis, il y avait deux cents, trois cents personnes les samedis et les dimanches, et les gens devaient faire la queue sur les courts de tennis ou pour prendre un verre au bar.

Si, si, il allait y aller, il le fallait, il en avait le sentiment : on ne cessait de le relancer, de l'inviter à déjeuner ou à souper, à venir au Club. C'était par gentillesse, il le savait.

Le Club était un bâtiment de briques peu élevé, avec des courts de tennis, un court de squash et un boulodrome. Il semblait que, le week-end précédent, plusieurs voitures pleines de jeunes gens fussent venues de Harare pour une soirée, et d'aucuns étaient encore ici à paresser sous la véranda. Un couple dormait allongé sur le dos, les bras écartés, le visage écarlate. Sur un avant-bras brûlé par le soleil trônait une sauterelle verte contemplative. Les *musasas* hivernaux effeuillés par le froid laissaient planer sur eux une ombre mouvante et mouchetée. Le vent était froid et poussiéreux.

« C'est stupide de se mettre dans un tel état à cause de la boisson, dit Harry d'un ton impérieux avant de crier : Thomas ! Thomas ! »

Un Noir en costume blanc de domestique apparut sur le seuil de la véranda et lui dit calmement : « Bonne après-midi, *sir* », avant de faire le tour des lieux.

« Ils ne devraient pas rester couchés ici de cette façon, ils vont attraper une pneumonie. »

Thomas considéra le couple hébété puis Harry, et ses yeux disaient qu'il n'entrait pas dans ses fonctions de donner une leçon de conduite aux deux jeunes Blancs.

« Y a-t-il une couverture ? Quelque chose à leur mettre dessus ? »

L'homme se retira d'un pas lent et revint les bras chargés de nappes à carreaux, dont mon frère et lui étalèrent plusieurs couches sur les dormeurs.

Parmi les jeunes gens qui avaient la gueule de bois, et dans un style bien différent, il y avait des personnes plus âgées, les vrais habitués du Club, pour l'essentiel des fermiers. Ils n'étaient pas nombreux maintenant, et ils faisaient contre mauvaise fortune bon cœur, avec vaillance. Ils étaient pitoyables.

Harry et moi jouâmes aux boules. Il a toujours été assez bon dans les exercices physiques... la première fois qu'il est monté à bicyclette... la première fois qu'il a touché une balle de cricket... et à peine avait-il aperçu un arbre qu'il y grimpait. Non que je fusse mauvaise, mais la comparaison avec lui me faisait paraître empotée, et telle fut ma réputation toute mon enfance. Je m'aperçus par la suite que c'était loin d'être vrai. Telle est la vie de famille.

Quand il m'eut battue aux boules, quelqu'un lui lança un défi, et je me retirai sous la véranda pour regarder autour de moi. Les salles du Club étaient à moitié vides, pleines des spectres des Blancs disparus. Allaient-elles bientôt se remplir de Noirs ?

À la table voisine se tenait un groupe de fermiers d'âge mûr, qui parlaient de la guerre du Bush. L'un d'eux garda le silence tandis qu'ils discouraient des iniquités des Noirs et récitaient leurs versions du Monologue. C'était un fermier d'une quarantaine d'années. Il se tenait à l'écart des autres, exactement comme moi. Pourtant, il avait pris part à la guerre du Bush. Son silence finit par leur devenir pesant et ils se mirent à le taquiner : ils se voulaient plaisants, mais leurs propos trahissaient la hargne parce qu'il ne s'apprêtait pas à « sauter le pas », comme eux. Il avait décidé de rester au Zimbabwe, de s'accrocher. Il avait consenti un effort d'adaptation psychologique et n'était plus des leurs sans réserve. Il ne semblait pas très heureux : c'étaient ses voisins, sa tribu.

Tandis que le crépuscule embrasait le ciel, mon frère releva un nouveau défi : il avait battu son premier adversaire.

Le groupe de la table voisine se disloqua. L'homme éliminé s'assit et me considéra un temps, puis s'approcha. Il savait que j'étais la sœur de mon frère et que j'avais de drôles d'idées.

« Eh bien, dit-il, je me demande ce que vous pensez de tout ça. »

Ses manières se voulaient amicales, quoique circonspectes. Je résolus de ne pas mâcher mes mots. Il écouta, enfoncé dans son siège, hochant la tête de temps à autre, mais je voyais à ses yeux qu'il opposait à mes propos des scènes ou des événements dont il avait le souvenir, et que les mots que j'employais ne faisaient pas l'affaire. « A chacun son opinion », conclut-il. Puis je dis qu'il y avait des questions que j'avais envie de poser à mon frère, mais que je ne pouvais pas : la guerre du Bush, par exemple, car il se taisait obstinément.

« N'oubliez pas qu'il y a une différence entre sa génération et la nôtre.

— Quelle différence ? »

Il haussa les épaules.

« Vous avez grandi dans ce pays ?

72

— Au Canada.

— Ah, je vois.

— Très bien, que voulez-vous savoir ?

— Par exemple, comment se fait-il que, durant la guerre du Bush, il y ait toujours eu tant de victimes parmi la population civile noire alors qu'on me faisait état que de simples " incidents " ? »

Il réfléchit un instant.

« Très bien, je vais vous raconter un peu ce qui s'est passé. Dans le *Rhodesia Herald,* on lisait : " Un membre des forces de sécurité tué, cinq civils, onze Terroristes ". »

LA GUERRE DU BUSH

Il patrouillait dans la brousse avec cinq autres hommes. Ils parcouraient de vingt-cinq à trente kilomètres la nuit et se planquaient dans la journée. Il était le chef de la patrouille. Chacun portait des vivres pour huit jours.

« J'avais un muesli de ma composition, lait en poudre, avoine, germes de blé, raisins et salami. J'en mangeais une livre par jour, avec une moitié d'oignon. Le matin, si nous ne trouvions pas d'eau potable, nous buvions la rosée dans l'herbe. Le muesli était dans un sac en plastique et c'était bien parce que ça ne faisait pas de bruit : le fer-blanc brinquebale et vous trahit. Chacun préparait sa ration. Le biltong[1] y trouvait naturellement sa place, c'est moi qui vous le dis. Nous aperçûmes deux hommes qui rôdaient autour d'un village. Nous leur trouvâmes un air suspect : probablement des espions des " terrs ". Avec un peu d'exercice, on acquiert un instinct. Nous les retînmes prisonniers. Ainsi nous retrouvâmes-nous huit. Ils ne firent aucune difficulté pour nous accompagner. Nous n'eûmes même pas à leur lier les mains. Ils n'avaient aucune ardeur, ces types, ces pauvres bougres : qu'ils fussent des forces gouvernementales ou des " terrs ", ils écopaient, de toute façon. Puis nous entendîmes les " terrs " qui chantaient leurs hymnes à la liberté dans un village dont nous ignorions l'existence. Un simple coup de veine.

1. Lamelles de viande séchée. *(N.d.T.)*

Ils ne savaient pas que nous étions là, nous le savions. Les différents groupes de " terrs " se racontaient leurs allées et venues, se disaient où nous étions grâce à leurs tambours parlants. En général, nous avions un Aff avec nous qui pouvait nous dire ce que disaient les tambours, mais pas cette fois-là. Pourtant, les " terrs " n'auraient pas chanté à tue-tête s'ils avaient su que nous étions à moins de huit cents mètres de là. Nous laissâmes les deux prisonniers sous la garde de deux hommes. L'un d'eux faisait dans son froc tellement il avait peur. Voilà ce qu'on appelle l'odeur de la peur. »

Les quatre hommes rampèrent jusqu'à la lisière du village à la faveur de l'obscurité. Il faisait froid. Ils se couchèrent dans l'herbe juste assez loin du brasier. Il n'y avait pas de lune. « C'était le truc habituel. Une chanson puis un discours. Puis une chanson et de nouveau un discours. »

L'un des « terrs » était assis sur une charrette à cale, à portée de main des quatre guetteurs, immobiles, s'efforçant de respirer le plus discrètement possible.

« Par chance, il était ivre. Nous regardions les chefs aller et venir d'une case où se trouvait une fille, nous en avions la certitude. Ils se donnaient du bon temps avec elle. Nous l'entendions rire. Ceux qui faisaient les discours les plus longs et les plus enflammés étaient ceux qui restaient le plus longtemps dans la case. J'avais donné l'ordre de ne pas ouvrir le feu avant mon signal. Je savais que ça les démangeait d'y aller, avec tous ces " terrs " gris qui titubaient. J'attendis que la fille sorte de la case pour aller pisser. Puis nous lançâmes tous nos bombes sur la case. Des filles hurlaient et je compris qu'il y en avait d'autres à l'intérieur. L'espace d'une minute, ce fut le branle-bas de combat général. Les " terrs " s'enfuirent dans la brousse. Ils ne savaient pas combien de soldats étaient planqués dans l'obscurité. Il aurait pu s'agir d'un bataillon entier, et pas seulement de quatre hommes. L'un des nôtres fut touché par une balle qui ricocha. Il mourut un peu plus tard. »

Les autres restèrent allongés dans l'herbe et attendirent. Ils ne savaient pas que l'un des leurs était grièvement blessé.

« Il sentait le sang dégouliner, mais il croyait que ce n'était qu'une égratignure. Nous écoutions les gémissements des blessés. Nous n'avions aucune idée de leur nombre. A plusieurs reprises, des grenades explosèrent. Le truc classique, une grenade placée sous un cadavre, ou tenue sous lui par un homme blessé — un geste de kamikaze : on était censés en prendre plein la gueule en le déplaçant. Mais parfois les grenades partaient à contretemps. Quand le jour se leva, il y avait plusieurs morts, y compris des civils, allongés par terre entre les cases, et dans les cases où je croyais qu'il n'y avait qu'une seule fille, il y avait plusieurs " terrs " morts et trois filles mortes. La fille qui était sortie pisser avait la hanche fracassée. Nous lui administrâmes de la morphine et fîmes signe aux fendeurs de bois, qui conduisirent à l'hôpital la fille et notre gars blessé, mais il était bien mort à cette heure. Je suivis la progression de la fille. Il se trouvait qu'elle était enceinte de trois mois. Nous lui donnâmes une nouvelle hanche et elle garda le bébé. Je lui rendis visite à l'hôpital. C'était vraiment une jolie fille. Elle s'était déjà fiancée et elle a eu un autre bébé depuis. De retour à l'endroit où nous attendaient les prisonniers, on les envoya se faire interroger. Puis nous poursuivîmes notre patrouille. Il n'y eut pas d'autre incident, cette fois-là. La semaine suivante, je lus ces deux lignes dans le *Herald* : " Un membre des forces de sécurité tué, cinq civils, onze Terroristes. " Vous avez la réponse à votre question ? » Il avait raconté son histoire d'un ton guilleret, précis et impassible.

Entre-temps, un groupe d'une quinzaine de personnes s'était installé autour d'une table et racontait en plaisantant comment, pendant la préparation de l'élection, on avait dépêché les forces de sécurité en quête de preuves que les « terrs » bafouaient les principes de Lancaster House, avec l'aide des Australiens « qui se méfiaient des Brits autant que nous ». Les forces de sécurité étaient parvenues à se faufiler jusqu'à la lisière des clairières où se rassemblaient les « terrs » et avaient fait des enregistrements. « Nous réunîmes les preuves qu'ils trichaient, mais bien sûr les Brits ne firent rien. »

« Mais nous trichions nous aussi, dit le fermier qui m'avait raconté son histoire. Tout le monde le savait. Nos tricheries et les leurs s'annulaient. » Il rit. Un instant plus tard, les autres riaient avec lui.

Comme Harry et moi regagnions la voiture, les deux jeunes gens de Harare étaient encore étalés de tout leur long sous un arbre, dans l'obscurité. Il faisait froid. Un autre jeune se penchait sur eux, essayant de les réveiller, tandis qu'ils grognaient et se plaignaient, mais sur un ton facétieux.

« On ne voyait jamais de choses pareilles dans l'ancien temps, dit Harry.

— Comment peux-tu dire ça ? demandai-je.

— On savait se tenir, à l'époque.

— Harry, je l'ai connu moi aussi, l'ancien temps, aurais-tu oublié ? Ce n'est que lorsque je suis partie en Angleterre que j'ai compris à quel point nous étions tous portés sur la bouteille. Et tu as bien dû t'en rendre compte toi aussi, quand tu es venu en Angleterre. »

Mais il ne voulait rien entendre de cette nature. En ce temps-là, au temps jadis, *alors,* c'était le paradis, un shangri-la, la perfection perdue.

Arrivés à la clôture de sécurité, impossible de trouver les clés. Pourquoi ne pas aller chercher des tenailles chez les voisins, à quinze cents mètres de là ? demandai-je. L'idée qu'une paire de pinces coupantes était la seule chose qui les séparait des « terrs » ne lui plaisait guère. Non, il allait l'escalader. Un haut fait. J'étais là, et j'étais redevenue la petite fille regardant son frère accomplir des prouesses physiques impossibles, tout en pensant, et en désirant qu'il puisse lire dans mes pensées : Eh bien, nous y *voilà !*

Ce ne fut pas chose facile. Non seulement la clôture était haute mais elle était couronnée d'une section inclinée à trois torons. C'est ce qui l'arrêta. Il se laissa glisser, pesamment, hors de lui, à bout de souffle, la porte de sa forteresse fermée. Il tapa du poing et appela à grands cris le domestique — qui s'était endormi — tandis que le beau Sparta, l'élégante Sheba, défenseurs du lager, aboyaient, bondissaient et couinaient à l'intérieur. Au moment même où nous nous éloignions pour emprunter des tenailles, il trouva la clé. Aussitôt l'humour lui revint et il rit de lui tandis que la grande porte tournait sur ses gonds et que les chiens nous submergeaient de leur affection. Puis la porte fut verrouillée et nous regardâmes à travers la clôture depuis l'intérieur du lager.

Ce soir-là, il demanda de quoi j'avais parlé avec Hugh. Il s'était laissé dire que nous avions eu cette longue conversation. « Nous avons parlé de la guerre du Bush, lui dis-je.

— Pourquoi avais-tu envie de parler de ça ?

— Eh bien, tu ne sembles guère en avoir envie.

— Absurde. » Et il se mit à parler avec circonspection,

76

comme pour une déclaration officielle. « Les hommes de mon âge ne pouvaient se battre pour de bon, quelle déveine ! Nous nous acquittions des tâches de police. On visitait les fermes, pour s'assurer que tout allait bien. Ou on fouillait les villages supposés bien disposés à l'égard des " terrs ". Parfois, nous nous contentions de sillonner les routes dans des camions militaires. Histoire de montrer les dents, tu sais. Souvent on dormait dans la brousse. Oui, bien sûr, j'aimais ça, ça ne te dirait rien ? La brousse, tu sais. De toute manière, vous autres, vous n'y comprenez rien. C'est pour vous que nous nous battions, contre le communisme. Et maintenant regarde ce qui s'est passé. »

Bientôt il se servit un autre brandy, puis un autre — précautionneusement, comme d'habitude —, mais alors ce fut de *sa* guerre qu'il parla, pas de la guerre du Bush, mais de la Seconde Guerre mondiale, comment il s'était trouvé dans le *Repulse* quand il avait été coulé, puis les combats en Méditerranée. Son ton changea. Je le reconnus. Ce dont il avait envie de me parler était terrible, mais il n'allait pas en faire un plat. Comment le pourrait-il ? On l'avait entraîné à n'en rien faire.

« T'ai-je déjà parlé du *Repulse ?*

— Tu n'en parlais pas.

— Ah bon ? C'est drôle. J'y pense tellement. »

Nous voilà partis, au diable les Affs et les « terrs », la guerre du Bush et les Brits si peu glorieux. Voici ce dont il avait envie de parler. *Sa* guerre.

« J'étais tout au fond du navire. C'est là que j'étais quand les Japs nous ont touchés avec leurs bombes. On savait qu'on ne disposait que de quelques minutes avant que le bateau ne s'enfonce. L'eau entrait à flots... Tu savais que le *Repulse* et le *Prince of Wales* étaient réputés insubmersibles ?

— Oui, comme le *Titanic*.

— Oui. C'est drôle comme on continue à le croire... J'étais en bas des marches de descente, tandis que les hommes grimpaient devant moi... les escaliers étaient déjà perpendiculaires. J'étais là, c'est tout. Quelqu'un m'a dit : " Tu ne vas pas grimper, Tayler ? Tu ferais mieux d'y aller. " Je grimpai les escaliers comme un singe et marchai sur le pont incliné pour m'enfoncer dans la mer, et nageai aussi vite que possible. Heureusement pour moi, je suis un bon nageur. Certains des gars ne nageaient pas assez vite. Nous restâmes dans l'eau des heures durant. Elle

77

était pleine de pétrole et de déchets du bateau, et de cadavres qui flottaient. Je suivis le courant. Je dépensais aussi peu d'énergie que possible et gardais le nez et la bouche au-dessus du pétrole. Puis ils sont venus nous tirer de l'eau. Ils disaient qu'il y avait des requins, mais je n'en aperçus aucun. Probablement se tenaient-ils eux aussi à l'écart du pétrole. Voudrais pas être un requin dans cette saleté.

— Eh bien, ce n'était pas très joyeux tout ça, n'est-ce pas ? dis-je, adoptant le mode, ou le ton, requis, ainsi qu'une longue pratique m'y avait habituée.

— Non, dit-il en me dévisageant avec attention pour voir ce que je disais. Non, beaucoup de mes amis se sont noyés, tu sais.

— Oui.

— Et j'ai vraiment eu de la chance de ne pas y passer. Si ce gars n'avait pas dit : Tu ferais mieux d'y aller, Tayler.

— Oui. Et après ?

— Oh, et après ils m'ont retapé et m'ont affecté ailleurs. A Ceylan, c'était. Ils nous ont laissés un bon moment à Ceylan, je crois. Il n'y a pas bien longtemps, j'ai rencontré quelqu'un et il a dit : Ils nous ont laissé un bon moment à Ceylan. J'ai fait semblant de me souvenir, mais je ne me souvenais de rien. Ceylan, pour moi, c'est un blanc. J'y ai été pendant des semaines. Un blanc total. C'est vraiment une drôle de chose, la mémoire... tu racontes des choses... J'y ai beaucoup pensé ces derniers jours... puis après Ceylan il y a eu la Med.

— Et tu y es resté un bon moment.

— Oui, l'*Aurora,* un bon navire, celui-là. Et une belle brochette de gars.

— Et il y a eu ce coup de canon et tu es devenu très sourd.

— Ce n'était rien, d'être sourd je veux dire. Ils m'ont fait une opération, puis ils m'ont donné cet appareil auditif. C'est un miracle, cet appareil auditif. Parfois, j'oublie que j'ai été sourd... »

Long silence. Le feu brûlait dans la cheminée et les chiens étaient couchés de tout leur long, la lumière des flammes jouant sur leur pelage soyeux.

« Non, dit Harry. Ce n'était pas le problème, tu sais... » Une pause. « Ce n'est qu'avec la guerre du Bush que j'ai compris quelque chose à mon propos. J'ai compris soudain que j'avais été engourdi des années et des années. Ce n'est que l'autre jour que

78

je me suis dit : Tu as passé la meilleure part de ta vie engourdi. Pétrifié... » Une pause. « Ce n'était pas une chose très plaisante, de découvrir ça subitement.

— Qu'est-ce qui t'a ouvert les yeux ? Il s'est passé quelque chose de particulier pendant la guerre du Bush ? »

— Quelque chose de ce genre, oui. Ce ne fut pas une partie de plaisir, la guerre du Bush.

— J'avais compris.

— Non. J'observais quelques-uns des jeunes, ceux qui faisaient le sale boulot, tu sais. Je savais quand ils cessaient d'écouter — on le voyait très bien. Je savais, tu comprends, parce que j'avais connu ça. J'avais envie de dire : Non, ne le fais pas, ne fais pas ça, tu n'as pas envie de connaître la vie que j'ai connue. Tu sais, c'est comme de vivre à l'intérieur d'une sorte de cloche de verre. Mais il fallait qu'ils coupent le contact. On ne peut pas voir ses meilleurs amis se faire tailler en pièces puis continuer comme si de rien n'était. Alors maintenant, quand je regarde quelqu'un, je peux dire : je crois que tu as coupé l'allumage, et quantité de " terrs " aussi, ça ne m'étonnerait pas.

— Harry, tu ne trouves pas un peu bizarre d'avoir attendu aujourd'hui pour dire que cette guerre a été une rude épreuve pour toi ?

— Ce n'est pas ce que j'ai dit, protesta-t-il aussitôt. Quantité de gens ont connu bien pire que moi.

— Je ne crois pas que quiconque puisse te reprocher d'exagérer si tu observes que tu as eu une sale guerre. »

Il était muet, l'air de méchante humeur, lugubre, désapprobateur.

« Cette sacrée habitude de ne pas desserrer les lèvres — tu l'as payée cher. »

Il eut l'air sincèrement surpris.

« Je ne sais pas, je ne pense pas qu'il faut faire tout un plat de ce genre de choses.

— Pourquoi pas ? Tu te rends compte, quand je t'interrogeais sur la guerre, comment c'était quand le *Repulse* a coulé, tu disais : Oh, c'était pas trop dur. »

Il garda le silence, puis se mit à parler de son fils. Le fils de mon frère, qui avait sept ans ou peu s'en faut la dernière fois que je l'avais vu, était dans les Selous Scouts. Pour ceux qui ont oublié, disons les choses ainsi : les Blancs du nouveau Zimbabwe ne parlaient pas des Selous Scouts comme les Noirs, ou comme en parlait la presse britannique ; nous savons que la brute et le meurtrier de l'un est le héros de l'autre.

Ce jeune homme, qui s'était distingué dans les scouts, se convertit subitement à un christianisme fondamentaliste, puis se rendit au Texas où il suivit une formation de prédicateur. Il prêchait maintenant aux Noirs et aux Blancs en Afrique du Sud.

« Ça remue sacrément, dit Harry en me regardant d'un drôle d'air.

— Ah, tu veux dire que tu y vas ?

— Je suis allé à certains offices. Très différent de la bonne vieille Église anglicane. Ça vous arrache du sol.

— Littéralement, si j'entends bien. Tu as dansé sur les bas-côtés ?

— Eh bien, juste un petit peu.

— C'est drôle, cette conversion, après ces combats. Reconnais que ce n'était pas très joli, ce qu'il faisait ?

— On peut dire ça, oui. » Une pause. « Une conversion, tu appelles ça ?, dit-il, distrait, tout en se servant un verre et m'en offrant un.

— Oui. Une chose soudaine. Vraiment très fréquente. Les gens qui courent un grand danger, raides de peur, ils se convertissent. Ils trouvent Dieu. Les psychologues connaissent bien.

— C'est intéressant.

— Comme les astronautes.

— Ça se comprend.

— Ou les gens qui viennent de dévisser en haute montagne ou qui ont dérivé sur un petit canot au milieu de l'océan.

— De toute façon, je ne me suis pas converti. Je suis toujours allé à l'église. »

Il boit, lampée sur lampée, mais prudemment. Comme s'il écoutait descendre chaque goulée. Soudain je compris quelque chose : encore une fois, j'aurais pu le voir plus tôt ; rien n'est plus exaspérant : on patauge dans le brouillard puis, tout à coup, on y voit clair. Ce que mon frère et mon père avaient en commun, ce n'étaient pas les gènes : du moins n'étaient-ce pas les gènes qui expliquaient pourquoi tous deux étaient des hommes lents, hésitants, précautionneux, comme prisonniers de leurs rêves, qui semblaient toujours écouter quelque voix prophétique qu'eux seuls pouvaient entendre : tous deux étaient marqués par la guerre. Cette pensée fut pour moi un tel choc, éclairant toutes sortes de vieilles énigmes, de vieilles questions, que je dus la mettre de côté pour l'instant : Harry s'apprêtait manifestement à dire quelque chose de difficile. Ses lèvres faisaient mine d'articuler des mots qu'il écartait à mesure qu'ils lui venaient : ses yeux regardaient à l'intérieur. Il finit par lever la tête et s'obligea à me considérer.

« Tu dis que nous avons passé beaucoup de temps ensemble dans la brousse ?

— Oui, toutes les vacances scolaires, parfois toute la journée. On emportait un bouteille de thé froid et des sandwiches et on restait dehors de l'aube jusqu'au coucher du soleil.

— Après le passage de ce Japonais — un drôle de lascar celui-là — j'ai lu l'une de tes nouvelles.

— Ah bon, qu'est-ce que tu en as pensé ?

— Elle parlait de toi et de moi dans la brousse. Et des chiens. Mais elle m'a vraiment beaucoup touché, cette histoire. Je n'ai pas pu la terminer. Je ne me souvenais de rien, tu comprends.

— Quoi, de rien ?

— Non. Je me suis rendu compte alors que je ne me souvenais plus de grand-chose avant l'âge de onze ou douze ans. Du moins, j'avais beaucoup de souvenirs de l'école, mais aucun de la ferme.

— Rien ?

— Ce qui s'appelle rien.

— Tu ne te souviens pas quand on s'allongeait dans les rochers de Koodoo Hill pour regarder les sangliers — ils n'étaient qu'à quelques pas ? Ou qu'on se cachait dans l'herbe haute à la lisière de Twenty Acres pour regarder les antilopes qui descendaient au crépuscule ? Ou qu'on se planquait dans les arbres pour voir ce qui se passait dans la brousse ?

— Non, vraiment pas, j'en ai bien peur.

— Tu te souviens du jour où une laie, avec ses marcassins, nous a pourchassés jusqu'au pied d'un arbre et que nous lui avons lancé des bouts d'écorce et des feuilles pour la faire déguerpir ? Qu'elle a vraiment essayé de grimper sur nos traces... et que, les pattes appuyées sur le tronc, elle grognait ? Et qu'on riait tellement qu'on a failli dégringoler ? »

Long silence.

« J'ai tiré un trait sur tout ça, n'est-ce pas ?

— On dirait bien.

— Mais il doit y avoir une raison.

— Je crois bien, en effet.

— Toi tu n'en as rien fait, tu t'es souvenue de tout.

— Peut-être avons-nous eu des façons différentes de survivre.

— C'est un mot un peu fort, remarqua-t-il, le regard dur.

— C'est mon mot à moi. »

Assis, il réfléchissait et buvait avec sagesse. « Je te l'ai dit, il y a une chose ou deux que je sais à ce propos... », dit-il enfin. Il gardait maintenant les yeux fixés sur mon visage, comme s'il avait voulu s'assurer que je ne forcerais pas trop la note. « Je vais te dire quelque chose. Si on tire un trait sur des choses, il doit y avoir une raison. Si on a un peu de bon sens, on ne réveille pas un chien qui dort. C'est là que ces messieurs les psychologues se trompent. Dans la guerre du Bush, les choses de l'autre guerre ne cessaient de revenir, mais je n'arrivais pas à comprendre pourquoi j'en étais si remué. Pourquoi ai-je tiré un trait dessus ? Je pourrais dire qu'il y avait là quelque chose d'assez terrible, parce que, si ce n'était pas le cas, pourquoi m'auraient-elles tant remué ? De toute façon, je ne t'ai pas tout raconté et je n'en ferai rien. Il y a des choses qu'il faut taire. Et ne va pas croire que je regrette la guerre du Bush... Je ne vais pas avoir peur de casser ma pipe alors que mon heure approche. J'ai connu ça, enveloppé dans une couverture, à regarder les étoiles, à écouter les chouettes et les engoulevents — ce n'est pas qu'il y en avait beaucoup dans les parages en ce temps-là. Non, je suis ravi de " sauter le pas ". » Il se détourna, parce qu'il avait les yeux pleins de larmes. Il se versa une autre dose, puis me regarda à nouveau. « J'ai visité l'endroit où je vais aller. C'est au Transvaal. On pense que les choses prennent une assez mauvaise tournure ici, dans la brousse, mais là-bas il y a des ranchs immenses avec des kilomètres et des kilomètres d'herbages que les passages trop fréquents du bétail ont rendus fangeux. *Il n'y a pas de brousse.*

— Ce n'est pas idiot d'aller là-bas, puisque tu y tiens plus qu'à toute autre chose.

— Au moins ne serai-je pas forcé de voir la destruction en cours ici, car voilà ce qui se passe.

— C'est une tragédie, dis-je, ne sachant pas où je m'aventurais. Qui te comprendrait le mieux dans ce pays, tu n'as pas idée ? A propos de la brousse, je veux dire. Les Africains, voilà qui, et tu ne veux pas leur parler.

— Qu'est-ce que tu veux dire, je ne veux pas leur parler ? Quand j'allais dans la brousse, enfant, avec le fils du cuistot, qu'est-ce que tu crois qu'on faisait ? Et avec le maçon de l'école ? Solomon, il s'appelait. On passait des heures assis à bavarder de la vie et de tout. Et avec le gars qui a construit cette maison avec moi ? »

Il attend que je le défie en faisant valoir un point de mon dogme puis il ajoute : « De toute façon, ce n'est pas vrai que seuls les Affs me comprendraient. N'importe quel vieux Rhodie aussi.

— Absurde. La moitié des vieux Rhodies en savent autant sur la brousse que les pauvres gosses noirs de Brixton sur la campagne anglaise.

— Je veux parler des bons Rhodies, bien sûr.

— Des gens comme toi.

— Si tu veux.

— Neuf heures, dit-il. L'heure de se coucher. » Il se lève, se dirige vers la porte, se retourne et me voit prendre mon carnet. « Tu couches par écrit ce que je dis pour t'en servir contre moi ? Je m'en fiche, du moment que tu couches aussi par écrit les âneries que tu débites. »

Dans la matinée, il me conduisit sur une route qui longeait une plantation de gommiers bleus. Du temps où il travaillait dans son ancienne école, à Ruzawi — il était revenu comme directeur des lieux, parce que ça lui permettait de rester dehors toute la journée —, il avait demandé l'autorisation de planter des arbres. Nous prîmes bien soin de fermer à clé les portières, bien qu'il en fût visiblement gêné. « On ne peut laisser une voiture cinq minutes sans se la faire piquer par un skellum. Il faut tout fermer à clé. Partout mettre des barrières. C'est comme de vivre à l'intérieur de cages. »

Nous marchâmes à travers les immenses eucalyptus odoriférants.

« Je viens souvent ici. Je viens ici chaque fois que tout me déprime. Au moins ai-je planté ces arbres. Mais il n'y a pas bien longtemps, j'ai commencé à me dire : Quel dommage que je n'aie pas planté de *musasas*. Des arbres indigènes. Qui aurait cru, en ce temps-là, que les *musasas* seraient un jour menacés ?

Tu sais, ces émissions de télé qu'ils font sur les animaux ? Ça se termine toujours, par "l'habitat de cet animal est menacé ". Je ne supporte plus de les regarder. Si j'avais planté des *musasas,* ils seraient adultes aujourd'hui. Ça aurait été quelque chose, n'est-ce pas... on se promènerait ici au milieu des *musasas.* Une plantation protégée. » Il rit. « On se trompe de décision », dit-il, debout, la main posée sur le tronc lisse et crémeux d'un gommier bleu. C'était un diagnostic, une main affectueuse, comme une caresse. Pendant ce temps, Sparta et Sheba couraient parmi les feuilles, truffe à terre, flairant les odeurs. Harry passa la main sur l'arbre. « Tout de même, c'est un bel endroit. »

Il m'entraîna jusqu'à un avis cloué sur une planche parmi les rochers : « S'il vous plaît, n'oubliez pas d'enterrer vos détritus. » Nous partîmes tous les deux, au même moment, d'un grand éclat de rire. « C'est là que les scouts et les clubs installent leurs camps, expliqua-t-il. C'est là qu'ils plantent leurs tentes. C'est là qu'ils font du feu. C'est là qu'ils se mettent en rang pour manger. Voilà la fosse à ordures. Voilà où se rangent les camions quand ils apportent des corn flakes, du pain en tranches et de l'orange pressée du supermarché. »

Nous rions, chancelant dans les feuilles mortes et la poussière, tandis que les chiens sautent pour nous lécher la figure.

AUTO-STOPPEURS

A quelques kilomètres de la maison de mon frère, je conduisais — sans vraiment de hoquet d'étouffement prémonitoire — à l'endroit même où, quelques jours plus tard, je fus impliquée avec quatre autres personnes dans un accident de voiture si grave que, si nous n'y avons pas tous trouvé la mort, c'est que nos cinq anges gardiens étaient sur le qui-vive. Je ne vois pas d'autre explication.

Mon séjour au Zimbabwe avait été ainsi organisé... Je passerais deux semaines dans ma famille puis m'aventurerais dans le Zimbabwe nouveau, au gré des événements : la seule façon de voyager. En attendant, j'étais impatiente de parler avec des Africains, le premier Africain venu, pour découvrir ce qui se cachait derrière la rhétorique de guerre. Le Noir que mon frère employait à la cuisine était une bonne âme, mais on ne pouvait guère attendre de lui qu'il parlât franchement à la sœur de son employeur. Il avait soutenu une cause perdue, l'évêque Muzorewa, c'était tout ce que je savais.

J'avais arrêté la voiture pour admirer un paysage particulièrement beau. Si, dans mon enfance, lors des longs voyages en direction de Marandellas, je buvais du regard chaque détour de la route, chaque amas de pierres, jeune femme, lors des voyages précipités vers Macheke, j'étais toujours dans une voiture pleine à craquer de gens dont les émotions se juxtaposaient les unes aux autres, et nous ne remarquions pas grand-chose à l'extérieur du véhicule. Je ne me souvenais pas de ce panorama. Un camion cabossé fit une embardée à un stop tout proche, un jeune Noir en descendit et le camion s'engagea sur une route latérale. Le jeune homme resta planté un long moment, les yeux fixés sur le camion. Puis il se retourna et me vit assise. Il vint lentement vers moi, le visage suppliant. Rien à voir avec les harcelantes vociférations des foules aux arrêts de bus. J'ouvris la porte et il se glissa sur le siège à côté de moi. Aussitôt il se voûta comme pour s'éloigner de moi, en une posture désespérée, laissant pendouiller mollement ses mains entre ses genoux cagneux. Il était secoué de petits spasmes, comme les gens qui ont souffert quelque temps du froid : c'était une matinée piquante, étincelante, typique du haut veld. Il portait un costume, une chemise blanche, une cravate, le tout propre et repassé, mais dans une étoffe bon marché. Je demandai où il allait. Il dit qu'il voulait se rendre à Macheke.

J'avais espéré qu'il voudrait descendre avant Macheke, que j'avais rebaptisée Mashopi dans *Le Carnet d'or,* parce que j'avais prévu de m'arrêter, de me promener, de faire la part des choses entre mes souvenirs et ce que j'en avais fait.

« Pourquoi êtes-vous si triste ? » demandai-je, et son corps tout entier fut pris d'un mouvement convulsif, comme s'il se débattait, pris dans des liens invisibles, et qu'il essayait de se libérer. Des larmes étincelantes jaillirent de ses paupières qu'il tenait fermées avec la dernière énergie. Il hocha la tête : c'était trop terrible pour en parler. Nous avancions à vive allure, tandis que j'essayais de retrouver des images et des signes qui appartenaient à la route de Macheke, mais nous roulions trop vite : il n'y a pas seulement une route différente pour ceux qui marchent, ou qui vont à bicyclette, mais aussi une route différente quand on a trente ans, ou soixante. Nous allions toujours à Macheke dans des voitures qui battaient de l'aile. Pendant la Guerre, il fallait bien se contenter de ce qu'on pouvait trouver.

Il éclata en sanglots lugubres et désespérés. De toute évidence, il avait beaucoup pleuré.

« Je vous en prie, dites-moi de quoi il retourne ? Peut-être puis-je vous aider ?

— Personne ne peut m'aider. J'ai perdu mon boulot cette semaine. Ils ont dit que je ne suis pas assez bon. J'ai eu mon Certificat, mais ils ont dit que je ne suis pas bon.

— Qui a dit ça ?

— Mon Département. Mr. X... » Le nom d'un Noir. « M. Smith m'aimait bien et il disait que je faisais bien mon travail et Mr. X... » Il pleurait.

Trouver du boulot dans la grande ville est le but de tous les jeunes du Zimbabwe, comme partout dans le monde. On se répand, bien sûr, en clichés lénifiants sur les plaisirs et les vertus de la vie villageoise, mais les gens ont hâte de quitter leurs villages. Ce jeune homme assis à mes côtés était condamné à regagner son village. Sa grande ville à lui, ce n'était même pas Harare, la métropole, mais Marondera. Il avait vécu en ville et le voici maintenant qui ramenait son Certificat et son beau et élégant costume dans son village où il les rangerait dans des sacs en plastique qu'il mettrait sur une étagère, bien haut, hors de portée des chiens ou des poulets ou, mieux encore, qu'il suspendrait à un clou loin des fourmis et des insectes. Il grossirait le nombre des chômeurs, et prendrait de temps à autre une binette quand il en aurait assez de se faire houspiller par les femmes. Les grands moments d'une vie passée à rêver des plaisirs de ce centre, de Marondera, seraient les jours où il marcherait sur la grand-route et — avec un peu de chance — se ferait prendre en stop, histoire de passer l'après-midi dans la petite ville, d'aller voir ses anciens collègues pour qui il ne serait plus maintenant qu'un cousin de la campagne. Ils auraient réussi à se cramponner à l'échelle de la réussite. Peut-être l'autoriseraient-ils à les accompagner à la taverne ou au cinéma.

« C'est parce que tous les Blancs s'en vont. Ils emmènent tout le boulot avec eux.

— Ce n'est que temporaire. L'indépendance n'a encore que deux ans. Il y aura toutes sortes de nouveaux emplois.

— Où sont les nouveaux boulots ? Je ne vois pas de nouveaux boulots. »

Cela ne me parut guère raisonnable. Comme je l'avais dit à mon frère : « Que peut-on espérer en deux ans ? » Bien que je n'en susse encore rien, au tout début de mon voyage, telle devait être ma plus forte impression, et elle demeure aujourd'hui pour moi un fait qui ne cesse de me surprendre. Deux ans auparavant, en 1980, s'était achevée une guerre très meurtrière, où le pays tout entier s'était engagé. Le Camarade Mugabe avait accédé au pouvoir en tant que chef du groupe le plus puissant qui s'était battu dans la brousse contre Smith and Co. ; autrement dit, il ne devait pas manquer de gens déçus qu'il eût gagné et à l'affût de raisons de le désavouer. Les hommes qu'il avait placés au gouvernement avaient prouvé qu'ils savaient faire la guérilla, mais ils devaient maintenant gouverner un pays moderne dans le monde moderne. Sans le moindre apprentissage des tâches administratives. Sans assez de gens cultivés. Sans, en toile de fond, cette expérience que tout enfant, si pauvre ou déshérité soit-il, tient pour acquise dans les pays développés, et qui veut dire que le téléphone, les circulaires officielles, l'électricité, les boîtes aux lettres, les bus, les trains, les avions, les tribunaux, la Sécurité sociale et les dispensaires ne sont un mystère pour personne. Sans cette culture pratique en toile de fond, ces gens ont dû, du jour au lendemain, assumer la gestion d'un pays grand comme l'Espagne, ravagé par la guerre, en état de choc. Croyez-vous qu'ils leur laisseraient quelques années pour se faire la main ? Pas du tout. La presse, la télévision, les experts internationaux, tout le monde parlait du Zimbabwe comme si c'était un pays bien assis qu'il convenait de juger à l'aune des critères les plus hauts. Si jamais quelque voix autorisée avait déclaré : Voici une jeune administration, confrontée à des problèmes presque insolubles, il faut lui laisser le temps de se retourner, cette recommandation charitable m'avait échappé. Au nom de quoi attendre de l'administration Mugabe qu'elle se conduise comme un membre établi du concert des nations ? Pour une part, je crois, parce que le Camarade Mugabe se voulait marxiste et que l'on imaginait, sans en avoir clairement conscience, que l'autorité du marxisme valait son comptant de bons points, de même que, très récemment, un jeune homme de mes amis, originaire du Devon, se retrouva à vingt-deux ans gouverneur, dans l'ancienne Rhodésie du Nord, d'un district de l'importance du Yorkshire et fut amené à siéger au tribunal pour rendre ses verdicts ; on voyait moins en lui un jeune homme de vingt-deux ans qu'un représentant de l'Empire britannique. Et il y eut aussi toute la rhétorique des années de combat, toujours péremptoire, tapageuse, pleine de vantardises et de promesses. Mais, qu'elle qu'en fût la raison, on jugeait le Zimbabwe comme s'il n'y avait pas eu la guerre. C'est chose fréquente. La réalité de la guerre, la souffrance, la brutalité, la terreur — tout est refoulé presque aussitôt, parce que c'est insupportable et que nul ne peut le regarder en face, cependant que la douleur (et l'horreur qu'inspire la conduite de tout le monde) se fige en monuments aux morts, en discours patriotiques, en rhétorique de guerre : bref, en sentimentalisme.

« Quel âge avez-vous ?

— Vingt-deux ans, madame.

— *Je vous en prie,* ne m'appelez pas madame. »

S'il avait vingt-deux ans, c'est qu'il en avait douze ou treize au début de la Guerre.

« Où étiez-vous pendant la Guerre ?

— A l'école, madame. Mon père voulait que j'obtienne mon Certificat. » Et il se mit à sangloter de plus belle. « Je n'aurai jamais de boulot maintenant que les Blancs s'en vont. Mugabe ne sait rien. Les Blancs sont plus malins que nous. Nous avons besoin qu'ils restent ici et qu'ils nous donnent du boulot. »

Des semaines plus tard, juste avant mon départ, je parlai de cette rencontre à un intellectuel noir, qui me dit d'une voix troublée : « Qui disait ces choses-là ? Vous êtes sûre ? » Et je répondis : « Mais pourquoi cette surprise ? Décidément, je ne vous comprends pas. Pourquoi attendez-vous tant de vous-mêmes ? Pourquoi tout le monde fait-il comme si le Zimbabwe existait depuis cinquante ans ? *La guerre s'est terminée il y a deux ans.* Toutes sortes d'opinions se sont exprimées au cours de la Guerre et quantité de Noirs se sont battus pour le pouvoir en place. Pourquoi tout cela prendrait-il fin du jour au lendemain ? » Mais ce que je disais était tellement contraire à l'esprit du temps que j'aurais aussi bien fait de me taire. Les gens étaient transis, ils avaient été refroidis... ils s'étaient refroidis. Ils avaient besoin d'une formule : le Zimbabwe marxiste, noir et uni.

Nous roulions vers le sud-ouest et nous approchions de Macheke (ou Mashopi) à travers ce paysage, des kilomètres et des kilomètres d'herbe flétrie par l'hiver, où le vent creusait des rivières de lumière, où des bosquets de *musasas* se dressaient dans leur verdure aérienne, bordés de montagnes bleues — ce panorama dans lequel se nichait son village, auquel il était à jamais condamné. Ainsi qu'il devait le penser, à vingt-deux ans, à un âge où ce qui vous arrive est pour toujours.

« Écoutez, dis-je raisonnablement, les Blancs ne sont pas plus malins que vous. Vous croyez seulement ce que vous ont dit les Blancs. Saviez-vous que des siècles durant les Européens — c'est-à-dire les Blancs — passaient dans le monde arabe pour des peuples arriérés et primitifs ? Lorsque les Romains ont envahi la Grande-Bretagne, comme les Blancs vous ont envahis, ils nous ont considérés comme des gens sots et arriérés, des sauvages. Ce que nous étions. »

En disant ces mots, je me sentais de plus en plus ridicule.

« Quelqu'un voulait ma place. Voilà ce qui m'est arrivé. »

J'aurais pu adopter l'approche sociologique : « Eh bien, vous comprenez, il y a beaucoup trop de gens au monde pour le nombre d'emplois disponibles. Et loin de s'améliorer, la situation risque fort d'empirer. »

Mais je préférai demander : « Vous avez souffert de la Guerre ? »

Il explosa de colère : « C'était horrible, vous ne savez pas, personne ne sait... » Il s'essuya le visage avec la manche de sa précieuse veste. « Au village, on a vu d'abord arriver les forces de sécurité, puis les Camarades... il nous fallait être gentils avec eux, voyez-vous. Il fallait faire semblant... on avait beau faire, on n'était pas en sécurité. »

Je lui donnai des mouchoirs et il s'épongea la figure. « Nous en entendions parler dans la presse et à la télévision », dis-je, m'apprêtant à lui demander : « D'où venez-vous ? », mais il me devança : « Vous étiez à Harare pendant la guerre ?

— J'étais en Angleterre. J'arrive tout juste de Londres. »

Il eut un rire étouffé de sanglots — mais c'est bien sûr ! — et haussa les épaules. « Eh oui, c'est ça, bien sûr, d'Angleterre. Vous êtes une Blanche d'Angleterre. Maintenant je comprends.

— Nous avons du chômage en Angleterre. » A ces mots, je me souvins qu'il ne toucherait pas d'indemnités de chômage, mais vivrait aux dépens de sa famille.

« La famille élargie est un excellent système de protection sociale, me dit un Noir du Zimbabwe. Nous n'avons pas besoin d'hospices pour les vieux, ni d'asiles psychiatriques ou d'indemnités de chômage. J'ai un bout de terre à une trentaine de kilomètres de Harare, une cinquantaine d'arpents qui font toujours vivre entre vingt et trente personnes. Grands-parents, tantes, neveux, estropiés, fous, chômeurs. Vous dénigrez ça. Économie de subsistance, dites-vous, comme si ce n'était rien. Mais qui dit subsistance dit que les gens se nourrissent eux-mêmes. Ils ne sont pas dans des institutions financées par les contribuables. Vous n'avez d'admiration que pour les grandes fermes qui vendent leur excédent de production. »

« Pourquoi êtes-vous venue ici au Zimbabwe ? reprit le jeune homme. Vous allez vous installer ici ? Vous n'avez pas du travail pour moi ? N'importe quelle tâche. Je suis preneur.

— Non, je suis juste de passage. » J'aurais pu dire alors que j'avais grandi ici, puis que j'étais partie — et ainsi de suite, mais tout cela était arrivé avant sa naissance, peut-être même ses parents n'étaient-ils pas encore nés. Au fin fond des brumes de l'histoire, cette femme blanche vivait ici...

« Pourquoi ne restez-vous pas ici ? cria-t-il, voyant son emploi se perdre dans le brouillard, lui aussi. Peut-être qu'un jour j'irai en Angleterre à mon tour. Là-bas, tout le monde a beaucoup d'argent et une maison. »

Nous approchions de la crête d'une longue chaîne. Puis ce fut la vallée, et à nouveau une montée suivie d'une descente ; de temps à autre, il pleurait en silence et tremblait, puis séchait ses larmes, tremblait et éclatait à nouveau en sanglots, tandis que, dans ma tête, je me retrouvais en voiture pour aller passer le week-end à Macheke, trente-cinq ans plus tôt. Des communistes, nous appelions-nous. Telle était l'étiquette que nous nous donnions, et c'est un raccourci qui en vaut un autre. En vérité, les prescriptions communistes courantes pour un monde meilleur ne nous retenaient guère, en partie parce que la « ligne » définie par le parti communiste d'Afrique du Sud et, donc, de Moscou était que le prolétariat noir prendrait le pouvoir et ferait régner la justice sur cette terre. Rares étaient alors les Africains qui correspondaient à cette définition. Nous pensions en fait à ce qui se déroulait ailleurs : la Grande-Bretagne, l'Europe occupée, le Japon, l'Extrême-Orient, l'Amérique. L'école de la guerre nous avait appris à penser au monde dans sa totalité. C'était une ligne de partage des eaux, précisément à cet égard. Le processus avait commencé avec la Première Guerre mondiale. Mon père racontait qu'il avait grandi dans les faubourgs de Colchester (une ville romaine) et qu'alors il ne venait jamais à l'idée de personne de songer aux événements en Amérique, en Chine ou même — en vérité — à Londres. Non, les nouvelles c'était que White Star, la jument du père de Bill (son camarade d'école), avait gagné le 3.30 et qu'il y aurait un pique-nique à l'église. Mais la guerre mit fin à tout cela. Jusque dans la ferme, il lisait des journaux de Londres, et il écoutait les émissions de la BBC à travers la friture. S'il y avait une famine en Chine ou en Inde, c'était sa responsabilité personnelle qui était engagée. Il nous sommait d'avaler ce que nous étions tentés de laisser dans nos assiettes sur un ton d'angoisse accusatrice, incrédule et passionnée.

J'ai gardé un vif souvenir de Macheke à cause de la guerre. Je crois aujourd'hui que nous étions tous fous, tous, dans le monde entier, que nous fussions engagés ou non. Peut-être le monde ne peut-il perpétrer des meurtres à si grande échelle sans devenir fou ? Faut-il s'en consoler ? Est-ce exact ? Le meurtre mutuel serait-il l'état naturel de l'espèce humaine ? Pour nous, alors, cette guerre si terrible était *bien sûr* la guerre qui mettrait fin à toute guerre, car chacun comprendrait enfin à quel point la guerre était terrible. (A l'image de ce que mes parents avaient cru lors de la Première Guerre mondiale.) Nous croyions tous, comme à un dogme, que la paix régnerait désormais dans le monde... J'avais vingt-cinq ans passés, j'appartenais à un groupe. *A cette époque,* ces groupes étaient nécessairement politiques. Par définition nous étions dans le vrai à propos de tout, nous allions changer le monde, et ses habitants par la même occasion, et, s'ils ne se fourvoyaient pas, nos adversaires étaient pour la plupart mauvais. Nous étions tous amoureux, et quand nous ne l'étions pas nous voulions l'être, nous désirions qu'il ou elle fût amoureux de nous ; à moins que nous n'eussions été désastreusement amoureux au point de contracter des mariages aussitôt regrettés (mais par chance le divorce n'était qu'une bagatelle en ce temps-là) et, parce que nombre des membres du groupe suivaient une formation de pilote, ils étaient toujours expédiés dans des contrées dangereuses où ils risquaient la mort ; et beaucoup furent tués. Les séparations étaient fréquentes et douloureuses, mais on les supportait en raison de l'état d'exaltation dans lequel nous vivions, et parce que nous buvions tous à l'excès. Alcool, sexe et politique : les intoxications endémiques nous possédaient. Épuisés par la vie que nous menions dans la grande ville, à Salisbury, nous nous transportions à Macheke le week-end, pas tous les week-ends, mais souvent, par groupes entiers, dans les voitures que nous possédions ou empruntions. Ce qui se passait à Macheke, je l'ai raconté, travesti à des fins littéraires, dans *Le Carnet d'or*. Dans quelle mesure ai-je travesti la vérité ? Tous les écrivains savent dans quel état on est quand on essaie de se souvenir de ce qui s'est vraiment passé, de préférence à ce qui fut inventé ou inventé à demi, vérité et fiction mêlées. Il est possible de se souvenir, mais uniquement en s'asseyant paisiblement, des heures durant ou parfois des jours entiers, pour extirper les faits de sa mémoire. Il faut se replonger en pensée dans cette scène, cette voiture, cette chambre à coucher. Ainsi crée-t-on des vérités parallèles ; ce qui est *réellement* arrivé, ce qui n'est pas arrivé. Mais on se surprend bientôt à penser : A quoi bon cet effort ? La mémoire, en tout cas, est mensongère : nous choisissons de retenir ceci et pas cela.

« Te souviens-tu, Doris, quand nous… ?

— Non. Pas du tout. Mais tu te souviens… ?

— Non. Tu es bien sûre de ce que tu dis ? »

Mashopi était enveloppée de prestige, ainsi que je le déplorais dans *Le Carnet d'or*. Lorsque nous considérons de l'extérieur, en observateur, les scènes que l'on se remémore, un halo doré nous rend volontiers sentimentaux. Et le plus souvent, c'est du visage extérieur des choses que nous choisissons de nous souvenir : des étincelles fusent dans les branches illuminées par le clair de lune ou des étoiles et roussies par les flammes ; un visage penché apparaît dans la lueur du brasier, ignorant qu'il est observé et qu'on s'en souviendra. Mais quels étaient vraiment mes sentiments alors ?

Je me souviens en grande partie de ce que j'ai éprouvé à Macheke. Pourquoi ces impressions sont-elles si fortes, depuis cette époque ? Après tout, la guerre a duré longtemps, des années. J'ai vécu à différents endroits, avec des gens différents.

J'ai moi-même été plusieurs personnages différents. Entre la jeune maîtresse de maison efficace de mon premier mariage et la « révolutionnaire » délurée de 1943, 44 et 45, le lien est apparemment ténu. Plus ténu encore, entre ces deux personnages et la jeune femme qui — toujours dans des foules de gens qui changeaient, venaient de tous les coins du monde, vadrouillaient sans cesse — apprenait à se réfugier dans son for intérieur, écrivait quand elle le pouvait, se consacrait de plus en plus à ses réflexions, de plus en plus portée sur l'autocritique. Et pourtant, nous savons tous quel était le lien : c'est le sentiment que l'on a de soi, toujours le même, ce qui console, ce qui raffermit. Que vous ayez deux ans et demi, vingt ans, ou soixante-neuf, le sentiment que vous avez de vous, de ce que vous êtes, reste le même. Le même dans le corps d'une petite enfant, chez la jeune fille qui découvre le sexe et chez la femme âgée.

Les souvenirs de Macheke revenaient de diverses couches du passé, et le premier me ramena au temps où je n'étais encore qu'une fillette. De la vitre d'une voiture j'apercevais des gommiers bleus poussiéreux en bordure d'une voie ferrée, et au-dessous deux babouins tristes auxquels on avait passé des chaînes autour de la taille avant de les attacher aux troncs à l'aide d'une corde. Pourquoi ce spectacle était-il si affligeant ? Parce qu'il en rappelait un autre. J'avais alors cinq ans, et je vivais à Londres, après la Perse et avant la Rhodésie du Sud : quand on allait au zoo, à Londres, il y avait une cage avec des barreaux de fer noirs, comme une cage de perroquet, et à l'intérieur il y avait un gorille ou un chimpanzé, je ne me souviens plus, sauf que j'avais horreur de cette créature dans une cage juste assez grande pour la recevoir, les mains agrippées aux barreaux, ses petits yeux rouges furibards étincelant de haine et de misère. Sur la terre brune battue, à l'ombre des gommiers bleus, les petits babouins vécurent une vie — que j'espère — éphémère, tourmentés par les lourdauds de tous âges qui venaient les railler.

Plus tard, au cours de la guerre, c'est sous ces gommiers que nous — le groupe de Salisbury — nous asseyions pour boire du vin blanc en provenance d'Afrique orientale portugaise, là encore que « nous », le groupe de Mashopi, buvions du vin blanc, à quelques pas de la voie ferrée, d'un côté, et de la grand-route de Salisbury à Umtali, de l'autre.

Tandis que le jeune Noir triste et moi approchions de Macheke, je dis que j'avais envie de m'arrêter un petit peu, parce que j'avais été ici pendant la guerre. Mais au moment même où je parlais, je compris qu'il allait penser que je voulais parler de la guerre du Bush, de « sa » guerre. Les brumes de l'histoire s'étaient mises à bouillonner et à se soulever comme lait qui bout et je n'essayai même pas d'expliquer.

« Combien de temps? » demanda-t-il, tout de suite soupçonneux. Je reconnus le ton. Il pensait que je le renvoyais sur un mensonge, que je voulais me débarrasser de lui. Encore une cruauté de Blanc, j'étais comme tous les autres.

J'avais espéré m'arrêter ici, prendre peut-être une tasse de thé au Macheke Hotel, en souvenir du bon vieux temps, mais je savais maintenant que c'était le genre de chose à ne pas faire. Parce que les temps avaient changé, nous — Noir et Blanche — pouvions prendre le thé ensemble, mais là n'était pas la question. Je voulais que le passé m'enveloppât, mais sa misère était si pesante que cela devenait impossible. « Juste quelques minutes, c'est tout, dis-je.

— Je peux marcher, répondit-il, amer.

— Non, non. Je vais ralentir juste une minute ou deux. »

Mais deux paysages m'occupaient maintenant la tête et je n'arrivais pas à donner un sens à ce que je voyais. La grand-route traversait un pays différent. Oui, il y avait le garage, la poste, un magasin, un bar... et un hôtel. *Là,* un hôtel? « Savez-vous s'ils ont modifié le tracé de la grand-route? lui demandai-je.

— Ça a toujours été la grand-route », répondit-il.

Pour lui, elle était toujours passée par ici.

Je tournai à gauche, où devait se trouver la voie ferrée, et il y avait les gommiers bleus poussiéreux, avachis, et les voies de chemin de fer au-delà. Les mêmes. J'arrêtai la voiture. Où était l'hôtel? Sûrement pas... il était délaissé, à l'abandon. Un bâtiment de briques peu élevé, comme un long hangar, possédait deux petites portes qui donnaient sur des pièces, manifestement petites, et une autre qui ouvrait sur le bar. Oui, j'avais vu les merveilles du grand monde depuis le temps où j'allais à Macheke ou à Mashopi, mais il ne pouvait s'agir du Macheke Hotel où, tout au long de ces week-ends, nous buvions, dansions, flirtions et jouions à la politique. Combien de couples avaient pu effectivement danser dans la pièce assez petite que j'examinais à travers les carreaux sales ? Et voilà la salle à manger, où nous faisions traîner nos repas en joyeuse compagnie sous le regard maternel de Mrs. Boothby. (Je me creusai la cervelle pour retrouver son vrai nom.) Combien de tables pouvait-elle, avait-elle, contenues ? Et le bar ? Il avait été bondé d'hommes en uniforme de l'armée de l'air et de fermiers du coin. Mais ce n'était qu'un minuscule cagibi. Pourtant, c'est à l'âge adulte que j'y étais allée, pas enfant ; je n'étais pas une adulte revenue visiter le théâtre de son enfance... La véranda qui longeait le bâtiment était juste assez grande pour accueillir deux petites tables : c'était plus un passage qu'une véranda. Et pourtant, nous nous y étions bel et bien assis pour boire... oui, bien sûr, on s'asseyait le long de ce muret, au bord de la grand-route de Salisbury à Umtali, et une partie du plaisir consistait à regarder une rare voiture filer à toute allure dans des nuages de poussière pâle (de la poussière du sandveld, pas la poussière épaisse et rouge de Lomagundi), à moins qu'elle ne s'arrêtât et qu'en sortît... un inconnu, ou quelqu'un que nous savions descendu de Salisbury pour nous rejoindre... ou monté d'Umtali, sachant qu'il nous trouverait là. L'inconnu cessait aussitôt de l'être, immédiatement absorbé qu'il était par la joie, la bonne humeur, car nous étions de bonne compagnie et — je le compris plus tard — une compagnie surprenante, tant notre groupe mêlait des gens qui en Angleterre ne se fussent jamais rencontrés en raison de leurs classes ; mais ici, cockneys, brummies, scotties, tout le monde blaguait avec les jeunes gens qui avaient déserté Cambridge et Oxford pour apprendre à voler et — le cas échéant — à mourir dans le ciel de l'Europe, de la Birmanie ou de l'Inde. Et les filles du pays, les filles de Grande-Bretagne et d'Afrique du Sud, ou encore les réfugiées d'un endroit ou d'un autre. Et tout ce monde-là s'était pressé le long de la véranda ? Non, voilà pourquoi nous restions si longtemps sous les gommiers bleus, près des sentiers, où nous avions la place de nous étaler.

Et maintenant les chambres... de tous mes souvenirs de l'ancienne Macheke, le plus fort, le plus dérangeant, concernait la partie arrière de l'hôtel, celle des chambres. Il y avait là dix ou douze chambres, en deux rangées, dos à dos, qui donnaient sur d'étroites vérandas. En m'excusant auprès du jeune homme, qui était maintenant blotti sur son siège, le visage caché dans un bras pour mieux se défendre d'un monde cruel et trompeur — et de moi, probablement, qui sans la moindre raison m'étais arrêtée à côté de ce bâtiment juste digne d'être démoli —, je sortis à la hâte et fis le tour du vieil hôtel, derrière lequel je ne vis que des décombres, une profusion d'arbustes envahissants et des arbres. Je levai les yeux vers le bloc des chambres, car il était surélevé par rapport à l'hôtel proprement dit. Lorsque je quittais ma chambre (chambre partagée, j'étais mariée alors), mon regard se posait sur une volée de marches qui menaient aux cuisines et aux baies vitrées de la salle à manger. J'aimais à me tenir en haut des marches de pierre, pour dévorer des yeux une lune si brillante, si grande, comme je n'en ai jamais vu ailleurs. Pourtant, le plus clair de mes nuits, quand je vivais à la ferme, je les passais assise devant la maison à scruter le ciel. Il y avait un je-ne-sais-quoi, dans l'air de Macheke, qui agrandissait, amplifiait la lune : probablement mon état fébrile, comme auto-hypnotisée. Oui, à Macheke, la lune était toujours pleine ou presque pleine, quel que fût le week-end où nous descendions, et, si elle ne l'était qu'à demi, elle avait la forme d'une pistache argent sur fond de ciel bleu nuit et vaporeux. Je m'arrêtais toujours à la porte de la chambre pour me dire : Regarde, tu n'en reverras jamais de pareille, c'est impossible, tandis que les voix de mes amis et camarades s'élevaient du bar ou de la salle à manger. Et il n'y en a pas eu... pour la bonne raison que la pollution a recouvert le ciel de l'Afrique, comme partout ailleurs. On oublie comment le ciel était jadis. Il n'y a pas si longtemps, dans le nord-ouest de l'Argentine, je suis sortie dans la nuit et j'ai songé : Mon Dieu, regarde, le voilà, voilà le ciel nocturne — pareil à un arbre de Noël, ou à la vitrine d'un joaillier, les étoiles si brillantes et si proches qu'il suffit de tendre le bras pour les cueillir une par une dans l'obscurité.

Me laissant porter par le clair de lune, et toutes sortes de griseries, je descendais précautionneusement les marches de pierre bordées de ces plantes odoriférantes dont Mrs. Boothby (Mrs. *Qui ?*) était si friande et qu'elle fourrait dans chaque lézarde, puis... mais il était impossible de voir quoi que ce soit à travers ce fouillis de planches, de détritus, de briques brisées, d'arbustes négligés. Non, ce n'était pas possible, peut-être y avait-il un autre hôtel... non, absurde, c'était bien l'hôtel, ici le bar, et ici... si je devais retrouver ce qui était ici, et ce que j'en avais fait, il me faudrait... voyons ? Des semaines ? Non, c'était idiot, inutile, ça ne rimait à rien, et puis je devais de toute façon reprendre la route, à cause de cet homme assis à côté de moi qui serrait ses mains entre ses genoux maigres et glacés, tandis que les larmes ne cessaient de couler sur son costume déjà fripé.

J'aurais voulu avoir quelque chose à me mettre sous la dent en voiture. Peut-être devais-je chercher une boutique et acheter... L'idée me vint que ses sanglots l'avaient repris parce que nous étions sur le point de quitter Macheke, cette métropole des plaisirs urbains, la dernière avant que ne commence son exil forcé.

Je repris la nouvelle grand-route, reconnaissant parmi les nouvelles constructions élégantes de misérables survivances des tout premiers jours de la Colonie. J'essayai de deviner par où nous nous éloignions de la petite cité sur une étroite piste de sable pour nous enfoncer dans les *kopjes* et les *vleis,* où papillons, oiseaux et sauterelles étaient tellement prolifiques que je n'ai qu'à me souvenir comment nous — le groupe — venions là pour écouter le chant perçant des oiseaux, la somnolence des colombes, le cliquetis des sauterelles. Et les senteurs, les parfums, les odeurs chaudes d'herbe sèche... Bien, suffit !

A huit kilomètres environ de Macheke, le malheureux jeune homme dit : « C'est ici ! » Je m'arrêtai. Nous n'étions nulle part. Je veux dire, nous étions sur la route, mais tout autour de nous, sur des kilomètres, il n'y avait que l'herbe, un bosquet ou deux, et les montagnes bleues. Il ne descendit pas tout de suite, mais resta un moment assis, les yeux misérablement braqués devant lui.

« Je ne verrai jamais plus aucun de mes amis, déclara-t-il avec véhémence. Je ne vous reverrai jamais. Jamais je ne... » Il sortit de la voiture et s'éloigna dans l'herbe haute, le long de la route, en saisissant à deux mains sa petite valise. Je regardai sa tête et ses épaules se mouvoir au-dessus des herbes, puis il disparut.

Cette année, en 1991, on estime à un million le nombre de chômeurs au Zimbabwe.

Je commençai à regarder le bord de la route à l'affût de quelque auto-stoppeur. Loin de la grande ville de Harare, encore à bonne distance de la grande ville plus modeste de Mutare, il n'y avait pas grand monde aux arrêts de bus : c'est là, au bord de la route, que les gens venaient attendre, à proximité, peut-être, d'un kiosque de jus de fruits, sinon rien, pas même un tournant pour aller ailleurs. Quand je ralentis, la foule se pressa en avant, mais je poursuivis mon chemin jusqu'à ce que je voie, sur la route, isolés, trois hommes qui avaient la mine avenante, et je m'arrêtai. Ils rejoignaient Mutare et allaient m'accompagner le restant du trajet. Ils étaient tous trois d'âge mûr, ou du moins plus très jeunes. Ils avaient l'air miteux. Mais ils étaient aimables et je savais que j'avais trouvé ce que je cherchais, des gens du pays, des Noirs avec qui parler. C'est-à-dire parler sans se laisser surprendre par des Blancs hostiles, ou par la nouvelle race des idéologues noirs.

Les deux hommes de la banquette arrière savaient un peu d'anglais. L'homme à mes côtés le parlait bien. Je dis tout de suite que je venais d'Angleterre, sans me lancer dans des histoires compliquées, et il déclara que j'étais la bienvenue, qu'il espérait que je resterais, parce que tous les Blancs quittaient le pays. Je demandai s'il aimait Mugabe. Oui, il aimait beaucoup Robert Mugabe, mais il n'aimait pas les Camarades. Si Mugabe savait ce que faisaient les Camarades, il les châtierait, mais peut-être que personne ne le lui disait. J'avais entendu, ou lu, ce genre de propos dans trop de pays pour ne pas trouver ça décourageant, alors je l'interrogeai sur la Guerre. Et c'est surtout de cela que nous parlâmes pendant le reste du trajet. Il avait passé la première partie de la Guerre dans son village, pas très loin d'ici (tout près de l'endroit où De Waal et Venter avaient décidé d'acheter leurs fermes), dans un district où les troupes gouvernementales et la guérilla venaient tout le temps, les deux camps emmenant des gens pour les soumettre à la question, rudoyant même les enfants, même les filles. Les femmes n'osaient plus aller travailler dans leurs potagers tant elles avaient peur, si bien que tout le monde était toujours à court de vivres. S'il y avait de la nourriture dans les cases, les soldats des deux camps mettaient la main dessus. Les vaches et les chèvres disparurent ; sans doute les soldats d'un camp ou de l'autre les avaient-ils emmenées avec eux. La situation était devenue si critique qu'il avait quitté son village avec sa famille et qu'il était allé vivre chez des parents à Mutare. La guerre était horrible. On ne pouvait pas savoir, si on ne l'avait pas vécue.

L'homme qui s'était mis devant — il s'appelait Gore — ne cessait de prendre à témoin les hommes de la banquette arrière, et ils disaient Oui, Oui, et soupiraient, opinaient du chef et claquaient la langue, et comme nous passions, ici devant une ravine, là devant un *kopje,* ou encore un coin de brousse apparemment accueillant, l'un d'eux puis tous tendaient la main et disaient : Là... ils ont tué trois personnes, là... toutes les cases ont brûlé dans ce village... Il y a eu une bataille terrible sur cette colline... les hélicoptères sont descendus là et ont tiré des balles dans la brousse, et après la terre était jonchée de morts, partout.

Les hélicoptères devaient être aux hommes de Smith, mais autrement il n'y avait pas moyen de savoir qui étaient les « ils » en question impliqués dans tel ou tel incident.

En Angleterre, dis-je, on avait entendu parler de la Guerre dans les journaux et, parfois, à la télévision, mais Gore hocha la tête et dit : Non, les journaux ne vous disent pas à quoi ressemble une chose pareille. Les journaux peuvent dire seulement : Il est arrivé ceci, Il est arrivé cela, mais ils ne vous disent pas ce qu'il y a dans le cœur des hommes. Nous vivions jour et nuit dans la peur. On avait peur de dormir. Si on dormait, on risquait à son réveil de retrouver la toiture de sa case en feu. Et qui avait fait ça ? Ça pouvait être quelqu'un de la case à côté. Si quelqu'un s'éclipsait, on savait que c'était un espion du gouvernement ou de l'une des armées. Quelqu'un que vous connaissiez depuis l'enfance acceptait de l'argent pour vous tuer. Des enfants disparaissaient, puis on apprenait qu'ils étaient dans la brousse avec les combattants. On savait qu'ils pouvaient surgir à tout moment avec des fusils. Parce qu'ils connaissaient le village et pouvaient conduire les autres. La guerre a fait des soldats d'enfants de dix ans. Et que vont-ils devenir, maintenant ? Ils n'ont jamais mis les pieds à l'école.

« Les Camarades avaient des écoles pour les enfants, dit l'un des hommes à l'arrière, pour être équitable.

— Oui, mais qu'est-ce qu'ils pouvaient apprendre ?

— Les Camarades leur apprenaient à lire et à écrire.

— Quelques-uns savent un peu lire et écrire. Ils ont appris des tas d'autres choses. Vont-ils les oublier ? »

Ils soupiraient, ils hochaient la tête, ils souriaient, tandis que nous filions sur cette route qui réveillait en moi des souvenirs vieux de plusieurs décennies mais qui, pour eux, était synonyme de guerre. D'embuscades, de bombes, de mines, de véhicules blindés, de patrouilles aériennes, d'hélicoptères qu'ils pouvaient employer pour débarquer, et de troupes qui se dispersaient comme des semences de mort dans la brousse — des troupes des deux camps.

Gore posa des questions sur la Grande-Bretagne, et ses deux amis se penchèrent en avant pour écouter ce que je disais. Je parlais, tout en sachant bien que les images que suscitaient mes paroles n'avaient pas grand-chose à voir avec la Grande-Bretagne. Gore avait toujours vécu dans son village avec sa femme et ses enfants jusqu'à leur installation à Mutare, et ils habitaient maintenant une case — une pièce unique — dans une cité de la périphérie de Mutare. Il travaillait dans un garage. L'un des hommes à l'arrière réparait les montres et ne s'était jamais beaucoup éloigné de Mutare. Il n'était même jamais allé à Harare. Le troisième était veilleur de nuit dans un hôtel de la grand-rue de Mutare. Le grand hôtel, dit-il avec fierté, mais en riant, en se moquant des prétentions de l'hôtel et de la fierté qu'il en concevait. Des gens y venaient, de tous les pays du monde ! Pour sa part, il était allé voir des parents dans l'Est portugais, avant la Guerre. Au Mozambique, corrigea Gore. Il dit, riant et hochant la tête : « C'est dur de se souvenir de tous les noms nouveaux. Il m'arrive de dire Salisbury, et alors quelqu'un me dit : Attention, ou on va te dénoncer aux Camarades.

— Bientôt tout le monde oubliera, dit Gore. Seuls les vieux comme moi se souviendront que Mutare s'appelait Umtali. » Et il partit d'un grand rire, le merveilleux rire africain, qui prend naissance quelque part dans les entrailles puis saisit le corps tout entier d'une philosophie jubilatoire. C'est le rire des pauvres. Quand nous ne parlions pas de la Guerre — ils étaient alors tendus et sombres —, ils riaient.

Ils voulaient savoir les changements que j'avais constatés depuis mon départ, il y avait si longtemps, pour l'Angleterre.

Je voulais parler de la brousse, qui se vidait et se clairsemait, des animaux qui avaient disparu, des oiseaux et des insectes, signe que tout avait changé ; des myriades de petits équilibres, des centaines dans chaque petit coin de brousse, nécessaires à l'eau, au sol, au feuillage, au climat, qui avaient été perturbés. Je soupçonnais déjà que ces changements étaient plus importants que la Guerre elle-même, et le renversement des Blancs, l'avènement du gouvernement noir. Aujourd'hui, des années plus tard, j'en suis sûre. Mais je ne pouvais leur parler en ces termes, à cette époque. Cela eût paru déplacé : dans le meilleur des cas, ils y eussent vu l'une de ces excentricités propres aux Blancs.

C'est presque une loi, je crois : ce que l'on craint de dire sous prétexte que ce n'est pas dans l'air du temps apparaîtra comme l'enjeu capital quelques années plus tard.

Aussi ne dis-je mot de tout cela ; je racontai plutôt qu'à mon départ, en 1949, il y avait deux cent cinquante mille Blancs pour un million et demi de Noirs. Aujourd'hui, affirment les experts, ils sont huit millions. Huit millions, pour l'essentiel de très jeunes gens. Dans une génération, ils seront vingt-cinq millions.

« Huit millions », dit Gore en riant et en hochant la tête. A cause du mot *million,* qui défiait son imagination aussi bien que la mienne. Mutare, sa « grande ville », n'avait jamais compté plus de quelques milliers d'habitants.

« Nous sommes des pauvres », dit-il gravement, quand il eut cessé de rire.

C'était un commentaire qui portait non seulement sur les huit millions, qui devaient se procurer assez de nourriture à se mettre sous la dent et de vêtements à porter, mais aussi sur ce que j'avais dit de l'Angleterre.

Je savais ce qu'il trouvait particulièrement intéressant dans mes propos quand il les traduisait à ses amis. Il traduisit aussitôt quand je parlai de l'indemnité chômage, qui leur paraissait venue d'une autre galaxie ; du métro de Londres ; quand il entendit que chaque enfant allait à l'école jusqu'à seize ans ; que les magasins étaient pleins, et qu'il n'y avait jamais la moindre pénurie. Il ne traduisit point quand je me mis à parler de notre régime, des partis politiques, des élections, des conseils municipaux.

Les deux heures de route pour rejoindre Mutare, je les fis avec des hommes qui savaient ce que possédaient les autres peuples par ce que leur en avaient dit les voyageurs, par la presse, par la télévision — mais ils regardaient rarement la télévision ou des films ; ils voyaient des avions dans le ciel et faisaient parfois du stop, mais jamais ils ne voyageraient en avion ni ne posséderaient une voiture. Les merveilles de la vie moderne leur étaient interdites, mais ils en avaient approché, dix années durant, sur le front d'une guerre menée avec des armes modernes, car de celles-ci ils dissertaient en connaissance de cause et savamment.

Bref, ils étaient pareils à l'immense majorité de la population du monde.

Leur façon de me parler de leur vie était paisible, ironique, dans des récits où la pauvreté faisait un peu figure de personnage d'un conte populaire.

Je les déposai dans la grand-rue de Mutare, navrée de les voir s'éloigner, non sans se retourner pour faire un geste de la main et renouveler les adieux. Puis je me garai et entrai dans le nouvel hôtel.

PÈRES ET FILS,
SANS PARLER DES MÈRES ET DES FILLES

Je m'assis dans l'aire de loisir. Je ne vois pas comment on pourrait appeler ça un hall ou même un salon. Je songeais que dernièrement, dans l'un des hôtels les plus chers du monde, le Quatre Saisons de Hambourg, j'avais pris mon petit déjeuner dans une salle à manger que l'on trouvait jadis dans tous les hôtels, une longue pièce très haute de plafond, avec des rideaux de perse aux longues fenêtres. Il y avait des nappes de damas blanc, des couverts massifs et — voici ce qui le distinguait de votre hôtel ordinaire — des pots de confiture avec une petite cuiller. Le charme suranné, voilà ce que recherchent les gens riches. Très bientôt, sans doute, cent mille hôtels modernes sans caractère seront abattus pour laisser place à d'amoureuses répliques du passé. En attendant, les pays neufs qui ont hâte de montrer ce qu'ils valent dans le concert des nations bâtissent des hôtels modernes.

A la table voisine étaient assis deux hommes d'âge mûr, blancs, des fermiers, et j'écoutais le Monologue — le président Banana et les poulets, l'escorte de Mugabe, mais aussi les échanges venimeux à propos des Squatters et des insuffisances du ministre de l'Agriculture. De l'autre oreille, j'écoutais deux Suédois — un homme, une femme — qui travaillaient à un programme de formation et de reclassement des Combattants de la Liberté. Ils parlaient des Blancs proches de leur Resettlement Scheme, qui faisaient tout pour leur compliquer la tâche. Ils baissèrent la voix pour dire que la nouvelle bureaucratie était

102

impossible, presque aussi gênante que les Blancs rétrogrades. Ils décidèrent d'aller voir à Harare certain ministre (noir), en commençant par s'assurer que son assistant (blanc) lui ferait entendre raison. « Bien sûr, on ne peut s'attendre que tout marche aussi rapidement », disaient ces âmes raisonnables. Je restais assise entre les deux fermiers, d'un côté, les deux Suédois de l'autre, observant les gens qui allaient et venaient, blancs ou noirs, en groupe et en famille, et parmi eux bon nombre appartenaient à cette nouvelle race des travailleurs de l'aide humanitaire internationale. Les gars étaient tous noirs, vifs, et montraient une assurance et une aisance qui faisaient plaisir à voir.

Un jeune couple, blanc, rejoignit bientôt les Suédois. Ils étaient d'une espèce immédiatement reconnaissable : des enfants des années 1960 qui, s'ils étaient trop jeunes pour avoir effectivement goûté aux délices de cette décennie, en portaient néanmoins la marque. Ils sont cordiaux, toujours soucieux de présenter à tout le monde une innocence voulue, ouverts à toute idée qui est dans l'air, sensée ou non, du pacifisme au végétarisme en passant par l'aromathérapie et les OVNI, et ils savent que si tout, apparemment, ne va pas pour le mieux dans le meilleur des mondes possibles, cela finira bien par changer de quelque mystérieuse manière. Ceux-ci approchaient de la trentaine. Ils devaient discuter avec les Suédois de la possibilité de venir travailler sur leur Resettlement Scheme. La jeune femme était physiothérapeute, le jeune homme brûlait d'aider les gens, mais sans formation particulière. Tous deux étaient zimbabwéens, et originaires de cette région.

Sans respecter la chronologie, je vais maintenant relater une visite que je rendis plus tard à un couple que j'avais bien connu dans l'ancien temps. La bourgeoisie se plaint toujours de la pauvreté ; pour une raison ou pour une autre, et quel que soit l'argent dont elle dispose, elle n'a jamais son dû. Ce n'est pas une observation originale, mais ce voyage lui donna une nouvelle et déroutante fraîcheur. Le couple que j'allais voir n'était plus de la prime jeunesse, comme moi. Ils avaient soixante ans passés. Des fonctionnaires à la retraite. Tous deux étaient en parfaite santé, débordant d'énergie et de doléances. Ils habitaient un grand bungalow, avec de nombreuses chambres et des vérandas tout autour, au milieu de deux arpents de terre couverts d'arbres fruitiers, de légumes et de fleurs. Tout, dans leur demeure, respirait cette atmosphère soignée et étincelante que l'on ne voit guère en Grande-Bretagne, où les femmes travaillent, ou manquent de temps pour soigner ainsi leur intérieur. C'est l'atmosphère qui va de pair avec la domesticité. Ce couple employait deux serviteurs, des hommes. « Mais j'ai bien peur que la malheureuse Anne doive faire un peu de cuisine, ces jours-ci. — Eh oui, j'ai bien peur que ce soit un peu une charge. » Les domestiques faisaient le ménage, cultivaient les légumes, soignaient les arbres fruitiers, dressaient le couvert, servaient les repas. Quand nous avions fini, ils débarrassaient la table, préparaient du café et faisaient la vaisselle. Et pendant ce temps, mes amis d'il y a trente ans se plaignaient. Le Monologue, bien sûr. Mais ils se plaignaient aussi de leur pauvreté, de leurs privations, sur ce ton geignard et exaspérant qui est le propre des enfants gâtés.

Vers minuit, après qu'ils eurent passé des heures à me servir du Chère et du Tut tut, je craquai et demandai, à leur avis, combien de gens au monde menaient le train de vie qui était le leur. Cette question cruelle ne les atteignit pas aussitôt. Ils clignèrent des paupières, comme s'ils n'arrivaient pas à croire que je pouvais me rendre coupable d'une pareille perfidie. « En Grande-Bretagne, il faut être riche pour vivre ainsi. Même en Amérique, avec deux domestiques, on est riche. Votre mode de vie est un rêve inaccessible pour quatre-vingt-dix-neuf pour cent de la population mondiale. » Silence. Ils ne concevaient pas qu'on pût être à ce point déloyal envers la cause blanche. Les loyautés, surtout celles que la guerre avait confirmées, n'avaient jamais rien à voir avec la raison, le bon sens, rien à voir avec toutes ces choses ennuyeuses.

Il était déjà tard quand arrivèrent les deux jeunes gens que j'avais aperçus à l'hôtel, lors de ma première matinée à Mutare. Leur fils et leur fille. Deux générations différentes, deux espèces de gens. Comment parvenaient-ils à se parler ? Avec difficulté, telle est la réponse. Le jeune couple avait commencé à travailler avec les Suédois et ils avaient appelé leurs parents pour le leur dire. C'était le premier face-à-face. Les deux personnes âgées étaient assises là, dans leurs habits propres, bien comme il faut — elle avec sa nouvelle chevelure argentée et ondoyante, lui dans sa bonne tenue bien stricte —, et considéraient d'un air blessé leur progéniture insouciante, négligemment vêtue, qui aidait ces ennemis, les Terroristes. Les jeunes étaient passés si tard pour avoir à subir moins longtemps cette atmosphère accusatrice. « Nous aurions volontiers fait un saut plus tôt, mais nous n'avons guère de temps libre », dit la fille, à quoi son père répondit du tac au tac : « Bien sûr ils vont vous exploiter au maximum. »

« Écoute, coupa son fils, d'une voix qui trahissait déjà la colère, c'est une organisation de secours suédoise. Ils n'ont pas les moyens de nous payer beaucoup.

— Naturellement, ils ne vont pas vous payer, dit la mère, d'un ton vif, sûre de son fait. La seule chose qui les intéresse c'est d'obtenir de vous le maximum. » C'était les Noirs qu'elle visait, même si l'attaque aurait pu viser tout aussi bien les Suédois, qui soutenaient les « terrs » contre les Blancs.

« Écoute, maman, dit la jeune femme. Je me tue à essayer de t'expliquer. On veut faire quelque chose pour aider le pays. C'est aussi notre pays, maintenant, et nous voulons...

— Ce n'est pas notre pays, c'est *leur* pays », trancha-t-elle sèchement.

Sur ce, les deux jeunes gens échangèrent un regard. La jeune femme hocha la tête discrètement, mais son geste ne passa pas inaperçu, et son père enchaîna : « C'est ça, traitez-nous de fous. Nous sommes trop bêtes pour comprendre quoi que ce soit.

— Oh, Paul, intervint la mère, ne te dispute pas avec eux, ou on ne les reverra plus jamais.

— Désolée, maman, ajouta la fille. Mais c'est un rude boulot et tout le monde se tue au travail. On ne fait pas nos huit heures comme tout le monde, mais on viendra quand on pourra.

— Oh oui, nous le savons bien ! Nous sommes trop vieux pour changer, nous ne sommes plus bons à rien.

— Je n'ai jamais dit ça, répliqua la fille, car cette réflexion était trop rétrograde pour qu'elle la fît sienne. Bien sûr que non. On n'est jamais trop vieux.

— Mais, dit sa mère, ton fiancé n'aimait pas ça non plus, n'est-ce pas ? » Elle rit bêtement et piqua un fard, parce qu'elle avait visé au-dessous de la ceinture, elle le savait.

La fille rougit, elle aussi, mais de colère : « Je l'ai percé à jour à temps, ce n'est pas plus mal comme ça.

— Son fiancé n'aimait pas du tout la voir frayer avec les Terroristes, dit le père, triomphant.

— Il est parti dans le Sud, me dit la jeune femme. Il a " sauté le pas ". Sa place est là-bas, n'est-ce pas ?

— Si nous pouvions conserver nos retraites, nous " sauterions le pas " nous aussi, grommela le père.

— Vous n'auriez pas ce train de vie dans la République, dit le fils. J'ai reçu une lettre de Rob, il gagne la moitié de ce qu'il touchait ici et il n'est pas question de domestiques. »

Cette conversation se poursuivit, les jeunes gens de plus en plus exaspérés, mais patients, tandis que c'était au tour des parents, maintenant, d'échanger des regards qui disaient : Ça ne vaut pas la peine, garde ton calme.

Mais lorsque leurs enfants s'en allèrent, les parents dirent : « Maintenant que vous avez votre Zimbabwe, espérons que vous l'aimerez. »

LES VÉRANDAS

Et maintenant voici la vie des vérandas sous sa forme la plus souriante, parce que les maisons sont haut perchées dans les monts Vumba, et celle où je dois passer quelques jours domine vallées et collines, lacs et forêts. Mais aussi la frontière du Mozambique, à six ou sept kilomètres de là. Parfois s'élèvent de petits panaches de fumée et le bruit sourd de lointaines explosions. La Renamo fait encore sauter les oléoducs, les chemins de fer, la route. Les fermiers qui ont passé des années à combattre les « terrs » écoutaient les bruits, observaient la taille exacte et la forme des panaches de fumée et diagnostiquaient tel ou tel mortier… tel type d'explosion… de fusil. Ils s'exprimaient avec la nostalgie de ceux qui ont acquis un savoir-faire dont ils n'auront plus jamais l'usage. Les Selous Scouts étaient de toutes les conversations. Je l'avais su dès mon arrivée au Zimbabwe : les certitudes de la Grande-Bretagne « progressiste » reculaient, devenaient moins noir-et-blanc (noir, bon ; blanc, mauvais), mais le plus dur fut de me retrouver dans une atmosphère où il allait de soi que les Selous Scouts étaient tous des héros. Je rencontrai autant de gens qui prétendaient fièrement avoir lancé les Selous Scouts, ou dont les oncles, les frères, les neveux avaient lancé les Selous Scouts, que je connais à Londres de gens qui ont inventé le logo de la campagne pour le Désarmement nucléaire.

Entre autres prouesses, les Selous Scouts donnaient une formation aux gens qui, comme les fermiers, ne pouvaient être soldats à plein temps. L'un des cours portait sur les moyens de survivre dans la brousse. Les initiés recevaient un bout de ficelle et un couteau, on leur indiquait quelles plantes étaient comestibles et pouvaient contenir de l'eau, puis on les laissait se débrouiller une semaine environ dans la brousse. Il me semble que rares étaient ceux, peut-être devrais-je préciser dans une certaine catégorie, qui ne réagissaient pas avec toute l'énergie de fantasmes devenus réalité. Et certainement pas ceux qui avaient été élevés dans la brousse ou à proximité. Du fait des aspects héroïques et romantiques des Selous Scouts, maint Rhodésien blanc avait plus de facilité à fermer les yeux sur la brutalité, la cruauté.

En l'espace de deux ans, en Afrique du Sud, il n'y eut plus une seule librairie dont les rayons ne fussent couverts de livres sur les Selous Scouts (le plus souvent écrits par des grouillots, puisque le genre de personnages qui excellent dans les opérations de commando ou les combats de type SAS sont rarement portés à prendre la plume). Les Selous Scouts étaient devenus pour les Blancs de droite un symbole d'excellence, mais aussi de la Guerre héroïque pour la survie de la Rhodésie blanche. Par leur savoir-faire, les scouts nourrirent les brutalités et les excès des troupes sud-africaines en Angola et en Namibie.

Mais qui était ce Selous ? C'était Frederick Courtney Selous, chasseur illustre et estimé. Combien de centaines de milliers d'animaux a-t-il tués au cours de ses années dans la brousse ? Il vécut de 1851 à 1917, le temps de voir la vieille Afrique envahie par les Blancs. Il écrivit un livre, *Travel and Adventure in South-East Africa,* dont voici un extrait :

Ce soir-là, nous dormîmes sur un sentier de Kafir non loin des kraals de Lo Magondi. Le lendemain, près de deux heures après le lever du soleil, alors que nous étions tout près du pied des collines

107

où se trouvent les kraals, nous nous trouvâmes face à face avec un bel éland mâle, venu de la direction opposée, sur lequel nous ouvrîmes aussitôt le feu. Comme nous avions une petite affaire à régler avec Lo Magondi, à la charge duquel nous avions laissé plusieurs trophées de chasse du mois de juillet dernier et à qui j'espérais pouvoir acheter de l'ivoire, cette source de viande, si proche de sa ville, était fort opportune. Nous dépêchâmes aussitôt deux Kafirs, pour informer le vieux de notre arrivée puis, dessellant les chevaux (un beau cours d'eau s'écoulait dans la vallée juste au-dessous de nous), nous entreprîmes de découper l'éland et d'installer notre camp.

Nos messagers revinrent dans l'après-midi, accompagnés de Lo Magondi et d'une vingtaine de personnes de sa suite. Nous offrîmes aussitôt au vieux une patte arrière et la moitié du cœur gras de l'éland, tandis que de son côté il nous donnait un grand pot de bière, une corbeille d'arachides et de la farine de pogo. Cette nuit-là, notre camp fut le théâtre d'un grand festin et de réjouissances multiples, nos propres garçons, qui avaient long-temps mangé de la viande et désiraient vivement quelques légumes, achetant de grosses quantités de maïs, de haricots, de farine, de bière et de tabac aux Mashonas également avides de viande. Lo Magondi avait apporté avec lui toutes les cornes de rhinocéros, etc., que nous lui avions confiées, mais pas d'ivoire. Il promit cependant d'envoyer chercher deux défenses d'éléphant le lendemain, sur quoi je lui montrai ma marchandise : chemises de coton, perles, mouchoirs de couleur, etc.

Il semble que le district Lomagundi doive son nom au chef Lo Magondi. Une certaine confusion règne, en l'occurrence, parce que dans le voisinage de Lomagundi, depuis le nord du Mozambique jusqu'au Malawi, vit une tribu[1] qui porte le nom de Makondi et qui est réputée pour le travail du bois et de la pierre. Leurs belles statues, merveilleuses, énigmatiques, sont très prisées des collectionneurs — mais cela se passait bien avant que les Blancs n'attachent le moindre prix à l'art africain. Ce sont aussi des conteurs. De même, leurs femmes sont réputées pour leurs talents érotiques. Si, le sachant, vous demandez à un homme noir de n'importe quel coin du centre ou de l'est de

1. Le mot « tribu », me dit-on, est inacceptable. On devrait dire « groupe ethnique ». Mais tout le monde sait ce que « tribu » veut dire. La plupart des gens trouveraient déroutante, je crois, l'expression de « groupe ethnique », en tout cas à l'époque où j'écris ces lignes.

l'Afrique — et les femmes makondi, alors ? — il prendra aussitôt l'air entendu de celui qui sait qu'il doit rendre un hommage. Mais demandez simplement en quoi consistent ces talents — car, après tout, ils pourraient servir la joie et le bien-être de l'humanité —, vous n'obtiendrez rien de plus. Un homme confia que les femmes se marquaient le ventre d'une cicatrice. Parfait : une surface rugueuse, très bien, et après ? Jusque-là, c'est tout.

POLITIQUE

Si, à peine avait-on débarqué au Zimbabwe, Londres, d'abord... puis la Grande-Bretagne... puis l'Europe... puis le reste de l'Afrique s'éloignaient, s'amenuisaient, l'Afrique du Sud, le voisin du Sud, l'exemple, le « dernier bastion de la Suprématie blanche en Afrique australe », prenait au contraire du relief, menaçante, puissante et dénuée de scrupules. En 1982, rares étaient les conversations qui ne tournaient point autour de l'Afrique du Sud, qu'on y vît une menace ou une promesse. Non seulement des civils partaient tous les jours vers ce bastion : mais, en ayant fini avec leur occupation, les soldats des armées blanches en débandade, parlaient de « sauter le pas », puis de former des groupes de guérilleros qui reviendraient se battre contre le gouvernement noir. De fait, c'est précisément dans ce but que la Renamo avait vu le jour dans la Rhodésie blanche. Les Sud-Africains employaient des « Rhodies » pour en entraîner les militants, mais aussi dans toutes sortes d'activités subversives au Zimbabwe. Ils fomentaient des « incidents » que la presse britannique présentait comme l'œuvre d'aventuriers isolés, mais au Zimbabwe chacun les imputait au bras long de l'Afrique du Sud. (Pour porter un diagnostic sur la Grande-Bretagne, il n'est rien de plus utile que de se rendre dans un pays éloigné du tour d'esprit des Européens et de voir ce dont on n'a pas parlé, ou insuffisamment, en Grande-Bretagne.) Noirs ou Blancs, tout le monde pensait que les Terroristes hostiles à Mugabe, pour l'essentiel partisans de Joshua Nkomo, qu'il se félicitât ou non de leur soutien, étaient inspirés par l'Afrique du Sud. « Près de Bulawayo, il y a des zones entières de la brousse où les troupes du gouvernement ne peuvent s'aventurer. » Tout le monde savait que l'Afrique du Sud dépêchait des agents dans les conférences internationales où il était question d'investissements et de développement, à seule fin de propager des rumeurs sur la situation précaire du Zimbabwe, de minimiser l'ampleur du travail accompli, d'exagérer le moindre revers. Et, en 1982, les correspondants de la presse étrangère rencontraient des Noirs au style ampoulé, ou des Blancs qui parlaient avec aplomb de Trahison. J'écoutais des Blancs fébriles, à Harare, à Mutare, le plus souvent d'anciens militaires, qui complotaient la chute de Mugabe. Fous, ils étaient fous, mais ils ne pouvaient s'en rendre compte. Smith était leur héros. Smith, Smithie, ce Bon-vieux-Smithie, revenait sans cesse dans leurs conversations. Rien de plus facile d'entendre « Daddy », « Nanny », voire « Mummy », et la terreur des enfants laissés seuls dans l'obscurité, des enfants qui avaient grandi dans l'idée que tout leur était dû, qu'ils ne pouvaient perdre ce qu'ils avaient, car « Smithie » leur avait promis la sécurité. Mais ils avaient tout perdu ; ils avaient perdu leur Suprématie blanche, et ils avaient encore peine à y croire. Et leurs complots et leurs intrigues ne pouvaient avoir les conséquences d'une Trahison, car comment y aurait-il trahison quand on récupère ce qui vous appartient de plein droit ? Tout en écoutant ces petits enfants, je pensais à mon Noir de Londres (à la Libération, il est rentré au pays et a pris sa place dans le nouveau Zimbabwe) qui, au faîte de la guerre, alors que jamais les émotions n'avaient été aussi violentes, observait avec calme : « On ne saurait espérer de changement des Blancs de ce type. Ils ne changeront jamais. Ils sont pareils à des enfants et il faudra les traiter comme des enfants. Ou des malades. »

Au bout d'une semaine de séjour dans le nouveau Zimbabwe, je compris enfin que c'étaient bel et bien des malades. Comme je circulais d'une véranda à l'autre — thé du matin, déjeuner, thé de l'après-midi, apéritif, dîner — sur les flancs de ces montagnes incomparables, j'écoutais le Monologue et me rappelais que ces gens étaient normalement froids, dégourdis, pleins de ressource et d'humour. Le Monologue, par ici, était amer, pleurnichard, geignard : il commençait avec la journée, autour de six heures, et durait jusqu'au coucher. Maintenant, il ne s'agissait plus seulement du président Banana et des poulets, de Mugabe et de son escorte, mais aussi de la nouvelle bureaucratie, inefficace, arbitraire, prévenue contre les Blancs. Les Suédois et leur aide humanitaire inspiraient une haine, une colère froide, à laquelle aujourd'hui encore j'ai peine à croire. Ai-je vraiment passé des heures assise à écouter des anecdotes malveillantes sur les Suédois ? Oui, c'est vrai : j'ai mes notes. Les Suédois furent les premiers représentants, ou les plus généreux, ou les plus visibles, des nouvelles armées de bienfaiteurs internationaux, et ils suscitèrent une rancœur toute particulière, mais tel était le cas de quiconque avait soutenu les « terrs » ou accompagné la naissance du Zimbabwe. Cold Comfort Farm, cet établissement exemplaire où depuis des années, sous la houlette des Blancs, Noirs et Blancs vivaient et travaillaient ensemble, avait toujours attiré les critiques, mais maintenant que ce qu'elle incarnait avait triomphé, toutes sortes de ragots circulaient parmi les Blancs, d'aucuns si bêtes et si mesquins que je devais me répéter sans cesse : On ne décrit pas un adversaire politique comme un homme qui est en désaccord avec vous, très certainement pour des mobiles aussi idéalistes que les vôtres, mais comme un individu pervers, faux, immoral et incompétent.

Par-dessus tout, il y avait les Squatters... ainsi pourrait-on résumer tous les griefs des Noirs : Ils sont venus et nous ont volé notre terre.

Le pays, le sol, la terre, voici bien ce que l'on a pris aux Noirs. Tout au long de la guerre de Libération, de la guerre du Bush, Mugabe avait promis que, les Blancs défaits, chaque Noir aurait de la terre. Ce que le Camarade Mugabe voulait dire, c'était que tous auraient leur place dans des projets et des établissements collectifs, mais chaque Noir veut posséder sa terre à lui à l'exemple des Blancs, l'avoir, la conserver et la transmettre à ses héritiers. Le Camarade Mugabe avait mené une guerre difficile et son armée n'était qu'une des nombreuses forces en présence. Il ne savait pas qu'il allait gagner. Même dans la brume de telles incertitudes, peut-être les chefs de la guérilla auraient-ils été bien avisés de ne pas faire de promesses impétueuses. Tous les Noirs ne peuvent posséder de la terre ni même en vivre. Il n'y aura jamais assez de terres, surtout avec une population qui double, double, double à intervalles aussi rapprochés. Mais la guerre terminée, chacun des Noirs qui avaient soutenu Mugabe à cause de ses promesses et nombre de ceux qui n'en avaient rien fait attendirent de la terre, et l'avènement du Paradis.

En fait de Paradis, celui-ci ressemblait davantage à une utopie

111

anarchiste. Nul n'aurait besoin de permis pour conduire une voiture. Ni d'autorisation pour les véhicules. Personne n'aurait d'examens à passer, et pourtant tout le monde aurait des qualifications et des diplômes, et chacun aurait aussitôt l'emploi de son choix. Inutiles, les billets de bus et de train. L'électricité et l'eau seraient gratuites comme l'air. Bien entendu, tous les Noirs ne croyaient pas à chaque article de ce credo, mais tous croyaient à quelque chose de cet ordre ou, tout au moins, les plus puérils croyaient à cette chimère. Et qui dira l'accablement et le sentiment de trahison qu'éprouve cette part sensée et adulte d'une personne dont les chimères infantiles doivent mourir ?

A la naissance du Zimbabwe, l'expérience de trois pays pouvait lui servir de leçon. L'économie du Mozambique était en ruine, en partie parce que les Blancs avaient été chassés, avec tout leur savoir-faire. Inspiré par les exemples de l'Union soviétique et de la Chine, où la collectivisation s'était soldée par des dizaines de millions de morts, Nyerere avait introduit en Tanzanie la collectivisation forcée face à la résistance passive des paysans, en sorte que les vivres se faisaient rares, voire inexistants, dans les magasins de ce pays fertile : à la longue, ce sont toujours les paysans qui gagnent. En Zambie, la gabegie aidant, l'agriculture avait pris un tour si catastrophique que l'essentiel des vivres était produit par la poignée des Blancs restés au pays. (C'est encore vrai en 1992.)

Le Camarade Mugabe en tira les leçons et ce n'est que deux années après la Libération qu'il mit en œuvre une politique réfléchie, prudente, circonspecte de rachat des fermes blanches, à mesure qu'elles se libéraient, pour y installer des gens triés sur le volet, mais uniquement après avoir garanti les services élémentaires. La rhétorique qui accompagna cette politique était tout aussi absurde et torrentielle qu'en n'importe quel pays communiste, mais par bonheur il n'y avait (et il n'y a) guère de rapport entre ce qui se passait et les mots employés pour le dire.

Enflammés et justifiés par des années de rhétorique, les Noirs se ruèrent sur les nouvelles fermes, sans attendre d'être convenablement installés, mais s'en firent chasser s'ils ne faisaient pas l'affaire. Qui faisait l'affaire et qui ne la faisait pas ? Mais c'est qu'il n'en était pas question dans les promesses de la guerre du Bush !

« Les Blancs nous ont volé notre terre et nous voulons maintenant la récupérer.

— Oui, mais lentement. Voulez-vous que le Zimbabwe soit un véritable gâchis, comme le Mozambique, comme la Zambie, comme la Tanzanie ?

— On n'en a rien à faire de ces grandes idées, de ces perspectives à long terme. Donnez-nous la terre que vous nous avez promise.

— Mais il n'y a pas assez de terres à distribuer.

— Alors, chassez les Blancs de leurs fermes et donnez-nous leurs terres.

— Il n'y en aurait toujours pas assez.

— Ce n'est pas ce que vous disiez quand vous étiez les Gars du Bush.

— Oui, mais les impératifs de cette époque interdisaient une analyse en profondeur, et maintenant que nous avons examiné la situation sous tous les angles, que nous avons pris en considération les paramètres de l'infrastructure parastatale[1] et des données pertinentes, il est clair que...

— *Donnez-nous notre terre.* »

Les fermes nouvelles sont une extension des zones d'implantation qui existaient déjà et des Native Purchase Areas mises en place sous les Blancs, de même que les Master Farmer Certificates délivrés aux bons fermiers font suite à une politique amorcée sous les Blancs. En 1982, il n'était pas possible de reconnaître aux Blancs le moindre mérite, et l'on s'appliqua à présenter la nouvelle politique comme si elle était tout droit sortie du cerveau des maîtres du nouveau régime.

Sous les vérandas des Blancs, les Squatters occupaient une place de choix dans le Monologue. Quand je n'étais pas assise sous une véranda, j'étais en voiture, me laissant promener à travers des régions envahies de cabanes, de cases, de baraques de toutes sortes, toutes entourées de maïs épars et de quelques courges. La terre s'érodait en ravines, les arbres étaient taillés pour faire du combustible. Qui me conduisait ? Des Blancs explosifs, spleenétiques.

1. Semi-publique. (*N.d.T.*)

« Regardez ça, mais regardez ça, il ne restera bientôt plus de terre...

— Au nom du ciel, du calme !

— Si encore ils vivaient là... les hommes ont un boulot en ville, ils installent leurs femmes et leurs gosses sur la terre qu'ils ont squattée, ils ne peuvent pas vivre de ce qu'ils cultivent, ils n'arrivent même pas à faire pousser plus que quelques repas de *sadza*.

— Tu vas finir par avoir une attaque si tu ne fais pas attention.

— Et le ministre ne fera rien... quand il prend la parole devant les fidèles rassemblés, il se contente de leur promettre de la terre... la peur. Quand il s'adresse à nous, les fermiers blancs, il dit : " Oui, oui, oui, vous avez raison, bien sûr que non, nous ne voulons pas de l'érosion des sols. " Mais il ne fait rien. »

La terre s'en allait à vau-l'eau. Les ravines se creusaient. C'était déjà assez grave sur les terres ensemencées de maïs mais, perchées sur les flancs escarpés des monts Vumba s'entassaient les baraques avec de rares et maigres épis de maïs à l'entour, et quelques poulets. Or, le maïs ne poussait pas sur ce sol forestier peu profond et des coteaux entiers s'éboulaient en ravines. « *Mais regardez-moi ça !* » hurlaient les fermiers blancs qui, ces temps-ci, sont tous devenus écologistes.

A une demi-heure de route de cette vallée haut perchée dans les montagnes, où poussent café, kiwis, fruits de la passion et autres, vous descendez de deux cents mètres et vous retrouvez sous les tropiques : ananas, bananes, mangues, fruits tropicaux en tout genre, mais une seule chose assurait l'unité de ces différents paysages : les Squatters. Vers chaque ferme rampaient les gens des villes, dans l'espoir d'être des fermiers, de vrais fermiers, avec des actes officiels. Et chaque ferme les repoussait : une nouvelle et énergique guerre de guérilla.

Qui prenait parfois des formes surprenantes. A la Libération, certain fermier blanc libéral (mais le mot libéral est une malédiction) réunit sa main-d'œuvre et déclara : « Et maintenant, nous allons tous travailler ensemble comme des égaux. Plus de travailleurs migrants sur cette ferme. Je vais vous donner à chacun deux arpents de terre où vous construirez une maison. La terre sera à vous. Ce que vous y cultiverez sera à vous. »

« Et que croyez-vous qu'il arriva ? demandait la femme blanche qui racontait cette histoire, le visage illuminé par la

114

haine. Eh bien, que dites-vous ? Tous les parents affluèrent aussitôt, il y en avait plusieurs centaines. Cet idiot est retourné voir ses hommes qu'il avait embauchés à vie et leur a dit : " Vous ne voyez pas que d'ici cinq ans la terre sera épuisée ? Ce sera le désert. Vos amis abattent tous les arbres. Vous devez les renvoyer. " Mais bien sûr, ils ne partirent pas. Ils savaient ce qui était bon.

— Et après ?

— Il est allé en Australie, il a une ferme près de Perth. Et tous ses Squatters ont eu ce qu'ils méritaient de toute façon parce que le gouvernement a racheté sa ferme. »

Les Squatters ne sont pas le seul sujet de conversation des vérandas. Lorsque Mugabe menait sa guerre désespérée dans la brousse, il avait dit d'autres choses qui n'étaient pas vraiment intelligentes. Entre autres, que la baignade obligatoire du bétail [1] était un sinistre complot des Blancs pour détruire le bétail, les *mombies,* qui sont le sel de la vie traditionnelle africaine. La baignade obligatoire était en tout cas difficile à pratiquer pendant que se déroulait la Guerre, mais à la Libération les Noirs cessèrent aussitôt de baigner leurs animaux, et il en résulta toutes sortes de maladies. Il n'est pas facile au gouvernement de rendre à nouveau obligatoire la baignade : « Mais on croyait que vous nous aviez dit... »

Les Camarades de la brousse déclarèrent que faire des buttes pour arrêter l'érosion était encore un stratagème pour causer la ruine des Noirs. Les effets délétères de cette conviction étaient déjà visibles en 1982. Sur les fermes africaines, ils labouraient carrément en travers des buttes. Des ravines se creusaient, dans lesquelles l'eau s'engouffrait, emportant la précieuse terre. « Attendez quelques années, disaient les Blancs malveillants ou soucieux de protéger la nature, il ne leur restera plus de terre, mais ils vont s'en prendre à nous, comme d'habitude. »

Ce souci de la terre me fit forte impression. Quand j'étais petite, les Blancs se conduisaient en véritables pirates des terres, et pas simplement en les accaparant. Lorsque le gouvernement rendit obligatoire la réalisation de buttes autour des champs et

---

1. A intervalles réguliers, il faut faire nager les animaux de ferme dans un bain d'eau préalablement traitée aux produits chimiques pour tuer les insectes qui transmettent des maladies.

envoya des arpenteurs pour en dresser la carte, ils grommelè-
rent. On a oublié tout cela. Si le Monologue, sous ses diverses
formes, était lassant et que votre seul désir était d'être ailleurs
quand ça les reprenait, encore et toujours, quand ces gens
parlaient de techniques agricoles, c'était une chose très différente. Ces pirates et ces accapareurs de terre réformés sont au
fait d'inventions et de découvertes de tous les coins du monde.
Ils expérimentent, ils innovent, ils se demandent si les manières
de planter les arbres en Écosse ou les procédés millénaires pour
faire jaillir l'eau des déserts en Israël seraient applicables au
Zimbabwe. Ils discutent d'énergie éolienne, d'énergie solaire,
des hélices hydrauliques du Moyen-Orient et d'Égypte, des
nouvelles techniques de construction de barrages, de l'introduction de plantes originaires de semi-déserts et résistantes à la
sécheresse, de la lutte contre les insectes par d'autres insectes ou
par des plantes salutaires, de l'élevage des élands plutôt que du
bétail.

On me fit visiter une ferme qui était « un peu une vitrine, vous
n'en trouverez pas beaucoup de pareilles ».

Le couple avait travaillé la terre en Rhodésie du Nord et
comptait parmi les centaines de fermiers blancs qui étaient partis
quand elle était devenue la Zambie. Ils s'étaient installés au
Transvaal, où leur exploitation tournait bien, mais : « Ils ne
savent pas s'y prendre avec les Affs là-bas. Les Affs de là-bas ne
sont pas bons et gentils comme nos Affs. Ils sont renfrognés. Je
n'ai jamais vu un sourire tout le temps que j'ai passé là-bas.
Alors nous avons décidé d'essayer la Rhodésie du Sud. »

Une fois encore, l'histoire les a rattrapés et leur a infligé un
gouvernement noir.

L'homme était un fermier remarquable. La ferme ressemblait
davantage à un manoir médiéval, ou peut-être à une ferme
blanche de l'ancien temps, qu'aux fermes d'aujourd'hui ; pleine
d'ateliers et de moulins, une forge, un appentis de travail du
cuir. Quant au fermier, on aurait dit le type même du Texan, car
il était grand, solide, élancé, avec un débit lent. Il avait le génie
de l'improvisation. Au cours de la Guerre, alors qu'il était
difficile de se procurer des machines et des pièces détachées, il
avait guetté toutes les ventes de fermes pour racheter les vieux
appareils et les retaper. Sa ferme était un véritable musée de
machines agricoles : je reconnus des charrues, des herses et des

planteuses des années 1920 et 1930. Il y avait deux arpents entièrement couverts de machines, toutes en état de marche. Il avait appris à deux ouvriers agricoles ce qu'il savait, et ces hommes s'occupaient de leurs machines comme... eh bien, comme de *mombies*. C'est le fermier qui les avait plaisantés à ce sujet, et les hommes en question nous rapportèrent ses propos en riant. « Presque aussi bien que des *mombies* », assuraient-ils en montrant charrettes, planteuses et moissonneuses. La place se suffisait presque à elle-même, avec ses entrepôts qui regorgeaient de conserves, de confitures, de miel, de fromages, de marinades et de récipients pleins de grains. Le souper était un festin, le petit déjeuner aussi, et rien de ce qui était servi à table n'avait été acheté. L'épouse du fermier n'était pas moins remarquable que son mari. Lorsqu'il s'en alla plusieurs mois d'affilée au combat, c'est elle qui s'occupa de la ferme. Elle avait du mal à se retrouver de nouveau reléguée au second rang, comme toutes les femmes qui dirigèrent les fermes pendant que leurs maris s'en allaient en guerre, et qui étaient tentées d'échanger des regards résignés quand leurs maris disaient des choses du genre : « Untel est venu s'occuper de ma ferme quand j'étais au combat. » Maintenant que la paix était revenue, l'épouse était rentrée dans le moule, comme au bon vieux temps, libre de se consacrer à ce qui lui chantait : elle avait choisi de diriger un genre d'école pour employés de maison. Il n'y avait que des femmes, aucun homme, mais la décision de n'embaucher que des femmes n'était pas de son fait. « Oh, je fais ce qu'on me dit », observa-t-elle, puis : « Venez voir la princesse. Eh oui, j'ai une princesse qui travaille à la cuisine. » Ce n'était pas dit sur un ton désagréable, comme cela l'eût certainement été dans l'ancien temps, car elle essayait de s'accommoder du nouveau Zimbabwe. A la cuisine, une jolie jeune Noire apprenait à préparer des gâteaux compliqués et des puddings. « Tous les jours elles viennent me voir du village, elles me supplient de leur apprendre, elles pleurent, et si je dis non, elles reviennent jusqu'à ce que je cède. S'il vous plaît, apprenez-moi, s'il vous plaît, apprenez-moi, et ainsi j'ai cinq filles à mon service, et advienne que pourra, mon mari me dit que je suis sotte, mais je dis que je fais un petit quelque chose pour le Zimbabwe, n'est-ce pas ? Il n'y a pas le moindre travail pour ces pauvres filles, vous comprenez. Elles savent que je leur donne une bonne formation et elles essaient de trouver du travail en ville, dans un hôtel ou dans une ambassade. Elles veulent travailler dans un hôtel. Je leur montre tout, comment faire la cuisine, comment servir, faire les lits, soigner les plantes de la véranda. Je leur apprends à répondre au téléphone et à prendre des messages. » Avant que j'aille me coucher, ils me prévinrent de faire attention si je sortais me promener avant le petit déjeuner : « Il y a toutes sortes de skellums dans les parages, vous savez, à cause de la Guerre. Et si vous entendez un camion, cachez-vous dans la brousse. Si ce sont nos soldats, pas de problème, mais si ce sont les Nord-Coréens... »

Le Camarade Mugabe avait accepté l'offre des Nord-Coréens de lui envoyer des soldats qui formeraient un régiment spécialement chargé d'assurer sa garde personnelle et serait un exemple d'efficacité militaire pour le reste de la population. C'étaient des brutes, des sauvages, qui avaient plus d'un meurtre sur les bras : c'est à eux que l'on attribuait le meurtre récent de deux touristes, pas très loin de cette ferme. Tout le monde les redoutait. En 1982, les Noirs et les Blancs ne tombaient d'accord que sur un seul point : l'abomination des Coréens, l'infâme Cinquième Brigade. « Ils vous tueraient sur-le-champ », dit mon hôte. « Ils vous tueraient sur-le-champ », dirent les cinq filles, qui regagnaient leurs villages à travers la brousse plongée dans l'obscurité, ensemble pour plus de sécurité, escortées par un homme de la ferme. Je sortis me promener à l'aube, vers six heures, à travers des champs de caféiers poussiéreux et avachis faute de pluie. J'écoutais les oiseaux, espérant même apercevoir un animal ou deux. Il y avait des oiseaux, pas beaucoup, mais aucune autre bête. Soudain parut un camion plein d'hommes en uniforme, cahotant dans des nuages de poussière. Un régiment du pays, pas des Coréens. Je me tenais dans la poussière au bord de la route, prête à fuir si nécessaire. Ils n'avaient pas l'air très bienveillants, mais pourquoi l'auraient-ils été ?

Peu après mon retour à Londres, j'appris que ce couple ne voulait plus entendre parler d'un gouvernement noir : c'était la bureaucratie, l'incompétence, les Squatters et, par-dessus tout, la peur de l'avenir. Forts de leurs compétences, de leur expérience et de leur savoir-faire et, Noirs renfrognés ou pas, ils retournèrent au Transvaal et repartirent de zéro, faute de pouvoir faire sortir de l'argent du pays. Qu'advint-il de cette ferme, pleine d'ateliers, de machines et d'animaux? De cette grande maison pleine de chambres? Des jeunes femmes noires qui brûlaient d'être cuisinières, gouvernantes, serveuses?

A souper — quinze personnes, des amis de la famille, des visiteurs, une scène de paix et d'abondance —, toute la conversation avait tourné autour de la guerre. Une fois encore, j'observais un ton de désir empreint d'amertume et de regret, ils évoquaient comment la nuit ils se couchaient dans la brousse sous les étoiles et tentaient de conjurer le sommeil à cause de la splendeur des cieux, écoutaient le silence — plein de danger, et c'était là au moins la moitié du problème. « Le plus beau moment de leur vie » — quoi d'autre? Et avec mille fois plus de raisons que lorsque mon père parlait du plus beau moment de sa vie, par quoi il entendait la camaraderie des soldats. « Je n'ai jamais retrouvé cela... » Mais c'étaient les tranchées. Désir, regret, nostalgie — de quoi? De plus en plus je me dis que ces... nos émotions les plus fortes, le désir ardent ou le regret, ont un autre objet, quelque autre bien, quelque autre manque. Il y a une camaraderie que peu d'entre nous avons connue, dont nous rêvons, et dont on s'approche, un temps, pendant une guerre. Et dont la mort est le prix. Puis la guerre s'achève, et soudain tout dit à ces hommes qu'ils ne sont plus jeunes. Ce n'est pas la longue, lente usure que la plupart des gens connaissent au début de la maturité. Pendant les années de guerre, c'est pour leurs attributs de jeunes hommes qu'on les a appréciés et qu'ils se sont appréciés : force physique, opiniâtreté, endurance, vaillance. Et des années durant ils se sont retrouvés à un stade antérieur à la culture, où des hommes chassaient d'autres hommes, pour les tuer. Pas étonnant que les souvenirs de guerre soient une drogue aussi forte. Et dans tout le Zimbabwe, les Noirs qui avaient combattu six, sept, huit ans, dans les forêts, les *kopjes* et les *vleis,* parfois dès l'âge de dix, onze ans, avaient enduré cette guerre cruelle, bien pire qu'on ne nous l'a jamais dit dans la presse, avaient combattu avec un matériel insuffisant, souvent sans entraînement : ces hommes-ci se souvenaient d'un temps d'espoir. Des années ils avaient vécu plus ou moins dans la brousse, héritage de leurs pères, sinon le leur; ils avaient été avec des égaux et des amis, le Blanc et ses manières froides et cassantes couché en joue, comme un ennemi, et à bonne distance. Ils se grisaient en permanence de la rhétorique la plus satisfaisante, tellement meilleure que l'alcool, et du danger. Ils étaient maintenant retournés à la vie civile, la plupart avaient des emplois médiocrement payés quand, sans emploi, ils ne s'accrochaient pas aux franges souvent semi-criminelles de la vie urbaine. Ou vivaient désœuvrés dans leurs villages. Ou ils étaient mutilés et on les « réinsérait » dans la vie civile, d'aucuns apprenant à lire et à écrire. Probablement les gens les mieux placés pour se comprendre au Zimbabwe en 1982 étaient-ils les anciens combattants, blancs et noirs, de cette guerre. Mais il leur fallait se haïr et se condamner mutuellement.

ANIMAUX

Le « boy-fusil » — un homme d'une cinquantaine d'années — sort chaque soir à l'affût des babouins et des sangliers. Longeant le flanc d'une montagne à travers la brousse, dans ces coins plus proches de la forêt tropicale, une troupe de babouins avec leurs petits croise soudain la route dangereusement exposée.

« Ahhhhh, soupire le visiteur d'Europe.

— Vermine », tranche le fermier.

Un groupe de sangliers, les petits courant après leur mère... « Oh, regarde, regarde les marcassins.

— Vermine, saloperie », dit le fermier.

Les babouins font des razzias dans les plantations de café : ils peuvent dévaster un champ entier en une nuit et ils ont découvert que les grains de café les mettaient dans un état d'euphorie. Et ils ne s'en privent pas. Les sangliers pillent les potagers et chassent les chiens de la maison, ils les tuent même quand ils le peuvent.

L'homme à la carabine est indispensable à la vallée de montagne et à ses fermiers. Les babouins, les sangliers et les hommes ne font pas bon ménage, dommage.

Dans les forêts du Mozambique, il n'y a plus le moindre gibier, à cause de la guerre. Plus rien, tous tués.

Mais chaque matin, quand je me levais, vers cinq heures trente, à temps pour voir le lever du soleil, je m'asseyais sous la véranda et observais, à une centaine de mètres en contrebas, un singe vervet assis à la cime d'un arbre, où il se balançait comme moi sur mon siège, et il regardait le soleil levant, lui aussi, tout en se réchauffant après la nuit froide. Il y restait environ une demi-heure. Amis ou famille, personnages plus frivoles que ce philosophe cabriolaient dans les branches inférieures ou se pourchassaient à terre, d'arbre en arbre.

HÔTELS

Sur la route des Vumbas, se dressent deux hôtels à l'ancienne, spacieux et pleins de caractère, avec des vérandas, des pelouses et — des oiseaux. On s'assied dehors sur une pelouse ensoleillée, qui domine les montagnes et les forêts, et l'on boit du thé, de la bière, on regarde les oiseaux voleter dans les arbres. Le garde-chasse de cette région est aussi de mèche avec l'industrie hôtelière. Il déborde d'affliction parce que l'enlèvement de six touristes dissuadera les gens de venir. Nous nous asseyons autour d'un verre de ceci ou de cela et jouons à « Si j'étais... » Dans son cas, ministre du Tourisme. Nous vanterions les voyages organisés pour les amateurs d'oiseaux, en promettant des hôtels à l'ancienne, pleins de charme.

LA NOUVELLE CLASSE

Dans l'un de ces hôtels, j'étais assise avec un ami dans un coin du bar. Pas loin, quatre Noirs très jeunes, très élégants. Les deux filles portaient des robes de soirée, le dos entièrement nu et des bretelles sur les épaules. Les hommes étaient en smoking. Ils flirtaient, bavardaient, faisaient des coquetteries. Comme dans un film. Mon ami, un Blanc du bon vieux temps, et moi éprouvions des émotions très différentes. Ces filles, là — il y a trente-cinq ans, c'était moi. Je savais qu'elles ressentaient les mêmes choses que moi, à dix-neuf, vingt ans, dans mes robes de bal tellement sophistiquées. Ils étaient aux abois et incertains. « Ce sont des fonctionnaires de Mutare venus passer la soirée ici, observa mon compagnon. Eh bien, bonne chance à eux ! » Sous-entendu, si c'est ce qu'ils veulent, c'est bien la preuve qu'ils sont idiots.

ANTHROPOLOGIE

Certainement pas sous la véranda, car il fait trop froid, mais autour du grand feu, une douzaine de personnes, des visiteurs de Harare, évoquent les dernières nouvelles : si trois des six touristes pris en otages sur la route de Victoria Falls ont été libérés, leurs ravisseurs promettent de tuer les autres, passé certain délai. Plusieurs disent que c'est du bluff, que personne n'a été ni ne sera tué. Puis un homme de Bulawayo observe : « Si les Matabélés disent qu'ils vont faire une chose, ils la font. C'est leur culture. » Il nous raconta qu'il avait vécu des mois durant avec les Matabélés, pendant la Guerre, qu'il avait mangé et dormi parmi eux. Quand il quitta la brousse, il eut du mal à retrouver son anglais, pendant un jour ou deux. Les nuits glacées, chacun ne disposant que d'une petite couverture, il dormait en sandwich entre deux Matabélés. Il n'a pour eux que de l'admiration. Lorsque, plus tard, on eut la confirmation qu'ils avaient tué les otages, il observa : « Je vous l'avais bien dit. » De fait, dans la compagnie, bon nombre aiment les Matabélés, et plus encore les Zoulous, dont les Matabélés sont les descendants. Est présent un historien et anthropologue, qui taquine une fille d'Afrique du Sud : « Pourquoi aimez-vous les Zoulous ? Parce qu'ils sont des militaires-nés. Des soldats. Les Prussiens de l'Afrique. Je puis dire d'une personne ce qu'elle aime suivant qu'elle aime les Matabélés ou les Mashonas. Les Mashonas sont insouciants, créatifs, artistes, et spirituels, comme les Italiens. Voilà pourquoi les Italiens qui se sont installés ici après la Seconde Guerre mondiale se sont si bien entendus avec eux. Les uns et les autres sont très doués pour la vie. En revanche, les Blancs d'Afrique du Sud adorent les Zoulous et certains types de Zimbabwéens blancs adorent les Matabélés. Qui se ressemble s'assemble. »

Ils parlent, parlent, parlent jusqu'à l'obsession des nouveaux dirigeants noirs. Ils ne peuvent s'empêcher de parler d'eux. Mais déjà les jugements sévères et courroucés de mes tout premiers jours commencent à changer. Mugabe possède telle ou telle qualité. Nkomo n'est pas si mauvais : quel dommage qu'il soit en disgrâce. On est loin de la volte-face hystérique que les Blancs du Kenya accomplirent devant un monde surpris : une semaine Jomo Kenyatta était un démon et une brute, la semaine suivante un Honorable Vieillard.

Un dirigeant n'a rien pour se racheter : Edgar Tekere qui, sous l'empire de la boisson, se rendit dans une ferme blanche et en tua le fermier. Tekere est un fanatique, il est irrécupérable, et Mugabe devrait s'en débarrasser. Edgar Tekere vient de cette partie du monde, il est un héros local. Pas de chance pour le Manicaland, disent ces Blancs.

Ils parlent, ils parlent, ils parlent... du régiment en garnison à tout juste trois kilomètres de là. Non, ce ne sont pas des Coréens, rien à voir avec la Cinquième Brigade, mais ils sont loin des gentils soldats soignés de l'Europe moderne, que l'on cache aux regards quand ils ne servent pas. Ils se conduisent très mal, et ne dédaignent pas de voler ce qu'ils trouvent sans protection. Ils terrorisent les femmes qu'ils surprennent seules, boivent bière sur bière quand ils ne devraient pas et se retrouvent ivres morts. Il n'y a pas de remède.

Pourquoi sont-ils ici ?

Lorsque fut tracée la frontière entre l'Afrique orientale portugaise et la Rhodésie du Sud, deux fonctionnaires se donnèrent rendez-vous autour d'un verre et réglèrent la question, en jetant des dés... vrai ou faux ? Quand une anecdote est dite et redite, et elle l'est, et l'a été, à propos des frontières de toute l'Afrique australe, il faut se poser la question. Les Blancs la racontent avec délectation : personnes apprivoisées qui admirent leurs prédécesseurs boucaniers. (« Drake était vraiment un redoutable bandit, vous savez. ») Je l'ai aussi entendu raconter, avec délectation, par des Noirs, dans l'esprit de : *Eh bien, que peut-on espérer !*

« Nous nous sommes partagé les montagnes, les rivières et les lacs sans savoir où ils étaient », disait lord Salisbury.

Vraisemblablement, il n'aurait pas approuvé les deux jeunes esbroufeurs de fonctionnaires, l'un de Rhodésie du Sud, l'autre portugais, qui partagèrent un verre au soleil couchant et lancèrent les dés pour décider de la frontière qui passe à six ou sept kilomètres de là.

123

L'ennui, c'est qu'elle coupe en deux certaine tribu africaine. Une partie se trouve maintenant au Mozambique, l'autre au Zimbabwe. Parce que le Mozambique traverse une très mauvaise passe, et que la famine sévit, et parce que les Africains de ce côté-là ne voient aucune raison d'aimer ou de respecter la frontière, ils viennent au Zimbabwe chercher des vivres auprès de leurs parents, qui sont bien pourvus. Ils contreviennent à la loi du nouveau Zimbabwe, que doivent faire respecter les soldats du Camarade Mugabe, que la population locale appelle les Camarades. Ce bataillon est le vrai maître de la région. Les Blancs détestent ces militaires, parce que partout où ils sont règne l'anarchie. Les Noirs les détestent, parce qu'ils passent leur temps à faire des descentes pour s'assurer qu'ils n'hébergent pas des « frères » de l'autre côté de la frontière.

Les Blancs : « Ils se conduisent en propriétaires.

— Ce n'est peut-être pas sans rapport avec leur victoire toute récente, qu'en dites-vous ?

— On n'a aucune raison de supporter ça, un point c'est tout ! Les femmes y sont allées pour se plaindre à nouveau. J'ai envoyé un message au commandant. Mais qu'est-ce qu'il y peut ? Il n'y a pas de discipline. »

Mais le bataillon avait ses habitudes, aussi.

« Il se passe quelque chose. » Le bruit court sous les vérandas. « On vous dira quand ce sera fini. »

Debout à flanc de coteau, nous considérons les petites cases de fortune des Squatters pauvres, au lieu d'être regroupées comme un village traditionnel, elles sont isolées, dispersées çà et là, dans des clairières d'où les arbres ont disparu, où la terre s'éboule en bas de la colline.

Voici ce qui se passait... le gouvernement avait donné l'ordre au bataillon de débarrasser une ferme de quelques Squatters. L'opération avait été confiée à un jeune Écossais, à qui sa mission faisait horreur : il en avait passé deux nuits blanches, disait-il. Après l'opération, il était venu prendre un verre. L'armée était entrée avec les camions, avait vidé toutes les cabanes, y avait mis le feu. Les femmes, debout, avaient regardé les cases brûler. Il y avait plus de soixante-dix femmes. La découverte de deux machines à coudre, de vingt sacs de maïs et d'un ensemble de meubles provenant de grands magasins avait paru significative. On y voyait la preuve que ces biens étaient destinés aux Terroristes hostiles au Frelimo, ou à la Renamo, qui sont sûrs de gagner, pensent les gens du pays. « Mais ces gens ne soutiendraient sûrement pas l'Afrique du Sud, demandé-je. Alors à quoi ça rime ? Regardez, ce sont des paysans, qui se sont conduits comme des paysans — comme tous les gens des villages, pauvres idiots, pendant qu'il y avait la Guerre. Ils ont gardé la tête baissée et ont survécu. Ils ont appris à survivre. Ces pauvres idiots veulent manger. Les gens ont besoin de manger, voyez-vous. Sous Samora Machel, ils ne mangent pas. Ils croient qu'ils mangeront mieux sous l'autre bande. Voilà tout. »

Les camions emmenèrent les Squatters à Mutare, pour les réinstaller, m'a-t-on dit. Mais, au bout du compte, seules dix pour cent des femmes devaient recevoir une parcelle de terre. « La plupart d'entre elles ont des emplois à Mutare, voire des maris ou des frères qui y travaillent. Ils ont déjà des maisons.

— Ont-elles rapporté leurs machines à coudre ?

— Confisquées.

— Et le maïs ? »

Personne n'était à l'aise. L'opération fut une victoire pour les Blancs, visiblement rassurés : au moins le gouvernement ferait-il de temps à autre respecter la loi.

La colère les prit plus tard, lorsque les Squatters comparurent devant un magistrat qui leur ordonna de n'y jamais retourner. Pas d'amende. Ni détention provisoire, ni liberté sous caution. Ne recommencez pas. C'est tout.

« Bien sûr, ils vont recommencer. A l'heure qu'il est, ils arpentent de nouveau la montagne à travers la brousse. Le ministre de l'Agriculture ne cesse de nous promettre : Oui, oui, vous ne pouvez pas avoir des Squatters sur vos fermes, mais dès qu'il va dans une de leurs réunions d'incitation au désordre, il dit que les fermes des Blancs sont à prendre et leur promet de la terre. Il sait bien qu'il n'y a pas assez de terre. Il ne le leur dit jamais. Il les fait tous trépigner et hurler, et le lendemain il vient nous voir : Oh, vous n'avez rien à craindre, contentez-vous de faire pousser vos cultures, le Zimbabwe ne saurait se passer de vous. »

Quelques jours après avoir rejoint l'océan Indien, de Harare à Mutare, je fis la route en sens inverse, sans m'arrêter, de Mutare à Harare. Il avait fallu négocier avec le poste d'essence où, sans permis, personne n'était servi, à moins d'entrer dans les mécanismes locaux de troc : services, faveurs, produits agricoles en échange d'un bidon d'essence. La Renamo venait une fois encore de couper l'oléoduc et la route était déserte sur des kilomètres. Je me dis quelquefois : Quelle chance tu as de vivre aujourd'hui, et c'est souvent quand je conduis seule dans la campagne sauvage, seule ou, comme aujourd'hui, accompagnée. Non seulement il est permis de se balader ainsi suivant son bon plaisir, mais c'est bel et bien approuvé, quoique probablement pas pour bien longtemps. Profites-en au maximum tant que ça dure, un peu coupable de m'exhorter de la sorte, lambinant ou fonçant au volant de cette mécanique toxique. Ce jour-là, dans l'est du Zimbabwe, à travers ce paysage, sous le ciel haut et froid, il ne faisait pas bon se rappeler que, dans l'esprit de tous les citoyens, c'était encore un pays en guerre, où chaque arbre, chaque colline, chaque détour de la route rappelait un meurtre.

Y a-t-il au monde plus beau pays que celui-ci, où se mêlent magnificence, diversité, fraîcheur des couleurs, avec une façon de vous parler intimement de l'histoire de notre espèce (c'est là que se trouvent nos origines, dit-on), comme si, élément d'un moment de l'histoire, vous étiez véritablement l'héritier de tout ce que l'espèce humaine avait fait ou accompli. La survie : cette dangereuse grandeur ne cesse de vous la rappeler ; si nous avons tous survécu aussi longtemps, nous pouvons assurément espérer avec confiance... Mais nous approchions de Harare et la route n'était plus déserte, et mon compagnon montrait du doigt, ici une voiture, là un camion ou un bus, grommelant sur l'incompétence des conducteurs. La Libération avait lâché sur les routes des milliers de véhicules qui n'étaient pas autorisés et qui ne pourraient jamais l'être, étant donné leur décrépitude, mais : « Ce gouvernement se soucie comme d'une guigne de ce genre de choses, il fait dans son froc tellement il a peur de son peuple. Jamais il ne poursuit l'un des siens. Si l'un de nous commet un délit, alors ça y est, la police a assez de temps pour ça. » Mais si beaucoup de chauffeurs noirs étaient mauvais, les Noirs qui conduisaient les autocars et les bus des services réguliers étaient tous bons : « Je remettrais ma vie entre leurs mains, toujours et partout. » Mon attention se détournait assurément de la brousse, des montagnes, du ciel, toutes les pensées velues et squameuses qui y étaient associées étaient proscrites : jamais je n'avais vu plus intéressante collection de vieilles guimbardes, de boîtes de conserve attachées avec des bouts de ficelle, souvenirs rouillés du temps où « tout le monde » avait des voitures. Bref, elles étaient pareilles aux automobiles des fermiers blancs les plus pauvres d'antan. Chaque véhicule refoulait de la fumée noire. Bien avant d'en apercevoir un qui gravissait péniblement une pente, des nuages noirs et graisseux dérivaient à travers les arbres et maculaient le bleu froid du ciel hivernal.

LA FOIRE

La foire de Harare battait son plein. La foire de Salisbury, dans l'ancien temps, était une exposition mi-agricole, mi-industrielle, avec des courses de chevaux, des chants et des danses de toutes sortes, des parades, des défilés de mode, sans oublier le grand bal de la Foire. Le palais des expositions couvre plusieurs arpents et des gens venaient de partout, y compris d'Afrique du Sud et de Rhodésie du Nord. Cette année, une certaine appréhension ternissait les espérances : l'an passé, en 1981, lors de la première foire après la Libération, une bande de Combattants de la Liberté ivres et armés s'étaient conduits en énergumènes, bousculant les stands, menaçant de tabasser les gens, chantant des bribes de chants révolutionnaires. La Guerre s'était terminée à peine un an plus tôt et tout le monde savait que le pays entier était couvert d'hommes, et de femmes en quantité non négligeable, qui avaient combattu pour la Libération et qui — pour beaucoup, sinon dans leur totalité — regrettaient amèrement que l'on n'eût pas aussitôt chassé tous les Blancs du Zimbabwe. « Ce n'est pas pour ça que nous nous sommes battus », hurlaient-ils, en voyant tant de visages pâles derrière les stands et les étals. Mais ils ne s'étaient pas contentés d'insulter et de menacer les Blancs. C'étaient des gens qui avaient besoin de se battre, de blesser... et s'ils remettaient ça cette année ? Mon frère avait décidé de ne pas apporter à l'Exposition ses tableaux de plumes, ses boutons en os et ses porte-clés, tout en affirmant qu'il n'allait tout de même pas se laisser effrayer par une bande de « terrs ».

Je passai devant l'endroit où, face aux juges, comparaissaient les bestiaux, le front orné de grandes rosettes. Deuxième Prix,

Premier Prix, Champion, comme des filles avec des bouquets de fleurs dans les cheveux, à un bal d'un autre âge. A l'Industrie légère, des groupes d'hommes, blancs, tenaient conciliabule, les épaules rentrées, sur la défensive. Il y avait beaucoup de monde ; « dans l'ancien temps » — il n'y avait que trois ou quatre ans, de l'autre côté de la Ligne de partage des eaux — la Foire était tellement bondée que c'est à peine si l'on pouvait circuler. Autour d'un grand cercle de terre battue étaient disposés les stands des Arts et Métiers, et il y avait mon frère, qui attendait des clients.

« Il n'y a personne ici, dit Harry, calme mais courroucé. J'aurais aussi bien fait de ne pas venir. » Tous les gens, derrière leurs stands, qui vendaient le genre de perles, de ceintures, de fleurs, de vêtements que l'on trouve partout, de Camden Lock à la place du Marché à Helsinki en passant par les foires rurales des États-Unis, étaient des Blancs. La foule clairsemée était majoritairement blanche.

Je m'installai sur un transat au soleil, hors de sa baraque, et regardai les gens circuler, doucement, tout doucement, de l'air musardeur et traînant d'un poisson dans un vivier, hésitant devant ce stand, furetant délicatement dans le suivant, déambulant à travers le grand cercle de poussière brune. Les visages... beaucoup étaient des visages de rêve, déformés mais familiers. C'étaient les gens avec qui j'étais allée à l'école, avec qui j'avais dansé au Salisbury Sports Club ou participé à des courses folles en voiture, jusqu'au jour où nous avions compris que les voitures étaient une espèce menacée. Je les connaissais sans les connaître. Et comme je rêve très souvent de la Rhodésie d'antan, probablement les avais-je croisés, travestis, dans mon sommeil.

Une vieille dame, habillée pour le thé, avec un chapeau à fleurs et des gants blancs, s'arrête, le regard fixe, et s'approche prudemment de mon frère.

« C'est toi, Harry ? C'est bien ce qui me semblait. Longtemps que je ne t'ai vu ! Je suis allée jeter un œil dans la République. Mais je m'accroche ici. J'aime mieux nos Affs. Ils sont pas mal du tout en comparaison de ceux de là-bas. On peut toujours rire un bon coup avec nos Affs. »

Il ne dit pas qu'il « allait sauter le pas », se bornant à observer que l'Exposition n'était plus ce qu'elle était. « Je ne suis ici que parce que je me suis dit que nous devions arborer un peu le drapeau. »

Une pause. Elle me jette un regard dur. Elle s'approche de mon frère. Elle baisse la voix. « Harry, qui est la dame dans le transat ?

— C'est ma sœur, dit-il, baissant la voix à son tour.

— Tu veux dire que... ? »

Les deux têtes se retournent pour me dévisager.

« Mais je croyais qu'elle était...

— Oui, mais avec ce gouvernement — elle est de leur bord. Elle n'est plus proscrite maintenant. »

Son visage trahit la lassitude, l'air de dire C'est plus que je n'en puis supporter, comme une ménagère dont la casserole bout, tandis que son bébé a renversé la crème anglaise sur le sol propre. Elle rit nerveusement, tandis que Harry y va de sa confidence. « Elle a encore ces drôles d'idées à elle, tu sais. »

Comme elle s'éloigne, elle m'adresse dignement un signe de la tête, tandis que les fleurs de son couvre-chef dodelinent légèrement. Je lève la main en faisant ce geste qui signifie : Hé, là-bas !

Harry vient vers moi et me dit d'un ton circonspect : « C'est Joannie.

— Ah. Bien. C'est agréable de revoir tout le monde. »

Arrive une cliente, une Noire avec trois grandes filles. Elle désire des boutons pour des cardigans qu'elle tricote et vend par correspondance. Je me promène du côté de l'Agriculture africaine. C'est ici que se pressent les foules, mais si elles sont animées, et passent un bon moment, elles sont aussi circonspectes, car elles redoutent l'irruption de Combattants de la Liberté avinés, les Blancs aussi. Les plantes et les légumes les captivent. Très rares, parmi elles, sont les hommes, coupés de leurs villages, de la campagne, de la brousse. Je pensais à la Finlande où, disait-on, il n'est personne qui n'ait un pied à la campagne : des parents, un frère, une sœur mariée à un fermier. Ces gens qui se pressaient pour examiner les produits agricoles savaient ce qu'ils regardaient. Toutes sortes de maïs, de millet, de rapoka, de munga — toutes céréales que je connaissais, mais il y en avait quantité d'autres. Des racines et des feuilles de la brousse que l'on emploie pour donner du goût au porridge : je connaissais les feuilles pour les avoir vues sur pied en me promenant dans la brousse. Des légumes — des dizaines d'espèces différentes. Des pommes de terre et des patates douces, des potirons pareils à des gros galets, et toutes les variétés de courges et de gourdes. Ces plantes, les Africains les connaissaient et les cultivaient, les ont toujours cultivées, mais au Zimbabwe, véritable paradis, tout pousse, du corossol, des prunes, des pêches et des pommes des Eastern Districts aux fruits tropicaux de la Burma Valley, sans oublier les oranges, les citrons et les pamplemousses de la Mazoe Valley ou les avocats, les mangues, les lychees et les kumquats, les... qu'est-ce qui ne pousse pas dans ce pays béni du soleil, béni des étoiles ?

De l'admiration de leurs fruits, étalés dans des pots et des corbeilles, disposés sur un linge, les foules dérivaient vers les stands à côté de l'endroit où se déroulaient des danses tribales. Les tambours nous chauffaient les pieds, et nous faisaient bouger ensemble ; certaines femmes dansaient, en groupe, tandis que les hommes claquaient des mains. Les gradins étaient si pleins que l'on se disait que personne ne trouverait assez de place pour s'y faufiler, mais tout le temps des gens qui se tenaient debout en se demandant où ils pourraient se caser repéraient une place qui s'était libérée et l'impossible se produisait. Des groupes de Blancs observaient debout. L'un d'eux était de la nouvelle race de l'aide humanitaire, ou peut-être des gens d'ambassade, chaleureux, désinvoltes, aussi à l'aise ici qu'ils le seraient, l'an prochain, en Éthiopie, à Djakarta, à Peshawar. Un autre était le groupe des soldats sud-africains. Il y avait quelque chose de singulier en eux, exactement comme chez les vétérans du Viêt-nam. L'année précédente, j'avais fait la connaissance d'un Sud-Africain qui avait fait deux ans en Namibie. Il avait le visage ravagé, détruit. Les soldats sud-africains d'Angola et de Namibie ont eu beaucoup trop de choses à se pardonner. Leurs visages, chez nombre d'entre eux, étaient pareils à des plaies. Ces jeunes Blancs sud-africains, ici en touristes, observant le Zimbabwe, voyaient quelque chose que, dans la République, ils avaient tout fait pour empêcher. Personne ne les regardait, sinon à la dérobée, comme moi. Les Africains qui passaient leur laissaient inconsciemment (ou pertinemment) une large place, et baissaient la voix.

D'une manière générale, ici, les foules noires faisaient mine de ne pas voir les Blancs. Elles n'avaient pas envie de nous voir, ou peut-être, sincèrement, ne nous voyaient-elles pas.

Les soldats sud-africains restaient là où ils étaient, regardant les danses qui, ici, n'avaient rien d'un spectacle pour touristes.

Quelque chose rendait les soldats euphoriques, et ce n'était pas l'alcool.

Je m'éloignai et me fis arrêter par une jeune femme magnifiquement vêtue d'un élégant costume rouge, de talons noirs d'un demi-mètre de haut et d'un foulard bariolé. « M'accorderez-vous une interview pour mon journal ? » voulut-elle savoir. Nous nous assîmes l'une en face de l'autre dans le pavillon de la presse et nous bavardâmes de choses et d'autres. Puis elle demanda : « Que pensez-vous du Zimbabwe ? » Le courant passait assez bien entre nous, et je risquai : « Pour l'heure, il me fend le cœur. »

Elle se départit aussitôt de son professionnalisme souriant et dit : « Oui, je suis d'accord. Mais peut-être un message positif ?

— Viva Zimbabwe », dis-je. Sans la moindre raison, les larmes me montent aux yeux, à elle aussi, comme je puis le voir. Il s'en faut de peu que nous nous mettions à pleurer, comprenons-nous.

« Ça va prendre du temps, dit-elle, presque à mi-voix, jetant un coup d'œil à l'entour pour s'assurer que personne n'avait entendu.

— Ça va prendre du temps, mais le Zimbabwe est sur la bonne voie.

— Très bien, dit-elle. J'aime bien ça. »

AU BAR

Ce soir-là, je suis au bar d'un restaurant de banlieue, avec quelques amis. Le bar est plein. Un Noir s'est entendu dire qu'il est maintenant illégal d'interdire à un Noir l'entrée d'un bar ou d'un club « blanc ». Il frétille parmi les buveurs blancs, avec un sourire extatique, un peu ivre peut-être, ou transporté par les émotions qui sont dans l'air du temps. Les Blancs, comme ils l'observent, pas tout de suite puisqu'ils sont un peu éméchés, lui font de la place et l'un d'eux dit : « Ouah, Jim, attention à mon verre. — Oui, baas[1], oui, mon baas », dit le brave, souriant, virevoltant, se retournant pour s'assurer qu'il est bien là, bel et

---

1. Déformation de *boss*. *(N.d.T.)*

bien là, de plein droit, dans cet établissement blanc. « Tu veux un verre ? » demande un autre Blanc, et au barman : « Donnez un verre à ce brave gars. Que veux-tu boire ? — Une bière, baas. — Non, prends un whisky, allez, laisse-toi aller. — Oui, baas, un whisky s'il vous plaît, baas. »

Le lendemain matin, dégrisé, il sera hors de lui de colère. « Je vais les tuer, je vais les tuer », dira-t-il certainement, tapant du poing contre les murs, sanglotant.

Puis notre compagnie passe à table. Une soirée zimbabwéenne. Pareille en tout point à une soirée de Rhodésie du Sud. J'étais là, les femmes étaient là, tandis que les hommes n'en finissaient pas de se soûler. Ils avaient depuis longtemps passé la période hélas très brève où les ivrognes sont drôles, inventifs, prodigieusement spirituels et ils étaient devenus stupides. Combien de centaines de soirées, jeune femme, ai-je passées assise, littéralement pétrifiée d'ennui, me jurant de quitter ce pays, de le quitter avant qu'il ne soit trop tard : « Il faut que je me tire d'ici, ou j'y passerai... » L'ennui, l'ennui qui efface...

LE RESTAURANT

Voici l'hôtel Jameson, qui était interracial des années avant la Libération et a toujours été un lieu accueillant. Au restaurant, un mari presse sa femme de prendre un plat qu'elle n'a jamais essayé. « Tu ne vas pas manger que de la *sadza* », dit-il, comme un maître d'école. C'est une grosse femme, qui rit mollement en montrant du doigt un plat sur le menu, puis elle se couvre la bouche de ses deux paumes et tremble sur son siège. Le garçon attend souriant, d'autres garçons cessent le travail pour regarder, le patron rapplique. Tout le monde, noir et blanc, prend part à ce moment de l'évolution sociale.

Elle goûte un fromage, plisse la figure, secoue la tête puis frémit des épaules, faisant ainsi scintiller et tinter une parure de colliers emmêlés. Mais on voit bien qu'elle est fidèle à son principe de n'aimer que la *sadza,* et nous n'allons pas prendre le rejet au sérieux. Un garçon retire l'assiette avec un grand haussement d'épaules philosophique. On dispose une autre assiette devant elle. Elle y plonge un doigt, en roulant des yeux.

« Non, non, tu dois te servir d'une fourchette », dit son mari, avec la sévérité qui est de mise. Elle transige et se rabat sur une cuiller, prend une infime quantité de la mixture, la porte à ses lèvres, arbore un gros visage étonné, fait la moue, hoche la tête, se renverse dans sa chaise avec un rire gras et sifflant d'asthmatique et se presse la serviette sur le visage.

Tout le monde rit maintenant.

Le garçon lui apporte une assiette de pudding en un ultime geste fleuri qui nous prend tous à témoin. Elle ouvre de grands yeux, elle se tient vaillamment au bord du précipice, elle plonge une petite cuiller, elle la porte lentement, par saccades, à sa bouche, avec un grognement d'appréhension, elle referme ses lèvres sur la cuiller, elle rejette la tête en arrière et laisse l'extase la submerger, elle retire la cuiller de sa bouche, puis s'en sert pour engloutir le pudding très vite, avec de petits cris de plaisir, tandis que les garçons s'écroulent de rire. « Ma chérie, dit son mari, tu es vraiment très sotte.

— Oui, oui, je suis sotte, mon chéri, mais je vais en reprendre, de cette chose. J'aime ça. »

DANS LA MAISON D'UN POÈTE

Une maison à Harare. Un poète noir est marié à une femme blanche. Française. Elle a un poste à l'université, travaille de longues heures. Il n'a pas de travail. Elle prépare un repas pour huit personnes, et d'autres qui ne cessent d'arriver. Je demande si je puis l'aider. « Non, c'est son travail, elle doit le faire », dit le mari.

Un écrivain exilé du Kenya vient d'arriver au Zimbabwe. Il ne se départit pas de cet humour agressif si utile dans sa situation et prend pour cibles les anomalies et les injustices du Kenya.

Est également présent un homme d'une trentaine d'années, un ancien Combattant de la Liberté, qui, dit la rumeur, sera ministre des Arts. Il est drôle lui aussi et il plaisante avec son hôte : si le Zimbabwe suit la même voie que le Kenya, le jour ne tardera pas où, en sa qualité de ministre, il ordonnera son arrestation, parce que certain périodique nouveau pour lequel il travaille montre des signes de pensées séditieuses.

133

« Des pensées séditieuses, dit-il, nous ne pouvons nous le permettre, mon gars. Vaudrait mieux surveiller ces pensées séditieuses, sans quoi il nous faudra prendre des mesures. »

Deux journalistes blancs viennent d'être arrêtés, sans explication : ils travaillent pour le *Herald*. Ce ne sont pas les premiers journalistes à avoir des problèmes. Tout au long de la soirée, par intervalles, nous plaisantons des journalistes et de leur degré de pensée séditieuse.

Quand le repas est servi par la maîtresse de maison, qui est fatiguée, et — c'est visible — assez fâchée, elle est aux petits soins pour nous.

« C'est notre coutume africaine, dit le poète quand j'en fais la remarque.

— Alors je n'en pense pas grand bien, dis-je.

— Pensées séditieuses », dit-il, et nous rions derechef.

Ce n'était pas un bon rire.

Une fois encore, je me disais combien les gens étaient en état de choc, le choc de l'après-guerre que, peu de temps après, je devais éprouver à Peshawar, parmi les moudjahidin, parmi les réfugiés. Et où encore ? Oui, il y a bien longtemps, une nuit où j'étais sur le quai de la gare à Berlin, avec un ami. Soudain, nous nous aperçûmes que tous les gens qui attendaient le train étaient des hommes, tous des mutilés de guerre. (De la Seconde Guerre mondiale, s'entend.) Ils étaient tous ivres, ivres morts, ivres à en être malades, et ils étaient tous pleins de colère, mais comme un volcan au sommet duquel s'est formée une croûte de cendres froides. Mon ami et moi avions ri, discuté — puis avions remarqué combien l'écho de nos voix était ici désagréable, dans la rigueur hivernale de ce quai. Nous vîmes ces hommes en colère, et l'un d'eux dit, en anglais : « Très bien, riez. Si vous n'avez rien de mieux à faire. Vous comprendrez un jour. »

Très tard arrivèrent deux Combattants de la Liberté — des guérilleros — des gars du Bush — des « terrs » — des Terroristes — des héros. Ils étaient apparentés à l'un des invités, et passés par un camp de réinsertion des environs de Harare. Ils portaient de nouveaux habits civils, dignes du travail d'employé de bureau auquel on les formait. Ils étaient ivres. Bientôt tout le monde fut tristement éméché.

L'ACCIDENT

Nous étions une fois de plus sur la route de Harare à Mutare, et la voiture était bourrée de passagers et de valises. Après un arrêt au bord de la route, à un étal de charcuterie, la voiture se retrouva plus pleine encore, de jambons, de viandes fumées, de saucisses et de bacon. Pour se fournir en aliments d'une qualité approchante, à Londres, il faut aller dans des boutiques spécialisées. Le Planteur de Café tenait le volant. Nous roulions prudemment jusqu'à ce que devant nous, sur la route presque déserte, apparût un bus, ou un autocar, si bondé de jeunes hommes noirs que l'on aurait cru qu'ils allaient passer par la fenêtre. C'était la police, de retour d'un match de football. Il est une règle, qui ne figure dans aucun code de la route, mais que tout conducteur connaît au Zimbabwe, qui veut que l'on ne double pas s'il y a un tournant à droite, parce que les conducteurs oublient très souvent de se servir de leurs rétroviseurs et ne mettent pas leurs clignotants : mais ce sont des choses que l'on oublie vite. Nous eûmes tôt fait de rattraper ce bus en ribote : devant, nous attendait un tournant à droite, avec un canal au-delà. Nous accélérâmes pour dépasser le bus, qui n'avait pas mis ses clignotants, et tournait pour s'engager à droite. Notre conducteur tenta de faire une embardée, mais se retrouva nez au canal. Le bus, qui nous avait vus, aurait dû faire un tête-à-queue derrière nous, au lieu de quoi il continua sur sa lancée et nous heurta à l'arrière, assez violemment. Notre voiture se renversa sur le côté droit, poussée par le bus sur quelques mètres, puis se retourna sur le capot. A l'intérieur, tout se passait au ralenti. Je me sentis glisser, prudemment, comme si mon intelligence dirigeait la manœuvre, dans la carcasse de la voiture, me cognant la tête. Les portières s'ouvrirent brusquement dans un fracas de verre. Je sortis en rampant, me demandant combien d'os nous nous étions rompus. « Tout le monde va bien ? » Je me redressai à côté de l'épave, entendant l'une des fillettes de la banquette arrière qui appelait : « Maman, Maman, tu vas bien ? »

En moins de temps qu'il n'en faut pour le dire, nous nous retrouvâmes tous assis à côté de la voiture, sur la chaussée. Notre tas de ferraille et le car de la police, toujours debout mais en travers de la route, étaient les seuls véhicules en vue. Des groupes de policiers tournaient en rond, comme nous commotionnés. Puis nous nous remîmes prudemment sur nos pieds, hébétés, chacun se conduisant suivant sa nature. Le chauffeur, aussi réputé pour ne jamais broncher que pour s'être tiré indemne de nombreux accidents et de dangereuses escapades, se tenait, comme pour attirer l'attention, à côté de la voiture, affirmant, quand on lui posa la question, que tout allait bien. En vérité, il était le plus gravement blessé, avec une épaule brisée. La jeune femme, mère des deux filles, passe sa vie à arranger les choses, à protéger de tendres êtres humains de la rigueur des événements, à s'empresser auprès de tous. Elle transportait habilement les valises au bord de la route, pour remettre les choses en ordre. Les fillettes criaient : « Pourquoi ? pourquoi ? », comme nous le faisons la première fois qu'une catastrophe s'abat sur nous, quand nous n'avons pas encore appris comment, souvent, la vie cesse de s'exprimer à travers les statistiques — c'est-à-dire à travers les autres — pour s'intéresser à soi. Quant à moi, appuyée contre la voiture, la tête qui tournait, je m'agrippais à mon sac en me disant : « Eh bien, au moins n'aurai-je pas à me prêter à toute cette absurdité des formulaires à remplir pour refaire un passeport, un permis de conduire, des carnets de chèques ; je n'ai pas perdu mes listes d'adresses et de numéros de téléphone. » J'allais bien, moi aussi.

Une voiture avançait à grande vitesse sur la route de Mutare. Elle s'arrêta. Une femme en sortit, un médecin. Elle s'exclama en disant que nous avions bien de la chance d'être en vie — chose que nous n'avions pas encore réalisée. « Et vous n'aviez même pas attaché vos ceintures de sécurité », déplora-t-elle. Tant de sottise dépassait son entendement. Elle nous fit passer de l'autre côté de la route, au cas où arriverait l'un des rares véhicules qui l'empruntaient. Ce que nous fîmes avec soumission, puis elle nous examina rapidement, tandis que la trentaine de jeunes hommes qui emplissaient l'autocar en ribote s'attroupaient autour de nous. Maintenant qu'ils savaient qu'il n'y avait point de blessés parmi eux, ils étaient pleins de sollicitude à notre égard. Ils n'étaient pas ivres, comme tout le monde pensait qu'ils devaient l'être dès qu'il était question de l'accident. En verve, mais pas éméchés, ils faisaient claquer leur langue, maintenant, hochaient la tête et demandaient avec compassion où nous étions blessés. « Quelle question idiote ! », trancha le chauffeur : nous étions ruisselants de sang. « Vous n'êtes pas blessée ? », me questionnèrent-ils, des mains affectueuses se posant sur mon épaule, mes bras, mon dos, me tripotant ici ou là, comme pour essayer de remettre en place d'éventuels morceaux délogés. J'avais alors sur le front une bosse pareille à ces cônes volcaniques que l'on voit dans les bandes dessinées, irradiant des éclairs de lumière. Un œil au beurre noir était sur la voie de la perfection, et j'avais mal à un pied. Quant aux côtes, contusionnées, elles ne s'étaient pas encore fait sentir. « Bien sûr que si, je suis blessée ! », dis-je, irritée, prête à entamer une discussion sérieuse. Certains s'étaient attroupés autour des fillettes, qui hurlaient : « Me touchez pas, me touchez pas ! » Ce n'était pas parce qu'elles étaient d'Afrique du Sud qu'elles venaient d'une bonne famille libérale, mais parce qu'elles étaient contusionnées. Les jeunes gens n'en furent pas moins vexés. Quant à leur mère, encore à peine capable de se tenir debout, elle raisonnait avec eux en ces termes : « Convenez que ce n'est vraiment pas très malin. »

Le médecin déclara qu'elle allait nous conduire à l'hôpital le plus proche puis qu'elle ferait son rapport au poste de police. Sur ce, les jeunes gens parurent contrariés, puisqu'ils étaient de la police. Le chauffeur et le médecin comprirent alors que la police étoufferait l'affaire et que la déclaration resterait lettre morte. Tel fut en effet le cas. Dernièrement, le médecin — un médecin des missions — avait dû constater la mort de l'un des touristes assassinés par les Coréens, ou la Cinquième Brigade. Elle était extraordinairement bonne, mais exaspérée comme le sont les gens qui passent leur vie à soigner l'humanité des blessures que lui vaut souvent sa seule folie. Quoique mal en point, notre conducteur voulut à tout prix rester sur les lieux de l'accident pour régler les formalités de l'assurance. Je ne me souviens pas du trajet jusqu'à l'hôpital, car nous étions submergés par la douleur.

Quant à ce qui se passa à l'hôpital, ce fut un petit aperçu des diverses tendances à l'œuvre au Zimbabwe cette année-là, à cette époque : *alors*.

C'était un samedi, et le corps médical était réduit à sa plus simple expression. C'était un hôpital de campagne, de ce type modeste que chacun apprécie et dont nous nous sommes si bien débarrassés en Grande-Bretagne. Notre médecin déclara qu'elle allait nous tenir compagnie jusqu'à l'arrivée du médecin de garde. Elle ne pouvait s'occuper de nous elle-même. Question de protocole. Nous fûmes accueillis par deux infirmières noires chaleureuses, qui nous firent prendre notre température, remplirent des formulaires, essuyèrent le sang dont nous étions ruisselants. Nous chancelions, traînions la patte et riions, tant le spectacle que nous donnions était absurde, moi en particulier. Je n'avais pas encore vu ma figure, avec son Vésuve et son œil bleu-noir. Les fillettes avaient cessé de pleurer et de geindre : elles étaient en tout point dignes de leur héritage et faisaient contre mauvaise fortune bon cœur. Puis arriva du théâtre de l'accident le Planteur de Café, qui de toute évidence avait très mal maintenant, mais il n'était pas question pour lui de l'admettre. Le médecin noir déboucha en trombe, éparpillant des graviers dans les buissons de fleurs qui entouraient l'hôpital. Après une embardée, il se gara d'une seule et élégante manœuvre, tandis que le médecin missionnaire soupirait : « Oh ! Regardez ça, personne n'aurait-il le moindre bon sens ? »

Puis, un problème : une atmosphère de difficulté et de suspens. Les infirmières noires avaient peur que nous ne voulions pas d'un médecin noir pour nous examiner. Ce qui en disait long sur les problèmes que cet hôpital devait régler à longueur de journées. Délicates et charmantes, elles se montrèrent soulagées lorsque leur mère emmena les fillettes dans la salle d'examen. Pendant ce temps, le médecin blanc expliquait à son collègue noir qu'à son avis l'homme était le seul blessé grave et que c'était — elle baissa la voix — un patient difficile. Les deux professionnels échangèrent un regard, puis un sourire, les sourcils levés. Elle s'éloigna en disant qu'elle allait téléphoner pour nous à Mutare, que l'on vienne nous chercher. Elle nous quitta reconnaissants. Comme on me faisait des injections de pénicilline et de sérum antitétanique, je vis une infirmière noire qui essayait de faire asseoir le patient « difficile ». « Mais je suis en pleine forme », ne cessait-il de protester en arpentant la pièce à grands pas.

J'étais dans une pièce voisine avec une vieille infirmière, une grosse femme noire, toute compétence et réconfort. Nous établîmes aussitôt des relations de femme à femme et, comme je retirais mes vêtements, elle m'examina en quête d'éventuelles fractures et nous bavardâmes. De politique... tout de suite de politique, comme tout le monde à l'époque. Une jeune infirmière entra dans la pièce, et la vieille femme lui demanda d'aller s'occuper des autres et prit soin de fermer la porte derrière elle. Elle attendit un instant, rouvrit la porte pour jeter un coup d'œil, la ferma, baissa la voix. « Il est dangereux de parler devant les jeunes, ils vous dénoncent au Parti », dit-elle. Puis elle se lança dans un monologue rapide de doléances : j'identifiai d'emblée celui que j'aurais grand-chance d'entendre dans la bouche de ses pareilles. En pansant mes plaies et en me faisant des injections d'une main experte, elle dit que Mugabe n'était pas bien, qu'il voulait que tout le monde soit communiste, et qu'elle avait de la religion. L'évêque Muzorewa était bien, Nkomo aussi : ils n'effrayaient pas les Blancs. Elle disait que « nous » — elle voulait parler de nous deux —, nous nous souvenions parfaitement du temps où les choses allaient très bien, où la vie était douce, mais que tout allait mal maintenant, que la Guerre avait été terrible. Les Blancs adoraient la guerre, car c'était leur guerre. Les Noirs souffraient de la Guerre, mais les Blancs s'en fichaient, et les Camarades aussi.

Je dis, comme je le disais déjà, semblait-il, plusieurs fois par jour, que je n'arrivais pas à comprendre pourquoi les gens espéraient que les choses allaient changer aussi vite. A notre âge, nous — elle et moi — savions que rien ne changeait rapidement... du moins ne dis-je mot des Romains. S'il y avait une chose qui m'avait impressionnée, en venant ici, c'était ceci : nul ne semblait se souvenir que la Guerre ne s'était terminée que deux ans plus tôt ; autrement dit, tous disaient à quel point elle avait été épouvantable, mais personne ne parlait des séquelles. Des séquelles pour la population. Elle marqua alors un temps de silence, en manipulant des mètres de bandage, lâchant un « Tsk, tsk » lorsqu'elle me vit tressaillir de douleur. « Ainsi vous n'avez pas connu la Guerre ici ? » demanda-t-elle. « Non, je suis d'Angleterre. » Elle se contenta d'un simple hochement de tête, histoire de me signifier que je ne pouvais donc pas comprendre. Nous discutâmes de questions de famille : maris, enfants. Elle fut choquée d'apprendre que j'étais divorcée, choquée encore quand elle sut que la mère et les deux enfants qui étaient maintenant dans le cabinet du médecin venaient d'Afrique du Sud, et que le patient difficile était un planteur de café. Et malgré ces douteux compagnons de route, je parlais tout de même comme un partisan de Mugabe. Elle me lança d'étranges regards : bientôt, elle m'appelait madame.

Quand j'entrai dans la salle de radiographie, je m'excusai auprès du jeune technicien de lui gâcher son samedi après-midi. « Je suis de garde et j'aime aider les gens », protesta-t-il. Je trouvai ce jeune homme charmant ; je trouvai le médecin noir charmant. Le Planteur de Café était beaucoup trop poli pour être naturel ; tout compte fait, son épaule n'était pas trop abîmée, de même que mon pied, et diverses autres parties de nos anatomies.

Entre-temps, la police locale était arrivée. Un jeune homme noir qui, lorsqu'il eut couché mon nom par écrit, dit qu'il avait lu telle ou telle nouvelle de moi, et qu'il voulait être lui-même écrivain, car il avait eu une vie intéressante. Pouvais-je lui dire comment s'y prendre ?

Nous étions tous assis, tous bandés, serrant nos radios dans nos bras, attendant que vînt nous chercher l'ami de Mutare qui fonçait vers nous, sans nul doute en nous maudissant de la précieuse essence ainsi gaspillée. J'expliquai au jeune policier, au visage doux et délicat, très différent de l'image traditionnelle du policier, comment écrire un roman. Il cessa de poser des questions et de remplir ses formulaires, le temps d'écouter et de prendre en note les propos particulièrement utiles. Chaque écrivain doit se prêter à cet exercice bien trop souvent et il est difficile de faire son laïus comme si c'était la première fois. « L'ennui, voyez-vous, c'est que les jeunes écrivains semblent penser que le talent suffit ; mais ce ne sont pas les talents qui manquent. Ce qu'il faut, c'est beaucoup de travail. Probablement parce qu'on peut écrire des nouvelles, voire des romans entiers, sans autre matériel qu'un cahier de brouillon et un biro [1], les gens imaginent sans en avoir bien conscience que c'est

1. Marque de stylo à bille. *(N.d.T.)*

facile. Mais si vous voulez être écrivain, il faut écrire — et déchirer : écrire — et déchirer. Chaque écrivain passe par ce stade où tout ce qu'il écrit est bon mais pas tout à fait assez bon. Ce qui permet de passer de ce stade au point où l'on est assez bon, c'est ce processus : écrire et déchirer, écrire et déchirer. Et bien sûr : lire. On ne peut expliquer à un écrivain en herbe comment écrire : mais seulement qu'il doit écrire, écrire, essayer encore, il n'y a que ça de vrai. » Et ainsi de suite. Je dispensais mes conseils tandis que les fillettes, allongées comme elles l'étaient sur deux bancs de bois, s'efforçaient de ne pas gémir, et que leur mère et leur oncle, aussi pâles que leurs bandages, se tenaient droit, dignes, et que le sang maculait les bandages de mon pied. Mes côtes commençaient à me faire horriblement souffrir. Le jeune policier dit qu'il me considérait comme une mère et qu'il allait suivre mon conseil.

Il va sans dire que cette scène scandalisa le Planteur de Café : l'occasion appelait une autre conduite. Il claironnait que la seule chose qui comptait c'était de prendre note de tous les détails de l'accident, afin que les policiers de l'autocar fussent jugés. Il avait raison, mille fois raison. Les trois infirmières noires, qui n'avaient rien à faire maintenant, s'assirent en rang sur un banc, les mains jointes, tendant l'oreille et s'abandonnant à leurs propres réflexions. Le médecin noir repartit en trombe et nous entendîmes sa voiture sur un bon kilomètre.

LES NERFS

Arriva alors l'ami de Mutare. Quelque chose commença qui nous surprit ; nous avions tous peur et rechignions à monter en voiture. Nos nerfs se tendaient et grinçaient parce que chaque tournant de la route, chaque bosse, annonçait un nouvel accident. Lorsque nous vîmes la carcasse de la voiture dans laquelle nous avions voyagé, abandonnée, comme dans cent autres accidents, au bord de la route, ce fut pis encore. Nous nous sentîmes mieux après nous être confessé mutuellement cette faiblesse. Sauf, cependant, notre héros qui ne bronchait pas, moins disposé que jamais à laisser paraître la moindre faiblesse parce qu'il était assis à l'avant en compagnie d'un autre héros de la Guerre. Pas même une seconde, ni aujourd'hui, ni dans les semaines à venir.

Le long trajet jusqu'à Mutare fut le début d'un processus psychologique qui me paraît désormais aussi intéressant que l'accident proprement dit. Mon esprit était aussi à l'aise que d'habitude, faisant telle ou telle observation, alors que « mes nerfs » (quels nerfs? où étaient-ils localisés?) se crispaient et souffraient, mais sur une voie parallèle à mon intelligence. J'avais beau les raisonner, rien n'y faisait. Ce n'était pas la peur que je ressentais, mais les résultats neurologiques du choc. La nuit était tombée maintenant, et nous ne voyions pas la route, ce qui rendait les choses pires encore. La timidité bien connue des vieilles dames vient de ce qu'elles savent ce qui peut arriver, et arrive, mais les jeunes gens ne savent pas et, à moitié ivres, foncent à cent soixante kilomètres-heure sur des routes mauvaises, et font sans peur des choses que leurs « nerfs », encore novices, ne leur permettront plus de faire par la suite.

Je gardai les nerfs à cran pendant plusieurs semaines. Je sais — qui ne le sait? — comment le cœur et l'esprit peuvent suivre des voies parallèles, le cœur mourant d'envie de ce que proscrit l'esprit, le cœur se riant des ordonnances de la raison, mais jusqu'à cet accident j'avais tenu qu'il allait de soi que mon moi physique fît plus ou moins ce que je voulais. Maintenant j'avais peur des hauteurs, au point que je ne pouvais me tenir debout sur un coteau, où le plus grand risque était que je roule sur des coussins d'herbe dans une douce cuvette : j'étais trempée de sueur, j'étais paralysée, sinon par la peur, du moins par une inhibition généralisée. En voiture, je ne pouvais dépasser les quatre-vingts kilomètres-heure : un compteur intérieur, dont j'ignorais tout, ne voulait rien entendre. S'il y a une chose que j'adore, c'est bien de monter dans un petit aéroplane : lors d'une excursion à travers les monts Vumba, je me sentis mal et ridicule. Je ne pouvais traverser une route sans transpirer à grosses gouttes, ni descendre des escaliers sans m'agripper à la rampe. Mon esprit observait tout cela, impuissant, et il avait beau essayer la moquerie, rien n'y faisait. Puis un beau jour, à Londres, je me surpris à me faufiler à travers les voitures pour aller d'un trottoir à l'autre, comme nous le faisons tous, et je sus que j'étais guérie. La mystérieuse souffrance avait disparu : non pas la force de l'habitude, mais une délivrance soudaine.

Une grande maison à Mutare, qui s'étale avec ses chambres et ses vérandas dans un grand jardin. Une maîtresse de maison accueillante. Des enfants. Des jeunes gens... beaucoup de monde... Nous fûmes aussitôt submergés par la bonté et l'efficacité. On fit venir un médecin « convenable », qui nous examina à nouveau. Les radiographies de l'hôpital avaient été mal interprétées, certaines avaient été mal faites. Il fallait en faire d'autres. L'épaule était salement amochée... Il y avait des côtes cassées... un tendon abîmé... une fracture du crâne. J'aurais pu faire observer que les hôpitaux britanniques les plus avancés n'étaient pas à l'abri des erreurs de diagnostic. Mais l'air du temps était au : « Eh bien, qu'espériez-vous ? », que l'on disait à voix haute, avec la suffisance des justes. Dans cette maison, il était essentiel de prouver aussi souvent que possible que les Noirs se fourvoyaient. Tout au long des années de la Guerre, la maison avait été un *lager,* un point de ralliement. Les habitants des fermes exposées venaient y passer une nuit, ou plusieurs, si l'on signalait la présence de « terrs » dans les parages, ou quand les combats faisaient rage. Les femmes dont les maris rejoignaient pour un temps les forces de sécurité venaient avec leurs enfants. Les combattants venaient entre leurs missions, pour un repas, un bain, une bonne nuit.

L'atmosphère dans laquelle j'avais grandi y était particulièrement sensible : dans les fermes du District, les hommes et les femmes avaient des rôles dépourvus de toute ambiguïté : il y avait les tâches des femmes, et il y avait les tâches des hommes. Pour quelqu'un venu de Londres, où chaque maison se distingue par un modèle différent, un équilibre différent entre hommes et femmes, cette société coloniale faisait l'effet d'un choc. Salutaire, j'imagine, par sa valeur de rappel : voici ce contre quoi moi et les gens de mon espèce avions réagi. Le lendemain matin, comme nous partions, l'un des hommes aboyait des ordres à sa jeune femme. Il agissait ainsi parce que d'autres hommes l'observaient : il prouvait qu'il savait remettre une femme à sa place.

Toutes ces personnes avaient pris part à la guerre. Les gens ne cessaient de chuchoter : « Cet homme, là-bas, il a été le meilleur pilote d'hélicoptère de la Guerre. » Ou : « Il a sauvé telle ou telle famille sous le nez des " terrs " ». Ou : « Elle a chassé un " terr " qui entrait par la clôture, il a pris peur et s'est enfui. » Les femmes avaient cuisiné, pansé, soigné, elles s'étaient occupées des autres tout au long de la guerre. D'aucuns étaient sortis en armes, jour et nuit, des années durant. La Guerre occupait encore les esprits, non pas comme une vendetta ou une croisade sans fin, mais comme le souvenir d'un temps où chacun faisait de son mieux et allait au bout de ses forces, où la maison avait trouvé son accomplissement sous la forme d'un refuge, d'une forteresse.

L'une des jeunes femmes était une belle-fille, qui était partie pour de bon dans la République, et elle était en visite dans sa famille. Son mari avait été chef de la police. Elle confia qu'elle avait décidé de « sauter le pas » le jour où un Noir, que son mari avait arrêté plusieurs fois parce qu'il le soupçonnait de sympathies pour les « terrs », avait passé son bras sur ses épaules au cours d'un cocktail officiel en disant : « Et maintenant nous allons nous appeler Camarades et travailler ensemble pour le bien du Zimbabwe. »

« Voilà, il est temps que nous partions, ai-je dit à mon mari. »

Cet incident était relaté comme s'il n'y avait eu d'autre réaction possible que de décider de partir sur-le-champ.

La même jeune femme rapporta sans la moindre gêne cette scène coloniale traditionnelle : « Quand je suis partie pour la République, au moment de faire mes adieux au cuisinier, au boy, au jardinier et à notre nanny, j'ai pleuré. Ils appartenaient à la famille. Ils disaient : Vous êtes notre père et notre mère. Ils pleuraient eux aussi. » Il était clair, maintenant, qu'elle se demandait s'ils n'allaient pas rentrer au Zimbabwe. Dans la République, ils étaient mal lotis, avaient une petite maison, des emplois médiocres, et pas même un domestique. Beaucoup de ceux qui étaient partis essayaient maintenant de revenir, assuraient-ils.

Dans le séjour, ce soir-là, un homme qui avait fait du Renseignement pendant la Guerre. Il me posait les questions avec cette désinvolture appliquée qui trahit son homme. Ce n'était pas la première fois que je me disais que le métier d'espion devait être agréable, car rares sont ceux qui paraissent

144

capables de décrocher : le pouvoir, j'imagine, l'agréable illusion que l'on a la haute main sur le cours des choses[1].

Les questions qu'il posait eussent été de mise si je m'étais battue au côté des Camarades dans la brousse, au lieu de vivre à mon aise dans le climat libéral de Londres. Il y a autre chose : tous ces services de sécurité semblent se créer une image diabolique de leurs adversaires, puis y croire. Voyez Angleton à la CIA... ils deviennent paranos. Et si, toutefois, on est du même camp que les espions, on a du souci à se faire à cause de leur incompétence, de leurs renseignements périmés depuis des années, si tant est qu'ils aient jamais été exacts.

Cette nuit-là, je partageai une véranda avec le Planteur de Café. Éveillé, il eût préféré mourir que de se plaindre mais, endormi, il geignait et souffrait. Je gardai toute la nuit la même position, parce que ça me faisait mal de bouger, et je gémissais en toute liberté quand j'en éprouvais le besoin. De bonne heure, le lendemain matin, il s'arracha à son sommeil et avant même d'avoir retrouvé ses esprits cria dans le vide : « Le thé ! » Et le cuisinier nous apporta aussitôt le thé, pour nous deux.

A travers toute la grande maison, des gens se baignaient, se douchaient, se rasaient, s'habillaient ou passaient leurs vêtements aux enfants, bavardaient, buvaient le thé. Quelques-uns des hommes s'en allèrent jouer au golf avant le petit déjeuner, que les femmes aidaient les domestiques à préparer. Le médecin arriva. Le seul problème grave était l'épaule cassée. Mon œil au beurre noir tenait maintenant du prodige et les enfants rappliquèrent des maisons de la rue pour l'admirer. Puis le petit déjeuner fut servi, tout ce qui composait un petit déjeuner anglais de la meilleure qualité, mais aussi des fruits frais et de la salade de fruits, des jus de fruits et des brocs de crème. Une trentaine de personnes prirent le petit déjeuner. Il est facile d'imaginer cette scène pendant la Guerre, l'atmosphère du lager, l'hospitalité sans limites.

---

1. En fait, maint membre de la police secrète sous les Blancs continua à travailler sous les Noirs.

145

Après le petit déjeuner, on nous entassa dans un autocar qui nous conduisit à travers les Vumbas, sur ces routes qui s'enroulaient, déviaient et piquaient à travers les montagnes, et tandis que mes « nerfs » se crispaient et tressaillaient, je m'irritais contre eux et contre moi. Nous tous, les blessés, étions bien plus mal que la veille : les contusions demeurées alors discrètes se manifestaient maintenant. Sous la véranda de la maison, dans les montagnes, nous faisions le décompte de nos plaies, allongés avec raideur tandis que nous servait la dévouée Milos, la domestique, toute tendresse et sollicitude ; plus tard, nous nous installâmes autour d'un grand feu, et les voisins vinrent, secourables, extraordinairement habiles. On ne saurait imaginer sur terre gens plus aimables, plus hospitaliers, plus imaginatifs que les Blancs d'Afrique australe, quand il est question des leurs... mais à quoi cela rime-t-il de le dire une fois de plus ?

Ainsi commença la convalescence. Les fillettes furent les premières à se rétablir et allaient au Club, à un kilomètre et demi de là, jouer au ping-pong et au tennis. Leur mère et moi fûmes plus lentes. Le Planteur de Café était mal en point et devrait subir une difficile opération sur une épaule déjà deux fois abîmée.

Des gens allaient et venaient sous la véranda.

C'est le soir, autour d'un feu hivernal, et la pièce est bourrée de gens et d'animaux. Le jeune assistant timide de la ferme voisine, champion de parachutisme du Zimbabwe, s'assied avec son nouveau chiot et un gros persan blanc dont il s'occupe et qu'il ne veut pas laisser seule. Vicky, une petite chienne maligne et retorse, s'assied à côté de Josh, le bon et stupide ridgeback, qui n'est pas bien grand encore. La farouche gardienne du domaine, Annie, la bull-terrier, une masse de balafres et de blessures, pose la tête sur les genoux de son maître et grogne avec affection. Un homme dont la tâche consiste à installer les Africains sur de nouvelles fermes a apporté son chien, un setter. Une petite chatte noire, timide, s'étonne de ce spectacle : effrayée, elle se faufile entre les pattes des chiens, les chiots et les gens, jusqu'à ce qu'elle trouve un lieu sûr, sur un chevron, d'où elle peut nous considérer. Il y a deux couples venus de fermes qui se trouvent plus bas sur la colline, avec trois petits labradors, que leurs filles, des adolescentes, ont apportés pour faire plaisir aux fillettes. Quant à nous, les blessés, nous nous asseyons tranquillement dans un coin, repoussant les animaux affectueux qui sont une menace pour nos côtes endolories et nos hématomes. Qui s'occupe de nous tous ? Milos, qui toute la soirée nous sert bière, thé, café et petits gâteaux. L'atmosphère est bruyante et cordiale, nous regardons tous les animaux et parlons d'eux et de leur conduite comme s'ils étaient des gens.

SOIR DE PAYE

Scène de véranda dans une ferme de l'ancienne Rhodésie du Sud. Dans chaque ferme, sous la véranda, une fois par mois, se déroulait cette scène, tout au long des années 1920, 1930, 1940, 1950...

Le soleil s'est couché dans son mélancolique embrasement. Les étoiles apparaissent. Sur une petite table, des piles de sacs de coton de la banque de la ville, pleins de pièces. Le fermier est assis à côté de la table à laquelle a pris place le *bossboy*. S'il s'agit d'une véranda surélevée, la table se trouve en haut d'une volée d'escaliers, les marches de ciment rouge verni de la prospérité, avec des plantes entassées aux deux extrémités de chacune des marches. Une lampe à huile est posée sur le muret, s'il n'y a pas l'électricité. Ou, comme dans notre ferme, une lampe-tempête est posée sur la table devant la maison. Une autre pend à la branche d'un arbre. Une foule de Noirs attendent debout. Le bossboy lance un nom ; un homme qui porte un vieux short et une veste en haillons sort du rang. Pas de chaussures. Dans les enveloppes de la paye se trouvent quelques pièces. Le bossboy gagnait une livre par mois, les ouvriers ordinaires dix, douze shillings. Que pouvait-on acheter avec cet argent ? Un short coûtait deux shillings. Une veste encore moins. Personne ne portait de souliers. Une bicyclette valait cinq livres et il fallait faire deux ans d'économies pour s'en payer une. La nourriture était assurée.

Les femmes étaient venues du *coumpound,* du quartier des Noirs ; alors même qu'elles ne travaillaient pas à la ferme. Le

147

soir de la paye était une occasion, un spectacle, quelque chose qui mettait un peu d'animation. Elles se tenaient d'un côté, toutes ensemble. Elles étaient belles et portaient des linges à motifs bleu et blanc enroulés autour d'elles, quand elles n'en faisaient pas des jupes ou des robes à volants. Elles avaient des fanchons, des bracelets et des boucles d'oreilles. Probablement était-ce tout ce qu'elles possédaient.

Parfois il y avait des discussions sur les pièces des enveloppes. Alors le bossboy, parlant au nom du fermier, disait : « Mais tu n'es pas venu travailler pendant trois jours ; tu es allé boire de la bière sur la ferme du boss Jones. » L'homme se tenait là patiemment, le visage ridé par la détresse, laquelle était autant en rapport avec sa vie qu'avec ce petit incident — un shilling retiré de sa paye. « Mais je ne suis pas allé boire de la bière, protesterait-il sans doute. Je suis allé rendre visite à mon frère. — Mais tu ne peux pas lui rendre visite chaque fois que ton frère arrive dans le District ! » L'homme hochait la tête, prenait l'argent et regagnait la petite assemblée qui l'accueillait avec des soupirs, de la compassion, des hochements de tête puis — merveilleusement — ils partaient d'un grand rire, chaud, irrépressible, contagieux. En entendant ce rire, le fermier pouvait rester assis, le regard braqué sur les ouvriers agricoles, une succession d'émotions contradictoires se lisant sur son visage. Mon père, par exemple, qui considérait « le système », pouvait conclure avec une exaspération et une irascibilité caractéristiques devant le cours de l'univers : « Une fichue farce, un point c'est tout. Je veux dire que c'est une *farce*. Quel autre nom lui donner ? »

Avec le recul, les choses que je tenais pour acquises prennent désormais du relief : par exemple, ce que portaient les femmes. Des décennies durant, chaque Noire de Rhodésie du Nord, de Rhodésie du Sud et du Nyassaland portait des toiles de coton à motifs bleu et blanc, indigo et blanc. Qui en avait eu l'idée ? A un moment ou à un autre, quelqu'un avait dû dire — qui ? — : « Nous allons fabriquer ce type de vêtements bleu et blanc pour les femmes d'Afrique australe. » Les imprimés avaient l'air indonésien. La toile était tissée à Manchester en même temps que le *kenti* d'Afrique du Nord et les *kangas* du Kenya. Les grandes balles arrivaient d'Angleterre en bateau, étaient chargées dans des trains, et les rouleaux de toile, qui sentaient la teinture, se trouvaient sur les étagères de centaines de boutiques de marchandises cafres. C'était du beau matériau, solide, de bonne qualité. Les femmes étaient belles. Les femmes pauvres ne sauraient porter aujourd'hui cette étoffe, car elle est associée au passé honteux. Dans le même temps, on en fait un article de luxe pour les boutiques des grandes villes de la République, où l'achètent des élégantes noires et des élégantes blanches qui n'ont sans doute jamais eu vent de son histoire. Au Zimbabwe, je l'ai vue qui recouvrait des canapés et des fauteuils dans une ferme, ou taillée en rideaux à Harare. Une histoire sociale qui n'a pas été écrite : en l'occurrence, probablement dans les archives des grandes manufactures de coton des Midlands.

Les ouvriers agricoles qui se tenaient dans la pénombre en attendant leur paye, le crépuscule s'effaçant dans leur dos, n'étaient pas les mêmes d'une année sur l'autre. Ils se déplaçaient de ferme en ferme, s'ils pouvaient gagner un shilling ou même six pence de plus dans leur enveloppe à la fin du mois, s'ils pouvaient trouver un meilleur fermier, ou une meilleure source d'eau : un bon puits, une rivière à proximité. Seuls le bossboy et son assistant, et un homme apte à conduire les attelages de bœufs, le charpentier et un homme qui connaissait la mécanique, restaient d'année en année.

Aujourd'hui, en 1982, me revoici assise sous la véranda un soir de paye. Je regarde. C'est une véranda fermée, pas bien grande. D'un côté se trouve la cuisine, de l'autre une salle de bains, tandis que des portes donnent sur le corps principal de la maison. Les chiens dorment ici sur trois pneus de voiture couverts de vieux sacs. Ils sont assis à côté de nous à l'heure qu'il est : un, deux, trois, qui observent, intéressés.

Il y a une petite table avec de l'argent dessus et le gérant de la ferme, qui n'est plus un bossboy, siège à côté de la mère des fillettes, en égal. Elle a passé la journée à calculer l'argent qui revient à chacun, parce que le Planteur de Café est beaucoup trop mal. Un chien a bondi et heurté son épaule brisée. « Un petit revers, j'en ai peur », dit-il, et il ne rira pas quand nous le taquinerons sur son héroïsme.

Hors de la véranda se presse une foule de travailleurs, hommes et femmes. Il est cinq heures de l'après-midi, et le soleil glisse derrière la haute montagne noire.

Les ouvriers sont de deux sortes, les réguliers qui touchent le salaire minimum légal, trente livres par mois, ou plus, et les travailleurs temporaires qui viennent pour la récolte. Ils sont très peu payés, mais le travail est de courte durée. Chaque jour, arrivent des hommes et des femmes qui demandent du travail aux fermiers et disent qu'ils travailleront au-dessous du salaire, demandent comment ils vont nourrir leurs familles. « Je ne puis vous payer moins, protestent les fermiers, vertueusement. Ce serait contraire à la loi. Eh bien, ce n'est pas à moi que vous devez vous en prendre, voyez ça avec le gouvernement : c'est votre gouvernement aujourd'hui, n'est-ce pas ? »

Bref, voici l'une des fameuses zones « grises » qui gâchent les cartes des théoriciens. Le travail temporaire n'existe pas, ou ne devrait pas exister... n'existe guère... bientôt n'existera plus... il est presque illégal... sans lui un large éventail d'activités économiques ne pourraient plus continuer.

Cette soirée de paye, exactement comme *alors,* est une scène animée. Toutes les femmes portent des robes de confection aux couleurs vives, des fichus, des bracelets et des perles, et c'est d'elles que vient la gaieté, car les ouvriers réguliers ne sont ni mieux ni plus mal habillés que les fermiers, c'est-à-dire négligemment, sinon n'importe comment. Les travailleurs saisonniers sont loin de pouvoir rivaliser avec leurs femmes. Ces jours-là, toutes ont des souliers. Presque toutes portent un beau cardigan ou un beau tricot.

C'est aussi une scène bruyante. Je suis assise là avec mon œil au beurre noir, mon front contusionné, et les femmes plaisantent sur mon œil. Nul besoin de connaître la langue du pays : les femmes du monde entier plaisanteraient exactement de la même façon.

La distribution de la paye se déroule exactement ainsi. Un nom est lancé et un homme ou une femme entre dans la véranda. La mère des fillettes dit bonjour en shona : elle a des manières cordiales ; suit une brève conversation, avec des blagues et des rires. Le gérant ouvre l'enveloppe en question et répand l'argent sur la table, pour vérifier que le compte y est : quelques malheureuses pièces et des billets, mais personne ne se plaint.

Tout au long de cette scène, les deux fillettes restent debout et regardent. L'une a douze ans, l'autre dix. Elles portent des shorts très courts et de gros polos. Leurs polos recouvrent leurs shorts et on dirait qu'elles sont nues sous leur pull. Elles sont innocentes et n'imaginent pas à quel point elles doivent choquer les Africains, qui leur jettent des coups d'œil effarés. Depuis qu'elles sont nées elles ont toujours vécu parmi les Africains et elles ont toujours eu le droit de porter ce qui leur chantait, d'aller presque nues si elles en avaient envie. Je me souviens comment, dans les années 1930, la fille de la ferme voisine, qui venait d'avoir ses quatorze ans, l'âge où l'on cherche à s'affirmer, était apparue au sommet rocailleux d'une colline : elle était descendue de la voiture dans un tout petit short, un débardeur et des talons hauts. Ma mère était choquée. Mon père au supplice. « Que doivent-ils en penser ? Leurs femmes ne se montrent jamais dans une telle tenue. — Et leur poitrine ? demandait ma mère. Il leur arrive de se promener les seins nus. — Eh oui, mais c'est leur coutume. On ne verrait jamais une Noire avec une brassière et des shorts à peine assez grands pour couvrir une mangue. — Eh bien, c'est *notre* coutume », disait ma mère, défendant ce qu'elle détestait. « Mais nous devrions donner le bon exemple », disait-il, avant d'ajouter une fois de plus, comme il le faisait souvent : « *Que vont-ils penser de nous ?* »

Les décennies ont passé et voilà qu'une nouvelle université se dresse sur une colline près de Harare, et dans le journal une lettre : « Après un bal à l'université, vous voyez les étudiants noirs couchés dans l'herbe, enlacés, deux par deux, dans l'obscurité, qui s'embrassent et font bien plus encore. Quand on leur demande pourquoi ils se conduisent ainsi, puisque ce n'est pas dans leurs traditions, ils répondent, en nous regardant droit dans les yeux : " Mais c'est vous qui nous l'avez appris. " »

De même, une délégation de femmes noires du Zimbabwe s'est rendue en Israël pour visiter les kibboutz. Elles se sont conduites avec arrogance, parlant d'une voix forte et péremptoire, distribuant leurs ordres alentour. Quand on leur a demandé pourquoi elles étaient si bourrues avec leurs hôtes, elles ont répondu : « Mais c'est comme ça que se conduisent nos madames blanches, alors on a pensé qu'on devait se conduire ainsi. »

Le lendemain après-midi, je me promenais avec Annie sur une route à flanc de coteau au-dessus de la maison quand un vieil homme en haillons, avec un gros bâton de patriarche biblique, s'approcha de moi. Il s'arrêta quand il aperçut Annie, tendit son bâton à l'horizontale contre elle, le serra dans ses poings qui

tremblaient, et dit d'une voix coléreuse : « Appelez le chien. »
Annie ne le menaçait pas, mais elle lui bloquait le passage et elle
le savait : elle débordait d'une joie maligne. « Au pied », dis-je,
ne sachant pas très bien si elle allait m'obéir. Je me souvenais
que c'était un bull-terrier, et qu'elle faisait partie des défenses de
la maison, comme la clôture dont les portes restaient ouvertes
ces jours-ci. La peur du vieil homme disait tout de sa fonction.
Elle ne vint pas au pied. L'homme aurait pu me tuer en même
temps que la chienne : toutes les terreurs et les haines de la
guerre du Bush étaient dans ses yeux. « Couchée », essayai-je.
Lentement, Annie s'assit sur son arrière-train balafré sans
quitter des yeux le visage du vieil homme. Il était incapable de
faire un pas de plus. « Elle ne va pas vous faire de mal. —
Retenez le chien », dit-il. Je l'attrapai par les plis de chair
flasque de son cou et il se défila lentement devant nous en
brandissant sa trique au niveau de sa tête. « Ce n'est qu'une
vieille chienne stupide », fis-je, en piquant aussitôt un fard tant
j'étais gênée : mais j'avais bel et bien prononcé ces paroles
stupides. Le vieil homme ne consentit à tourner le dos à Annie
qu'après vingt bons mètres. « Retenez ce chien », cria-t-il. Ce
que je fis. J'avais peur qu'elle ne lui donne la chasse.

Puis s'approchèrent de nous un troupeau, ou une flopée, de
jeunes filles, une dizaine, qui revenaient d'une après-midi de
tennis au Club. Elles musardaient, gambadaient ou faisaient des
petites courses pour dépenser leur trop-plein d'énergie. Elles
gloussaient et leurs voix hautes et excitées résonnaient sur les
pentes escarpées de la montagne. Elles portaient leurs petits
shorts et leurs petites chemises ; elles étaient toutes en membres,
longs, pâles et fragiles, mais l'une d'elles avait un jean neuf
soigneusement déchiré pour être à la mode, laissant ainsi
paraître ses genoux dodus. Leurs nattes brillantes volaient çà et
là, leurs jolis yeux et leurs bouches roses étaient à peine
esquissés sur leurs visages pleins. On aurait dit des petites filles
impressionnistes surprises au beau milieu de leurs ébats.

Le vieil homme passa droit devant elles, sa trique brandie
devant lui, à tout hasard.

Ce n'est pas souvent que l'on se voit tel que les autres vous
voient.

Ce soir-là, toutes les filles se retrouvèrent devant le grand feu,
occupant les fauteuils, le sofa, ou paresseusement étendues à

terre avec Annie. Deux d'entre elles l'enveloppaient de serpentins verts qui restaient d'une soirée au Club. Assise, la tête légèrement baissée, elle les regardait comme elle avait regardé le vieil homme, patience mesurée et maîtrise de soi.

« Annie, cette stupide chienne... » Elles se laissaient tomber, riaient, roulaient par terre, tandis que le domestique passait prudemment devant elles avec le plateau chargé du souper. Annie se leva, se débarrassa de ses liens, et alla se coucher nez au feu, décorée de bouts de serpentins verts froncés pareils à des algues ou à des feuilles de laitue.

LA PLUIE

Un soir que nous n'étions pas sous la véranda, mais à l'intérieur, avec le feu qui se déchaînait, la pluie se mit à tambouriner sur la toiture de tôle ondulée, et la compagnie applaudit. Longue sécheresse... barrages à sec... caféiers debout avec leurs feuilles légèrement flétries, les chiens qui venaient à longueur de journée laper leurs bols d'eau et, maintenant, inattendue, la pluie. Aussitôt chacun s'égaya. Le bonheur. L'ivresse.

L'ASSISTANT

Un après-midi que la véranda était pleine d'invités, dont quelques filles de la colline, il y eut une apparition dans le ciel : le champion de parachutisme du Zimbabwe avait sauté du petit aéroplane d'un fermier voisin. Il flottait lentement dans les airs, car les nouveaux parachutes laissent une grande marge de manœuvre et une descente peut prendre cinq minutes. « Il ferait mieux de ne pas atterrir dans l'Est portugais », cria quelqu'un, et une Suédoise en visite dans une ferme voisine déclara avec véhémence : « *En fait,* c'est le Mozambique ! — Renamo ou Frelimo, ils feront des jarretelles de ses boyaux », ajouta le fâcheux. La fille a gardé, garde le silence, attentive et choquée, parce qu'elle croyait qu'après la Libération, tout, tout le monde, serait tout de suite différent. « J'imagine que vous nous trouvez très étranges ? » lui a demandé une femme blanche d'une plantation de thé aux manières surannées. « Je *vous* trouve très étranges, dit-elle avec véhémence. Vous, les Blancs. — Voilà pourquoi vous ne nous comprenez pas, s'entendit-elle répondre d'un ton amusé, imperméable à toute critique. Il faut du temps, vous savez. » Elle avait éclaté en sanglots et du coup tout le monde se montra gentil avec elle. « Ils me traitent de haut, dit-elle avec véhémence. Comment osent-ils ! »

Toujours plus bas, flottait le beau héros, au-dessus des montagnes et de la brousse, tandis que les petites filles et les filles moins petites soupiraient... Il disparut dans les arbres, et reparut une heure plus tard, crapahutant dans la montagne en portant son parachute. Renfrogné, modeste et — comme d'habitude — muet, il se laissa tomber sur un fauteuil, se saisit d'une bière, rougissant à cause de ses nombreux admirateurs.

L'Assistant de la ferme... Le Régisseur apparaît tant et plus dans la littérature, mais où est l'Assistant ? Il est très jeune, inspire la sympathie parce qu'il est désargenté, qu'il est seul dans cette maison envahie par la famille et les amis. Il se démène comme un beau diable à longueur de journées, parce que son avenir en dépend. L'épouse du fermier paraît éprise de lui, de manière douloureuse, maternelle. Les filles restent éveillées la nuit pour lui. Les filles des fermiers voisins passent à l'improviste, à n'importe quelle heure. Le fermier, qui a très certainement été jadis assistant, est laconique, sardonique et vigilant.

Cet assistant était — eh bien, naturellement — il était timide. Il était beau. Il ne savait rien et mourait d'envie de tout savoir. « Indiquez-moi un livre à lire », pouvait-il demander et, quand je lui en tendais un, il en tournait les pages de ses doigts noueux et respectueux : « Oui, je vais essayer de me plonger dans celui-ci. »

Il faisait souvent un saut. On fait un saut et on repart, tel est le style de vie sous les vérandas, et pas seulement pour les gens. Les animaux venaient en visite, eux aussi. Le grand berger allemand de la ferme voisine, qui restait esseulé lorsque les siens s'en allaient à Mutare, ce qu'ils faisaient souvent, venait chercher de la compagnie auprès de nous. Il m'arrivait de me réveiller la nuit — je dormais sous la véranda — et de trouver sa truffe chaude sur mon visage ou sur mon bras. Un geignement doux et plaintif et il grimpait sur le lit. « Tarka ! *qu'est*-ce que tu fais ici, tu devrais être à la maison. » Si Tarka se pointait dans la journée, on passait un coup de fil : « Votre chien Tarka est *encore* ici. » Un domestique venait le chercher : « Viens, Tarka, viens. » Tarka s'en allait, visiblement affligé, lançant des regards envieux sur la maison toute pleine de gens, sans oublier les trois chiens, ses amis.

SÉPARATIONS

A peine serais-je partie pour Londres que les fillettes et leur mère regagneraient Le Cap. Plusieurs milliers de kilomètres allaient de nouveau nous séparer. C'était l'époque où je devais explorer le nouveau Zimbabwe, mais je n'étais encore guère en état de me déplacer, avec mes côtes et ma jambe contusionnées. Je m'allongeais sur une chaise longue sous la véranda et considérais ce paysage de montagnes et de collines, de lacs et de rivières dont nul ne saurait jamais se lasser. Parfois, de petits panaches de fumée, de l'autre côté de la frontière, signifiaient que la Renamo remettait ça, faisait sauter tel ou tel objectif.

Quand il n'était pas dans les champs, mon fils s'asseyait à côté de moi. Il était encore souffrant. Des jours passèrent, puis des semaines. Nous étions tous les deux las. Nous nous disions l'un à l'autre que nous étions las. Dans un petit champ, en contrebas, se trouvaient quelques moutons qu'un voisin mettait en pâturage. Les moutons avaient amené des mouches avec eux. Assis sous la véranda, nous roulions les journaux pour en faire des tue-mouches. Neuf, douze, quinze, vingt-neuf... « J'en ai tué trente », me vantais-je. « Jolie petite performance. Mais j'en ai tué trente-cinq.

— Tu triches !

— Non, c'est toi qui triches. C'est ma mouche, pas la tienne. »

Les gens allaient et venaient. Parfois la véranda ressemblait à une côte, avec les marées qui montaient et déposaient leurs débris avant de se retirer. Une voiture pleine de gens arrivait de Harare, on leur servait le repas et ils dormaient tous par terre dans le salon. « Milos ! Le thé... la bière, le souper pour dix. Petit déjeuner pour seize. »

155

Allongée sous la véranda, je songeais au rythme et au style de vie général des Noirs et des Blancs, à l'hospitalité facile, à la générosité, qui se ressemblent tant. (Plus qu'on ne saurait dire aujourd'hui : mais les Blancs sont riches et les Noirs pauvres.) Alors, s'ils se ressemblent tant... pourquoi étais-je dans les mêmes dispositions qu'avant mon départ de Rhodésie du Sud en 1949 ? Mais en ce temps-là, je n'avais aucun élément de comparaison. Mes pensées avaient tendance à se résumer à un voile d'incrédulité : comment des gens pouvaient-ils s'obstiner sur cette voie si manifestement stupide ? Maintenant j'avais vu le monde et je savais que, partout, les gens persistaient de la sorte.

Jadis je m'étais demandé pourquoi les Européens étaient tellement obsédés par leur supériorité raciale, s'ils voulaient ainsi compenser le fait d'avoir été si arriérés, si barbares, tandis que les civilisations du Moyen-Orient et d'Orient resplendissaient et méprisaient la leur. L'arrogance européenne n'était-elle que vantardise de nouveau riche ? Étaient-ils fiers de leur peau blanche faute d'autre chose dont ils pussent se vanter ? Mais c'était avant que j'eusse observé une jeune Indienne essayer toute une après-midi d'éclaircir la peau foncée de son visage : elle était sur le point de rencontrer un impossible fiancé. Avant que j'eusse lu les poèmes d'un Arabe qui chantait la peau blanche comme perle, la peau laiteuse de sa fille, car, assurait-il, les Européens ne savaient pas de quoi ils parlaient, quand ils étaient fiers de leurs peaux « blanches ». Pour une véritable blancheur poétique, il fallait une fille qui avait été enfermée toute sa vie dans une chambre ombreuse, qui n'avait jamais pu approcher l'éclat du jour.

Qu'est-ce donc que cette histoire de blancheur ? Eh oui, la question est naïve, ridicule... mais comment était-il possible, m'étonnais-je naïvement, que la droite afrikaner fût prête à tout risquer dans une guerre pour la suprématie raciale, alors qu'elle avait vu ce qui s'était passé au Kenya et en Rhodésie du Sud ?

« L'ennui, avec vous autres, dis-je au Planteur de Café, c'est que vous n'avez aucun sens historique.

— Je n'en sais rien. De toute façon, on leur en a fait voir de belles.

— Mais au nom du ciel, tout cela était parfaitement inutile, une guerre n'est jamais nécessaire, tout aurait pu se régler sans tout ce gaspillage, ces morts et ces souffrances.

— Mais les choses peuvent *toujours* se régler sans guerres, si les gens le veulent. Alors pourquoi ? »

Ainsi va notre discussion.

Le matin, un bruissement léger et soyeux, pareil au vent dans les feuillages, me tirait du sommeil. L'homme dont c'était la tâche était accroupi au-dessus des grains de café disposés en longues rangées à sécher, sur la pente devant la maison. La rosée nocturne les avait humidifiés, et il fallait les remuer, les retourner. Shrrrr, shrrrr, shrrrr... il était accroupi, tournant et retournant les grains d'un geste assez proche de celui que l'on fait pour tourner le lait caillé qui deviendra fromage. Parfois, ils étaient deux, ou trois. J'écoutais le son doux et bas du parler africain, du rire africain. De quoi parlaient-ils ? demandai-je à Milos. « Ils parlent des Camarades » était la réponse habituelle, voulant dire par là que le bataillon était en garnison à trois kilomètres de là. « Ils souhaitent juste que les Camarades s'en aillent. »

Mais ce n'étaient pas toujours les Camarades. En compagnie du Planteur de Café, j'observais une foule de femmes et d'enfants à mi-croissance, la main-d'œuvre occasionnelle — la Zone Grise — chargeant des sacs de café sur un camion. « Que chantent-ils ? demandai-je. — Ça va vous plaire, dit-il. Ils chantent : Nous sommes ici, au travail, sous le regard des Blancs. Mais ça ne fait rien, ce sera bientôt samedi, nous ferons la fête et nous boirons. »

Dans le salon où brûlait un grand feu, il semblait que ce fût presque tous les soirs la fête. « Milos ! De la bière. Milos, du café, Milos... »

« C'est un bon vieux gars. Quand vous serez partie, je lui donnerai ses quinze jours, qu'il puisse retourner dans son village et se soûler jour et nuit s'il en a envie. En se cachant bien de sa femme. Elle lui fait passer de sales moments.

— Vous réalisez à quel point cet homme se tue au travail ?

— Bien sûr qu'il se tue au travail. Moi aussi. De toute façon, il entretient une armée d'amis et de parents dans cette maison, là-bas.

— Une maison, c'est vous qui le dites.

— Elle serait parfaitement suffisante pour lui, sa femme et ses enfants. De toute manière, si je les payais plus, je ferais faillite. Eh bien, c'est ce que cherche le gouvernement, je suppose.

— Voilà une chose qui n'a pas changé, au moins : les fermiers disent qu'ils courent à la faillite. Et bien sûr ce n'est pas ce que cherche ce gouvernement. Vous êtes ici pour gagner des devises.

— Alors, pourquoi ne nous paient-ils pas ce qui nous est dû ? Ils nous font attendre des mois. Il faut se mettre à genoux et supplier qu'ils nous donnent notre argent. Ils le gardent jusqu'à la dernière minute parce que ça rapporte des intérêts. De toute façon, ils sont incompétents.

— Bien entendu. Vous ne les avez vraiment formés à aucune responsabilité, et aujourd'hui vous en faites les frais. »

Et maintenant, un silence, parce que nous n'avons aucune envie d'entrer, une fois encore, dans le vif du sujet. Je préfère détourner la conversation. « Votre problème, à vous autres, c'est que vous êtes durs. Sans cœur. Je me demande à quoi devait ressembler la vie sous cette désapprobation froide et colérique. A quoi ça ressemble toujours, d'ailleurs. Autoritaires. Froids. *Durs.*

— Je ne les désapprouve que lorsqu'ils le méritent. Je les respecte quand ils le méritent.

— Vous voulez dire que vous les respectez quand ils ont les qualités que vous prêtez aux Blancs.

— Si vous voulez. »

Ainsi va la discussion.

Voilà quelques années parut un livre intitulé *Opération Rhino*. On y racontait comment les rhinocéros menacés étaient transportés en camion et par les airs vers de nouveaux habitats. L'auteur évoquait ces bêtes avec la plus tendre des sollicitudes, avec une sympathie imaginative. Des dizaines d'Africains l'aidaient dans sa tâche. Ils étaient pauvres, dénués de tout — ils devaient l'être, étant donné le cours des choses. Je lus le livre une première fois, admirative devant la connaissance que l'auteur avait des mœurs des rhinocéros. Puis je le relus pour voir en quels termes il décrivait ses acolytes, dans une opération somme toute dangereuse. Mais il n'en disait mot. Comme si tout cela allait de soi. En revanche, chaque rhinocéros était si bien décrit qu'on avait l'impression de pouvoir le reconnaître si on le croisait dans un zoo.

A la Libération, dit-on, certains villageois allèrent dans la brousse et massacrèrent quantité d'animaux, parce que la sollicitude envers ceux-ci avait fini par être associée aux valeurs blanches : soins prodigués aux animaux, mais indifférence envers eux.

LA FEMME QUI GRIMPE DANS LA MONTAGNE

Voici ce qui arriva lors d'une promenade dans des montagnes particulièrement spectaculaires : dans la voiture se trouvaient le Planteur de Café, l'Assistant et moi. Nous nous dirigions vers le sommet d'une colline escarpée. Devant marchait une jeune femme noire. Elle était très enceinte, portait un bébé dans le dos, tenait un petit enfant par la main. Elle marchait lentement. Ça se comprend. Je savais que les deux hommes ne l'avaient littéralement pas vue. Ses besoins leur étaient invisibles.

« Et si nous la prenions en auto-stop ? » Ma voix était grosse de fureur, de semaines de colère accumulée, d'années de colère passée du temps que j'étais jeune, sans parler de la colère liée aux circonstances. Je savais que nous n'allions pas nous arrêter.

« Elle ne s'y attend pas, vous le savez.

— Vous pourriez créer un précédent, n'est-ce pas ? »

L'Assistant n'en croit pas ses oreilles. On lui avait parlé de mes drôles d'idées, comme des idées de ces sales Suédois, mais avec l'éducation qu'il avait reçue, il n'en avait jamais eu le moindre écho.

Tout en nous querellant, nous poursuivons lentement notre ascension et passons devant la femme enceinte.

C'est l'Assistant qui me désarme. Je sais fort bien que s'il devait s'asseoir à côté de cette femme noire et de ses enfants, il aurait probablement une crise de nerfs. Et pourtant, on ne saurait imaginer personne « plus gentille », comme on dit. Je ne l'oublierais pas, je le savais, à cause de ses manières de jeune homme encore inachevé.

Un soir qu'une horde d'invités avait débarqué, notre hôte observa qu'il était bien dommage que les jambons, les saucisses et autres victuailles eussent disparu dans l'accident.

« Que voulez-vous dire par disparu ? demanda l'Assistant.

— On les a volés », dit le Planteur de Café.

L'Assistant réfléchit. « Vous voulez dire que les Affs vous ont volé *vos* vivres ? Ce n'est pas bien. On ne devrait pas voler.

— Bien sûr qu'ils n'auraient pas dû les voler, dis-je. Probablement aucun d'eux n'avait jamais vu pareille corne d'abondance. Nous étions une vraie charcuterie ambulante. »

Il réfléchit, dérouté. Pour commencer, il ne connaissait pas les mots corne d'abondance, charcuterie.

« Imaginez un peu, dis-je, toutes ces provisions éparpillées sur la route, ces jambons, ce bacon, ces saucisses, ça devait faire l'effet d'un miracle.

— Mais ce n'est pas bien de voler », dit-il.

Ainsi s'acheva la conversation dans la voiture : « Et de toute façon, c'est probablement une Squatter. Je ne prends pas de Squatters en stop.

— Je dirais non, ce ne serait pas juste », intervint l'Assistant.

Une évidence est venue depuis s'ajouter à celles qui me trottaient par la tête. J'aurais pu y penser plus tôt : personne ne prendrait cette femme en stop. Qui ? Certainement pas les nouveaux maîtres du pays, tous resplendissants dans leurs grosses voitures, leurs escortes. Peut-être quelque missionnaire du pays, ou un médecin... Partout dans le monde cette paysanne, avec un bébé (ou deux) en elle, un sur le dos, un ou deux qu'elle tient par la main, grimpe lentement au sommet d'une montagne : peu de gens la voient, nous pouvons en être sûrs.

INNOCENCE

L'innocence de l'Assistant de la ferme me fit penser à certaine émission de télévision, programmée alors que la guerre du Bush touchait à sa fin, quand il était devenu évident que les « Affs » allaient gagner. Une demi-douzaine de Blancs discutaient. Ils étaient de cette nouvelle race de jeunes Blancs, que l'on voit en Australie, en Afrique du Sud, en Nouvelle-Zélande, au Canada, ils tranchent sur leurs aînés et leurs contemporains qui ont choisi de ne pas changer. On les reconnaît aussitôt à leur ouverture d'esprit, à leur sourire. Le charme. Ils sont pareils à de gentils enfants. Ils parlaient de la guerre à bâtons rompus, d'un ton confiant, offrant aux spectateurs une expérience que nous avions le privilège de partager avec eux : leur accession à une intelligence mûre de la situation. « Et nous allons maintenant avoir

160

besoin de votre aide, s'exclamaient-ils d'un air engageant. Vous devez nous aider ! » En disant « nous », ils pensaient à eux, les Blancs, qui étaient sur le point de changer d'habitudes pour devenir de bons citoyens dans une société mixte. C'étaient *eux* qui méritaient d'être aidés et ils lançaient leur appel au monde avec l'assurance d'être entendus. *C'était leur dû.* Toute leur vie, tout leur avait été dû, et ils attendaient toujours tout. Je regardais cette émission sans réelle surprise, car je connais mes compatriotes. Le téléphone sonna. C'était mon ami, le Noir, qui appelait parfois pour partager avec moi certains moments. « Tu as vu ? demanda-t-il. — Bien sûr que oui. — Et tu y crois ? — Eh bien oui, j'ai bien peur que oui. — Mon Dieu, soupira-t-il, comment est-ce possible ? On *nous* a exploités, on *nous* a piétinés, on *nous* a volé notre pays. Mais c'est à *eux* qu'il faut prodiguer de l'affection ! »

MISSIONNAIRES

Deux jeunes missionnaires blancs, un couple marié, sont passés pour une petite visite. Ils ont vécu six mois au Zimbabwe. Pendant toute l'après-midi, ils échangent avec leurs hôtes des anecdotes critiques sur les Africains et le gouvernement noir, tout heureux de voir à quel point ils répondent à ce que l'on attend d'eux. Ils irradient cette allégresse autosatisfaite que j'associe à certaine espèce de chrétiens. Cette scène me paraît plus déprimante encore que d'ordinaire : une scène coutumière quand j'étais jeune. Des gens qui, en Angleterre, seraient « libéraux » peuvent ici s'adapter, devenir plus hostiles aux Noirs encore que leurs hôtes. Leurs voix : cassantes, méprisantes, supérieures, froides. Une fois encore j'entends le Monologue.

DÉPART

Il est temps de rentrer. Je ne suis pas retournée à la vieille ferme, alors même que je n'ai cessé d'en parler au cours des six semaines de mon voyage. Oui, oui, bien sûr, je dois y aller, c'est puéril de ne pas le faire. Mais vraiment, je n'en ai pas envie. La même répugnance qui, en 1956, m'avait empêchée de tourner le volant pour m'engager dans le chemin de la ferme me saisit à nouveau. C'est avec mon frère que j'aurais dû y aller, mais il faisait déjà ses valises pour « sauter le pas ». Il avait fermé la porte sur le passé et je le comprenais parfaitement. « Voilà ! On arrête les dégâts ! Au revoir ! » Qui plus est, l'essence était si rare. Et par-dessus le marché, c'était la plus mauvaise époque de l'année, la pluie n'était pas arrivée jusqu'aux fermes du Nord-Est, la brousse serait sèche et l'air poussiéreux.

Je dis au revoir aux humains, au petit chat noir, à la maligne et hargneuse petite Vicky, au gentil et stupide ridgeback et au farouche bull-terrier. Dire au revoir aux humains est une chose : très certainement, on ne les reverra plus, mais aux animaux, ce doit être un véritable au revoir.

LES SQUATTERS

Comme je quittais la ferme pour m'engager sur la grand-route, qui n'était guère plus qu'une piste, des soldats du bataillon marchaient depuis leur camp à travers les gommiers. Ils débordaient de l'énergie confiante et brute d'une armée récemment victorieuse.

A trois kilomètres de la ferme, je pris en stop deux femmes qui se glissèrent sur la banquette arrière, avec leurs paniers et leurs paquets. Oui, elles allaient à Mutare, et le bus avait du retard. Il y avait déjà deux heures qu'elles attendaient. Elles paraissaient cinquante ans, probablement étaient-elles plus jeunes. Elles étaient comme toutes les femmes pauvres du monde, des femmes que l'on ne remarque pas tant elles sont nombreuses, miteuses, corpulentes à force d'être mal nourries, prématurément vieillies, coriaces, défiantes, roublardes, débrouillardes. Elles n'avaient pas envie de parler, bien que l'une d'elles connût assez bien l'anglais. C'étaient des Squatters et je venais de la ferme d'un ennemi. Huit kilomètres plus loin, je ralentis pour ramasser un vieil homme qui gravissait péniblement une colline en s'aidant d'une canne comme s'il en avait besoin pour rester debout. Elles n'avaient pas envie que je m'arrête, multipliant *sotto voce* les exclamations de contrariété en déplaçant leurs affaires pour lui faire de la place. Mais quand il entra, ils échangèrent tous des salutations courtoises et bavardèrent en voisins ; huit kilomètres plus loin, le vieil homme me donna une tape sur l'épaule pour me faire arrêter. Il sortit prudemment. Il leva la main pour dire adieu aux femmes, puis à moi, mais en un geste plus formel. Il se fraya précautionneusement un chemin à travers les arbres, appuyé sur son bâton. Je repris la route de Mutare, tandis que les femmes bavardaient à voix basse. Je savais que si je comprenais ce qu'elles disaient, j'en apprendrais plus que je ne l'avais fait en l'espace de plusieurs semaines au Zimbabwe. Mais non contente de ne pas connaître la langue du pays, je ne savais pas le shona. Dans ma jeunesse, aucun enfant blanc n'apprenait le shona.

Au garage de Mutare se déroulèrent des négociations compliquées pour obtenir de l'essence. Les femmes demandèrent si j'allais à Harare, et je répondis que oui. Elles dirent qu'elles venaient avec moi. Il y avait plus qu'un soupçon de commandement dans leurs voix. Elles m'ordonnèrent de les conduire à certain hôtel où elles diraient ceci ou cela à un parent, qui le répéterait à un autre, puis elles devaient acheter des cadeaux pour des parents de Harare. Je les attendis dans la voiture à l'ombre d'un arbre-feu, regardant les gens déambuler dans les rues lentes et paresseuses de cette ville toujours au ralenti, et je me demandais si cette visite allait mettre fin aux kilomètres de grand-rues qui défilaient régulièrement dans mes rêves, tel un symbole des voyages difficiles.

Les femmes revinrent chargées de valises et se glissèrent sur la banquette arrière. La route promettait d'être longue, parce que mon moniteur, ou mon régulateur intérieur, m'interdisait de dépasser le quatre-vingts kilomètres-heure. Si j'essayais, je me mettais à transpirer à grosses gouttes et à trembler. Les femmes y allaient de leurs commentaires, mais je ne tenais pas à les alarmer en expliquant que j'avais été victime d'un accident de voiture. Je comprenais en grande partie ce qu'elles disaient, à leur intonation. Elles avaient décidé que j'étais une « bonne » Blanche parce que je les prenais en stop. Elles demandèrent si je vivais sur une plantation de café et je répondis que non, que je venais d'Angleterre : cela expliquait tout. Nous engageâmes une vraie conversation. Leur vie était un tissu de difficultés, surtout parce qu'elles avaient dix-sept enfants à elles deux. Elles étaient sœurs. Un mari était mort, tué pendant la Guerre parce qu'il dormait dans une cabane lorsque les hommes de Smith y avaient mis le feu. L'autre mari travaillait au supermarché de Mutare. Une partie des enfants fréquentaient l'école de Mutare. Les plus petits vivaient avec elles, les mères : autrement dit, dans les montagnes, dans les cabanes des Squatters. Il y avait un fils qui avait une bonne place, dans un hôtel, mais l'aîné de l'une des sœurs n'avait jamais travaillé et il buvait. Les femmes se faisaient du souci parce que deux enfants auraient fini l'école cette année : où trouveraient-ils du travail ?

Nous bavardions sur la longue route de Mutare à Harare, quand survint un incident qui mérite d'être rapporté. J'aperçus un grand jeune homme très mince qui agitait les bras pour que je m'arrête et le prenne en stop. Je ralentissais déjà lorsque les deux femmes se penchèrent en avant et me secouèrent énergiquement par les épaules, deux mains impérieuses m'ordonnant de poursuivre la route. Je commençai par me dire : C'est comme le vieillard de la montagne, elles veulent garder la banquette arrière pour elles toutes seules, mais elles ajoutèrent : « C'est un sale type, un *skellum* de la Guerre. Il ne faut pas prendre en stop les sales types. » Je répondis : « Mais il faut faire confiance aux gens. » A peine ces mots étaient-ils sortis de ma bouche que j'en sentis la débilité. Pourquoi les avais-je prononcés ? Je n'y crois pas, mais quelque chose dans l'image qu'elles avaient de moi m'avait arraché ces sottises. Je me suis plus d'une fois surprise à dire ou à faire des choses qui, j'aime à penser, ne sont pas dans mon caractère, mais qui correspondaient à ce que d'autres attendaient de moi.

Les deux femmes se dévisagèrent, avec de merveilleuses expressions de dérision et d'amusement. La plus âgée se pencha en avant pour me faire la leçon : « Il faut regarder soigneusement le visage de quelqu'un pour voir s'il est bon. Celui-là est très mauvais. La Guerre a rendu quantité de gens mauvais. Il volerait votre argent et nos valises. »

Elles m'avaient prise pour une écervelée, et du coup elles changèrent de manières avec moi. Bientôt elles me donnèrent une tape sur l'épaule : un étal en vue sur le bord de la route. Je m'arrêtai. Elles sortirent et bavardèrent un moment avec la

164

vieille femme qui vendait. Conclure à la hâte une transaction de ce genre n'est pas dans les mœurs du pays. Elles rapportèrent des cannettes de jus de fruit et en ouvrirent une pour moi. Puis, sans rien me demander, elles épluchèrent une orange pour moi et, tandis que je conduisais, elles m'en tendaient des quartiers par-dessus mon épaule, hochant la tête d'un air approbateur quand je les fourrais dans ma bouche, comme si j'étais un de leurs enfants.

A Harare, elles me demandèrent si elles pourraient m'accompagner quand je retournerais à Mutare. Je dis que je partais demain pour l'Angleterre. Je m'entendis nettement parler d'une voix triste, désenchantée. Elles l'entendirent aussi. « Alors ce sera la prochaine fois. » Et tandis qu'elles criaient : « La prochaine fois ! La prochaine fois ! », j'entrai dans l'hôtel.

La prochaine fois

1988

Quand la vie naît et suit des cours artificiels plutôt que les cours normaux, quand son essor ne dépend pas tant des conditions naturelles et économiques que de la théorie et de la conduite arbitraire des individus, force nous est d'accepter ces circonstances comme des réalités essentielles, inévitables, et ces circonstances qui façonnent une vie artificielle prennent valeur de lois.

Anton Tchekhov,
L'Île Sakhaline.

Six ans passèrent avant que je retourne au Zimbabwe, en 1988, et pendant ce temps, c'est toute l'Afrique australe qui entra en ébullition. Et ce, essentiellement parce que l'Afrique du Sud était bien décidée à ce que tout le sud du continent restât sous la domination des Blancs. Au cours de ces années-là, l'activité subversive de la République dans les pays voisins atteignit des sommets dans le manque de scrupules et la cruauté. Les armées sud-africaines entretinrent la guerre en Namibie et en Angola et il est impossible d'exagérer la sauvagerie de ces armées. Mais c'est au Mozambique que la Renamo accomplit ses plus basses œuvres. Les agents sud-africains s'affairaient dans le pacifique Botswana et ils n'hésitaient pas à assassiner les Sud-Africains qui y avaient trouvé refuge. Le Zimbabwe faisait front à l'Afrique du Sud, résistant aux tentatives de « déstabilisation ».

A l'intérieur de la République, la répression faisait rage. Le monde entier en entendit parler, mais sans plus, par intermittence — un projecteur est braqué à un moment sur un endroit, puis se déplace. Il y avait une loi qui interdisait à tout journaliste, de l'intérieur comme de l'extérieur, de voir ce que le gouvernement ne voulait pas que l'on vît. Quand nous saurons tout, la réalité sera, je crois, bien pire que nous ne l'avons jamais imaginée.

Les horreurs du pays étaient masquées, comme cela a toujours été le cas, parce que ce que voient la plupart des visiteurs, ce sont les agréments de la vie pour les Blancs, et parce que l'apartheid social s'était perfectionné : finies les queues séparées pour les Blancs et pour les Noirs dans les boutiques et les banques, et les races se mêlaient aisément dans les restaurants et

171

les hôtels. Mais toute ma vie j'ai entendu : « Ce ne sont pas les villes qui comptent ! C'est la campagne, ce sont les fermes, les petits *dorps* où aucun journaliste n'a jamais mis les pieds. Si les gens savaient ce qui s'y passe... »

Le Zimbabwe était cerné de pays où l'Afrique du Sud tirait les ficelles, cerné de guerres civiles et de fiascos, comme en Zambie, au nord du pays. Le Zimbabwe souffrait d'une mentalité d'assiégé et, à certains égards du moins, ses dirigeants étaient paranoïaques. Au Matabeleland, croyaient-ils — et c'est ce qu'on racontait au monde entier —, des guérilleros rôdaient dans la brousse, une brousse qui paraît faite pour la guérilla. Il y avait des meurtres dans des fermes blanches isolées, et certaines étaient incendiées. Difficile de croire que ce n'était pas l'Afrique du Sud qui tirait les ficelles ici aussi... Mugabe répondit à cette menace en dépêchant des troupes majoritairement recrutées parmi les Mashonas, qui semèrent la terreur dans tout le Matabeleland, selon une politique d'intimidation systématique et implacable. Elles pillèrent, massacrèrent, violèrent et incendièrent. Dans certains villages, c'est la moitié de la population qui fut tuée. Lorsqu'ils parlent de cette période, certains se mettent à pleurer ou à jurer, sinon les deux à la fois, car ces sauvageries ont terni l'image que le Zimbabwe voulait donner de lui.

Puis le camarade Mugabe se conduisit en homme d'État et proposa une amnistie. Ce fut le fameux Pacte d'unité de décembre 1987, qui vit le retour en grâce de Joshua Nkomo, d'abord ministre dans le cabinet du président, puis ministre sans portefeuille. Au lieu des armées de guérilleros que l'on attendait, deux douzaines d'hommes se rendirent. Il s'agissait d'anciens Combattants de la liberté qui avaient pris le maquis parce qu'ils désapprouvaient la domination des Mashonas sur le Matabeleland, parce que Joshua Nkomo n'était pas au gouvernement et — probablement est-ce là la véritable raison — parce qu'il est difficile à des hommes doués pour la guerre de devenir des civils dont personne ne fait le moindre cas.

Et il se produisit autre chose de néfaste au cours de ces années décisives. La corruption envahit tous les pays d'Afrique qui venaient d'accéder à l'indépendance, y compris le Zimbabwe, bien que le camarade Mugabe eût exhorté, plaidé, menacé et fait voter des lois pleines de bonnes intentions. Une nouvelle classe de chefs s'était formée.

Ainsi que l'observait un fonctionnaire des Nations unies, non pas dans un rapport officiel, mais au cours de l'une de ces conversations officieuses qui ont probablement plus d'influence : « Que les vainqueurs d'une guerre civile s'en mettent plein les poches n'est pas vraiment un phénomène nouveau, mais le cas du Zimbabwe est unique, en ce qu'il s'est créé en moins de deux une classe de chefs sur fond de rhétorique marxiste. »

Mais ce qui ressortait en lisant les journaux du Zimbabwe, les lettres du Zimbabwe, en écoutant les récits de voyageurs, ce n'était pas la situation désespérée de la Zambie, ni la misère du Mozambique, mais une impression de vitalité, d'exubérance, d'optimisme et de joie.

AIR ZIMBABWE

Ce soir-là, en novembre 1988, sur Air Zimbabwe, l'annonce était ainsi formulée : « Camarade ministre, mesdames et messieurs, vous êtes priés d'attacher vos ceintures... » « Camarade ministre, mesdames et messieurs, le signal d'interdiction de fumer est éteint et... » Le *camarade ministre* était dit comme si le ministre était une boîte de bonbons à se distribuer entre passagers. A bord étaient montés nombre de Noirs bien bâtis et bien vêtus, de retour de conférences internationales, à côté desquels, nous autres Blancs, nous faisions figure de quantité négligeable. Il y avait une personne qui nous valait tous en termes de respectabilité, par son altérité magnifique : une pop star, un jeune homme noir étincelant et crâneur, pareil à un toréador ou à un Pearly King[1]. Six ans plus tôt, les hôtesses de l'air eussent été aussi nerveuses que des parents adoptifs mis à l'épreuve, mais maintenant elles étaient à la fois maternelles et fermes, et lorsqu'on éteignit les lumières et que le troubadour se mit à chanter doucement en grattant sa guitare, elles ne voulurent rien savoir et lui ordonnèrent de dormir, lui préférant leur berceuse : « Camarade ministre, mesdames et messieurs, le

---

1. Marchand de quatre-saisons londonien, qui signale sa fortune en portant un costume couvert de boutons de nacre. *(N.d.T.)*

capitaine et les membres de l'équipage vous souhaitent une bonne nuit. »

A l'immigration, on eut affaire à un jeune homme plein d'assurance, puis à un autre aux douanes, et ce furent enfin les cieux d'Harare, d'un bleu profond et ensoleillé ; la végétation était bien verte : les pluies étaient arrivées la semaine dernière. On me conduisit à travers une banlieue que cette fois-ci je voyais vraiment, toute émotion importante s'étant éteinte. Ce que je voyais, c'étaient des rues qui ne cessaient de se brouiller pour se confondre avec des images de rues et de bâtiments disparus qui me revenaient en mémoire. Nous sommes tous habitués aux villes qui s'effondrent çà et là en geysers de poussière, se transformant rapidement en tours, en jardins et en nouvelles rues, mais je n'avais pas vécu ce processus au jour le jour avec Salisbury ; ainsi en va-t-il quand on partage la vie de quelqu'un : c'est à peine si l'on remarque la lente érosion d'un visage, ou comment les traits se recréent. Quand je partis en 1949, et quand je revins en visite en 1956, la ville n'était encore qu'un quadrillage d'avenues et de rues vaguement tracées à travers le veld, dont seuls les arbres et les jardins ratifiaient le statut de ville. On traverse aujourd'hui le centre financier et administratif, pour rejoindre les banlieues en pleine expansion de Harare, resplendissantes, riches, avec des jardins dont on ferait payer l'entrée en Grande-Bretagne. « Vous vous rendez compte du paradis dans lequel vous vivez ? » demandai-je, et je me souvins que je l'avais déjà dit, alors même que ce n'était pas ce que je pensais du temps où j'habitais là.

La maison était enfoncée sous les arbres qui l'isolaient de la chaleur, et nous avions pris place dans une pièce bordée de jardins de part et d'autre, mais nous eûmes tôt fait de nous retrouver dans le jardin, deux arpents de terre contenant, ainsi qu'un rapide recensement nous le confirma, plusieurs centaines d'espèces de plantes. Des myriades d'oiseaux volaient tout autour, notamment le touraco à crête pourpre, avec son fatidique cri grinçant.

Dans le temps, quand on visitait une ferme, on vous « faisait faire le tour du propriétaire ». C'est presque un rituel chez les colons, qui montrent ainsi à leurs semblables, et au nom de tous, l'œuvre civilisatrice accomplie : « Voyez ce que j'ai taillé dans les arbres, ce que j'ai fait des herbages, voyez ma maison, mes animaux, mes plantes, mon toit solide et accueillant qui peut très bien avoir à vous héberger un jour ou l'autre... » De même, un chien se coule pour dormir dans son nouveau coin, courbant l'échine, étirant les pattes. Il pose délicatement son museau dessus... « Eh oui, en voilà la superficie, voilà à quoi ressemble ma demeure. »

Lorsque Ayrton R., mon hôte, me fit visiter sa maison, sa résidence, il fit ce qu'il avait vu faire étant enfant, car il était né et avait grandi dans ce pays, comme moi.

Nous nous tenions au milieu de ce jardin et en respirions l'air, face à la maison qui s'étendait en une forme oblongue et courbe, rendue plus longue encore par un mur discret qui masquait les appartements des domestiques.

« Alors, sont-ils tant soit peu mieux lotis qu'ils ne l'étaient ? » demandai-je, en voulant parler du logement des domestiques, jadis une petite pièce de brique, parfois deux, où vivaient deux ou trois domestiques, et souvent aussi nombre de leurs amis.

« Les chambres sont beaucoup mieux, oui, mais tout dépend de qui y vit.

— Et qui vit ici ?

— Le jardinier a onze enfants, et parfois son épouse et lui les ont tous à demeure. La cuisinière en a trois, et ils sont parfois tous ici. Et elle a son homme qui habite ici également.

— Illégalement ?

— Pas ces temps-ci. Mais ce n'est pas sur cela que je voulais attirer votre attention. Ce que j'ai appris ici concerne la place à proprement parler.

— Vous n'en manquez pas.

— Oui, mais jetez un coup d'œil par là-bas. »

Au bout du jardin se trouvaient deux grands lopins de *mealie*, vernissé et épais, et un lopin de colza.

« Ce lopin-là, c'est mon maïs, le *sweetcorn*, celui-là, c'est le leur. Quand un Africain achète une maison, la première chose qu'il fait, c'est de planter un coin de maïs, même s'il n'est pas assez grand pour lui donner plus d'un épi ou deux. Il doit y avoir du maïs. C'est un symbole. Et à peine étais-je installé ici que ce coin de maïs est apparu. Il n'était même pas question de me demander l'autorisation : c'est leur droit.

— Et ensuite ?

— Le colza, c'est leur plaisir. Ce n'est pas idiot, parce que ce

175

lopin leur donne de la verdure, ils en retirent quelques feuilles à chaque fois. Pleines de vitamines. Et un jour que j'arrachais un goyavier que je trouvais planté à un mauvais endroit, je me suis soudain retrouvé face à la cuisinière et au jardinier, tous deux en larmes, m'accusant d'avoir le cœur dur. C'était vraiment leur goyavier, vous comprenez? Alors j'en ai tout de suite planté un autre. Certaines parties de ce jardin sont à eux. *Leur droit.*

— C'est donc quelque chose de nouveau.

— En effet. Et regardez là-haut, maintenant. »

Là-haut, sur les collines, parmi les arbres vénérables, se dressaient de grandes maisons.

« C'est là-haut qu'habitent les nouveaux chefs. Leurs maisons sont trois ou quatre fois plus grandes que celle-ci. Pour rien au monde ils ne voudraient qu'on les voie dans une maison comme la mienne. Pour rien au monde ils ne voudraient être surpris en train d'adresser la parole à un simple professeur d'université comme moi. » Il a un petit ton amusé, presque jubilatoire. Je devais apprendre plus tard que cette jubilation, ce goût de l'inattendu, était un trait marquant du nouveau Zimbabwe.

A l'intérieur, le petit déjeuner était sur la table, servi par Dorothy, la cuisinière, une dame grassouillette et souriante. Nous passâmes tout le reste de la matinée assis là à discuter du Zimbabwe, avec la même jubilation et le même plaisir. Je m'aperçus alors que la sinistre grisaille, la maussaderie de la dernière fois avait disparu — je l'avais redoutée, mais je m'étais fait du mauvais sang pour rien.

Nous parlâmes également des domestiques, ainsi que les Blancs l'ont toujours fait, et pas seulement la minorité qui se considère comme partie prenante d'une histoire remarquable. Tout autour d'eux s'étendait cet océan de Noirs, dont la vie était si différente, dont les pensées étaient si différentes; il était toujours aussi difficile de connaître cette vie, ces pensées, mais ici, dans cette maison, dans cette famille aussi proche que votre propre famille, ces gens étaient là, aussi parlait-on d'eux, se lançait-on dans des spéculations, comme si à partir d'eux on allait pouvoir comprendre tout le reste.

En tout cas Ayrton R. était torturé par la mauvaise conscience du libéral et souffrait pour toute la domesticité passée et présente. Car le vrai problème, c'est que tout le monde sur terre devrait pouvoir vivre dans une maison comme celle-ci, avec ses grandes pièces et son confort. Sans domestiques ?

Dorothy avait eu un bébé à quatorze ans : elle avait été chassée de l'école et ses parents ne voyaient pas au nom de quoi ils auraient dû lui faciliter les choses. « Quel terrible gâchis que la destruction des femmes africaines », se lamentait Ayrton R., voyant en Dorothy les millions de femmes au monde qui tombent enceintes si jeunes et doivent payer leur vie durant le prix de leur faux pas. Dorothy avait eu quatre enfants, de quatre hommes différents. Pour faire vivre les enfants, et souvent les hommes, elle avait tenu un *shebeen,* un débit de boissons clandestin. Quand Ayrton R. avait été hospitalisé, elle était venue le voir : « Je veux m'occuper de vous. » Elle avait entendu dire qu'il était un bon patron et, qui plus est, ils étaient compatriotes, tous les deux du Matabeleland. Ce jour-là avait été son jour de chance, assurait Ayrton R. Quant à sa vie à elle, elle était loin d'être facile. Elle hébergeait non seulement ses enfants, mais aussi l'homme qui lui soutirait une bonne partie de son argent, bien qu'il gagnât davantage qu'elle. « Ne serait-elle pas mieux sans lui ? demandai-je sous le coup d'une indignation ridicule.

— Bien sûr que si, mais quand on va aux courses ou en visite, on a besoin d'être accompagnée d'un homme pour impressionner les autres femmes. Il faut voir Dorothy se bichonner pour les courses ! Une vraie reine. »

L'autre domestique, George le jardinier, est un bel homme souriant qui a créé ce jardin sous la houlette de Ayrton R. Le gros problème de sa vie, c'est sa fille aînée, qui a un « esprit », lequel se manifeste dans son cas par un raidissement de tout le corps quand on lui fait des reproches, et elle se met alors à agresser tout le monde. Elle est sotte et paresseuse et, alors qu'elle travaillait pour l'une des nouvelles sociétés de gardiennage — elles proposent des gardiens pour les magasins et les maisons, presque tous d'anciens Combattants de la liberté —, elle a couché avec huit des gardiens. La famille consulte nganga (chamane) sur nganga, pour faire reconnaître sa qualité de médium, mais ils disent qu'elle est hystérique. Si les ngangas approuvaient la fille, la fortune de la famille serait faite. En fait, elle est très pauvre, bien que George touche plusieurs fois le salaire minimum.

« Onze enfants !

— C'est notre façon à nous de voir les choses, dit Ayrton R. Lui dit qu'on n'en a jamais trop. L'essentiel, c'est de les nourrir et on y arrive toujours. Sa femme a essayé en vain d'en avoir un douzième, et depuis elle est déprimée, parce qu'elle a le sentiment de ne plus être une vraie femme.

— Et leur éducation ? Et leur santé ?

— Il faut regarder les choses en face, il reste encore quantité de gens comme lui. Peut-être plus comme lui que comme Dorothy, qui est une femme moderne. Elle est assez intelligente pour être au gouvernement — elle ferait mieux que la plupart. Elle va au centre du planning familial et met de côté tout l'argent que son homme ne lui extorque pas pour l'éducation de son fils aîné. Mais, bien qu'elle vaille bien mieux, infiniment mieux, que le jardinier, je ne peux pas la payer autant que lui parce que son orgueil de mâle en souffrirait. Et elle l'approuve. Elle a un sens très aigu des convenances. J'ai essayé de convaincre l'entrepreneur de construire d'autres pièces pour les domestiques, mais il a refusé, ça n'ajouterait rien à la valeur de la maison, et donc, quand tous ses enfants sont arrivés et qu'il y a eu foule chez elle, je lui ai suggéré de dormir dans ma chambre inoccupée avec son homme. Elle a été scandalisée. Ce n'était pas correct. J'ai bien peur qu'elle ne soit une dame très autoritaire. Quand cette histoire de sida a commencé, je lui en ai parlé, pour qu'elle prenne ça au sérieux — parce que ce n'était pas le cas du gouvernement —, et elle a répondu qu'on devrait tuer tous les malades. Je lui ai dit que j'étais choqué de l'entendre parler ainsi, et elle a répondu : " Alors on devrait tous les mettre dans des camps d'internement, sous bonne garde. " »

CONVERSATIONS SOUS LES VÉRANDAS

Et ainsi passons-nous tout le premier jour assis à parler et à parler, tandis que des gens viennent en visite, et je me « coule » dans le Zimbabwe, aussi détachée que possible cette fois-ci, avec un œil froid de juge, pendant que faits et statistiques (que l'on me sert avec passion) s'engrangent dans mon esprit, que brochures et rapports surgissent de tous côtés. Personne ne parle du nouveau Zimbabwe sans esprit partisan, et le lendemain, puis le surlendemain, des gens expliquent, déplorent, exhortent, tandis que je me dis qu'il est bien agréable d'être dans un climat où non seulement tout le monde est attentif, mais où chacun croit pouvoir infléchir immédiatement et efficacement le cours des événements. Comme la vie est différente en Grande-Bretagne, ou ailleurs en Europe, où il y a belle lurette que les décisions ne se prennent plus au niveau des citoyens, mais dans les hautes sphères qui leur sont inaccessibles. Et pendant tout ce temps, je tends l'oreille, guettant l'équivalent du Monologue, mais celui-ci s'est perdu, comme ils disent, dans les brumes de l'histoire. Au lieu de cela, certaines expressions reviennent dans toutes les conversations, et celle que l'on entend le plus souvent, c'est : pourquoi fait-il... pourquoi ne fait-il pas ceci ou cela. « Il », c'est-à-dire Mugabe. A cette même époque, en Grande-Bretagne, nous demandons : pourquoi fait-*elle* ci ou ça ? A cette différence près qu'il n'y a jamais eu de classe ou de clique dirigeante plus visible que cette nouvelle classe du Zimbabwe, et que nous ne parlons pas de hautes sphères inaccessibles qui disparaissent derrière des commissions et des organismes gouvernementaux.

Il n'est de conversation qui ne glisse aussitôt sur le Pacte d'unité entre la ZANU et la ZAPU, le Matabeleland et le Mashonaland, Mugabe et Nkomo, ce Pacte qui a changé l'atmosphère, rendu tout le monde optimiste, faisant dire à chacun : « Enfin le Zimbabwe ne forme qu'un seul pays. » Puis ils posent la question : que ne l'a-t-il fait plus tôt ? Si ça a marché tout de suite en 1987, ça aurait pu marcher avant. Comment Mugabe pouvait-il ignorer que les dissidents étaient si peu nombreux ? Pourquoi le pays tout entier croyait-il que les armées des Ndébélés étaient dans le coup ? Si Mugabe ne savait pas que l'ennemi se résumait à une poignée d'hommes que chacun présente désormais comme des terroristes, comment cela se fait-il ? N'avait-il pas d'espions où d'informateurs ?

Pourquoi le président Mugabe n'empêche pas ses ministres et les fonctionnaires de se montrer cupides à ce point ? La réponse est que c'est aux corrompus qu'il doit de garder le pouvoir. Mais personne ne veut y croire : à cette époque, l'idéalisme inspire tous les propos que l'on tient sur Mugabe, un idéalisme effrayant pour qui se souvient de semblables lauriers tressés à des despotes. Mais Mugabe n'est pas un despote... mais Mugabe pourrait facilement en devenir un... mais Nkomo est là, maintenant, à ses côtés, il ne laissera pas Mugabe se transformer en despote...

Où est passé le président Banana ? Il n'est plus président, il est professeur à l'université, et il est très populaire.

Il est tout le temps question de l'université, parce que les étudiants viennent de se mettre en grève pour protester contre la corruption, car il ne se passe pas de jour sans qu'éclate un nouveau scandale impliquant des ministres et des hauts fonctionnaires, compromis dans toutes sortes de fraudes, de détournements, de vols. Les étudiants ont provoqué une émeute au nom de la révolution et de ses idéaux, ils en ont appelé à Mugabe, espérant que Mugabe se tiendrait à leurs côtés. Mais il n'en a rien fait. La police est entrée dans l'université et s'est conduite stupidement. Elle a lancé des grenades lacrymogènes dans les salles où se cachaient les étudiants. Il y a eu beaucoup de blessés. Mais le pire de toute l'affaire, ce fut le cynisme et la désillusion. Il est intéressant de voir comment les gens parlent de Mugabe quand ils pensent qu'il a fait une erreur ; ils le font sur un ton chagrin et perplexe, répétant les mêmes mots tout au long de la soirée : pourquoi les a-t-il laissés tomber ? Comment a-t-il pu faire ça ? Il a été lui-même révolutionnaire, il sait à quel point c'est dangereux quand les jeunes deviennent cyniques... il devrait traiter les étudiants comme ses alliés naturels... Je ne puis m'empêcher de penser qu'il est mal conseillé... qui le conseille ?... pourquoi se laisse-t-il couper de tout le monde, isoler de tous ?... il n'aurait pas dû les lâcher. Pourquoi ? A votre avis, qu'est-ce qui lui est passé par la tête ?

Parallèlement à « pourquoi fait-il ? », « pourquoi ne fait-il pas ? », on entend « Mugabe dit... ». Rien n'est plus intéressant que les propos que l'on prête aux chefs et aux satrapes, car ici parle la voix forgeuse de mythes populaires, la voix de l'espoir ou celle du cynisme. Peu importe que le dirigeant ait réellement prononcé les mots qui lui sont attribués : la force et l'effet sont les mêmes.

Comme ces discours et l'engagement intense de chacun au Zimbabwe sont séduisants... Les spasmes du cynisme, et pas seulement au sujet de la corruption et des scandales actuels, ne sont que le revers de la médaille. Dans cette pièce se trouvent des gens qui, au cours de la guerre du Bush, ont soutenu Mugabe, soutenu Nkomo, soutenu l'évêque Muzorewa, mais désormais tous parlent de la même façon. De quelle façon ? On n'est pas loin des manières d'un amoureux, j'en jurerais. On peut être amoureux d'un pays, ou d'une phase du développement du pays, comme on l'est d'une personne. Espoir timide, incrédule... incertitude... ébahissement devant les perfections et les exploits de l'aimé. Déception exagérée quand les choses tournent mal. J'écoutais des gens qui parlaient de scandales et de corruption avec le chagrin et la fureur d'amoureux trahis.

Le scandale des voitures, par exemple. Parce que Mugabe ne veut pas que l'on importe des voitures au Zimbabwe (ni voitures ni rien d'autre, pas de pièces détachées, pas de machines agricoles : rien, le nécessaire est interdit autant que le frivole), il existe une usine locale autorisée à construire des Toyota. Elles sont effroyablement coûteuses, trois fois ce qu'elles coûteraient en Europe. Seuls les riches peuvent s'en payer une, mais même les riches ne peuvent en obtenir, car elles sont censément réservées aux chefs. Quand sa voiture est prête, l'usine en informe le ministre ou un autre privilégié. Il ou elle (quelques femmes occupent des postes élevés) passe un coup de fil à un ami qui n'est pas sur la liste. Avant même d'être livrée, la voiture a déjà été vendue plusieurs fois son prix. On dit que « tout le monde » trempe dans ce scandale, « des gens auxquels on n'aurait jamais pensé s'y sont sali les mains ». Pourquoi Mugabe ne fait-il pas...

UN AMOUREUX TRAHI

« Je m'attendais à une période d'incompétence. Je m'attendais à du gâchis et à de la pagaille de toute sorte. Je savais que rien ne marcherait pendant quelque temps. Comment aurait-il pu en aller autrement alors qu'ils n'ont pas de gens qualifiés ? Mais ce que je ne prévoyais pas, c'est que ces salauds s'installeraient au pouvoir et ne se préoccuperaient pas d'autre chose que de faire leur beurre. Ils sont des dizaines à l'heure qu'il est, le nez dans la mangeoire, qui s'enrichissent à vue d'œil. Vous imaginez qu'ils se soucient des pauvres bougres des réserves — eh oui, il y a encore des réserves, donnez-leur un nouveau nom si ça vous chante —, mais ils s'en foutent. Et si vous vous imaginez que les étudiants se sont révoltés le trimestre dernier à cause de la corruption, vous vous fourrez le doigt dans l'œil. Oh oui, ils ont l'air purs et nobles, mais ce n'est pas la question. Ils savent quels postes de la fonction publique et de l'administration correspondent à leur niveau de qualification, mais ils ne les obtiendront jamais, parce que tous ces postes ont été attribués aux camarades qui viennent de la brousse, qui n'ont pas encore trente ans et qui ont encore des dizaines d'années de vie active devant eux ; alors les étudiants n'ont aucun débouché et ils le savent. Ils veulent fourrer leur nez dans la mangeoire, eux aussi... » Ainsi enrageait-il.

L'APPROCHE ESTHÉTIQUE DE LA RÉVOLUTION

« Ils ont tout cet argent, ils se font construire des maisons qui choqueraient même le goût des nouveaux riches de Mme Thatcher. Vous n'en croiriez pas vos yeux, de voir ce qu'ils construisent, rien à voir avec le pays ni avec le climat, de stupides petites fenêtres, un raffinement de banlieue tout en mignardises, mais en même temps tapageur et ostentatoire. Ils encombrent leurs maisons de meubles dont personne ne voudrait pour rien au monde en Grande-Bretagne. Il n'y a pas une seule chose chez eux qui ne soit hideuse. Vous êtes planté là à regarder toutes ces maisons et vous avez envie de pleurer devant tant de laideur.

— Mais les choses ne se passent-elles pas toujours comme ça ? Il y a d'abord la génération qui fait de l'argent, tous vulgaires, débordant d'une vitalité grossière, sans scrupules. Puis viennent leurs enfants, qui ne font pas de l'argent — eux le dépensent et se gaussent du mauvais goût de leurs parents. Arrive ensuite la troisième génération qui se pique d'art, de libéralisme et de beaux sentiments : l'histoire les présente souvent comme une fin de race. Alors pourquoi vous mettre dans tous vos états quand ce qui doit arriver arrive au Zimbabwe ? »

Parce que c'est le Zimbabwe : telle est la vraie réponse. Cet homme, un Blanc qui est né et a grandi ici, est épris du rêve du

182

Zimbabwe et il l'a soutenu à une époque où le soutenir revenait à se mettre au ban de la société. Il ne supporte pas la moindre flétrissure.

C'est chose délicate que de s'éprendre d'un pays ou d'un régime politique. On est certain d'avoir le cœur brisé, encore plus sûrement que lorsque on est amoureux de quelqu'un. On risque même d'y perdre la vie. J'ai connu dans le temps une militante politique — dans les années cinquante. Elle passait ses jours et ses nuits à travailler à renverser le régime blanc d'Afrique du Sud. Comme elle avait besoin de repos, elle se rendit au Nigeria pour voir son rêve se faire chair : elle découvrit qu'il était dirigé par des êtres humains et se suicida. Quiconque s'est mêlé de politique idéaliste, rhétorique, connaît mille versions de cette histoire, dans le monde entier.

Il faut signaler que Dorothy admire la nouvelle maison érigée à huit cents mètres de là, une horreur que l'on croirait destinée à illustrer la multitude des erreurs que l'on peut commettre dans une seule construction : elle l'aime au point que ses yeux s'embuent dès qu'elle la voit, ou même rien que d'y penser.

« Et dire que le Zimbabwe compte tant de merveilleux architectes ! Vous le saviez ? Nos architectes comptent parmi les meilleurs du monde. Ils décrochent des prix — dans les autres pays. Alors ils s'en vont trouver du travail dans ces pays où on les apprécie. Ces vauriens emploient des architectes d'Europe de l'Est qui ne jurent que par la pompe stalinienne. C'est moi qui vous le dis, c'est à vous fendre le cœur. »

Après « pourquoi le camarade Mugabe fait-il... ? », les mots que l'on entend le plus souvent sont : « Les femmes font tout dans ce pays. Elles font tout le travail. Les hommes restent assis, et les femmes vaquent sans cesse à leurs occupations. Si vous voulez faire quoi que ce soit, il faut toucher les femmes. »

Judy Todd m'emmena visiter Simukai, créée et dirigée par d'anciens Combattants de la liberté, hommes et femmes. Comme la guerre touchait à sa fin et qu'ils attendaient aux points de ralliement leur démobilisation, ils imaginèrent cette ferme et décidèrent de la monter.

A quelques kilomètres de Harare, une pancarte annonçait : « La ferme collective de Simukai vous souhaite la bienvenue », près d'un petit magasin, un genre d'appentis, sur les étagères duquel s'empilaient plus de boissons sans alcool que n'en rêveraient les nutritionnistes. Il était midi passé, la chaleur était étouffante et les gens paressaient sous la véranda, essentiellement des femmes, qui tricotaient et faisaient du crochet. Les hommes dormaient. En fait, le président Andrew était absent. Il est célèbre, c'est un homme de principes, dont le socialisme refusait d'envisager la moindre différence entre hommes et femmes. « Ici nous n'avons que des camarades », décréta-t-il, et tous suivirent. Ce qui veut dire que lorsque certaine féministe mit sur le tapis la question de l'oppression des femmes, elle s'entendit répondre qu'il n'y avait ni hommes ni femmes, uniquement des gens qui travaillaient sur un pied d'égalité, mais probablement voulait-elle parler au camarade, une femme, qui conduisait le tracteur.

Cette histoire a valeur de mythe, bien au-delà de la simplicité des faits : elle symbolise le nouveau Zimbabwe, comme d'autres anecdotes sur cette ferme où l'on conduit quantité de visiteurs.

C'était une ferme blanche, une ferme à l'ancienne qui n'en finit pas de s'étaler, avec ses bâtiments, les baraques des animaux, et je n'ai aucun mal à imaginer la vie d'autrefois, avec une seule et unique famille blanche, et ses animaux ; et aujourd'hui, plusieurs familles noires occupent les lieux.

Le degré de pauvreté, car c'est bien là la question, est chose difficile à faire comprendre : il est impossible à un Européen de l'imaginer, *a fortiori* à un riche Américain.

Un petit bâtiment de brique : la nouvelle école, qui représente tant d'espoirs, d'efforts, de travail, de sacrifices de la part de tous.

Et c'est ici, quelques jours à peine après mon arrivée, que je trouve la note, voire le thème dominant, je m'en aperçois bientôt, du Zimbabwe à cette époque. Et cette note, la voici : à quel point une petite chose, un seul bâtiment, un animal, un petit jardin ou une personne dévouée peut compter et transformer tout un district.

Cette petite école rudimentaire où enseignent des gens remarquables : combien d'enfants s'en souviendront ?

Il y a un nouveau barrage, où ils prévoient d'élever du poisson.

On plante des arbres.

Ici, chaque chose, qui à l'œil habitué aux richesses des exploitations agricoles européennes paraît si petite et dépouillée, est un pas accompli avec des pieds chaussés de semelles de plomb.

On nous emmena voir un atelier, qui faisait jadis partie d'une suerie, où une jeune femme taille des sarraus. Puis une maisonnette, où l'on s'occupe des petits enfants et des bébés. Un tout petit enfant, qui n'est pas habitué aux visages blancs, hurle de terreur, consolé par un enfant plus âgé qui nous adresse des sourires embarrassés. Dans une autre ancienne suerie, on prépare les repas que tout le monde prend ensemble.

La ferme cultive du maïs, du tabac, du blé, des haricots de Lima, élève du bétail, des moutons, des porcs.

Je demandai ce qu'ils choisiraient s'ils avaient un vœu à formuler.

C'est une question qui suscite souvent des réponses surprenantes.

On nous avait conduits à travers de riches fermes, où sur des kilomètres on voyait les pulvérisations brillantes et tourbillonnantes des systèmes d'irrigation. On parle désormais de « fermes commerciales », par quoi l'on entend des fermes de pointe qui appartiennent à des particuliers, noirs ou blancs. J'attendais que l'on me réponde : irrigation, silos, une nouvelle Land Rover, un camion frigorifique.

Deux jeunes hommes polis mais assoupis, car l'après-déjeuner par temps chaud n'est pas le meilleur moment pour faire une visite, répondirent avec les accents d'hommes rompus aux discours : « élever le niveau de vie », « améliorer la vie des nôtres ». Ce genre de conversation disparaît souvent dans les brumes de l'incompréhension et le besoin de définitions — puis des sourires, pleins de bons sentiments, mais embarrassés.

« Non, non, dis-je. Quelle technique, quelle machine, quel équipement serait le plus utile à cette ferme aujourd'hui, dans l'immédiat ? »

Il y eut un long silence.

« Le fermier qui avait cette ferme était très riche », me dit l'un d'eux — histoire de commencer par quelque chose, je m'en rendais bien compte.

Compte tenu de ce niveau de pauvreté, à quel niveau de vie pouvais-je songer ? A celui de la famille blanche qui vivait ici ? Assurer le même à tant de familles exigerait plus d'argent qu'on n'en avait même jamais imaginé dans cette ferme. Étais-je en train de suggérer que chaque enfant ait une chambre pleine de jouets et une bicyclette, tous les jeunes gens une voiture ou l'usage d'un véhicule, avec des voyages en Europe tous les ans ou presque ?

Ce sont des questions que l'on pouvait poser, je le voyais bien, mais je n'avais pas pensé à l'abondance passée des Blancs.

Puis un des jeunes hommes donna un tour plus précis à notre conversation, quand il demanda si j'avais des liens avec l'Aide financière. Peut-être travaillais-je pour une agence de l'Aide ? Tous deux s'animèrent. Quelques-unes des installations de Simukai avaient été payées avec l'argent de l'Aide. Combien d'argent pouvais-je leur donner ?

Je dis que je n'étais liée à aucun organisme.

Je vis ce qu'ils pensaient : « Encore un visiteur qui aime nous voir nous tuer au travail. »

Je me disais que ça ressemblait beaucoup au Pakistan, où l'on rencontrait des réfugiés à longueur de journée, qui venaient d'Afghanistan sans rien d'autre que ce qu'ils avaient sur le dos. Notre groupe était au désespoir plusieurs fois par jour : si nous avions un million de livres à dépenser, tout disparaîtrait en une demi-matinée, sans grand effet.

LES COMBATTANTS

Judy Todd s'était occupée de trouver des emplois aux Combattants de la liberté, de les installer sur des fermes. On n'avait pas prévu toutes les difficultés. Par exemple, un jeune homme se plaignit que lorsqu'il postulait à un emploi, on le convoquait pour un entretien, mais que, comme par enchantement, l'emploi n'était plus disponible dès qu'il donnait de plus amples renseignements. Et quel nom donnait-il? « Camarade Sang-Versé ». D'autres noms se révélaient aussi peu séduisants pour les employeurs : « Camarade Mort-Subite », « Camarade En-Avant-Zimbabwe », « Camarade Foudre », « Camarade Cessez-le-Feu », « Camarade Buveur-de-Sang ».

LES DISSIDENTS

Un journaliste suédois était présent lors du dénouement, le jour où les dissidents matabélés se rendirent, dans le cadre de l'amnistie.

La scène se déroulait dans la salle miteuse d'un poste de police. Au milieu se tenaient une douzaine de desperados tout bardés d'armes en bandoulière, dont un certain Gayiguso, célèbre pour avoir tué récemment seize personnes avec une hache. Les policiers qui reçurent leur soumission n'étaient pas armés. La presse internationale était assise le long des murs. On avait prié les journalistes de ne pas poser de questions provocantes, au nom de l'« esprit de réconciliation du Pacte d'unité ». Faute de trouver autre chose de plus intéressant, l'un d'eux demanda prudemment : « Et comment vous sentez-vous maintenant ? » Espérant — peut-être — des réflexions sur ce fait crucial : qu'il est possible à une poignée de gens, ne fût-ce qu'à une demi-douzaine, de fomenter des troubles, voire de plonger un pays dans la guerre civile, de détruire le très fragile tissu de la civilisation, et que c'est même chose de plus en plus fréquente. Pour toute réponse, l'intrépide Gayiguso confia qu'ils avaient envie de dormir dans un bon lit et de se mettre quelque chose sous la dent. Après tout, cela faisait une dizaine d'années qu'ils vivaient dans la brousse, dans des grottes ou là où ils pouvaient, opérant des razzias dans les villages ou dans les champs, ou forçant les villageois à les ravitailler. Une vie à la dure, même quand ils ne massacraient pas les gens ou n'incendiaient pas leurs maisons. Leurs épreuves, semblaient-ils penser, méritaient la sympathie. « Je n'ai jamais vu pareille bande de brutes », dit le journaliste.

Lorsque ces « dissidents » regagnèrent leurs villages, leurs familles les rejetèrent, protestant qu'elles ne voulaient pas d'eux.

Toutes sortes de gens qui les avaient soutenus — les prenant pour des militaires — les désavouaient maintenant, y compris les étudiants qui avaient manifesté en leur faveur.

Et maintenant, qu'allait-on en faire ? On les plaça dans une ferme soumise à une bienveillante surveillance, et ils devinrent bientôt de bons citoyens, enclins à sermonner la jeunesse sur le thème du respect de la loi et des autorités.

C'est un pli que prennent souvent les terroristes repentis. En Italie, nombreux sont les membres des Brigades rouges qui se sont convertis en prison et ont prouvé qu'ils étaient capables de devenir de vrais citoyens en transformant leurs cellules en université — rédigeant leurs Mémoires, apprenant des langues étrangères, préparant des diplômes —, puis qui, une fois élargis, n'ont de cesse d'expliquer aux contribuables et aux chefs de familles déjà irréprochables combien il importe d'abjurer la violence et l'illégalité. Une Italienne me raconta que l'expérience la plus bizarre de sa vie avait été de voir une ancienne terroriste qui avait tué plusieurs personnes entretenir, « avec une sorte de fierté empreinte de modestie », une fille de quinze ans (sa propre fille) de la nécessité de respecter l'ordre public.

ROMANS

Quelqu'un a eu l'idée de feuilleter plus d'une centaine de romans écrits par des Noirs et qui ne seront jamais traduits en anglais : il y a fait une découverte inattendue. Les Blancs n'apparaissent guère dans ces romans ou, quand ils le font, c'est souvent sous la forme de personnages secourables et olympiens, qui emmènent un enfant à l'hôpital ou ramassent un auto-stoppeur. Mais on peut lire deux douzaines de livres de ce style les uns après les autres sans rencontrer un seul Blanc : « Ils ne s'intéressent pas à nous, dit l'homme qui me rapporta ceci, sur un ton amusé et ironique. Nous imaginons que nous les fascinons autant qu'ils nous fascinent. Mais nous ne sommes que des bruits lointains, là-bas, dans les villages. »

« Là-bas... » : l'expression est parfois employée ironiquement, histoire de dire que le fossé se creuse rapidement entre la misère des campagnes et les richesses des villes, non parce que la campagne s'appauvrit, mais parce que les villes s'enrichissent.

Ayrton R. et moi, tous deux élevés dans le pays, lui au Matabeleland, moi au Mashonaland, nous souvenant l'un et l'autre des façons que les Blancs avaient de s'asseoir pour discuter des mœurs des Noirs, parlâmes de cette centaine de romans comme d'une révélation.

« Ce qui veut dire que si les Blancs quittaient complètement ce pays, la plupart des Noirs ne s'en apercevraient même pas ? Peut-être ressemblerait-il bientôt à ces pays du Nord qui retournent rapidement à la vieille Afrique, comme si les Blancs n'avaient jamais vécu là ; tout s'effondre, rien ne marche, transports, téléphone, routes, chemins de fer, administration, hôtels : rien ne marche.

— Oh, non, répond aussitôt Ayrton R. L'infrastructure est trop bonne ici. » Il s'exprime sur un ton protecteur, avec fierté.

« Infrastructure » n'est pas un mot qui passe généralement beaucoup de temps dans ma bouche, mais il me semble l'entendre et l'employer plusieurs fois par jour.

LES PROTAGONISTES PASSIONNÉS

Un Blanc a dit... Un Noir a dit... J'ai été prise à partie par une de ces amoureuses ferventes du nouveau Zimbabwe qui ne saurait souffrir la plus infime flétrissure. Parce qu'il ne fait aucun doute que les flétrissures existent, elle n'en insiste que davantage encore sur les définitions politiques : une réaction qui n'est pas inhabituelle. « Nous sommes tous des Zimbabwéens maintenant, s'exclame-t-elle. Nous ne sommes ni noirs ni blancs, nous sommes le peuple. » J'objecte que son attitude est sentimentale, irréaliste. Elle réplique que la mienne n'est d'aucune utilité et que, de toute façon, qu'est-ce que ça veut dire, « noir » ou « blanc » ?

Je dis que rien ne saurait être plus facile. « Blanc » désigne toutes les nuances qui vont de l'ivoire des peaux qui n'ont jamais vu le soleil au café-au-lait des populations mélangées : ceux qu'on appelle généralement, d'un mot risqué, les gens de couleur, tant la « ligne » politique change souvent. « Noir » désigne pareillement les gradations de ce même café jusqu'au noir velouté de l'Afrique tropicale.

Certes, il s'est trouvé des politicards, aux États-Unis notamment, pour affirmer que « noir » est une appellation réactionnaire, mais les gens que ces sentimentalistes prétendent défendre, à savoir les Noirs, l'emploient tout le temps.

LES ARPENTS DES JÉSUITES

C'est Cecil Rhodes lui-même qui donna à l'Église catholique tant d'arpents de terre grasse. Elle dirige toujours des écoles, des couvents, des centres de formation, des missions. Quelques-unes des meilleures écoles du pays sont tenues par les jésuites ou les dominicains. Il semble que nul ne leur tienne rigueur de ces arpents.

Et si l'on devait dire que leurs réalisations ne méritent pas des éloges sans mélange, on se demande bien ce qui les mérite.

Un ami à moi, par exemple, dont la grand-mère était la conteuse de son clan, une dame célèbre, et à qui je demandai : « Te souviens-tu des histoires de ta mamie, car si tu t'en souviens tu devrais les coucher par écrit avant qu'elles ne s'effacent ? », me fit cette réponse : « Je les savais quand j'étais petit, parce que c'est comme ça qu'on apprenait la vie aux Africains, alors, mais on m'a fait sortir tout cela de la tête quand je suis entré à l'école de Dombashawa. Ils disaient que notre culture était rétrograde, et aujourd'hui je ne pourrais même pas me souvenir d'une seule de ces histoires. Ils nous tombaient dessus à bras raccourcis. Ils nous tombaient dessus pour tout et n'importe quoi. Qui aime bien châtie bien, comme on dit chez vous, je crois. » Il rit.

Sœur Dominique me fait visiter une école jésuite, Silveira House. Elle est religieuse, mais elle refuse de porter l'uniforme ou d'accepter la discipline quand elle la juge arbitraire et déraisonnable. Elle vit au couvent tout en menant sa vie comme bon lui semble. Elle est responsable du recrutement et du bien-être d'une multitude de jeunes Blancs qui enseignent surtout dans les coins les plus reculés du Zimbabwe et dans des écoles très démunies. Elle porte des robes, des jupes, des chemisiers, mais avec une grande croix en argent. Une collègue, un esprit tout aussi indépendant, porte une jupe-culotte, et une robe bain de soleil. Toutes deux féministes, elles critiquent l'autorité mâle de l'Église et du pape.

Je me demande ce que mère Patrick penserait d'elles ? Des âmes sœurs, je crois.

Sœur Dominique fut religieuse dans le couvent où j'ai moi-même passé cinq années difficiles, entre sept et douze ans. Nous comparâmes nos souvenirs, de points de vue si différents, sur les religieuses chargées de l'administration et de l'enseignement, des femmes cultivées originaires d'Irlande et d'Allemagne, mais aussi des paysannes ignares, toutes allemandes, qui s'occupaient de nous. Si c'est le mot qui convient. Tout au long de ces années, je me suis souvenue de mère Bertranda avec gratitude. Un jour, une enfant que le mal du pays avait rendue littéralement malade se glissa vers l'imposant bureau qu'entourait un océan de bris de granit gris qui crissaient sous les pieds quand on essayait de passer inaperçu et, bravant un pilier dressé, tout de noir et de blanc vêtu, l'habit dominicain, grimpa sur des genoux en pente douce sous une multitude de robes glissantes et pleura dans des bras qui, après un premier raidissement de surprise, se révélèrent accueillants, chaleureux, proches, hospitaliers. Penchée au-dessus de la tête de l'enfant, mère Bertranda s'exclama et la consola en allemand, se balançant d'avant en arrière aussi vigoureusement qu'un cheval à bascule.

« Peut-être bien, observa sœur Dominique, mais si vous aviez été une très jeune novice effrayée, à des milliers de kilomètres de chez vous, vous auriez ressenti les choses autrement. Nous, elle nous terrifiait. »

Silveira House est une vieille école, privilégiée, riche, réputée

Le camarade Mugabe y a donné un cours sur le syndicalisme, me fit-on savoir, avec fierté. L'école consiste en une multitude de bâtiments en briques de plain-pied éparpillés à travers les arbres, les arbustes et les fleurs. Des chats traînent dans les lieux ombragés, sollicitant notre admiration. L'établissement est désert, parce que les élèves sont en vacances. Nous sommes conduits par le principal, dont la vie n'est pas sans liens avec la mienne, comme celle de sœur Dominique. Il était d'une famille allemande. Ce qui lui valut de passer quatre ans, enfant, dans un camp d'internement près de Salisbury, au cours de la Seconde Guerre mondiale. Mon second mari, Gottfried Lessing, un Allemand, séjourna lui aussi six semaines dans un camp, puis on le rendit à la vie ordinaire, avec pour seule contrainte de se présenter une fois par semaine à certain bureau ; l'obligation était si légère que souvent il passait outre sans que personne, apparemment, ne s'en aperçût. Il était antinazi, mais c'était aussi le cas de la famille internée. J'écoutais le principal raconter ses années de camp, songeant à ce qui rend si différents les destins des gens : le hasard, souvent, la chance, quelque modeste événement. Quant au Zimbabwe, il en parlait avec la voix caractéristique de cette époque : un orgueil inquiet, le besoin effréné d'expliquer et d'excuser — la fierté de l'œuvre accomplie, l'angoisse devant tout ce qui manquait pour tant de gens.

A l'ombre d'un bosquet se trouvaient des bancs et des tables, sur lesquels trônaient toutes sortes de sculptures de pierre et de bois, sous l'œil vigilant de leurs créateurs : des jeunes gens au chômage qui espèrent arranger leurs affaires ainsi. Quelques-unes de leurs créations sont en vente dans les galeries de Harare.

Il y a aussi de bons ateliers d'artisanat, que dirige l'une de ces femmes énergiques que l'on voit partout. J'entends encore les paroles de sœur Dominique : ce sont les femmes qui font tourner ce pays. Ce sont elles qui font tout le travail. De tous côtés, vous voyez des femmes au travail et des hommes qui paressent.

LE DIGESTEUR

A Silveira House vit un expert de réputation internationale, un spécialiste des technologies de substitution, Brian McGarry, en qui l'on reconnaît aussitôt un représentant de cette race de gens éperdument soucieux d'épargner au monde nos âneries. Il travaille, entre autres choses, à mettre au point et à adapter des systèmes d'économie d'énergie, de manière à sauver la brousse du Zimbabwe, en voie de disparition ou de dépeuplement rapide. Dans certaines régions, il ne reste aucun arbre, et les gens arrachent les racines, ou bien brûlent de maigres poignées de paille, qu'ils disputent aux animaux qui en ont besoin pour se nourrir, quand ils ne se servent pas comme combustibles de minces et légères galettes de bouse de vache, suivant une pratique qui n'était pas courante dans ce pays, et alors que la bouse reste un indispensable engrais.

Il existe un four solaire, un ingénieux petit système, mais il n'a guère de succès, il ne touche pas le cœur des gens. On ne peut s'asseoir autour d'un four solaire comme on s'assied autour d'un feu pour bavarder. Si tout le monde avait recours au four solaire, les forêts du Zimbabwe seraient sauvées. De même, il existe un appareil fort utile, le « digesteur », facile à fabriquer et d'installation bon marché. On creuse près de l'habitation une fosse que l'on emplit d'un mélange de crottins ou de plantes. Une autre fosse recueille le mélange fermenté, avant que celui-ci soit répandu dans les champs. D'un petit orifice de la fosse principale sort une canalisation qui achemine le méthane jusqu'à la case, dans le coin-cuisine. Au milieu de la cabane que l'on nous fit visiter se trouvait une grosse bûche fumante, à côté de laquelle reposait une marmite, et la conduite de gaz ne marchait pas. Cette bûche brûlait au milieu d'une grotte, d'une cabane, d'une salle depuis — depuis combien de temps au juste ? Des millénaires ? Des millions d'années ? Le centre de la vie communautaire, de la vie familiale, dans chaque partie du monde.

UNE ZONE COMMUNAUTAIRE

Nous fîmes le tour du domaine sous la houlette d'un instructeur, spécialiste des techniques agricoles et communautaires, un dénommé Peter Simbisai, homme d'âge mûr et personnage énergique, fier de ce que lui et les siens accomplissent. Pour commencer, un domaine familial d'une espèce traditionnelle, un groupe de cabanes à l'intérieur d'une clôture. « Ici, dit-il, habite un vieil homme avec ses fils et leurs familles, tous ici avec lui. » Sans poser les yeux sur moi, mais regardant au-delà, à cause de la critique : « Nous ne sommes pas comme vous autres. Ça vous est bien égal que vos enfants quittent la maison à dix-huit ans, pour s'en aller aussi loin qu'en Amérique du Sud, peut-être. Nous, nous aimons garder nos familles ensemble. » Il parlait d'un ton réprobateur.

Ce genre de cabanes n'a pas de quoi impressionner de l'extérieur. A l'intérieur, elles sont hautes, aérées, fraîches. Un banc fait presque le tour de la pièce tandis qu'un quart environ des murs sont couverts d'ustensiles de cuisine. Des étagères portent les vêtements et des faïences.

Il est question d'une nouvelle forme de tourisme. On emmènera des groupes de gens marcher dans la brousse, et ils passeront la nuit au village, c'est-à-dire dans des cabanes pareilles à celle-ci. Les villages auxquels on a demandé s'ils voulaient figurer sur cette route touristique ont donné leur accord.

On nous conduit à travers une brousse encore sauvage et non taillée, à travers les arbres légers et aériens du Mashonaland, qui sont infiniment variés car, à la différence des forêts d'Europe, ils n'ont jamais connu d'ère glaciaire. C'est la raison pour laquelle les arbres et les plantes d'Europe sont d'une nature si limitée : l'ère glaciaire a détruit les anciennes forêts et les arbres que nous connaissons sont ceux qui ont pris racine après que la glace s'est retirée.

Peter voulait nous faire voir quelque chose qu'il jugeait important. Bientôt, il nous mena à travers une zone communautaire, une vieille, autrement dit une ancienne Réserve. J'avais connu les « réserves indigènes » dans le temps. Quand la colonie de Rhodésie du Sud s'était implantée, les Noirs avaient été chassés des bonnes terres pour être placés dans des réserves, des endroits lugubres et déshérités, souvent sans routes ni écoles ou dispensaires, ni même d'eau en quantité suffisante. Lorsque Mugabe accéda au pouvoir, il décida que la première nécessité était de canaliser l'argent au profit des zones rurales. Qui ne sait à quoi ressemblaient jadis des réserves ne saurait être impressionné aujourd'hui quand on le conduit dans une zone communautaire. Elles sont encore pauvres. Ce que l'on voit tout de suite, c'est que la brousse s'appauvrit, qu'elle est pleine de chicots, et que les arbres ont pour la plupart perdu une grosse branche, voire deux, pour les besoins des feux de bois. Ils ont été soigneusement élagués par des gens qui savent fort bien le prix de ces arbres, de leurs arbres. L'herbe est maigre. L'érosion creuse des ravines, ou la pente d'un champ fait apparaître un éparpillement de grès et de galets aux endroits où la pluie a emporté la terre. Plus de huit cents mètres séparent parfois un groupe de cases d'un autre. Il s'en dégage une impression générale de vide, mais en vérité le sol porte autant d'hommes et d'animaux que possible — plus qu'il ne le devrait, en certaines régions. Mais ce que ne saura pas cet observateur imaginaire, tandis qu'il file à bonne allure sur cette belle route toute neuve, c'est que la route en question était, très récemment encore, une piste poussiéreuse ou boueuse, que les groupes de bâtiments de brique que l'on trouve ici ou là sont nouveaux, bien que l'idée et l'appellation de « point de croissance » soient nées sous les Blancs ; que ces points de croissance, qui consistent en dispensaires, en administrations, en écoles, sont censés se développer en petites villes, pourvoyeuses de services dans la région ; que les petits champs de maïs, de coton et de tournesol, qui paraissent tellement insignifiants en comparaison des grands champs rouges et riches des zones d'agriculture commerciale, donnent chaque année plus de vivres au pays ; bref, que cela est une transformation que seuls peuvent apprécier et comprendre ceux qui savent de quoi tout cela avait l'air jadis.

LE HANGAR

Peter Simbisai tient à ce que je voie certain hangar. Un grand appentis tout simple et fermé, avec un sol de ciment. Il appartient à la collectivité. Au départ, bon nombre de familles voulaient être associées à ce projet. Dans l'élan des premiers jours de la libération, tout paraissait possible sans effort, toutes sortes de gens voulaient rejoindre toutes sortes de projets communautaires, ce qui semblait aller de soi, puisque le travail de groupe faisait de toute façon partie de leurs traditions. Mais chaque famille devait non seulement donner de l'argent pour acheter les matériaux nécessaires à la construction du hangar, mais aussi aider à construire celui-ci, puis s'en occuper. Il fallait toujours quelqu'un sur place : cet après-midi, c'était au tour d'une jeune femme. Elle expliqua que la plupart des familles avaient quitté le projet, laissant un noyau dur qui s'était chargé de la construction, et que maintenant les gens voulaient revenir parce que ça changeait la vie de la région.

Le hangar abrite une machine à peser les produits agricoles, et aussi à peser les gens lorsque viennent les médecins et les infirmières. Il y a un tas de maïs, des grains de maïs colorés en bleu et en vert pour signaler qu'il ne faut pas en manger ni en donner aux animaux. Numérotés R201 et SR-52, ces grains de maïs ont été mis au point dans l'ancienne Rhodésie du Sud et sont aujourd'hui très appréciés. On attend de nous que nous soyons sensibles à l'ironie qui a fait que ce précieux maïs soit le produit du savoir-faire des sinistres temps anciens. L'appentis abrite aussi des meetings politiques, des cours de toutes sortes et des réceptions. Les propriétaires du hangar sont fiers de mettre leurs installations à la disposition de tous, membres ou non, d'en avoir fait un centre pour toute la région et que ce soit une telle réussite que les habitants des régions voisines parlent de construire un centre similaire. « Avec le temps, ce hangar deviendra un point de croissance », dit la jeune femme, mais elle et les autres conseillent la prudence tellement ils ont connu de difficultés. Seules sont invitées à rejoindre le projet les personnes qui paraissent susceptibles de s'accrocher.

Par-dessus tout, il faut trouver une solution aux problèmes de transport. Après avoir fait pousser les récoltes, les avoir mises en sac, pesées et emmagasinées ici sur une belle chape de ciment, où les animaux ne peuvent entrer et les manger, ni les fourmis creuser des tunnels — après tout cela, reste le transport.

LES TRANSPORTS ROUTIERS

Partout dans le Zimbabwe, quiconque a amassé un petit pécule achète un camion et crée une entreprise de transports. C'est l'un des moyens les plus rapides et les plus faciles de s'enrichir. Les fermiers qui vivent loin des marchés, souvent loin des points de croissance, sont une proie facile. Force leur est de payer plus qu'ils ne devraient pour faire transporter leurs produits. Ils sont démunis tant qu'ils n'ont pas les moyens de s'acheter leur propre camion et, en attendant, ils ont le sentiment d'être saignés à blanc par ces entreprises de transports sans scrupules — qui peuvent fort bien être gérées par des membres de leur famille. Il n'y a pas de législation réglementant le tarif des transports. « Pourquoi Mugabe ne fait-il pas quelque chose pour nous protéger ? Il dit que nous sommes l'espoir du Zimbabwe, nous, les fermiers noirs. » « Nous créons peu à peu l'infrastructure nécessaire à l'édification du pays... » « Le gouvernement devrait mettre ses actes en accord avec ses paroles. » « Le camarade Mugabe devrait... »

LE MAGASIN

Ce hangar somme toute assez ordinaire changeait la vie dans une grande région. Mais nous allions voir maintenant quelque chose de tout aussi important. Une fois encore, nous traversâmes une brousse clairsemée et appauvrie, quoique riche en bétail gras et prospère, grâce aux pluies, pour rejoindre un village où se trouvait un magasin collectif, propriété de l'habituel noyau dur des familles qui avaient risqué toutes leurs économies pour l'ériger. Il y avait aussi un magasin commercial, qui marchait bien, et ce nouveau magasin collectif était en concurrence avec tout ce capital qui leur avait été extorqué, à eux les premiers clients. Leur problème était bien entendu le manque de capitaux, si bien que leurs étagères toutes neuves et bien récurées comptaient moins de marchandises que le magasin commercial. Peter avait aidé à sa création, il en était propriétaire et fier ; on nous présenta aux autres propriétaires, tous aussi fiers et inquiets, et nous nous retrouvâmes tous debout à boire du Coca-Cola — à moins que ce ne fût du Pepsi —, tandis que je songeais à la révolution du Coca, car ici tout le monde en boit. Ces gens qui parfois n'ont pas les moyens de satisfaire les besoins en protéines de leurs enfants dépensent leur argent en sodas et les étagères des magasins les plus reculés sont couvertes de bouteilles de ce breuvage mauvais pour les dents et l'estomac qui trônent à côté de miches de pain blanc. Tandis que j'étais là à bavarder, arriva un jeune homme tout sourires, avec ce charme bon enfant si désarmant qui signifie : « La personne que voici n'est pas une réussite de la Nature. » Il voulait savoir si je passais par un certain endroit situé à plusieurs kilomètres de là. Les gens avec qui j'étais me regardèrent pour savoir si j'avais compris et quand je répondis selon la formule du pays que j'allais l'y emmener « tout de suite » — le *mañana* des Espagnols —, ils hochèrent la tête d'un air approbateur. Le jeune homme s'en alla, satisfait, et l'un des hommes me dit, non pas : « C'est l'un des affligés de Dieu », ou : « Il est simple », mais : « Il a une ficelle trop courte. » Cette expression me parut résumer assez bien ce qu'il est advenu de cette société en cent ans.

VIANDE ET SADZA

Nous déjeunâmes au centre commercial de Greendale. Ces centres sont l'équivalent des points de croissance des zones communautaires. Nous mangeâmes de la viande. C'est une culture où l'on a toujours mangé de la viande. Vous pouvez vous promettre au début de votre séjour de vous en tenir à vos habitudes quasi végétariennes, lesquelles vous conviennent, et y renoncer en un rien de temps : ça devient trop difficile. Nous mangeâmes du bœuf. Le bœuf élevé au Zimbabwe est une merveille et, à l'exportation, c'est l'une des grandes réussites du pays. La consommation de viande est une habitude tellement ancrée dans la culture du pays qu'on voit mal les habitants admettre que c'est du gaspillage de donner des céréales au bétail au lieu de les consommer directement. Ce serait vraiment une révolution. Les Blancs ont toujours mangé de la viande, du jour où ils ont vécu, ou tout au moins ont tiré en partie leur subsistance de la chasse au gibier. Et lorsque les Blancs sont arrivés, les Noirs étaient des chasseurs autant que des agriculteurs. Certes, ils se nourrissent aujourd'hui principalement de sadza, mais ils l'accompagnent de viande chaque fois que c'est possible.

Au cours du repas, nous discutons de politique, mais essentiellement de politique vue par le petit bout de la lorgnette. Tel ministre a fait ceci, tel ministre fait cela. Jamais caste dirigeante n'a été à ce point visible pour son peuple, jamais des partisans n'ont été si profondément et personnellement attachés à leurs chefs. Si l'on parle de Mugabe sur un ton particulier, la nouvelle caste des gros pleins de soupe n'est jamais évoquée sans une appréciation sardonique sur leur personne. De la politique-spectacle, peut-être ? En effet, quand on suit la vie politique dans des pays comme le Zimbabwe, de cette façon à la fois proche et personnelle, c'est le sens dramatique qui est comblé. Des personnages plus vrais que nature évoluent sur une gigantesque scène, où ils ont toutes les chances de paraître grotesques, pompeux, risibles. Mais la charité est également présente : voyez comment ils finissent, les pauvres ! Tel est l'état d'esprit général.

Plusieurs jours durant, je suis promenée ici ou là par des gens qui peuvent s'absenter de leur travail. Nous ne manquons jamais de nous arrêter devant la maison ou la ferme d'un chef pour le plaisir d'échanger encore quelques ragots.

« C'est... qui a acheté cette maison... » « Cette ferme appartient à... » A un ministre ou à un homme d'affaires quelconque.

« La première chose qu'ils font, quand ils s'installent, disent les Blancs, c'est de planter un coin de mealie. C'est à cela que l'on reconnaît la maison d'un chef.

— Et pourquoi ça vous étonne ? demande le Noir qui me conduit un jour. Bien sûr que nous plantons du mealie.

— Mais que diable, ce n'est même pas du maïs africain. Ce sont les Portugais qui l'ont introduit.

— Et les roses ne sont-elles pas venues en Europe depuis le Moyen-Orient ? ajoute-t-il en riant, tout heureux d'avoir marqué un point.

— Touché.

— Alors pourquoi ne devrions-nous pas aimer notre mealie ? »

— Il n'y a aucune raison, en effet.

— C'est bien ce que je pense. »

Nous nous sommes arrêtés devant la maison d'un chef qui était célèbre bien avant la libération. Je l'ai rencontré une fois, il y a très, très longtemps ; un être bon, plein d'humour, patient, qui illustrait toutes les vertus que l'on peut imaginer dans le domaine de la résistance passive. Les Blancs l'exécraient et le calomniaient ; les Noirs le respectaient.

Les Africains qui sont dans la voiture aujourd'hui me disent qu'il doit désormais sa célébrité à des qualités bien différentes. Il traite mal ses serviteurs. Il collectionne les petites amies. Il boit. Il aime beaucoup trop aller à l'étranger, il intrigue pour être de toutes les commissions et de tous les conseils de manière à voyager à sa guise en Amérique et en Europe. Et chacun sait qu'il est au nombre des ministres impliqués dans le scandale actuel des voitures.

Après une demi-heure de discussion, ou peu s'en faut, le chauffeur rappelle tout le monde à l'ordre. « Minute ! Juste une petite minute ! Qu'est-ce que j'entends ? N'avons-nous pas assez prouvé que mieux valait être pauvre que riche ? Ce pauvre chef, corrompu, gâté par le succès, quel dommage qu'il ne soit pas resté à sa place. Mieux vaut vivre comme un chien, malmené par la vie. C'est vraiment ça que nous avons voulu ?

— Si c'est ça que nous avons voulu, renchérit sa femme, on devrait peut-être se raviser. Mieux vaut être un bon toutou qu'un mauvais chef ? Merci bien, très peu pour moi !

— Exactement, conclut son mari, au volant. Sois tranquille. Mon salaire ne te permettra jamais d'être corrompue.

— Quel dommage, mon chéri ! »

LES FERMES COMMERCIALES

Les Noirs peuvent-ils faire de bons fermiers de fermes commerciales ? Réponse : beaucoup ont fait faillite. « Ils semblent croire » (c'est un fermier blanc, certainement un travailleur acharné, qui parle) « qu'il suffit d'acheter une ferme et que tout se passe ensuite comme sur des roulettes. Ils achètent un magasin, un hôtel, une entreprise de transports et une ferme, et essaient de tout gérer à la fois. Les fermes sont les premières à en pâtir, mais ils ne s'en rendent pas toujours compte : rien de plus facile que de mettre quelques *mombies* sur une ferme et d'appeler ça de l'élevage. (Ce *mombies,* qui désigne le bétail, sonne comme le beuglement des bestiaux quand il est employé dans la conversation, d'une voix basse, sur un ton satisfait. C'est un mot qu'il est agréable d'employer et d'entendre.)

— Ils ne sont donc pas de bons fermiers ?

— Quand ils sont de bons fermiers, ils sont vraiment bons.

200

Mais les fermiers noirs vraiment bons sont les petits fermiers. Eux font leur travail convenablement. »

LES PETITS FERMIERS

Ils le font convenablement avec des techniques d'un autre âge. Parfois un petit tracteur laboure un petit champ, mais la plupart des Noirs recourent encore à des techniques analogues à celles en usage du temps de mon père, chez les Blancs. Des bœufs, non des tracteurs, des charrues que l'on tire, des herses ; des cultivateurs comme on n'en trouve plus aujourd'hui que dans les fermes-musées en Grande-Bretagne. Des bœufs traînaient la charrette chargée de sacs de grains ou de cargaisons de fumier.

C'est le besoin de faire travailler des bœufs qui entretient l'éternel débat, vif et souvent acerbe, entre les Blancs et les Noirs, les écologistes et les fermiers.

« Votre problème c'est que vous mettez trop de *mombies* sur vos terres. Elles sont surpeuplées.

— Mon problème, c'est que je manque de terre. J'ai besoin de plus de *mombies* pour faire le travail. »

Toutes les zones communautaires que j'ai visitées se trouvent dans des régions d'une beauté sauvage. Les gens qui y vivent sont pauvres. Quand les pluies se font rares, ils souffrent de la faim. Mais il vaut sûrement mieux être pauvre ici, au soleil, dans cette beauté que, disons, à Bradford ou à Leeds. Il devrait y avoir des mots différents pour la pauvreté qui salit, glace et assombrit, et pour cette pauvreté où les gens vivent dans la splendeur, en altitude, dans des cieux venteux, vibrants et inondés de soleil.

L'ALTITUDE

J'avais oublié l'altitude. Peu encline aujourd'hui à faire autre chose que m'asseoir dans le patio pour regarder les oiseaux, j'entendis : « Mais c'est que vous n'êtes pas encore habituée à l'altitude. » Où j'ai grandi, on tenait l'altitude pour responsable de tous les maux. Être à plat — encore un état qu'il est malaisé de définir — signifiait qu'il fallait s'éloigner de l'altitude, tandis qu'on ne pouvait renouer avec elle sans une nouvelle période d'adaptation. L'altitude a bien des points communs avec des dangers contemporains comme la radioactivité et les rayons ultraviolets, que l'on ne saurait ni voir ni sentir, mais qui néanmoins vous frappent.

LE GRAND DYKE

La carte du Zimbabwe montre que le pays tout entier est haut perché, hormis autour de certains fleuves ; le long d'une ligne de crête qui va en descendant vers l'est, l'altitude oscille entre mille huit cents et deux mille trois cents mètres. Banket se situe sur cette ligne de crête, de même que la route de Sinoia (Chinhoyi) à Harare, et celle de Harare à Mutare. Les monts Umvukwe font partie de cette ligne de crête, mais le nom a été déformé — il faut dire en fait Mvuri, même si de nos jours on préfère les appeler le Dyke. J'ai souvent entendu dire le Dyke par-ci, le Dyke par-là, sans me rendre compte que ce nom ne désignait pas autre chose que les montagnes que j'ai passé tant d'années de ma jeune vie à regarder, car il se trouve que cette chaîne est considérée comme l'extrémité (ou l'une des extrémités) du Rift qui, on le sait, menace de couper l'Afrique en deux d'ici un milliard d'années. Les flots de l'océan Indien viendront peut-être lécher l'endroit où la mine de chrome de Darwendale fait aujourd'hui scintiller les flancs du Dyke de ses minerais répandus à l'air libre, et ce pays enfermé dans les terres, ce plateau si haut et balayé par les vents secs recevra un jour l'humidité des vents marins. Le Dyke est chargé des minéraux d'un demi-continent, poussé vers le sud en une langue qui traverse d'autres formations géologiques, tandis que la chaîne est toute sculptée de petits chantiers d'exploitation, nouveaux ou abandonnés, parfois même bien antérieurs à l'arrivée des Blancs. Les collines du Dyke sont chauves et dépouillées, si riches en minéraux que les arbres n'y poussent pas. Il est difficile d'imaginer idée plus séduisante, pour un esprit enclin à forger des mythes, que ces montagnes vieilles de plusieurs millions d'années, ainsi que le veulent ces forgeurs de mythes consommés que sont les géologues. Vous entendez : « Il a sa ferme sur l'autre versant du Dyke », « Il est sur le Dyke, vous savez », et vous êtes censé comprendre que c'est beaucoup mieux que s'il n'avait jamais été question du Dyke.

L'ITCZ

De la même façon, il y a l'ITCZ, qui signifie « zone de convergence intertropicale » et qui paraît surgir dans toutes les conversations. Essentiellement à cause des pluies capricieuses, qui sont arrivées à temps cette année, après quelques saisons peu satisfaisantes. Des années durant, la sécheresse a sévi assez gravement au Matabeleland pour figurer régulièrement dans les nouvelles de l'étranger et elle a tué plus d'un million de bêtes, sur une population de huit millions qui avait déjà souffert de la guerre du Bush et des dissidents. Dans une série de mauvaises années, il peut y en avoir une bonne, ou à moitié bonne, et ensuite à nouveau la pluie. Cette année a bien commencé, mais rien ne dit que ça va durer. Tout le Zimbabwe, y compris le Matabeleland, est vert et arrosé, mais il est temps que les pluies reviennent. Car les jours de ciel bleu et de grande chaleur qui se succèdent, pour mon plus grand plaisir comme pour celui des Européens qui fuient le mois de novembre, rendent les gens du pays nerveux : « Pourquoi ne pleut-il pas ? Ce ne sont pas des nuages de pluie. » Et nous rentrons pour regarder à la télévision la progression de l'ITCZ sur les images satellite de la météo.

Je me souviens comment nous scrutions alors les cieux du côté nord, d'où devaient venir les pluies, comment nous sentions la chaleur s'accumuler, avec un sens aigu des différences de densité et de pression tandis que les nuages s'amoncelaient à longueur de journée et viraient de l'argent au noir. Nous disions : « Les cigognes sont arrivées de Russie, de Turquie, d'Europe de l'Est, et des cheminées d'Allemagne et du Danemark, les pluies ne devraient plus tarder maintenant. » Les cigognes sont bien arrivées cette année et les champs des alentours de Harare en sont noirs, mais les pluies se font toujours attendre. Il semble qu'elles soient généralement plus tardives que dans le temps. *Avant,* c'était octobre qui amenait la pluie, les pluies venaient à un moment ou à un autre en octobre, mais aujourd'hui, semble-t-il, c'est en novembre qu'elles commencent. L'ennui, c'est que le temps se détraque partout dans le monde et que les anomalies temporaires sont aussitôt perçues comme une preuve du pire. « Oh non, les pluies n'arrivent jamais en octobre de nos jours, les saisons ont changé. »

TÉLÉVISION

Le plus souvent, nous passons la soirée à regarder la télévision, assis devant l'écran comme si nous avions affaire à un enfant qui pourrait faire mieux en s'en donnant la peine. En fait, la télévision se porte bien. En 1982 elle était purement et simplement embarrassante. Tout était laid, les animateurs gauches, les présentateurs des journaux télévisés inexpérimentés, la rhétorique révolutionnaire grossière. Les émissions ne sont peut-être pas d'une très haute qualité, du moins pour la plupart, mais on a affaire à des professionnels qui ont pris exemple sur les meilleurs. Des filles extrêmement jolies, des jeunes hommes au physique de stars de cinéma nous présentent les informations, presque toutes d'intérêt purement local. Ils nous tiennent au courant de la progression de l'ITCZ et jouent dans des publicités aussi divertissantes, sinon aussi sophistiquées, qu'en Grande-Bretagne. La télévision reprend les émissions britanniques, les grands classiques comme Dickens, mais personne ne les aime, sauf « Oui, M. le Ministre ». « Les Povos adorent voir les chefs en difficulté. » Ce qui fait l'unanimité, ce sont les séries américaines, comme « Dallas », « Les Colby », « Dynasty » : la vie en rose.

« En Grande-Bretagne j'imagine que nous n'avons pas le choix — nous sommes une colonie américaine...

— Pourquoi la Grande-Bretagne ? L'Europe entière !

— Absolument. Mais rien n'obligeait ce pays à faire un tel choix. L'argent manque pour les manuels dans les écoles et les universités, les bibliothèques déclinent, faute de devises pour acheter des livres ; il est impossible d'en faire venir de l'étranger, parce que les douanes veulent prélever leur part au passage (trente pour cent de la valeur des livres au prix estimé, tout à fait arbitrairement, par des fonctionnaires incultes). Mais il ne manque pas de devises pour " Dallas ". Sans parler des torchons pornographiques importés du Sud. On se demande ce qu'ils ont dans la tête au gouvernement, vous ne trouvez pas ? Pourquoi Mugabe... ? »

Comme en Grande-Bretagne, où les spectateurs ébahis n'en croient pas leurs yeux : « Pourquoi fait-*elle* ceci ou cela ? Que diable croit-elle faire en asphyxiant les universités, la science, la recherche, les bibliothèques, les arts... ? »

Comme toujours, il y a deux grandes écoles de pensée, la « théorie de l'embrouille » — « Ce n'est qu'un foutu gâchis — et la « théorie de la conspiration » — « Ils veulent farcir de stupidités la tête des paysans, ça les tient tranquilles. »

Ici, c'est la théorie de l'embrouille, ou du gâchis, qui l'emporte. Plusieurs fois par jour, la conversation tourne autour de l'incurie générale, la nouvelle bureaucratie.

« Dites-moi, vous parlez d'inefficacité, avez-vous été en Grande-Bretagne dernièrement ?

— Oui, mais il y a des degrés dans l'incompétence. Vous n'êtes tout de même pas en train d'insinuer qu'*il* laisse entrer toute cette camelote au Zimbabwe ? C'est un homme cultivé. Les livres ont eu une certaine importance pour lui, c'est ce qu'il a dit. Quelle raison peut-on avoir de pénaliser les livres, la culture, les revues sérieuses, les bibliothèques ? Ce doit être une erreur. »

Il, c'est Mugabe, bien sûr. On suppose toujours qu'*il* est du côté des anges, quelle que soit la politique qui a les faveurs de l'orateur.

UN VOLONTAIRE PARLE

Si jamais vous voulez comprendre ce que nous représentons réellement, dans l'esprit de ces gens, si vous avez envie d'y fourrer le nez, alors, allez dans un village isolé d'une zone communautaire. Vous êtes là, assis dans la poussière entre les arbres — il n'y a pas un arbre sans branche élaguée pour le feu de cheminée, bien sûr —, et vous êtes en présence de quelque cinq cents personnes venues de plusieurs kilomètres à la ronde pour la grande occasion. Non qu'ils ne sachent ce qu'est la télévision. Ils savent. C'est « Dallas ». C'est « Dynasty ». La lune brille au loin dans le ciel. Une dernière cigale se manifeste. Les criquets chantent. Il y a un poste de télévision tous les cent kilomètres et l'Amérique s'offre à l'admiration du monde sur le petit écran. Nous autres, *nous* avons maintenant des défenses : ce n'est qu'en voyant des gens sans défense que l'on comprend à quel point nous sommes blindés. Nous regardons avec cynisme et nous nous disons : « Quel beau tissu d'âneries que voilà, mais pourquoi pas ? » Tandis que ces villageois assis là sous les étoiles, ils croient que c'est vrai. Les meurtres succèdent aux meurtres, aux vols, aux tricheries, aux escroqueries, aux mensonges et aux rackets, sans compter la sexualité sous ses multiples formes, et leurs yeux brillent toujours plus d'une admiration sincère : voilà à quoi ressemble le monde moderne. « J'aimerais tant aller en Amérique », peut-on entendre quand l'émission s'achève. Puis ces pauvres gens regagnent leurs cabanes à travers la brousse, mais ils savent que s'ils sont assez retors, assez dénués de scrupules, assez cruels, les richesses du monde seront à eux.

« C'est la même chose en Inde, en Amérique du Sud — partout. Dans plusieurs dizaines de pays, j'ai été témoin de cette scène, de pauvres gens qui regardent le rêve américain.

— Mais pourquoi l'Amérique veut-elle se présenter au monde sous ce visage. Voilà la question. »

GRANIT

Hier, alors que j'étais promenée par un homme qui adore le Zimbabwe, essentiellement, dit-il, à cause du granit, j'entendis que le granit est radioactif. Mais le Zimbabwe est riche en granit : chaînes de montagnes, grandes montagnes pelées s'élevant dans le ciel, ou énormes blocs de pierres empilés en équilibre. Si le granit est radioactif, tous les citoyens devraient briller dans l'obscurité ou amorcer une évolution suivant des voies intéressantes — pour ne considérer les choses que sous leur aspect positif. La question n'est pas de savoir dans quelle mesure le granit est radioactif, dangereusement ou modérément, ce qui est une affaire de chiffres, mais de savoir que l'idée de radioactivité fait bon ménage avec le granit. Les photographies du granit n'en donnent jamais une véritable idée. Il a une étincelle de vie en lui. Si l'on y pose la main par temps chaud, on le sent battre.

Loin du Zimbabwe, dit cet homme, il se sent exilé du granit. C'est la roche la plus ancienne du monde, assure-t-il : elle a surgi en bouillonnant de l'antre le plus secret de la terre, remontant lentement à la surface à travers d'autres couches de roches. Il ne peut vivre sans granit... J'ai connu autrefois un poète, un homme du Yorkshire, qui parlait des roches de cette façon, mais il n'avait pas besoin de ces détails. Le toucher et le poids de la roche, de la pierre — de n'importe quelle pierre — entre ses mains, là était l'essentiel. Cela donnait une substance à sa vie.

Dois-je appeler quelque service d'études compétent et demander de la voix sévère de qui recherche l'exactitude scientifique : « Dans quelle mesure exactement le granit est-il radioactif ? » Bien sûr que non, ce pays est générateur de mythes, il l'a toujours été. La révolution, cette forgeuse de mythes, n'a fait que rendre les choses plus faciles ; il est plus facile que jamais de prendre une voix insouciante, rêveuse, fière quand on dit : « Regardez cette montagne de granit, par là-bas — je ne sais pas pourquoi ils font tant de cas d'Ayers Rock —, imaginez un grand lézard qui rampe dessus, de la taille d'un wagon. Un lézard ailé... juste assez de place pour qu'un dinosaure prenne un bain de soleil... »

PIQUE-NIQUE

Aujourd'hui, on m'a emmenée voir les peintures des Bochimans à quelques kilomètres de Harare. Une fois de plus, la traversée des banlieues huppées, puis les terres rouges et riches, puis une zone communautaire. Celle-ci vit dans une relative aisance. La plupart des familles ont au moins un des leurs qui travaille à Harare, et l'argent revient par ici. Et ces petits champs bien soignés sont consacrés à des cultures destinées à la vente. Les habitations sont de tous les genres, des groupes de cabanes à l'ancienne aux nouveaux bungalows de brique qui se dressent au milieu de petits jardins, avec des voitures à l'extérieur.

Pour arriver jusqu'aux peintures, il nous a fallu prendre un

207

chemin de terre, où le granit surgissait tout autour de nous sous forme de falaises, de collines et de blocs de pierres empilées les unes sur les autres. La chaleur grésillait du granit et d'un ciel sans nuages. La route traverse des villages où, s'il passe une voiture, il s'agit forcément de visiteurs venus voir les peintures. On projette à l'heure actuelle de faire venir de petits groupes de touristes fortunés et triés sur le volet. Comme d'habitude, la nécessité de préserver ces peintures si vulnérables est en conflit avec le besoin pressant de devises étrangères.

La route se perd dans l'herbe épaisse où l'on ne distingue plus que les traces de pneus. Nous passâmes devant quelques personnes assises sous les arbres. Elles nous saluèrent, nous les saluâmes, un peu gênés d'être ici. Huit cents mètres plus loin, la route se terminait. Nous rangeâmes la voiture pour escalader des pentes accidentées, jonchées de pierres, à travers des blocs de granit qu'on dirait toujours sur le point de basculer, mais qui ne basculent jamais, jusqu'à une toute petite falaise d'où l'on peut se hisser puis crapahuter à la manière d'un crabe jusqu'à une corniche où les Bochimans se tenaient jadis pour faire leurs dessins sur un petit à-pic. Et c'est alors que l'on comprend pourquoi il reste si peu de ces roches, témoins du passé. Jadis on pouvait voir des peintures de ce type presque partout, pour peu que l'on se donnât la peine de les chercher dans les collines ou les blocs de pierres. Il y en avait quelques-unes dans notre ferme, avec des personnages fringants à demi effacés sous un gros bloc. Elles ont été saccagées, délibérément détruites. Je me souviens d'avoir vu des écoliers blancs jeter des pierres sur un roc couvert de peintures et continuer jusqu'à ce qu'elles commencent à se craqueler, à se fissurer. Pourquoi? Parce qu'elles étaient là? Qu'est-ce que ce besoin de détruire?

Ici, c'est un graffiti, des gribouillis maladroits, un personnage raide, comme dessiné par un enfant qui ferait ses premières tentatives : cette fois, ce sont les gens du pays qui ont essayé de mutiler cette galerie d'esquisses vivantes. Faites de terre de couleur et de suc de plante, elles sont là depuis des siècles. Des éléphants, différentes espèces de daims, des scènes de chasse avec leurs lances, toujours saisis sur le vif, avec le sens de l'exactitude d'un maître japonais : une demi-douzaine de traits suffisent à créer une fleur, un visage.

Les spécialistes débattent de la signification de quelques-unes de ces scènes, de ces figures. L'ennui c'est que nous les regardons avec nos yeux et qu'il n'y a aucun moyen de savoir, à mon sens, comment ces gens voyaient le monde. Je suis en compagnie d'un spécialiste qui sait probablement tout ce qu'un homme peut savoir sur les peintures des Bochimans. Il n'est pas d'accord avec moi : nous pouvons découvrir, à partir de ces peintures, comment ils pensaient et comprendre leur cosmologie.

Parfois, quand vous êtes en compagnie d'un spécialiste, vous dites distraitement quelque chose et vous savez que vous avez effleuré un domaine où la controverse et la spéculation font rage depuis des années.

« Peut-être avez-vous plaisir à penser que nous ne les comprenons pas et que nous ne saurions les comprendre ? » observa-t-il.

C'est vrai : il y a quelque chose de reposant dans l'idée que des hommes prospères ont coulé ici des jours heureux et que nous n'avons aucune idée de leur expérience de ce que nous appelons la réalité.

Si vous tournez le dos aux peintures en surplomb, vous dominez un paysage qui s'étend sur des kilomètres, jusqu'aux collines, aux montagnes, à la lisière d'un ciel bleu et chaud. Plus bas, les champs forment des dessins : ces lignes qui séparent les champs, s'agit-il de buttes ou de clôtures ? Si ce sont des clôtures, ou des haies, ce n'est pas une idée africaine, mais les buttes ne l'étaient pas davantage. Les hommes qui ont fait ces dessins, des hommes petits, des hommes trapus habitués à vivre à la dure, occupaient ce territoire bien avant les Africains, ils contemplaient ce paysage et voyaient — mais ils voyaient quoi au juste ? Comment savons-nous s'ils voyaient ce que nous voyons ? Peut-être que lorsqu'ils regardaient les collines, les vallées, les arbres, ils s'appropriaient ce qu'ils voyaient d'une manière que nous ne comprenons pas, comme les aborigènes d'Australie deviennent partie intégrante du paysage à travers le chant. Peut-être, en le contemplant, le dos tourné aux peintures qu'ils avaient faites, *étaient*-ils le paysage, étaient-ils ce qu'ils voyaient. Il est parfois aujourd'hui des gens qui ont des visions fugitives où tout se passe comme s'ils faisaient « partie de tout », comme s'ils se fondaient dans « tout » ; ils se coulent dans les arbres, les plantes, le sol, les roches et ne font plus qu'un avec eux. Comment savons-nous si cet état, temporaire et auquel n'accèdent épisodiquement que de rares personnes, n'était pas leur état permanent ?

Tout en évoquant plaisamment ces possibilités, nous redescendons à travers les rochers en direction de la voiture pour aller déjeuner. Deux jeunes Noirs sont venus des cabanes ramasser des fruits jaunes qui traînent par terre, des fruits tombés des mahobahobas qui poussent ici dans une futaie. C'est du moins ce qu'ils feignent de faire, pour ne pas paraître impolis, car en vérité ils ont envie de nous observer. Nous disposons des assiettes de porcelaine, des couteaux et des fourchettes, des verres. Nous sortons du poulet froid, de la salade et du jus d'orange. Devons-nous leur demander de se joindre à nous ? Ils se tiennent juste assez loin pour nous mettre dans l'embarras. Qui plus est, il n'y a pas assez pour quatre. Nous mangeons, tandis qu'ils restent sur place à nous observer ; ils nous observent puis se baissent pour ramasser un fruit jaune, qu'ils portent à leur bouche, puis ils se baissent encore, s'étirent, bâillent et se détournent, feignant l'indifférence — puis, de nouveau, ils ramassent un fruit et nous dévisagent.

Nous oublions que ces pauvres gens loin des villes ont rarement l'occasion d'observer la vie de Blancs riches, voire de Noirs riches par les temps qui courent.

« Ils regardent quelque chose d'inaccessible », dit mon compagnon, en indiquant la grosse voiture américaine faite pour les routes bosselées, mais aussi le panier, les assiettes, les verres, les couverts. « Ils ont déjà vingt-cinq ans et ils ne sont plus assez jeunes pour avoir pris part à la révolution scolaire de Mugabe qui veut que chaque enfant, garçon ou fille, fasse des études secondaires. Probablement ont-ils passé quatre ou cinq ans à l'école. Ils sont désœuvrés. Ils rêvent de la grande vie en ville. Ils n'auront jamais de voiture ni de bungalow de brique, avec des vitres et des rideaux, ni de costumes trois-pièces. »

Quand nous eûmes fini de manger, nous rangeâmes tout dans la corbeille, enfouîmes les reliefs dans un trou sous une roche, mais abandonnâmes les restes de poulet dans un papier sur un rocher. Laisser ça là avait l'air insultant. Ne pas le laisser eût semblé cruel. Pas plus tard que la veille, on m'avait raconté comment, dans un village déshérité qui souffrait de la sécheresse, ils tuaient un poulet et s'assuraient que chacun des villageois — une quarantaine — en eût au moins un petit morceau et du bouillon avec sa sadza.

Comme nous montions en voiture, des babouins se mirent à aboyer depuis la corniche où se trouvaient les peintures. Ils nous avaient observés depuis quelque endroit sûr et ils étaient maintenant venus inspecter la corniche pour savoir ce que nous avions fait, si nous avions laissé quelque chose. Bientôt, alors que les jeunes Noirs auraient regagné leurs cabanes, les babouins allaient venir ici ramasser les fruits jaunes, parfaitement mûrs aujourd'hui, car ces fruits ont une période précise de maturité, juste quelques heures — avant, ils sont surs et râpeux sur la langue, et après, ils sont visqueux et repoussants.

UNE FERME COMMERCIALE

Nous prîmes la route des Marches d'Or et passâmes le barrage de Mazoe. Cette région est réputée pour ses oranges et pour la diversité de son agriculture. La ferme est proche des Umvukwe, c'est-à-dire de Mvuri — ou du Dyke. Comment Mvuri, ce mot doux et ronflant, a-t-il pu s'entendre avec un *k* qui claque ? Un mystère. Que l'on ait entendu Sinoia au lieu de Chinhoyi, Gwelo au lieu de Gweru, Umtali au lieu de Mutare, cela se comprend aisément. Bientôt, nous fûmes aux abords du Dyke, avec ses milliards d'années derrière lui. J'ai sur ma cheminée une petite tranche de roche, jadis de l'argile, dans laquelle est pris un poisson fossile qui nageait allégrement lorsque quelque cataclysme l'a figé dans un limon suffocant. Une étiquette précise que ce petit poisson, un *Dapalis macrurus,* est vieux de trente millions d'années, ce qui en impose, mais personne ne découperait et ne vendrait une tranche d'argile ancienne à mettre sur les cheminées, avec une étiquette indiquant : « Cette roche a trente, ou trois cents millions d'années. » De toute évidence, pour être impressionnés, nous avons besoin d'une forme, du contour d'un poisson aussi délicat que le squelette d'une feuille ; ou bien du Dyke, dont nous voyons bien qu'il partage le paysage, signe visible d'un âge extrême ; nous avons besoin de soulèvements granitiques que nous puissions embrasser du

211

regard en pensant : « Nous touchons ici à l'archaïque, voici l'antiquité véritable », comme si le sol dans lequel ils sont pris, d'un million d'années plus jeune, méritait moins notre respect.

La ferme est ancienne : autrement dit, elle a été « ouverte » peu de temps après les débuts de la colonie. La ferme est ancienne et confortable, avec les vérandas profondes de ces temps-là, comme de grandes pièces ombreuses. Mais nous commençons par nous asseoir sous les arbres. Sous des couches de branches feuillues, nous nous asseyons et écoutons roucouler les colombes, des colombes cannelle, la colombe émeraude tachetée et les différentes espèces de touracos. La chaleur est pesante, et le chant des oiseaux, au terme d'une longue association, semble être la voix de la chaleur. Il fait plus de quarante degrés, mais c'est une chaleur sèche et cassante qui ne sape ni ne mine comme la chaleur humide des côtes. Nous buvons du thé. Nous buvons toutes sortes de jus de fruits. Nous discutons, et de quoi, sinon de politique. Je guette le grognement récriminateur et puéril des Blancs d'il y a six ans à peine, mais non, tout cela s'est envolé. Je retrouve tout ce que j'ai entendu tout au long de mon enfance sous les vérandas : les fermiers rouspétant contre le gouvernement qui est toujours et partout hostile aux paysans. Le gouvernement et la météo : entre ces deux tyrans anarchiques, les paysans sont à jamais écrasés, si puissants que soient leurs lobbies, si grande que soit leur réussite.

Les fermiers commerciaux disposent d'une organisation dynamique qui rencontre sans cesse le gouvernement, au point que les autres groupes se plaignent que les fermes commerciales soient inéquitablement représentées. On ne cesse de leur dire le grand cas que l'on fait d'elles et les fermiers sont fiers de produire des cultures difficiles qui rapportent les devises tellement nécessaires.

Ma chambre, à Harare, croule maintenant sous les rapports, les analyses et les notes d'information, et ceux qui traitent des fermiers commerciaux — encore des Blancs pour la plupart — sont intéressants tant ils se plaisent à répéter que ceux-ci n'ont rien à craindre. Et cela, parce que les masses noires sans terre convoitent ces grandes fermes à la terre si bonne et si riche et déplorent que de grandes superficies ne soient pas exploitées. Mais, suivant un récent rapport des Nations unies, les fermes commerciales sont, dans l'ensemble, bien gérées. Se cache ici quelque chose dont on parle rarement au grand jour. C'est une « zone grise ». Tout le monde sait que la brousse du Zimbabwe est en voie de disparition, que l'érosion menace, que la terre est surexploitée. Mais c'est dans les zones communautaires surpeuplées que la brousse dépérit. On voit quand on passe d'une ferme commerciale à une zone communautaire, non seulement parce que la terre change de couleur — du rouge ou du chocolat à une teinte plus pâle — mais aussi parce que la brousse n'est plus que l'ombre d'elle-même. La brousse relativement épargnée des fermes commerciales est un atout pour le pays tout entier. Et pourtant, on compte des milliers d'articles polémiques qui réclament l'expropriation des fermes commerciales. Les autorités disent que les fermes mal exploitées seront mises en vente forcée. Mais les fermes mal gérées sont souvent celles des riches Noirs — des partisans de Mugabe.

Dernièrement, de très vastes superficies ont été débarrassées de la mouche tsé-tsé : autrement dit, les bestiaux peuvent maintenant y vivre et l'on peut distribuer de la terre à ceux qui n'en ont pas. Les écologistes affirment : autrement dit, le Zimbabwe va devenir de plus en plus un pays semi-désertique.

Sur les murs du bureau, à la ferme, sont épinglées deux photographies aériennes : l'une prise lorsque la ferme a été achetée, dans les années cinquante, l'autre il y a un an. Sur la carte plus ancienne apparaissent de grandes zones de terre en friche ; aujourd'hui, rares sont les coins qui demeurent inexploités. Ces cartes sont aussitôt présentées à quiconque vient apprécier la situation sur cette ferme — commission, comité ou inspecteur du gouvernement.

Lorsque le fermier a dit : « Je vais vous faire voir », il l'a dit sur ce ton fier et inquiet qui est dans l'air du temps. Pour commencer, les sueries, dont l'organisation n'a plus rien à voir avec les techniques d'antan qui obligeaient les jeunes assistants de ferme ou les fermiers aux abois à rester éveillés la moitié de la nuit pour surveiller la température de la grange. Les feuilles de tabac sont disposées sur des râteliers mobiles, le four consomme très peu de carburant, toute l'opération requiert un minimum de surveillance. Ce qui a également changé, c'est le nombre d'ouvriers nécessaire pour faire tourner ces granges : comme partout ailleurs dans le monde, la technologie a privé d'emploi des hommes qui ont désespérément besoin de travailler. Le fermier est fier de ses sueries. « Nous avons mis au point cette technique », dit-il, et ce *nous* signifie ici : « nous, les fermiers blancs de Rhodésie du Sud », et non, comme cela veut généralement dire de nos jours : « nous, au Zimbabwe ». D'autres pays se sont inspirés de ces granges et d'autres dispositifs ont été inventés par ce même fermier. « J'ai inventé ceci... » « J'ai inventé cela... »

On nous promène à travers champs. Il est midi, il fait chaud, très chaud. La ferme cultive encore le maïs, qui est de plus en plus la culture des petits fermiers noirs, elle cultive le tabac et, nouvelle aventure, des grenadilles, ou fruits de la passion. Il y en a des champs entiers, dont les sarments courent le long des fils. Les plantes sont victimes d'une nouvelle maladie, mais le fermier n'est pas inquiet, car il a confiance : la science ne tarde jamais à triompher des inventions de la Nature. Au milieu d'un champ paissent des biches-cochons et deux chevreuils de la brousse. Certainement ces animaux se couchent-ils dans la journée dans quelque recoin secret et ombragé et vont-ils paître la nuit. De les voir ici dans l'embrasement de midi trouble l'idée que je me fais de l'ordre des choses, comme les pluies qui arrivent en novembre et non plus en octobre. « Mes gars n'ont pas le droit de tuer le gibier sur cette exploitation, dit le fermier. Bien sûr, ils le font, quand j'ai le dos tourné. Ce n'est pas qu'il en reste beaucoup. Vous souvenez-vous du temps où... »

Il ne cesse de parler pendant que nous faisons le tour de la ferme et, tandis que nous nous asseyons dans le salon ombreux, en attendant le repas, il ne peut s'empêcher de discourir de ses hauts faits, des nouvelles techniques, des nouvelles cultures, d'idées neuves ; il déborde d'une énergie qui le maintient en perpétuelle ébullition : à peine est-il assis qu'il se relève pour attraper une brochure, un article, un livre.

Le déjeuner est servi par le domestique noir : c'est le repas qui survivra dans ces avant-postes de la Grande-Bretagne bien après sa disparition chez nous. Nous mangeons du rôti de bœuf. Des pommes de terre rôties. Des légumes mal préparés. Un pudding lourd. Que tout ceci s'accompagne d'une température proche des quarante degrés est certainement une invite à se souvenir des lieux communs sur les caractéristiques nationales.

Tout au long du repas, nous parlons des jeunes gens désœuvrés du village agricole. Bien entendu : tout le monde parle des chômeurs. Sur cette ferme vivent bien plus de gens qu'il n'en faudrait. Nous discutons du sens du mot « faudrait » dans ce contexte. Les réguliers — c'est-à-dire ceux qui touchent un salaire convenable — sont une minorité. Les saisonniers vont et viennent. Chaque maisonnette, chaque cabane en est bourrée : essentiellement des parents, et des parents de parents, qui sont ici en vertu des droits de la famille élargie.

« Ils me fendent le cœur, dit la femme du fermier. Que vont-ils devenir ? »

Elle raconte que les jeunes gens viennent frapper à la porte pour lui emprunter des livres. Elle leur donne des romans policiers. Elle ne peut répondre à la demande. Ayrton R. proteste qu'ils sont mûrs pour beaucoup mieux. Un jeune garçon de sa connaissance, par exemple, d'une école rurale, lit Thomas Hardy. Il a suggéré Hardy aux maîtres des écoles rurales les plus reculées : avec succès. La femme du fermier n'a pas l'air convaincue, mais elle dit qu'elle leur proposera des livres plus difficiles. Puis la conversation dérive sur un terrain familier, sur le thème : « L'une de ces agences de l'Aide pourrait créer des bibliothèques ambulantes. Elles devraient tout proposer, d'Enid Blyton à Garcia Marquez. » « Je n'arrive pas à les comprendre, ces gens de l'Aide. Si seulement c'était moi qui gérais une partie de cet argent... » Nous nous amusons en imaginant des projets qui ne coûteraient qu'une fraction des sommes considérables souvent dilapidées par ces organismes.

Puis la discussion revient sur le gouvernement : j'écoute ce qui est — je le sais maintenant — le Monologue des temps qui courent. Ou l'un des Monologues.

« La politique économique de Mugabe mène le Zimbabwe à la ruine parce qu'elle engendre la stagnation. Le Zimbabwe a terriblement besoin d'investissements, mais pourquoi les gens investiraient-ils quand ils ne peuvent retirer du pays plus de cinq pour cent : bien entendu, ils préfèrent investir sur le littoral du Pacifique, où tout prospère. Comme tous les pays du monde ont pu s'en apercevoir, le dogme socialiste est meurtrier. Il est impossible de congédier un travailleur incompétent : ce qui veut dire qu'on s'abstient d'en embaucher, pour ne pas avoir à les supporter par la suite. Ce n'est que l'une des politiques que l'on dirait conçues pour entraver la croissance économique. Une autre est l'interdiction d'importer des machines agricoles ou même des pièces détachées. On ne peut acheter de nouvelles machines qu'en suivant une procédure compliquée de ce type : à l'extérieur du pays, quelqu'un envoie une lettre, avalisée par une banque, où il ou elle se déclare prêt à payer — n'importe quoi : un tracteur, un camion. Une banque du Zimbabwe transmet alors ces documents à l'entreprise étrangère qui va livrer la machine. Mais que deviennent ceux qui n'ont pas de parents ou d'amis disposés à payer les machines hors du Zimbabwe ? Quant aux pièces détachées... les autorités refusent de délivrer des devises, et les machines sont condamnées à rester au repos, à moins de faire le voyage, d'aller les chercher dans la République, de les faire entrer en contrebande, ou de recourir au fameux système D qui a fait la fierté de la Rhodésie du Sud et qui fait aujourd'hui celle du Zimbabwe : vous inventez des pièces de rechange ou vous faites tourner les machines avec " la foi, des bouts de ficelle et des élastiques. Mais ça ne peut pas durer éternellement ". Les seuls à tirer leur épingle du jeu, ce sont les escrocs du gouvernement qui organisent toutes sortes de rackets sur l'importation de pièces détachées : voilà pourquoi, entre autres raisons, on ne saurait espérer le moindre changement de cap. Il y a trop de gens qui en profitent. Ou quand Mugabe autorise une usine à fabriquer une machine, il dit qu'il ne peut y avoir qu'une seule usine, sans concurrence, et les prix sont beaucoup plus élevés qu'ils ne devraient l'être : tous les inconvénients du capitalisme monopoliste, mais au nom du socialisme. »

Voilà un Monologue.

Un second recouvre partiellement le premier. « Huit ans que cette bande est au pouvoir ! Des héros de la révolution ! Mais regardez-les ! Une belle brochette de canailles ! L'un d'eux est venu visiter notre école le mois dernier... » (C'est un instituteur qui parle, un jeune Noir idéaliste.) « D'où tirent-ils toute cette graisse, les chefs ? Si vous le piquiez, il en sortirait de grandes giclées de saindoux. Il s'en fichait, de nos élèves. Il n'était pas au courant de nos problèmes. La seule chose qui l'intéressait, c'était son inspection — mais il ne savait pas inspecter, il n'a même pas été fichu de mettre les pieds dans une classe. Il voulait rentrer à Harare et engraisser son postérieur et sa grosse bedaine de porc. »

Comme nous regagnions Harare, nous rencontrâmes un

216

barrage sur la route : vérification des permis et de l'état des pneus. On débarrasse les routes des vieilles guimbardes et des tapeculs d'il y a six ans.

En 1982, on redoutait les barrages routiers. C'étaient souvent les soldats qui en étaient chargés et, l'inexpérience aidant, l'affaire devenait délicate : on fouillait l'intérieur de la voiture, le coffre, voire le moteur, à la recherche d'armes. Aujourd'hui, un jeune homme souriant posa quelques questions de pure routine et jeta un coup d'œil aux pneus.

« Vous avez du travail pour moi ? demanda-t-il à Ayrton R.

— Quel genre de travail ?

— N'importe quel genre de travail. Jardin, ménage — je peux apprendre à faire la cuisine.

— Désolé, mais je n'ai pas le moindre travail.

— Désolé que vous n'ayez pas de travail pour moi.

— Au revoir. Bonne chance.

— Bonne chance. Au revoir. »

Nous reprenons la route. Apparemment, chaque fois qu'on se fait arrêter par la police sur une route de campagne, ils demandent du travail. « Ils ont envie d'être en ville. C'est la caractéristique majeure de ce pays. Tout le monde, ce qui s'appelle tout le monde, veut vivre en ville. N'importe quelle ville. Pourquoi le Zimbabwe serait-il tant soit peu différent du reste du monde ? D'autres pays n'ont pas résolu le problème, pourquoi y parviendrions-nous ? Mugabe va-t-il faire voter une loi interdisant aux gens de venir en ville ? S'il le faisait, il y aurait une nouvelle révolution, et il le sait. »

LE THÉ

La pièce est pleine de personnes âgées, des Blancs, des bourgeois. Des fonctionnaires à la retraite, des veuves de fonctionnaires. L'atmosphère est pâle, détendue, et je m'aperçois que je n'ai rencontré que de fervents partisans du Zimbabwe, que ce soit par idéalisme ou par intérêt. On dit souvent de ces gens qu'ils n'auraient jamais pu quitter Tunbridge Wells ou Cheltenham. Ce n'est qu'en partie vrai. Car leur camp a essuyé une sévère défaite durant la guerre, ce qui signifie qu'ils ont dû se faire à leur échec.

Chaotique, exubérant, violent, débordant d'énergie, plein d'optimisme, le Zimbabwe nouveau convient mal à leur tempérament naturel, porté sur l'ironie, la philosophie. Ils ne peuvent partir d'ici, parce que les retraites ne sont pas versées en dehors du Zimbabwe. Mais s'en iraient-ils s'ils le pouvaient ? Probablement pas. Les gens qui sont partis précipitamment vers l'Afrique du Sud reviennent. « Nous vivions naguère dans un merveilleux pays qui s'appelait la Rhodésie du Sud. Nous vivons aujourd'hui dans un merveilleux pays qui s'appelle le Zimbabwe. » Dans une banlieue, une pancarte indique le nom de la maison : *The Gap Took Us,* « Nous avons manqué le pas », d'une famille qui a sauté le pas et qui est rentrée. Dans quel autre pays du monde ces personnes vieillissantes pourraient-elles vivre ainsi qu'elles le font ici, inondées de soleil, avec les moyens de se payer un domestique ? Mais beaucoup n'ont pas de domestique, et sont fières de se débrouiller toutes seules. Le pire, c'est qu'elles ne peuvent plus faire de voyages en Grande-Bretagne. Les sommes autorisées pour voyager sont très modiques. Faute de parents aisés capables de payer pour vous, vous restez ici. « Il y a pire », observé-je, à quoi l'on me répond : « Vous, bien sûr, vous n'avez pas à vous plaindre, vous allez et vous venez à votre guise, mais vous n'avez pas idée de l'isolement culturel. La presse ne donne que les nouvelles locales ou, s'il y a des nouvelles de l'étranger, c'est la propagande communiste. Dieu merci, il y a la BBC. Nous ne pouvons nous abonner à la presse étrangère avec nos retraites. »

Ces gens ne parlent pas de politique, ou ils disent : « Pourquoi Mugabe ne fait-il pas… ? Ils cultivent leurs jardins et s'occupent d'œuvres de charité, comme ils le feraient au pays.

Mais ils ne sont pas les seuls réfugiés du passé. Tandis qu'on me promenait aujourd'hui à travers la plus prestigieuse de toutes les banlieues, on m'a dit qu'elle était pleine de Blancs fortunés, de chrétiens de bonne famille. « Eh oui, voilà où la défaite les a conduits ! Ils ne peuvent affronter la vie tout seuls, sans tenir la main de Dieu. Non, toute cette banlieue saute avec Dieu, camarade, elle saute avec Dieu. »

GARFIELD TODD

Garfield Todd, ancien Premier ministre, maintenant héros de la révolution, superbe avec sa crinière blanche et ses quatre-vingts ans, débordant d'énergie et d'optimisme, est assis sous la véranda, chez sa fille. Mais ce n'est pas vraiment une véranda. Apprenant qu'elle voulait construire une maison, il lui a dit : « Tu ne vas pas faire une fois de plus la même maison, un chapelet de pièces avec une véranda sur toute la longueur ? Non, je vais te dessiner une maison. » Elle ressemble donc davantage à une maison espagnole, méditerranéenne, avec un atrium central plein de plantes et des chambres tout autour. Nous sommes assis dans une pièce qui n'a pas de quatrième mur.

Tout ce dont tout le monde parle, les scandales, la corruption, il l'écarte d'un revers de main : « Ces petits incidents... »

Il dit : « Huit ans, tout ceci en huit ans. C'est un miracle. Ils ont accompli tant de choses. Nous disions que c'était possible, je le sais bien, mais qui l'aurait cru, en si peu de temps ? Vous entrez dans un bureau ou une banque, vous les regardez, si sûrs d'eux, si compétents, et vous vous souvenez de l'ancien temps, où ils avaient si peu confiance en eux. Vous rencontrez des jeunes gens aujourd'hui qui n'ont pas souvenir des mauvais jours d'antan. »

Il avait connu des moments difficiles pendant la guerre, ennemi du régime blanc, condamné à garder la ferme, dans l'impossibilité de dire le fond de sa pensée. Il aidait les combattants quand il le pouvait et maintenant, des gens viennent le voir et lui font des cadeaux. « Vous souvenez-vous ? Vous avez aidé mon petit garçon. » « Vous m'avez donné des médicaments quand j'étais malade. » « Vous avez caché mon frère quand les soldats le pourchassaient. »

Ce Zimbabwe, c'est le sien, et il l'aime avec une farouche innocence. Le Pacte d'unité a fait de lui et de son pays un tout parfait.

ZIMBABWE

Une scène qui ne manquera pas de plaire aux amateurs d'ironie politique... Quelques mois plus tard, Garfield Todd se brûla gravement en travaillant sur l'une de ses anciennes voitures. Tandis qu'il était à l'hôpital, Robert Mugabe et Joshua Nkomo, naguère ennemis, sont venus le voir ensemble. Garfield Todd, encore très mal en point, sortait du bain. La sécurité appela une infirmière à la rescousse pour aider le patient et le mettre au lit. « Vous ne voyez pas qui est là ? — Mêlez-vous de vos affaires et je m'occuperai des miennes », répondit-elle.

« Eh bien ce jour-là, lorsque ces deux hommes, Mugabe et Nkomo, se tenaient de part et d'autre au chevet de Todd, c'était le Zimbabwe sous son meilleur jour, c'est moi qui vous le dis, *voilà* le Zimbabwe. »

ÉCOLE

Lorsque Mugabe et son armée, encore pleins d'espoir, se battaient pour le pouvoir, il promit que s'il gagnait, chaque enfant ferait des études secondaires. A la libération, il déclara : « Quand un pays africain accède à l'indépendance, l'argent de l'Aide afflue, puis se tarit. Nous, le Zimbabwe, devons maintenant décider de ce qui est le plus important. Avant tout, les zones communautaires, les anciennes réserves, ont toujours manqué d'argent. Voilà la priorité. Puis viennent les écoles secondaires. Oui, c'est vrai, nous n'avons pas les infrastructures pour faire les choses bien tout de suite, mais de toute façon il va y avoir du chômage pendant quelque temps, et mieux vaut un jeune chômeur avec un petit bagage scolaire qu'un jeune chômeur sans éducation. »

L'a-t-il vraiment dit ? Qui s'en soucie !

> *Camarade Mugabe,*
> *Garde ton doigt dans la digue,*
> *Retire ton doigt,*
> *L'eau déborde,*

Camarade Mugabe, Camarade Mugabe,
Nous comptons sur toi.

(Chant populaire)

Et aussitôt l'enseignement secondaire fut créé. En 1982, je rencontrai des enseignants rayonnants d'épuisement et d'idéalisme, qui expliquaient qu'ils travaillaient dans des granges, des cabanes, des boutiques — tout ce qu'on pouvait imaginer — transformées en écoles, et qu'il pouvait y avoir deux, trois équipes d'élèves par jour. « Les bancs n'avaient jamais le temps de refroidir. » Les parents aidèrent à construire des écoles, ne mesurant ni leur temps, ni leur savoir-faire ni leur argent, se privant même souvent du nécessaire. L'enseignement secondaire était la clé de l'avenir de leurs enfants, et aucun sacrifice n'était trop grand.

Huit ans ont passé depuis la libération. Autant dire rien dans la vie d'un pays. Mais tout dans la vie d'un enfant. Le Zimbabwe est aujourd'hui couvert d'écoles secondaires. Mais il n'y a pas assez de maîtres, de manuels, sans compter l'électricité, ou même l'eau potable, qui souvent font défaut, de même que les installations qui vont de soi en Europe. Parfois une école ne dispose que d'un maître réellement qualifié ; les autres ont tout juste une partie de leur certificat d'études. Bien des maîtres, tout en enseignant, s'efforcent de préparer la seconde partie, voire la totalité du précieux baccalauréat. Et leur but ? Certainement pas de rester dans des écoles rurales, loin des centres, mais d'aller dans une grande ville, de préférence à Harare. Le corps enseignant de ces écoles ne reste jamais bien longtemps, ils sont toujours sur la piste d'un meilleur établissement et plus d'un directeur d'école s'est révélé malhonnête.

Les enfants de ces écoles croient qu'on leur donne un avenir, mais cinq pour cent seulement (en 1988) décrochent leur certificat d'études. Ils n'ont aucun élément de comparaison, ils ne savent pas ce qu'est une école convenablement équipée, souvent ils échouent et regagnent leurs villages où ils rêvent qu'un jour ou l'autre cette demi-éducation leur vaudra d'une manière ou d'une autre une belle vie. Il y a plusieurs centaines de milliers de jeunes gens, voire des millions aujourd'hui, qui croient recevoir une vraie formation.

Cette situation est dangereuse, un terrain classique pour une révolution : des foules de jeunes à qui l'on a tout promis, qui ont consenti des sacrifices et qui sont maintenant déçus. Les dirigeants de ce pays le savent. On prête ces propos à Mugabe : « Nous avons commis une erreur. Désormais, l'enseignement secondaire mettra l'accent sur la qualité. » Et que compte-t-il faire de ces populations à demi instruites, inaptes à un emploi dans le monde moderne, mais assez éduquées pour ne plus se satisfaire de la vie dans leur village ? On dit que c'est par peur de ces jeunes que Mugabe se montre si dur avec les étudiants mécontents. Ses mesures répressives ont valeur d'avertissement : je ne tolérerai aucune bêtise de la part de la jeunesse.

On dit aussi, non sans émotion, que le jour où fut annoncé au Parlement que le budget de l'éducation dépassait pour la première fois celui de la défense, tout le monde s'est levé, a applaudi et pleuré.

Nous sortons de Harare, direction l'Ouest. Les routes sont tranquilles, pour un œil habitué aux routes d'Europe, désertes. Vous avancez, seul usager de la route, puis vous apercevez un autocar devant vous, enveloppé de fumées noires. Tous les véhicules publics laissent échapper des nuages noirs. Pourquoi ? Eh bien, il y a la question des pièces détachées introuvables, et puis ils ne roulent pas assez souvent. Quand une grosse voiture neuve le rattrape, c'est une Toyota et elle appartient à un chef. Ces voitures ne crachent pas cette fumée noire et graisseuse qui sillonne à travers la brousse, empoisonnant les plantes et les bêtes. Seuls le font les transports publics, qui tombent souvent en panne et se rangent sur le bas-côté, entourés de leurs passagers maussades. Il y a des accidents. Non que les chauffeurs soient mauvais : ce sont les véhicules qui laissent à désirer. La semaine dernière j'ai rencontré une femme dont le frère, un chauffeur, a été tué parce que les freins ont lâché et que le car est tombé dans un ravin. Le nombre de gens qui ont été accidentés, ou dont les parents ou les amis l'ont été, ne laisse pas d'étonner. « Il faut beaucoup de courage... pour emprunter les transports publics. Les Africains n'ont pas le choix, bien sûr. »

Le temps est mauvais. Ce mois de novembre est froid et gris. Je jure que jamais, au grand jamais, dans l'ancien temps il n'a fait aussi froid en novembre. L'ITCZ est encore mal située, trop haute, elle n'a pas encore rejoint les masses d'air de

222

l'océan Indien. Jamais je n'aurais cru pouvoir désirer aussi ardemment un gros chandail en novembre.

Sous un ciel bas, froid et gris, nous roulons vers l'ouest, traversant de loin en loin de petites villes, puis nous nous arrêtons pour déjeuner dans un hôtel qui est le centre social d'un grand district : la salle à manger et les bars sont trop nombreux et trop grands pour le nombre de gens qui descendent à l'hôtel. Le menu est encore le vieux menu britannique, ci ou ça rôti et grillé, de la viande merveilleuse, des légumes moins merveilleux, des salades et des fruits parfaits. Tout comme autrefois, si ce n'est que la sadza figure maintenant à tous les menus, et que le repas le plus courant est un steak ou un poisson frit accompagnés de sadza. Les maîtres d'écoles des environs font plusieurs kilomètres pour venir manger ici, apprécier la lumière électrique, passer des coups de fil. Pour la plupart des villageois, les hôtels des villes éloignées sont des lieux extraordinaires. Ils n'y ont jamais mis les pieds.

En 1956, j'ai roulé sur cette route, en direction du barrage de Kariba, encore en chantier, à travers une brousse qui s'est gravée dans mon esprit. Elle est pour moi l'image de ce que devrait être une forêt. De grands arbres majestueux, amples, élégants, et surtout d'une infinie diversité. Des heures durant, j'ai roulé à travers cette brousse, à la recherche d'éléphants ; j'ai vu toutes sortes de gibier et je me suis arrêtée souvent pour écouter les oiseaux. Je m'attendais, cette fois-ci, à retrouver ce dont j'avais gardé le souvenir, mais en vain. Si les arbres se dressaient encore, un arbre sur trois ou quatre avait été abattu et les souches étaient à vif ou se décomposaient. Ou tous les arbres avaient été coupés sur de grandes superficies. Ou alors chaque arbre avait perdu une branche ou deux.

« Il faut bien qu'ils mangent, dit Ayrton R. Il faut bien qu'ils se chauffent. » Il est aussi bouleversé que moi.

Nous roulons à travers cette brousse dénudée sur une grande route, puis sur une plus petite, et nous tournons et tournons encore, à chaque fois sur des sentiers plus accidentés, et passons devant des pancartes qui annoncent : « L'école secondaire du Bonheur vous souhaite la bienvenue ! », « La nouvelle école de l'Aube vous souhaite la bienvenue ! » Nous sommes maintenant dans une zone communautaire, sur un chemin sillonné d'ornières. Il reste très peu d'arbres. Nous continuons sur

223

plusieurs kilomètres, passons devant une boutique, traversons un petit pont où des femmes font leur lessive dans une mare pleine de détergent. Nous voici arrivés à l'école. Deux écoles, en fait : l'école primaire, l'école secondaire. Toutes les écoles du pays sont les mêmes, elles sont bâties sur le même modèle : des bâtiments de brique longs et bas, en forme d'appentis, parfois agrémentés d'étroites vérandas. Cet assemblage de bâtiments occupe une vaste superficie, plusieurs arpents. Il y a des arbres, la plupart entiers et non mutilés, il y a des arbustes, et même des ébauches de jardin. Si vous ne saviez pas qu'il s'agit d'une « école », vous croiriez, en les voyant, à quelque chose comme un campement militaire, à un dépôt ou à un camp d'internement, le genre d'établissements qu'il faut construire vite et à bon marché.

C'est un ami qui nous a invités, un jeune homme originaire d'Angleterre, qui a enseigné un an sous contrat, mais qui s'est porté volontaire pour faire un an de plus, avec la possibilité de remettre ça l'année suivante. Voici Jack, qui nous fait un signe de la main depuis la porte d'un minuscule appentis. Du moins ça en a l'air. La maison paraît plus petite encore à côté de la grosse Volvo. Elle se compose de deux petites pièces. Dans l'une se trouvent un lit, des crochets pour suspendre une veste ou une chemise, une étagère pour les livres ; dans l'autre, une table, un réchaud à gaz, et tout un bric-à-brac de pots, de casseroles, de cruches, de récipients, de pétrole pour lampe-tempête, de légumes, de sacs de farine de mealie, de tomates, sans oublier deux oignons. Nous sommes arrivés au beau milieu de la journée scolaire. Jack donne congé à ses élèves, met une cravate, redescend ses manches de chemise, conformément au règlement : les maîtres doivent donner l'exemple. Ayrton et moi trouvons une place au milieu de ce capharnaüm, tandis que des gens passent à l'improviste, sous divers prétextes, pour nous voir car tout le monde sait que Jack attend des « visiteurs importants de Harare, de l'université ». Ils viennent emprunter, qui une allumette, qui un verre d'eau, ou tout simplement pour dire qu'ils sont des amis de Jack. Un vrai défilé de jeunes gens, souvent très jeunes, surtout des garçons. D'aucuns sont des enseignants, mais il n'est pas facile de distinguer les maîtres des élèves.

Puis Jack reparaît et engage la conversation avec eux en

shona. Ayrton R., qui est né et qui a grandi dans ce pays, sait moins de shona que ce jeune homme au bout de quelques mois.

Les formules de salutation en shona vous font fondre d'admiration, et pâlir de honte tant les nôtres manquent d'élégance. Rien à voir avec nos « Comment allez-vous ? » ou nos « Hello ! ».

« Bon après-midi.

— Bon après-midi.

— Vous avez passé une bonne journée ?

— J'ai passé une bonne journée si vous avez passé une bonne journée.

— J'ai passé une bonne journée.

— Alors j'ai passé une bonne journée. »

Jack est maintenant capable de bavarder en shona, non pas de philosophie ou de politique, proteste-t-il aussitôt, mais de choses et d'autres, du genre : « Comment va ta sœur ? » « Comment va la santé ? » « As-tu fait tes devoirs ? »

Au crépuscule, nous nous dirigeons vers une boutique à plus d'un kilomètre de là ; sur le petit pont, à travers les arbres, les femmes continuent leur lessive. Assis sur une pierre à l'ombre d'un arbre, nous buvons du Coca-Cola et regardons les allées et venues dans la boutique et, au-dessus de nous, le soleil se couche, éclairant à contre-jour de lourds nuages noirs de ses rayons écarlates et or. Les appels des oiseaux, les voix des groupes de passants acquièrent cette tonalité lointaine et assourdie qui convient à la tombée de la nuit, et nous marchons prudemment dans les ténèbres sur le sentier de terre battue jusqu'à la maisonnette. En chemin, on nous propose des mealies verts, bien plus durs et plus vieux que ceux que l'on achèterait pour manger. Jack, qui en achète quelques-uns pour le souper, nous dit pourtant : « Si vous manquez de vivres, ne mangez pas de mealies avant qu'ils n'aient atteint leur taille maximale. » Nous allumons la lampe à pétrole, à la faible lueur de laquelle nous mangeons les mealies trop durs, et parlons de l'école. Tel directeur d'école, comme ses collègues de trois autres établissement de la région, est « suspendu » pour détournement de fonds. Il a aussi eu des relations sexuelles avec des écolières. « C'est un homme sans caractère », dit Jack. Ce diagnostic nous intéresse et nous débattons longuement des propos de Jack : veut-il dire que l'homme est dépourvu des principes que l'on attend d'un fonctionnaire dans un pays européen où existe une tradition du service public ? « Mais c'est une école conçue suivant les principes européens. Voilà ce qu'ils ont choisi. Je ne puis rien faire en dehors de ces principes, assure Jack.

— Mais ça marche pourtant bien sans ces principes, dis-je. Qu'en est-il de ces jeunes gens avec qui nous parlions ?

— Non, ça ne marche pas, ça ne marche pas du tout. Tout est sale, à l'abandon, tout le monde est démoralisé. » Et Jack est désespéré.

Nous nous lançons ensuite dans une discussion que j'ai déjà eue à maintes reprises, mais jamais dans une minuscule chambre de brique fourmillant d'insectes qui vrombissent autour de la lampe, avec des grenouilles qui s'excitent à l'extérieur. Ces idées rendent un son différent dans une maison de Harare, pas vraiment abstrait, puisque la corruption — son ampleur et son effronterie — effraie tout le monde, mais certainement pas avec un tel caractère d'urgence.

Ce qui est extraordinaire, dans tous ces détournements et ces vols, c'est que leurs auteurs paraissent incapables de concevoir qu'ils se feront prendre. Vous verrez dans un quotidien — généralement le *Chronicle* de Bulawayo, pas le *Herald,* qui est un journal conformiste : « M. X., ministre : quatre-vingt-dix-neuf chefs d'inculpation pour fraude. » Tel directeur d'école, par ici, volait de l'argent et couchait avec des écolières. Et ce pendant plusieurs mois, au vu et au su de tous.

« Tous se passe comme si quelque chose, dans leur tête, leur faisait perdre de vue les résultats normalement prévisibles de leurs méfaits, explique Jack. Si on se refuse à dire qu'ils sont timbrés — ce que, manifestement, ils ne sont pas. »

Est-ce encore une « zone grise », où les vieilles coutumes, les façons de penser se brouillent au contact des idées nouvelles, des lois nouvelles ? Sauf que dans l'ancienne société, un vol était un vol, et qu'il était sévèrement puni. Comment se fait-il que des gens sains d'esprit et intelligents se livrent à des vols sur une telle échelle, apparemment avec la conviction qu'ils sont invisibles, ou que la loi n'a pas d'œil ? « Ou, comme dit Jack, que tout le monde ne parle pas d'eux. »

Pour ce qui est des écolières, c'est facile à comprendre. Une fille de quatorze-quinze ans est jugée nubile, et donc en âge de se marier. Les jeunes professeurs couchent souvent avec les filles les plus âgées, puis les épousent.

« Mais un directeur devrait certainement donner le bon exemple ? » demande Jack. Et de répéter que le directeur est un homme sans caractère, chacun admettant que cette formule résume la conversation.

Il est maintenant sept heures et demie, presque l'heure de se mettre au lit. Jack explique qu'il est tellement épuisé en fin de journée qu'il s'endort à huit heures.

L'heure d'aller une dernière fois aux toilettes.

Le Zimbabwe sort tout juste des festivités organisées pour les cent millièmes toilettes Blair. Celles-ci ont été mises au point dans le cadre de la guerre contre les maladies que transmettent les mouches, mais aussi contre la bilharziose, l'ankylostomiase, la dysenterie.

La bilharziose évolue de la manière suivante. Peu importe à quel stade on la prend. Considérons l'instant où le serpent qui est parasité par le ver trématode l'éjecte dans l'eau de la rivière. Cet organisme pénètre alors dans la peau du baigneur ou de celui qui a lavé ses vêtements en eau douce, puis il suit son chemin jusqu'au foie, jusqu'à la vessie, jusqu'au rein ou quelque autre organe qui lui convient, et y fait des ravages. Cette maladie affecte des millions de personnes en Afrique, dans d'autres pays également. Mais l'Afrique est la plus touchée. Des gens en meurent et souffrent de toutes sortes de symptômes, et notamment de léthargie. De là vient, entre autres, l'accusation selon laquelle « les Africains sont paresseux de nature ». (Un cliché blanc du passé.) Un ami de mes parents, un fermier, un homme sec, énergique, de ceux dont on dit « qu'ils vivent sur les nerfs », est mort subitement un jour, alors qu'il était apparemment en parfaite santé. On a découvert qu'il était « truffé de bilharzies ». Quand le trématode quitte l'organe atteint, il est excrété. Et les excréments sont déposés dans la brousse — du moins l'étaient-ils encore récemment. Les pluies charrient alors les excréments jusqu'à la rivière et les bilharzies contaminent le serpent.

Il est possible de déverser du poison dans les rivières pour tuer les bilharzies, mais le poison tue bien d'autres choses encore. Qui plus est, les prochaines pluies auront tôt fait de diluer le poison et de le rendre inefficace. C'est cher d'empoisonner une rivière. Ça l'est beaucoup moins de traiter une personne atteinte

227

de bilharziose. Naguère, les traitements étaient longs, douloureux et compliqués, mais la chose est plus facile désormais. Pourtant, mieux vaut, et de loin, ne pas contracter la maladie. Mieux vaut, et de loin, que tous les villageois prennent l'habitude d'aller aux toilettes et non pas dans la brousse. Les toilettes Blair ont été conçues par l'un de ces vrais bienfaiteurs de l'humanité, dont on ne chantera jamais assez les louanges : leur installation dans les villages du Zimbabwe se fait à grand renfort de campagnes de propagande sur les mœurs des bilharzies et toutes les autres sales maladies qui affligent l'Afrique. Ainsi peut-on se retrouver en compagnie d'une écolière au fin fond de la brousse, engagée dans une discussion qui ferait honneur à un jeune médecin en Angleterre. « Voyez-vous, m'expliqua l'une d'elles, ce n'est pas parce que vous ne voyez rien qu'il n'y a rien. Il faut toujours se laver les mains. » Puis elle se mit à psalmodier : « Lavez-vous les mains, servez-vous du savon. Lavez-vous les mains avant de manger. »

Les toilettes Blair reposent sur les préférences avérées des mouches qui sont porteuses de si nombreuses maladies. Les mouches préfèrent la lumière à l'obscurité. Les toilettes consistent en un tout petit trou percé dans le sol de ciment, au-dessus de ce qu'on appelle « une longue chute ». Le trou en question mesure peut-être vingt centimètres sur dix ou douze centimètres. Un autre orifice, plus grand, bien éclairé, est aménagé à l'extérieur. Attirées par l'odeur, les mouches s'enfoncent dans l'obscurité, puis essaient de s'échapper par la sortie bien éclairée, qui est pourvue d'une grille. Elles y meurent. Elles meurent par myriades. Grâce à cette idée simple, les maladies transmises par les mouches se font plus rares dans les villages où on a construit des toilettes Blair.

Se servir de la chose n'est pas si facile que ça. Elle consiste en deux alvéoles de ciment, l'une pour les hommes, l'autre pour les femmes. Une lampe-tempête dans une main, un rouleau de papier dans l'autre, je m'achemine sur la terre battue jusqu'aux toilettes. Sur les marches se tiennent des biques, qu'il faut éloigner de quelques coups de talon. Il s'agit d'aller le plus vite possible, parce que les lampes attirent les phalènes, les insectes, les chauves-souris. Le trou est tellement petit qu'il faut prendre soin de bien viser. Les hommes, me suis-je laissé dire, ont du mal. Ici, aller aux cabinets n'est pas une chose que l'on entreprend sans bonne raison.

Au grand air, je suis sur le sentier qui donne sur la maisonnette, dont une fenêtre répand une lumière pâle. La lampe-tempête est à mes pieds. Je regarde les étoiles, car il est dur de le faire à Harare, où les éclairages publics sont trop puissants et où l'air est pollué. Les étoiles apparaissent et disparaissent tandis que les nuages défilent. Il fait très froid. Très humide. La lumière a attiré quelques grenouilles qui se pressent et se bousculent contre le verre. D'autres grenouilles sautillent frénétiquement sur le sentier pour les rejoindre. Elles ont l'air folles. Folles de curiosité ? Je prends la lampe et, d'un pas délicat à travers les grenouilles hystériques, je rentre. Ayrton R. a un lit dans une autre maison. Je dors dans le lit de Jack. Jack couche par terre au milieu de ses ustensiles de cuisine. Un moustique tente sa chance. Il est bruyant. Ce sont les femelles qui sont dangereuses, et elles sont silencieuses. Mon sang est gorgé de poisons contre la malaria, aussi je ne m'en fais pas. Je ne m'en fais pas parce qu'on ne m'a pas encore expliqué que la malaria est retorse et s'adapte de manière à déjouer les poisons : plus tard, j'ai fait la connaissance de plusieurs personnes qui avaient contracté la malaria malgré la prise régulière de deux espèces de comprimés. Par deux fois, Jack et moi nous levons pour chasser une chauve-souris envahissante qui a décidé que cette forme de murs et de toiture avait toutes les apparences d'une grotte et ferait un domicile parfait. Nous bouchons le trou par lequel elle est entrée. J'essaie de lire un livre de poche que j'ai apporté, des histoires d'adultères dans une maison de campagne du Wiltshire, mais tout cela me paraît bien lointain. En outre, je sais que la lueur de ma bougie attirera sous peu d'autres visiteurs. La pluie se met à crépiter sur la toiture de tôle. Les grenouilles exultent. Je dors. Il n'est pas encore neuf heures.

A cinq heures, nous sommes réveillés. Dehors, le temps est gris et froid. Pendant que le thé infuse, je porte un seau d'eau froide à l'endroit où l'on doit se laver. A l'arrière de la maisonnette, un mur arrondi délimite un petit espace au sol recouvert de ciment. On se déshabille et on suspend ses habits en haut du mur. On se savonne, nu et frissonnant, en se disant que ça doit être bien agréable par temps chaud. On s'asperge d'eau froide. L'eau s'écoule par un trou percé au pied du mur. Déjà familière d'une culture où l'eau est précieuse, je m'inquiète que cette eau aille se perdre dans la terre. Ne devrait-on pas la récupérer pour en arroser quelque chose ? De retour à l'intérieur, je prends le thé et j'apprends, soulagée, que l'eau ne vient pas de la mare sous le pont, où pullulent probablement les bilharzies, mais d'un puits distant de plus d'un kilomètre, présumé pur. Le large sourire de Jack admet qu'il n'est pas certain non plus de la pureté de l'eau. Le puits, la petite rivière sont les deux sources d'eau de l'école, avec ses centaines d'habitués, et du village. Bien en vue sur une petite éminence, protégé par des arbres, un réservoir d'eau est censé pomper l'eau du puits, mais il y a quelque chose qui ne va pas, probablement la soupape ; en tout cas, il ne marche pas et cela fait des mois que ce réservoir est à sec.

Ayrton R. arrive de son logement, situé à huit cents mètres de là, et fait observer que si les agences de l'Aide avaient tant soit peu le sens des priorités, elles enverraient des équipes d'ingénieurs dans les écoles, les points de croissance, les dispensaires, pour réparer des choses aussi simples que des soupapes, que personne ne prend la peine de remettre en état. Ils pourraient former des jeunes qui apprendraient à arranger une soupape, un robinet, une conduite percée.

« L'ennui, c'est que tous ces pauvres gosses, dans toutes les écoles du Zimbabwe, ont décrété que seul l'enseignement littéraire valait quelque chose. Où trouve-t-on l'ultime bastion voué au respect des humanités ? Certainement pas dans la Grande-Bretagne de Mme Thatcher ! Non, dans la brousse, où des générations de gosses noirs ont décrété qu'ils sont trop bons pour être ingénieurs ou électriciens, et préparent des diplômes d'anglais, auxquels la plupart échouent.

— Absolument. C'est là que sévit le mépris de l'aristocratie anglaise pour les gens qui travaillent de leurs mains : ingénieurs et techniciens. Ici, dans les écoles comme celle-ci. Vous croyez que les derniers rejetons de cette caste décadente qui disaient en Angleterre : " Je ne puis l'inviter à dîner, il est dans le commerce ! " ou " je ne puis laisser Angela épouser cet homme-là, il n'est qu'ingénieur " auraient pu imaginer que, cinquante ans plus tard, on trouverait des gosses noirs perdus au fin fond de la brousse, à plusieurs centaines de kilomètres de Harare, répugnant à se salir les mains avec un travail manuel ? Reconnaîtraient-ils leurs héritiers ?

— Un jour, j'étais dans un bureau à Harare. Une volontaire américaine était en train d'expliquer que l'enseignement que l'on donnait aux enfants était inadapté : à quoi ça rimait de leur faire ingurgiter les programmes anglais, avec des manuels faits pour l'Europe ? Ce qu'il leur fallait, c'était un bon enseignement technique de base. Une Noire qui attendait son tour s'en prit furieusement à elle. " Vous, les Blancs, vous êtes bien tous les mêmes. Vous ne voulez pas que nos enfants reçoivent un véritable enseignement. Oh non, ça, c'est pour vos enfants. Nous, nous voulons un bon enseignement pour nos enfants, exactement le même que pour les vôtres. "

— Nous y voilà, une aristocrate ! Croyez-vous qu'elle reconnaîtrait ses ancêtres ? »

Cette conversation nous divertit tout au long d'un petit déjeuner fait de semoule et de thé.

Jack s'éloigna en direction de la salle de classe, où il était attendu pour sept heures trente. Il fit observer que la plupart de ses élèves étaient levés dès quatre heures trente, cinq heures au plus tard. Les filles seraient allées chercher de l'eau, elles auraient coupé du bois, préparé la bouillie, servant les garçons aussi bien que leurs aînés. D'aucuns avaient dû parcourir sept ou huit kilomètres à travers la brousse pour rejoindre l'école. La plupart n'apportent pas de casse-croûte à l'école. Il est courant que des élèves s'évanouissent, par manque de nourriture. C'est également vrai des petits de l'école primaire, qui tiennent parfois jusqu'à quatre heures de l'après-midi sans rien à manger ni même à boire. Trouver de l'eau veut dire un bon kilomètre de marche jusqu'au puits et, assez bizarrement, l'énergie leur manque.

Une fois Jack parti, en nous donnant pour consigne de venir à telle ou telle heure voir ses élèves, Ayrton R. décrit la chambre où il a passé la nuit. C'est la chambre d'un autre enseignant expatrié, actuellement en vacances en Grande-Bretagne. On dirait une capsule hors du temps, car les murs sont couverts d'affiches du Mouvement pour le désarmement nucléaire, de Greenpeace et de portraits de héros comme Che Guevara et Castro : le stéréotype « progressiste » d'il y a cinq ans.

Inspirés par la rhétorique du Zimbabwe marxiste, des foules

de jeunes enseignants sont arrivés dans les écoles de la brousse et y ont perdu leurs illusions. Pour faire leur travail, ils doivent oublier les idéaux qui les ont conduits ici. La rue la plus pauvre de la ville britannique la plus pauvre paraîtrait pleine de richesses et d'opportunités aux yeux du premier Zimbabwéen venu, dit-on en plaisantant.

« Vous voyez un peu la folie ? demande Ayrton R. Il n'y a pas une seule école en Grande-Bretagne qui ne possède une télévision, un ordinateur, un téléphone, un fax, une photocopieuse et une bibliothèque. Pas un seul enfant qui ne regarde la télévision, qui n'aille au cinéma, qui ne visite les musées et, probablement, ne voyage en France ou en Italie. Dans les écoles comme celle-ci, il y a des classes où les maîtres n'ont aucune formation, où les manuels manquent. Voilà où l'on en est. »

Certains enseignants expatriés rentrent au pays à l'expiration de leurs contrats, voire plus tôt en prétextant une quelconque maladie. Les diverses organisations, religieuses ou autres, dressent leurs jeunes recrues en les gardant deux mois à Harare. Mais à Harare, explique Jack, rien ne peut vous préparer aux réalités d'une école comme celle-ci. Jack lui-même est tombé mystérieusement malade quatre mois après son arrivée et a dû garder le lit. Il a eu le plus grand mal à retourner travailler. Il est issu d'une bonne famille des comtés avoisinant Londres, et il a enseigné dans les écoles londoniennes. L'épreuve lui avait semblé rude à l'époque.

Jack nous a dit de fermer la porte : peut-être pensions-nous qu'il n'y avait rien à voler. Nous marchâmes à travers la brousse en direction des écoles, en passant devant le réservoir d'eau hors service, puis à travers l'école des petits, dont les bâtiments longs et bas étaient tellement grouillants de bambins qu'on eût dit qu'il en sortait par les fenêtres. Des biques vinrent nous examiner de plus près. Il y avait partout des flaques d'eau, et le ciel gris menaçait. Nous quittâmes la petite école par-derrière et traversâmes une brousse rabougrie et clairsemée, chacun attirant l'attention de l'autre sur une·orchidée ou un papillon : ces temps-ci, ils ne passent pas inaperçus. Puis un petit cours d'eau, et un sentier qui grimpe jusqu'à une nouvelle clôture renforcée. A l'extérieur s'agite une vache indignée. Elle a l'habitude d'emprunter ce chemin, mais voici que maintenant, pour une raison qu'elle ne comprend pas, il y a cette clôture, destinée à leur barrer le passage, à elle et à ses congénères. Elle attend là, parfois des heures durant, dans l'espoir qu'un étourdi laissera la barrière ouverte. Nous trouvons Jack dans une salle de classe de l'un des longs bâtiments en forme de baraquements. Il donne un cours à des jeunes gens qui viennent de passer le certificat d'études. Certains n'ont pas moins de vingt ans. Ils donnent l'impression de déborder d'énergie, de vigueur et de confiance. Ils ressemblent à n'importe quel groupe de jeunes Zimbabwéens : ils sont grands, forts, resplendissants de santé.

Ayrton R. et moi prenons place à l'un des pupitres, observant Jack qui achève son cours. La salle de classe : deux carreaux de cassés. Les fenêtres sont sales. Un chevron est lézardé. Le sol est recouvert de trois ou quatre centimètres de poussière et de détritus. N'étaient les gens bien vivants qui s'y trouvent, on pourrait croire la pièce à l'abandon.

J'observe en moi la naissance de ce que l'on appelle, d'un mot peu aimable, l' « africanisation ». Eh bien, me dis-je, avec un pareil climat, il n'est pas vraiment nécessaire de fermer les fenêtres. Quant au chevron, rien de plus facile que de passer autour un bout de fil de fer. Le sol ? Quel besoin d'un plancher propre pour donner des cours ? Les vitres sales ? Et alors !

Ayrton R. est malheureux. « Il n'y a pas de directeur, voyez-vous. On repère au premier coup d'œil une école qui a un mauvais directeur. J'en ai vu assez. »

Jack prie deux élèves de nous conduire à la porte à côté et de nous faire voir la bibliothèque. Son orgueil et sa joie. C'est lui qui l'a créée. Il n'y avait pas la moindre bibliothèque. Pas le moindre argent pour les livres parce que le directeur volait l'argent.

La bibliothèque est une pièce étroite, pareille à un large couloir, et compte trois cents livres peut-être. Des manuels périmés. Des romans donnés par des âmes généreuses ou par ceux qui ont sauté le pas, essentiellement les romans dont se régalent les nostalgiques de la vieille Angleterre d'antan :

Édith se tenait à la fenêtre et, par-delà les buddleias, regardait la route par où Geoffrey allait venir. Elle avait sorti sa bouteille de sherry, mais peut-être voudrait-il plutôt du whisky ? Où était sa bouteille de whisky ? Elle n'avait pas eu l'occasion d'en offrir depuis Noël dernier, quand son frère qui vivait en Inde était venu la voir pendant les vacances. Elle finit par retrouver la bouteille de whisky reléguée au fond de l'étagère où elle rangeait ses instruments de jardinage, les insecticides également, elle en avait bien peur. Vraiment, elle devrait faire plus attention ! De retour à sa fenêtre, elle commença à se préoccuper du souper. Il faisait assez chaud cet après-midi, au moins dix-neuf degrés, elle en était sûre. Elle avait pensé à un steak et à un pâté de rognons. Mais peut-être serait-ce trop lourd ? Au moment même où elle se décidait à ouvrir une conserve de saumon, elle aperçut Geoffrey sur la route. Il était à bicyclette. Oh, le pauvre ! Il devait avoir si chaud, il devait être si fatigué...

Il y avait quelques volumes redoutables, don d'une fondation américaine, des volumes si lourds que c'est à peine si on pouvait les soulever, des recueils de textes littéraires, historiques et autres, que l'on aurait crus faits exprès pour décourager les lecteurs. Les livres qui sont ici, et qui sont lus, sont ceux d'écrivains africains et d'une poignée d'auteurs américains. Un survol des livres que lisent les enseignants a fait apparaître que le seul qui lisait pour son plaisir aimait Chinua Achebe et Frederick Forsyth. La distinction entre la « bonne » et la « mauvaise » littérature ne signifie pas grand-chose, quand il est question d'amener les gens à la lecture. Cette pièce pathétique, presque nue, m'a fait comprendre que la seule chose nécessaire était des histoires sur les différentes parties du monde, expliquant les modes de vie, les religions, les idées des autres. Ces enfants (bien que beaucoup soient déjà des adultes) peinent sur des livres de référence trop difficiles pour eux. Trop difficiles pour la plupart d'entre eux : il y a toujours un esprit rare perdu au fond d'un village isolé de tout, qui lira Tolstoï, Hardy ou Steinbeck. Tolstoï, du temps où il dirigeait sa merveilleuse école villageoise, évoquait la nécessité d'histoires simples, informatives. Il est étonnant de voir à quel point l'expérience russe vaut pour l'Afrique.

Tous les élèves aiment Enid Blyton.

Jack a appris aux enfants à gérer une bibliothèque, à l'aide de ces quelques volumes et d'un cahier de brouillon où sont répertoriés les livres empruntés : les élèves remplissent à tour de rôle la fonction de bibliothécaire. Il est exclu d'emporter les livres chez soi. A quoi bon ? Les devoirs du soir se font ici, à l'école, avant le trajet du retour, qui peut être long. Quand les enfants rentrent chez eux, la nuit est tombée ou presque. On attend d'eux qu'ils donnent un coup de main, surtout les filles : le bois à couper, l'eau à aller chercher, la cuisine à préparer. Dans le meilleur des cas, les cabanes sont éclairées par une simple bougie ou par une lampe à huile, mais en règle générale la famille entière se rassemble à la lueur d'un feu central. Pas facile de faire ses devoirs ou même de lire un livre. Les adultes sont pour la plupart illettrés ou n'ont fréquenté que quatre ou cinq ans l'école de la brousse. Ils désirent ardemment que leurs enfants fassent des études, mais ils ont si peu d'expérience qu'ils ne savent comment les aider.

Les parents de ces villages sont encore proches de l'agriculture de subsistance et cela leur coûte trente livres par an d'envoyer un enfant à l'école secondaire, de payer les uniformes et les manuels. S'ils ont plusieurs enfants à l'école, le fardeau est tel qu'ils doivent souvent se serrer la ceinture et sacrifier leur habillement.

Nous demandons à Jack combien, parmi ces jeunes gens enthousiastes, décrocheront leur certificat d'études.

« A mon avis, pas beaucoup. » Il est gêné et s'en excuse pour eux. « Je ne crois pas que vous compreniez... dans une épreuve conçue en Grande-Bretagne, par exemple, l'une des questions comportait le mot *shutter*. Ces gens n'ont pas de volets. Le mot désigne aussi l'obturateur d'un appareil photographique. La plupart d'entre eux n'en ont même jamais vu, encore moins utilisé un. »

Ayrton et moi sommes priés de prendre la parole devant cette classe du niveau du certificat. Notre visite est un événement, et pas à cause de la présence de l'auteur que voici, loin de là. La star, c'est Ayrton R., de l'université du Zimbabwe, le royaume de ceux à qui la fortune sourit. Ici, avec leur premier ou leur second certificat d'études — un seul possède son baccalauréat —, les maîtres en rêvent... plus un lieu est lointain, inaccessible, plus il paraît sujet, dans l'imagination, aux caprices du hasard. Il n'est pas facile de s'imaginer soudain transporté dans le collège qui forme les maîtres à deux cent quarante kilomètres de là : il faudrait le nombre requis de certificats, mais l'université du Zimbabwe — *qui sait ?* — ça pourrait arriver, d'une manière ou d'une autre, un jour, quelque part.

Quant aux enfants qui sont ici, ils n'ont pas encore reçu leurs résultats, et l'université du Zimbabwe fait toujours partie du paysage de leurs rêves.

Ayrton R. parle le premier. A l'écouter, je comprends que je ne suis pas au bout de mes peines. Il est émouvant, convaincant, il a derrière lui l'expérience d'un homme qui s'est adressé à de multiples groupes d'élèves, de tous les niveaux. Il fait une déclaration... une suggestion... avance une idée ; un silence profond s'installe, l'auditoire est décontenancé ; l'idée n'est pas passée. Il reformule son propos, essaie encore. L'ennui, c'est que la langue qu'il emploie, les mots, n'éveille aucun écho dans l'esprit des auditeurs. Autrement dit, c'est d'un véritable fossé culturel qu'on a ici l'exemple. A la fin, tâchant de leur donner un peu d'espoir, il dit qu'il ne faut ni désespérer ni renoncer s'ils n'obtiennent pas leurs certificats, car il y a des écoles techniques et ce pays a besoin de techniciens. Leur silence est poli, certes, mais lourd de chagrin, de déception.

C'est mon tour. J'ai pris la parole devant toutes sortes de publics, dans quantité de pays, y compris dans certains qui sont déshérités, comme on dit. Ce n'est pas la première fois que j'explique à des jeunes gens qui ne mettront jamais les pieds à l'université que d'autres portes leur sont ouvertes, et que personne ne peut les empêcher d'apprendre s'ils en ont l'envie. Avec une bibliothèque et peut-être un adulte bienveillant pour les conseiller, il n'est rien au monde qu'ils ne puissent étudier. Une bonne bibliothèque — ai-je coutume de dire, en rappelant aux gens notre remarquable héritage — est un trésor, qui pour nous va de soi. Enfant, on peut dénicher un livre, tout à fait par hasard, et y trouver un monde parallèle à celui dans lequel on vit, un monde qui réserve plein d'ébahissements, de surprises et de délices ; on peut assouvir n'importe quelle curiosité à travers les pays et les cultures, fouiller l'histoire et sonder l'avenir ; on peut épuiser un sujet puis se tourner vers un autre ; ou bien, en feuilletant des livres, découvrir un domaine dont on n'avait jamais soupçonné l'existence, et se mettre à creuser, sans savoir au début ou tout cela va nous mener. Avec une bibliothèque, on est libre, soustrait aux climats politiques éminemment temporaires. C'est la plus démocratique des institutions parce que personne — absolument personne — ne peut vous dire quoi lire, ni quand, ni comment.

Le seul point faible de cette exhortation, qui — je dois dire —

a engagé ces jeunes gens dans toutes sortes d'explorations, c'est qu'il n'y a pas de bibliothèque digne de ce nom à moins de cinq cents kilomètres à la ronde. Ainsi fus-je incapable de débiter plus que quelques phrases, tandis qu'ils se disaient : « Eh bien, nous avons une bibliothèque, n'est-ce pas ? »

Puis je me mis à raconter comment on devient écrivain, puisque j'ai appris que partout, dans tout public, il y a toujours des gens qui écrivent des romans, ou veulent en écrire. Ce discours passa mieux parce qu'il y avait bel et bien là un homme qui écrivait, un enseignant d'une autre école, à quelques kilomètres de là.

« Ça n'a pas d'importance, déclara Jack par la suite. Ce qui compte, c'est que quelqu'un ait jugé qu'il valait la peine de venir leur parler. Personne ne fait attention à eux, vous savez. » Et il entreprit de nous raconter la visite de « l'un de ces gros pleins de soupe de Harare, un inspecteur ».

Jack jubilait, espérant qu'il allait mettre le doigt sur les insuffisances du directeur négligent. Des jours durant, les élèves se préparèrent au grand événement : un visiteur venu de Harare. « Mais il a fait le tour de l'école au pas de course, ne s'est jamais attardé dans une classe plus d'une minute ; dans certaines il n'a même pas pris le temps de s'asseoir. Il n'a même pas remarqué qu'on manquait de manuels, il n'a pas posé de questions. Puis avant de partir, il a dit qu'il fallait retirer la corde à linge pour la mettre ailleurs. Les enseignants s'exécutèrent docilement et la remirent dès qu'il eut le dos tourné. Sur ce, il s'en alla, suant à grosses gouttes dans son costume trois-pièces. »

« Il y a trois étapes obligées pour qui veut fuir la réserve, observe Ayrton R. Bon, d'accord, une zone communautaire. D'abord une cravate. Puis une veste. Et enfin, le costume trois-pièces. Après, ça y est. Vous êtes à jamais libéré de la brousse. »

Nous rentrons. Contrariée par la clôture, la vache se tient devant la vitrine d'une boutique. Dans la vitre, elle voit une autre vache qui agite ses cornes, et la regarde de haut. La vache ne sait pas trop si elle doit passer carrément les cornes par la vitre. Quelques gamins la regardent. Ils s'amusent de voir la vache ainsi abusée. Jack les appelle et, tous ensemble, ils éloignent la vache de sa menaçante rivale et la persuadent de retourner vers le réservoir d'eau où se trouve un coin d'herbe fraîche. La vache va, mais se retourne vers la vitrine où elle a vu l'autre vache qui, se dit-elle sans doute, pourrait bien décider de lui donner la chasse.

Sur le terrain de jeu de l'école des petits, les enfants s'accroupissent par terre, ils jouent à un jeu qui ressemble aux dames, avec des pierres lisses disposées dans des trous à même le sol. Ils se pressent jusqu'au fil du terrain de jeu pour nous regarder, riant et faisant de grands gestes de la main, ravis par la vache.

Il est midi. Encore quatre ou cinq heures avant qu'ils avalent quelque chose.

Dans la cabane de Jack, nous mangeâmes du pain et du hareng en conserve, avec le sentiment d'être des sybarites. Les enseignants et élèves se succédaient sans fin. Ce dont ils avaient besoin, c'était de voir Ayrton R., de respirer le même air que lui, de se rapprocher de cet insaisissable paradis qu'est l'université du Zimbabwe.

Dans l'après-midi, nous fîmes une longue balade à travers la brousse, qui bientôt ne serait plus la brousse. Les champs étaient à tous les stades de préparation. Dans certains, les souches se dressaient sur la terre nue ; ailleurs, les chicots se consumaient lentement. Certains champs avaient été défrichés, mais n'étaient pas labourés. De nombreux arbres marqués d'un cercle étaient promis à l'abattage. Et dans la brousse qui ressemblait encore à la brousse, il n'était pas d'arbre qui n'eût de branche coupée.

La population du Zimbabwe va tripler d'ici l'an 2010. C'est-à-dire en vingt ans. Un tel chiffre a quelque chose qui défie l'entendement.

« Planter des arbres, nous devons tous planter des arbres », recommande le camarade Mugabe, cultivant des espoirs qui doivent souvent paraître vains face à cette brousse en décrépitude. Et ils plantent des arbres, des kilomètres de gommiers bleus à croissance rapide, des arbres que tout le monde déteste autant que nous haïssons les plantations de conifères qui défigurent la Grande-Bretagne. L'ennui, c'est que les beaux arbres indigènes poussent si lentement.

Les champignons proliféraient par milliers le long de la route. Les gens du pays disent qu'ils sont vénéneux et ont prévenu Jack de ne pas en manger. Il a répondu qu'on mangeait ces champignons dans d'autres régions du pays. Mais ils n'ont pas été convaincus et attendent — dit Jack — sa mort certaine.

Quand le soleil fut tombé, nous soupâmes de pain et de champignons, puis nous voulûmes écouter la radio. Elle ne marchait pas. Il n'y a pas de radio à l'école ? Si, l'autre professeur en a une, mais il n'est pas ici. Le problème, c'est qu'il est difficile de trouver des piles : pour la plupart des Africains, elles sont hors de prix.

Dans cette école et dans l'autre, à une trentaine de kilomètres de là, il n'y a ni électricité, ni téléphone, ni poste de radio sur quoi on puisse compter. Sur la voie de la civilisation, on ne trouve rien avant l'hôtel où nous avons déjeuné, à quatre-vingts kilomètres d'ici. Lorsque Jack veut appeler sa famille en Angleterre, il prend le bus jusqu'à l'hôtel et y passe la nuit, savourant l'électricité, l'eau pure et un repas décent. Mais souvent les lignes sont coupées, ou la liaison est mauvaise, et il rentre sans avoir pu joindre l'Angleterre.

Son courrier arrive dans la petite ville où se trouve l'hôtel. Il demande aux amis de lui envoyer des livres pour la bibliothèque scolaire, ce que nous faisons. Les postes du Zimbabwe n'encouragent guère l'intérêt pour la littérature. Pour tout paquet de livres d'une valeur supérieure à dix livres, il faut payer une taxe. Si les amis d'Angleterre sont assez étourdis pour expédier en même temps deux paquets, tous deux au-dessous de la limite des dix livres, les zélés fonctionnaires des douanes attachent les deux paquets l'un à l'autre et vous taxent comme s'il s'agissait d'un seul paquet. Jack, toujours charitable, dit qu'à son avis les fonctionnaires ont du mal à se nourrir, eux et leurs familles — comme ici les professeurs. Jack n'a pas un sou vaillant en poche parce qu'il « prête » son argent aux professeurs. Il a même prêté pas mal au directeur : l'homme sans caractère.

Demain est le dernier jour du trimestre, et il n'y a pas classe. Certains élèves, parmi les plus grands, plantent du maïs : l'agriculture est au programme de cette école. Les élèves forment des bandes aux jambes nues, envahissent un champ par dizaines à la fois, jettent les graines de maïs dans les trous disposés en ligne à l'aide de ficelles tendues entre deux piquets. Ils adorent ce travail, et ils chantent et dansent même à la lisière des champs. Jack travaille avec eux. Les autres maîtres, dit-il, ont trop de valeur à leurs propres yeux pour travailler aux champs, mais lui est blanc et a droit à quelques excentricités. Le professeur qui porte le titre d'instructeur agricole ne savait pas planter le maïs, et il a demandé à Jack, qui ne savait pas non plus, mais qui a trouvé. La récolte de l'an passé avait été mal stockée, à cause de l'incurie du directeur, et les choses se sont mal passées. Elle est encore là, envahie par les charançons, dans un hangar.

Deux fêtes de fin de trimestre se préparaient. Le repas des sixièmes serait un ragoût de chèvre accompagné de sadza. On avait déjà tué l'animal, dont les membres découpés formaient des amas sanguinolents sur le sol. Les bons morceaux étaient déjà en train de mijoter. Les troisièmes avaient droit à mieux : du pain blanc, un festin. Jack en avait commandé vingt miches au magasin. On les mangerait sans beurre ni confiture. Quand les parents d'un élève l'invitaient à souper, on lui offrait du pain blanc et du thé et ils disaient : « Nous sommes pauvres, nous n'avons pas les moyens d'acheter de la margarine. »

Avant de partir, nous voulûmes visiter le dispensaire, mais il était fermé. L'un des enseignants dit amèrement qu'il n'y avait rien d'autre que des comprimés contre la malaria et de l'aspirine. S'excusant d'un sourire, un autre dit qu'il ne fallait pas l'écouter : il exagérait, nous devions comprendre qu'ils étaient tous un peu tristes parce que c'était la fin du trimestre. Un médecin venait à l'école une fois par mois. Quand il y avait un accident ou que quelqu'un tombait vraiment malade, on le conduisait à l'hôpital. N'oubliez pas, surtout, qu'il n'y a pas si longtemps, il n'y avait même pas de dispensaire.

Il nous en coûta de dire au revoir à Jack. Mais nous avions compris, alors, que c'était lui qui dirigeait cette école — ou tout au moins essayait de le faire. La véritable autorité, c'était la sienne. Une position impossible, car personne ne pouvait l'admettre : pas plus lui que les autres maîtres.

Nous nous éloignâmes sous un ciel froid, en direction de l'hôtel, et la salle à manger nous parut gratuitement, inutilement spacieuse après les minuscules pièces de la maison de Jack. Nous mangeâmes de la viande froide et de la salade, une tarte aux pommes et de la crème glacée, au milieu de Noirs, essentiellement des hommes d'affaires du pays, des boutiquiers et des chefs, tous assez chanceux pour ne pas être dans une école de la brousse sans guère d'espoir d'en sortir. Nous nous disions — bien sûr — que l'éclairage électrique, les toilettes propres, le téléphone et l'eau courante n'allaient pas de soi ; il ne fallait pas oublier que nous avions tous deux grandi dans la brousse, dans des maisons où il n'y avait ni électricité ni eau courante ni toilettes intérieures. Nous étions en proie à ce sentiment de division, à cette incrédulité anxieuse qui accompagne le passage trop rapide de la pauvreté absolue aux agréments de l'hôtel d'une petite ville de province qui doit son importance à sa position sur la route du nord, vers la Zambie.

Puis nous rendîmes visite à une femme chargée de recruter et de superviser des enseignants en Amérique et en Europe. « Vous seriez surpris de voir le nombre de directeurs qui tournent mal », nous dit-elle. Nous lui racontâmes une blague qui avait beaucoup de succès : « Quel est le métier le plus dangereux au Zimbabwe par les temps qui courent ? » Réponse : « Directeur d'école. Vous aurez de la chance si vous vous en tirez avec cinq ans. » (C'était un professeur de Harare qui nous l'avait racontée, quand il avait su que nous allions visiter une école secondaire.) Elle expliqua que lorsqu'un directeur « tourne mal », ce sont souvent des jeunes gens, des Britanniques, des Suédois, des Allemands, qui dirigent son école, mais elle leur dit : « Surtout n'en faites rien. Faites ce qu'on attend de vous, et rien de plus : vous ne rendez pas service à ces gens en assumant toutes les responsabilités. Tout va à vau-l'eau ? Il faudra bien à un moment ou à un autre que l'un d'eux fasse front. » Elle ajouta qu'il est très difficile aux jeunes gens pleins d'idéalisme de rester les bras croisés en voyant les choses se décomposer quand ils ont toutes les qualités pour s'en occuper. Elle leur dit : « N'oubliez pas que du jour où vous êtes né, vous avez assimilé toutes les techniques du monde moderne — vous les avez acquises sans même le savoir. Pas eux. Comment croyez-vous qu'ils vont apprendre si vous faites tout à leur place ? »

Un des chefs venait juste de prononcer un discours expliquant que les enseignants expatriés devraient tous être renvoyés chez eux — on n'avait pas besoin d'eux ici. Qu'en pensait-elle ? lui demandâmes-nous.

« Si ce genre de choses vous dérange, votre place n'est pas au Zimbabwe, répondit cette femme à poigne. N'importe comment, la moitié de leurs discours sont destinés à la consommation populaire. »

Nous sommes repartis avec des exemplaires de la revue

scolaire que Jack a lancée : il n'y en avait pas quand il est arrivé. Il a enseigné aux élèves les plus âgés les rudiments du journalisme et de la mise en pages, il les a emmenés en voyage à Harare — à ses frais — pour visiter des ateliers d'imprimerie et des bureaux de presse.

Grâce à Jack, une cinquantaine de ces jeunes gens peuvent prétendre connaître au moins le B-A-BA de la fabrication d'un journal.

Voici un poème composé par l'une des élèves les plus brillantes, qui a réussi, malgré des difficultés, à trouver une place et assez de lumière pour étudier, voire pour lire. Son père a trois femmes, sa mère étant la plus âgée. Il y a vingt enfants. Elle est la septième sur huit. Sa famille place de grands espoirs en elle. Elle a un frère de trente ans qui enseigne à l'école primaire.

Et après, chers frères et sœurs ?
Jamais je n'oublierai le jour où je suis allée à Kapfunde.
Je débordais d'amour et de joie pour la belle école.
D'heureux étudiants applaudirent notre arrivée.
On nous réserva un accueil chaleureux.
J'avais peine à croire que j'étais enfin à Kapfunde.
Quand je pense à quitter Kapfunde,
Où règne l'harmonie entre les élèves et les maîtres,
Je sens toutes mes forces me quitter.
La seule idée de quitter Kapfunde m'est insupportable,
Mais il n'y a rien à faire.
L'heure de se séparer des amis et des maîtres de Kapfunde
    approche.
Mais le problème est de savoir où, en troisième ?
Nous avons savouré toutes les activités,
Chaque bribe de nourriture à Kapfunde.
Nous y avons passé quatre ans.
Mais tôt ou tard, le problème se posera.
Le problème est de savoir où aller ensuite, que faire,
Allez-vous rester derrière le pupitre du maître,
Ou quelque part dans les rues, la troisième, pensez-y,
Un jour vous hanterez les rues, vous rôderez,
Errant à la recherche d'un travail.
Adieu, maîtres et élèves de Kapfunde,
Je sais gré des bons moments que nous avons partagés,

Vous les élèves, que Kapfunde continue à vivre en vous,
Soyez fiers de votre belle école.
Mais la troisième, après Kapfunde, où ?

(Par la camarade Ruth Chakamanga)

Cette fille a présenté six certificats. Elle en a réussi deux. Elle a été la deuxième au classement général des filles. Elle a eu un A en shona. Elle a réussi en mathématiques, l'examen le plus difficile. Elle a échoué en anglais. Elle s'est représentée plus tard et elle est maintenant dans une école de formation d'enseignants.

Plus de quatre-vingts élèves ont présenté l'examen d'anglais, seuls six ont été reçus. Mais l'an passé tout le monde avait été recalé.

Au Zimbabwe, aujourd'hui, il faut cinq certificats pour trouver du travail. Avec trois, on peut suivre une formation d'infirmière.

Voici une lettre extraite de la revue de l'école :

> Chers rédacteurs en chef,
>
> J'ai un problème avec nos manuels. Je crois que tous les élèves de l'école ont payé cent vingt livres mais je me suis rendu compte que pendant les cours nous partageons toujours les manuels. Alors où va notre argent ? Est-ce à dire que l'argent que nous versons ne suffit pas à acheter les livres ? J'ai remarqué que c'est un grand handicap, en troisième, de devoir se partager un livre à sept. Comme c'est nous qui payons les droits d'inscription, nous devrions avoir un manuel par personne pour que chacun puisse en faire son profit.

Et

Un repas désastreux

Les caprices du temps créent des extrêmes, des périodes où la nourriture abondera, d'autres où il y en aura moins, ou pas du tout. Cela vaut tout particulièrement pour les condiments. Les condiments ne manquent pas dans les herbes d'été, la muboora et l'okra connu sous le nom de déréré. C'était l'été, il pleuvait toujours et les gens commençaient à craindre que les pluies ne s'arrêtent jamais. Enfin, la pluie cessa. La muboora et le déréré étaient immangeables. Tout était crasseux et trempé. Il nous fallait choisir : ou nous passer de sadza ou penser à autre chose. Pour nous, ça allait de soi : trouver autre chose. Nous n'avions qu'à aller à la cueillette aux champignons. Ce que je fis avec mes deux collègues, des frères. Ma mère se réjouit de notre décision.

Nous arrivâmes à la célèbre montagne, Chembira, le point culminant de Gutu. Nous trouvâmes de nombreuses variétés, dont beaucoup qui m'étaient inconnues. Je dis à mes autres collègues de s'en tenir à une seule variété, mais ils ne tinrent pas compte de ce que je leur disais. Nous rentrâmes à la maison et fîmes un délicieux repas.

Le lendemain, une très grande surprise nous attendait : personne ne bougeait chez les voisins. Le bétail se plaignait parce qu'on ne l'avait pas encore fait sortir du kraal, tandis que certains poulets prévenaient qu'ils allaient casser la baraque. Un villageois s'arma de courage et ouvrit la porte. Ce qu'il vit le cloua sur place, abasourdi. Ils étaient morts.

Les corps furent transportés à l'hôpital voisin pour autopsie. Les premiers visés furent tout naturellement les sorciers. La question fut longuement débattue. Puis la majorité convint de consulter un nganga. D'aucuns demandèrent ce qu'il fallait en faire. Un homme se leva et dit : « Ne raisonnons pas comme des poltrons. Quand un enfant chie par terre devant moi, vais-je me contenter de lui faire les gros yeux ? Non, je vais prendre un bâton et lui casser la tête. » L'homme était d'avis qu'il fallait prendre des mesures énergiques contre les sorciers.

Les soupçons se portaient sur une vieille femme qui tenait à peine sur ses jambes, probablement âgée de quatre-vingt-dix ans. Il lui fallait une heure pour parcourir cinquante mètres. Elle demanda à voir ce qu'ils avaient mangé la veille : des champignons. La vérité commençait à poindre. Mais les soupçons de sorcellerie demeuraient insistants. Probablement n'étaient-ils point cruels, mais ils avaient besoin de trouver une raison aux morts.

L'autopsie révéla qu'ils étaient morts empoisonnés.

SORCELLERIE

Tôt ou tard, la conversation porte sur ce sujet.

Les « apologistes passionnés » font aussitôt valoir qu'en Europe « tout le monde » lit les horoscopes, que les diseurs de bonne aventure fleurissent, que les États-Unis ne voient pas d'inconvénient à voter pour un président dont l'emploi du temps est établi par un astrologue. Et que faites-vous de la renaissance de la sorcellerie partout en Europe ? Et du satanisme ? Et qu'avons-nous à dire de ces hommes de Dieu magiciens qui entreprennent avec tant d'aplomb d'exorciser les mauvais esprits ? Est-il exclu que nous (nous = l'Europe) voyions de nouveau se dresser des bûchers de sorcières, ou bien la populace se déchaîner contre le satanisme ?

(Si nous n'avons pas vu la populace se déchaîner, nous avons observé les forces de la Raison, en la personne des travailleurs sociaux, qui, dans leurs interrogatoires, emploient des méthodes identiques à celles que l'on employait jadis pour convaincre de sorcellerie des jeunes personnes et des enfants soupçonnés de frayer avec Satan.)

Autrement dit, qui donc êtes-vous (vous, les critiques étrangers à l'Afrique) pour parler ? Commencez par balayer devant votre porte.

MAISONS-FORTERESSES

Des heures durant, nous roulons à travers le Zimbabwe, d'ouest en est. A Harare, il nous fallut faire plusieurs visites avant de rentrer. Les vérandas de ces maisons faites pour l'air et le soleil sont grillagées, ce qui les fait ressembler à des cages : il n'y a pas de fenêtres sans barreaux, désormais. Des murs s'élèvent tout autour des maisons et des jardins des nouveaux riches (noirs), si bien qu'il est impossible de jeter un œil à l'intérieur. Tous les soirs, à un certain endroit, on peut voir des jeunes hommes à l'entraînement. Les anciens Combattants de la liberté au chômage ont créé une organisation qui fournit des gardiens pour les maisons. Ils s'entraînent en fin d'après-midi, mettant à profit ce que la guerre leur a appris, et font la tournée des maisons à la tombée du jour. Ils patrouillent pendant que les propriétaires dorment. Comme nous roulons vers la banlieue où se trouve la maison d'Ayrton R., nous passons devant la demeure du président. Les grands murs sont recouverts de rouleaux de fil tranchant et, à l'intérieur, patrouillent des gardes. Quand le président parcourt ces rues, il le fait dans une limousine aux vitres teintées, afin que nul ne le voie, et il est encadré par une escorte de motards en armes. Si vous roulez dans ces rues et que vous entendez les sirènes du cortège présidentiel, vous devez vous ranger sur le côté. Sinon, on vous tire dessus. Ce n'est pas une menace pour intimider les citadins : il est notoire que des gens ont été abattus faute d'avoir laissé le passage. Je connais personnellement un jeune homme distrait qui était en motocyclette et qui n'a pas compris que les sirènes annonçaient que le président approchait. Du trottoir, les passants lui ont crié de s'arrêter, sans quoi il serait tué. Il s'arrêta juste à temps. Un médecin conduisait en écoutant à la radio un chanteur de pop music surnommé « la Sirène » : il n'a pas entendu ces autres sirènes, plus insistantes, ne s'est pas arrêté, n'a pas dégagé le passage. Sa voiture a été criblée de balles, mais il s'en est sorti indemne.

A notre arrivée, c'est Dorothy qui nous ouvrit la porte de l'intérieur. Les verrous de la porte d'entrée sont sûrs. La nuit, une partie de la maison, celle des chambres, est fermée à clé, isolée de l'autre, où l'on peut entrer par la baie vitrée du patio. Quand je suis dans ma chambre, tout au bout de la maison, je laisse ma porte ouverte, mais dès que je quitte cette chambre, qui donne sur le jardin, je la ferme et je retire la clé, en y insérant un genre de petit barillet qui empêche d'ouvrir la porte de l'extérieur. Les fenêtres des chambres sont grillagées. La nuit, la voiture est immobilisée par une chaîne passée autour du volant. Ayrton R. s'est déjà fait voler une voiture. On ne rencontre personne qui ne se soit fait voler sa voiture.

Harare se transforme à l'image de Johannesburg, où il y a longtemps que les maisons ont des veilleurs de nuit, des chiens de garde et des barreaux aux fenêtres et où, dans les townships, il va de soi pour tout le monde que quiconque peut être dévalisé le sera.

246

UNE FERME COMMERCIALE (NOIRE)

Je rencontre un agent de vulgarisation agricole.

Qu'est-ce qu'un agent de vulgarisation agricole ? demanderez-vous, si le jargon des bureaucrates est encore capable de vous étonner.

Un agent de vulgarisation agricole est un expert.

Mais pourquoi « agent de vulgarisation » ?

Ne le demandez pas, ne prenez pas la peine de poser la question, mais d'un bout du monde à l'autre, les gens qui connaissent les cultures, la terre et les animaux portent ce nom d'agent de vulgarisation.

Vous ne voyez pas ? C'est ça la vulgarisation des connaissances.

Aucune importance.

Cet homme venait de visiter une grande ferme qui appartenait naguère aux Blancs, et qui se consacrait essentiellement à la culture du tabac.

« Racontez-moi », dis-je.

La ferme et ses dépendances grouillaient de parents et d'amis. Le gérant, le frère du propriétaire, qui est un chef et un ministre, était à Harare. C'est un autre parent qui l'avait guidé. Tous ceux qui vivaient là — ils ne devaient pas être loin d'une centaine — avaient planté leur coin de mealie. Beaucoup avaient une vache ou deux. Toutes ces bêtes faisaient bon ménage. Il y avait des chèvres. L'un des mystères du Zimbabwe, c'est que l'on voit des chèvres partout, mais que ces bêtes, que l'on appelle des « bouches-feu » dans certains pays, ne semblent pas faire de dégâts.

« Pas de tabac ? demandé-je.

— Pas de tabac.

— Rien que du mealie et des mombies ?

— Et quelques jolis jardins potagers.

— Diriez-vous, demandé-je prudemment, que c'est un genre d'agriculture de subsistance ? »

Il a l'air sur la défensive, mais malicieux. « Oui, c'est ce que je dirais. »

Il ne dit pas : « Eh bien, quel est le problème ? » parce que ça contredirait la politique officielle.

247

« Je ne vois pas quel est le problème.

— Moi non plus. »

CONVERSATIONS SOUS LES VÉRANDAS

A peine sont-ils levés que beaucoup de Blancs se tartinent de crème protectrice : on note une recrudescence des cancers de la peau.

La foudre tue plus de gens au Zimbabwe que partout ailleurs dans le monde.

La foudre frappe souvent par la porte des cabanes et tue les gens qui dorment autour de l'âtre.

Comment expliquer ce genre de prédilection ?

Peut-être la foudre a-t-elle un goût particulier pour le métal des binettes, des cognées, des assiettes ou des bracelets des femmes ?

J'apporte ma pierre : quand j'étais petite, nous traversions régulièrement un coin de brousse, non loin de la ferme, où la foudre n'avait épargné aucun arbre.

Il doit y avoir quelque chose dans la terre, une roche ou un minéral quelconque, qui attire la foudre.

Un universitaire (blanc) préoccupé de voir tant de jeunes Noires qui tombent enceintes et désirent garder leurs bébés sans avoir nulle part où aller, parce que leurs familles les mettent à la porte, a créé un refuge moderne, financé par ses ressources et celles de ses amis. Cette initiative a soulevé un déchaînement de colère et de réprobation chez certaines personnes (des Noirs) qui lui ont opposé cette vertueuse argumentation que nous qualifierons de « victorienne » : « C'est leur faute si elles ont des problèmes, non ? » « Pourquoi attendre des autres qu'ils leur viennent en aide si elles sont aussi écervelées ? »

Mais pourquoi « victorienne » ? Je me suis laissé dire récemment, par quelqu'un qui l'a vu dans l'un des quartiers chics de Londres, qu'un jeune couple, charmant produit de l'Angleterre de Mme Thatcher, se promenait fièrement au volant d'une Porsche sur laquelle un autocollant proclamait « A bas les pauvres! ».

Une autre personne m'a confié qu'elle avait vu un groupe de jeunes cadres branchés qui buvaient à la terrasse d'un pub chic de West End, à Londres. Un mendiant s'était approché : une jeune femme sortit un billet de cinq livres et le brûla sous ses yeux en riant aux éclats. Il est extrêmement difficile de ne pas souhaiter que ces gens déplaisants se retrouvent au chômage et connaissent la déchéance sociale.

Une anecdote concernant la mort de Samora Machel, qui aurait été assassiné par les Sud-Africains. Racontée par une jeune femme blanche.

« C'est la seule fois où j'ai été épouvantée au Zimbabwe. Les jeunes Noirs déferlaient dans les rues à la recherche de Blancs à tabasser. Ils ont tabassé des vieilles dames blanches. Mon mari l'a vu. Il regardait d'une fenêtre et il s'est dit : " Quelle jolie manifestation, avec tous ces branchages verts ", puis il a vu les vieilles qui se faisaient tabasser. Je suis allée à un rassemblement pour la mort de Samora Machel, où un démagogue bien connu a pris la parole, vous voyez, le genre grande gueule qui se gargarise de belles paroles. Il s'en prenait à la CIA, le bouc émissaire idéal de tout et de n'importe quoi. " La CIA, c'est bien connu, a une technique de télépathie qui vous empêche de parler, expliquait-il. Un jour, je prenais la parole à un meeting, et subitement j'ai perdu la voix. Je savais que c'étaient eux. " L'homme était fou, mais le public adorait ça. C'était de pire en pire, et je m'ennuyais tellement que j'ai failli m'endormir. Je me suis dit : c'est dangereux, s'ils me voient piquer du nez, ils pourraient bien me tabasser. Un seul mot de ce maniaque, et ils feraient n'importe quoi. Ce jour-là, j'ai vraiment compris le sens du mot démagogue. »

Cette ferme commerciale n'est qu'à huit kilomètres de notre ancienne ferme, où je ne puis encore me résoudre à aller. Ayrton R. pense — et moi aussi — qu'il est temps que j'en finisse avec mon comportement névrotique et que dans le même temps cette visite sera un pont — une marche — une adaptation en douceur.

Les collines que je gravissais, sans parler du Dyke, sont présentes, mais sous un angle différent.

La terre sur laquelle se trouve aujourd'hui cette ferme n'était pas « ouverte au développement », car c'était encore la brousse du temps où, jeune fille, je me rendais à la ferme qui se trouve tout juste à un contrefort d'ici, pour une semaine ou presque. Elle exerçait un attrait plus fort que n'importe quelle autre parce qu'elle était pleine de livres, différents de ceux de nos bibliothèques, essentiellement des romans modernes, à coup sûr corrupteurs aux yeux de ma mère. J'aimais à me promener seule dans cette brousse différente de la nôtre, et pourtant si proche, car il y avait partout des *kopjes* regorgeant de blocs de granit. La maison elle-même se dressait sur une colline de blocs de pierres, comme insérée parmi eux, aménagée en fonction d'eux ; qui plus est, elle était essentiellement construite en granit. Quel effet a pu avoir sur nous ce granit ? Je me le demande. Durant tout le temps que j'ai passé là, je n'ai pu m'empêcher de vérifier le « point de vue », les collines que je connaissais si bien, mais cette perspective oblique créait des vallées et des à-pics invisibles depuis notre véranda. Être transporté d'un paysage resté immuablement le même au fil des ans, à travers les changements du soleil et des nuages, à un autre à peine différent bouscule l'équilibre intérieur sur lequel on a appris à se reposer. Revenir après des années au paysage de son enfance, à peine décalé, met à l'épreuve le paysage du souvenir, vous emplit de doute comme le font les rêves.

Nous arrivâmes sur cette nouvelle ferme en fin d'après-midi, à l'heure où les ombres s'épaississent sur l'herbe ensoleillée, au moment où la femme du fermier menait une demi-douzaine de chevaux jusqu'à leur champ. Elle ne leur donnait pas à manger, expliqua-t-elle. Ils se débrouillaient eux-mêmes dans la brousse.

Ils n'avaient pas l'air en pleine forme ? Ils ne tombaient jamais malades, elle n'était jamais obligée de leur donner des médicaments, ils n'avaient jamais besoin du vétérinaire. C'étaient de magnifiques chevaux, qui resplendissaient au soleil, tout fringants après une journée de liberté dans la brousse.

Et puis il y avait la véranda, toute en profondeur, pleine de sièges conçus pour s'y étendre paresseusement. Ce fermier est un homme brun et maigre, d'âge mûr, raide d'énergie, raide dans ses idées ; et, avant même que nous ayons eu le temps de nous asseoir, le voilà parti : le gouvernement Mugabe qui s'obstine envers et contre tout, l'impossibilité de cultiver la terre sans pièces détachées ni machines agricoles — mais cette complainte ne venait pas du cœur, car ce que nous entendîmes alors, ce fut une avalanche d'idées sur l'agriculture, une philosophie.

Aussitôt je me retrouve transportée *avant,* car alors il se trouvait toujours au moins un fermier du district qui était comme obsédé, possédé par des nouvelles émanant de quelque institut de recherche ou d'une université quelconque — États-Unis, Argentine, Écosse, Amérique du Sud — qui reléagueraient aux ordures toutes les idées qui avaient cours alors sur l'agriculture. Inutile de sarcler les champs, il fallait planter parmi les herbes folles ; inutile d'employer des engrais : si l'on ne mettait pas d'engrais, la terre s'adaptait et trouvait ce dont elle avait besoin dans l'atmosphère ; c'était perdre son temps que d'abattre des arbres pour faire des champs : mieux valait planter au milieu des arbres. Ces idées, et cent autres, resurgissaient sous les vérandas, généralement à cause d'un fermier. Mon père, pendant un temps, fut ce fermier-là. Il serait plus exact, je crois, de voir dans ce tempérament fougueux, inventif, iconoclaste, moins une personne qu'un trait constant, ou une personnalité subsidiaire présente en chaque fermier, car on ne savait jamais quand quelque observation fortuite allait la faire poindre à la surface. « Oh, au fait, vous avez lu dans le *Farmer's Weekly* cette lettre où l'on explique comment empêcher les hardes de pintades de suivre les planteurs et de dévorer toutes les semences ? Il suffit de parfumer d'ail les semoirs ou, mieux encore, de planter une gousse d'ail avec chaque graine de maïs. » Coûteux ? Eh bien oui, mais au diable l'avarice ! Ce qui compte, c'est l'*idée,* la perfection d'icelle : un seul majestueux éclair de l'imagination, et le problème est réglé !

Nous partîmes à cinq faire le tour de la ferme, ou des terres, comme on dit à la manière des châtelains d'antan. Je m'en vais sur les terres, il est sur les terres, elle est sur les terres, mais je vais lui dire à son retour des terres que...

Fin d'après-midi. Le soleil s'apprête à se coucher. La conversation des oiseaux est encore pleine des préoccupations de la journée, mais bientôt elle va changer de tonalité, passer sur le mode mineur, comme pour dire leur regret de la fin du jour. Nous laissons dans la maison divers enfants en pleine croissance, une fiancée, ses frères, et une brochette de visiteurs et d'amis, comme dans un roman russe.

Nous écoutons le fermier, dont tout le discours n'est qu'une longue complainte sur l'usage que nous faisons du monde.

« Non, vous ne comprenez pas, si vous voulez comprendre l'agriculture, il faut considérer les choses autrement. Toute agriculture est contre nature, c'est une agression dirigée contre la Nature. Du jour où le premier paysan a donné un coup de bêche dans la terre, nous avons déclaré la guerre à la Nature. Et nous avons maintenant atteint le stade où la course est engagée entre l'Homme et la Nature. Qui va gagner ? Je vais vous le dire : c'est la Nature. » Nous sommes sur un chemin boueux entre les champs de tabac, qui dégagent une forte odeur à cause de la pluie qui forme de grosses flaques entre les sillons. « Nous couvrons nos champs d'une seule plante, ce n'est pas comme ça que fait la Nature, c'est notre façon à nous. La Nature réagit par une maladie ou un insecte. Alors nous agressons la Nature avec des produits chimiques. La Nature s'adapte : la plante s'accommode du produit chimique ou l'insecte connaît diverses mutations. Nous mettons au point un autre produit chimique. Tous ces champs sont inondés de produits chimiques. L'an passé, nous étions en train d'asperger ce champ quand une grosse averse s'est abattue soudain sur nous. Nous avons détalé. La pluie a fait pénétrer le poison dans la terre, sans qu'il ait eu le temps de se dissoudre au soleil et dans les airs. Et regardez maintenant. » A la lisière du champ, les plants de tabac étaient rabougris sur une vingtaine de mètres. « Empoisonnés. Parfois, on peut se rendre compte de ce qu'on fait avec nos poisons. Celui-ci était contre l'anguillule. Vous voulez voir l'anguillule ? »

Nous trébuchons parmi les plants qui dégagent des senteurs suaves et entêtantes, d'un vert aussi séduisant que lorsqu'il est sec et prêt à fumer, tandis que le fermier arrache un plant difforme et le tient entre ses mains tout en le considérant avec respect : l'ennemi est là, il n'a pas été vaincu. « La Nature trouve l'anguillule. Nous l'empoisonnons. Mais un champ que l'on vient d'essoucher est sans insectes. Vous disposez d'un délai de grâce de deux ans avant que les insectes ne prolifèrent. Nous nous moquons de la vieille coutume africaine : on essouche un lopin de terre, on l'exploite, puis on va ailleurs — ça ne laissait pas aux insectes le temps de proliférer. Bien entendu, il n'y a pas assez de terres dans le monde pour pratiquer ce genre d'agriculture. Si nous cultivions la terre de cette façon au Zimbabwe, tout le monde mourrait de faim. »

Nous marchons, écoutant, évitant les flaques. « C'est tout un équilibre, il faut bien le comprendre. Nous faisons valoir nos droits — des pratiques contre nature, des plantes que nous cultivons sur des champs de plusieurs centaines d'arpents, mais la Nature aime le mélange. Elle fait un pas en avant — et nous aussi, c'est une course. Il faut toujours avoir une longueur d'avance, mais où tout cela va-t-il finir ? Nous sommes beaucoup trop limités, c'est moi qui vous le dis, c'est la Nature qui aura le dernier mot. »

D'un côté de la route, il y a maintenant la brousse, la vraie brousse, et la femme du fermier attire notre attention sur quelques orchidées. Nous entrons tous dans la brousse pour admirer les plantes ; il y en a plusieurs dans ce petit coin de brousse. « Nous y voilà, dit le fermier en se rapprochant de nous. Nous ne savons pas pourquoi cette plante a décidé de pousser ici, pourquoi elle aime précisément ce petit bout de terre. Mais regardez... » Et il fait quelques pas de côté, ramasse de la terre entre ses mains : un mélange d'humus, de feuilles moisies, de fientes d'oiseaux et de minéraux que la pluie a arrachés aux cailloux. Il considère la terre qu'il retient entre ses mains. « Voilà, voilà de la vraie terre, dit-il. Rien à voir avec la cochonnerie que nous avons dans nos champs, pleine de produits chimiques ; ce n'est pas de la terre. Si vous la voyiez sans plantes... on dirait des bris de briques, la terre est morte. Non, ce n'est pas de la terre. Voici de la vraie terre. » Ses mains retiennent la terre de la brousse avec délicatesse, avec respect. Nous marquons un silence. Le soleil se couche à travers les arbres, soulignant leur forme d'un contour jaune, et les voix des oiseaux annoncent la tristesse de la soirée. « Là, regardez, dit-il, regardez ça. » Et il laisse filer la terre entre ses doigts, il la rend à son plancher d'herbes, de fleurs et de semences. « Là, vous voyez ? » Rien qu'en faisant ça, j'ai perturbé l'équilibre. Nous nous tenons ici et nous ne savons pas les dégâts que nous faisons avec nos pieds, quels organismes nous tuons, quels insectes nous avons apportés de la route. Nous allons regagner la route et la Nature aura fort à faire pour réparer les dégâts que nous avons occasionnés. Avant l'arrivée des Blancs, les Noirs se déplaçaient dans la brousse, mais ils ne lui faisaient aucun mal, tout a commencé quand on s'est mis à retourner la terre pour faire des cultures. Et quelles cultures ? Essentiellement des importations. Regardez le maïs. Comment savoir quels insectes les Portugais ont introduits avec le maïs ? Impossible de le savoir ! Ça nous est bien égal ! Mais voilà le résultat... on devrait pouvoir enfoncer son doigt sans mal dans de la vraie terre. » Il se penche et s'exécute. « Vous voyez ? Mieux vaut regarder une bonne fois, parce que bientôt, avec le traitement que nous faisons subir au monde, on ne verra plus ça nulle part. »

La femme du fermier désigne en silence une poignée de lis sur une fourmilière. On les appelle aussi des lis-araignées. Chaque fleur ressemble à une délicate serre jaune et rouge et on les cueillait jadis par pleines brassées pour décorer nos maisons à Noël. Aujourd'hui, plus personne ne les cueillerait ainsi sans réfléchir. Elle nous montre une autre plante : « Les chevaux en raffolent. On ne sait pas pourquoi. Quand ils reviennent de la brousse, ils sentent toujours cette plante à plein nez. »

Les hommes s'éloignent dans un champ. L'épouse du fermier et moi contemplons la lueur rougeâtre et or du crépuscule qui caresse les fleurs blanches d'un bauhinia. Ce sont des fleurs aussi délicates que les lis-araignées ou les orchidées : les fleurs du haut veld ne sont jamais massives, humides et charnues comme celles des tropiques. Elles sont fragiles, légères, et dégagent une odeur sèche, excitante, épicée.

Le crépuscule inonde le ciel de son or rougeâtre. Les arbres sont noirs et silencieux et les oiseaux, s'ils sont réveillés, n'ont plus rien à dire. Nous avançons en silence sur le chemin de la ferme. Loin derrière nous, on devine tout juste la complainte du fermier, mais on a peine à la distinguer maintenant des voix qui nous viennent de la cité agricole, sur la crête, où, à côté des ouvriers agricoles, vivent tant d'autres gens qui officiellement n'ont aucune raison d'être ici.

Nous regagnons agréablement la maison dans les ténèbres. Une chouette... une autre. L'odeur des chevaux. Un hennissement discret salue la femme du fermier, qui y répond doucement. Il y a une ruée de sabots dans l'obscurité et pendant un temps elle se tient au bord de la clôture, petite silhouette noire qui tend le bras vers la tête des chevaux et qui soudain se détache sur des oreilles bordées de blanc, ou la lueur d'un front.

Nous rejoignons les hommes au moment où le fermier explique : « Nos idées sur l'efficacité n'intéressent pas les Noirs. Regardez... » Un homme à bicyclette sort de l'obscurité. « Arrête-toi », ordonne le fermier. L'homme s'arrête, pose un pied à terre, et sa silhouette obscure se précise. Il sourit. « Tu as mis des freins sur ta bicyclette ? demande le fermier. — Non.

— Je vois que tu n'as pas de phares. » Pas de réponse. « C'est bon, dit le fermier. C'est tout, tu peux filer. — Bonne nuit », dit l'homme en donnant un coup de pédales.

« Il doit y avoir des dizaines de bicyclettes sur la ferme, et pas une seule n'a de phares, pas une seule qui ait des freins en état de marche. Ils circulent partout à bicyclette, à travers la brousse, dans les collines, le long des dongas. Lentement tout se détraque, les freins, les garde-boue, les poignées des guidons, le caoutchouc des pédales, tout. Ou si ça ne lâche pas, ils se les font voler, et personne ne prend la peine de les remplacer. »

Debout dans l'obscurité, nous regardons la silhouette noire de la maison large et basse, qui répand une lumière jaune, et nous pensons, à moins que ce ne soit l'Afrique qui pense à travers nous : « Quel besoin de phares quand on connaît si bien le chemin ? » A quoi bon des freins ? les pieds feront l'affaire. Des guidons ? mais pour quoi faire ? Quant aux pédales, il suffit d'une barre pour le pied. Pourquoi se compliquer la vie ? La bicyclette roule, n'est-ce pas ? Elle vous transporte d'un endroit à l'autre ? Alors pourquoi faire tant d'histoires ?

« O-o-oui, dit le fermier, c'est comme ça. »

Et nous allâmes souper. Toute la nourriture venait de la ferme. Il n'y avait pas de domestique, il était rentré chez lui. La famille mit la table, servit, débarrassa et fit la vaisselle.

Au souper, je m'enquiers des gens qui vivaient jadis sur les fermes du voisinage. Certains noms éveillent aussitôt des souvenirs. « M. X. ! Bien sûr ! Il avait la ferme de l'autre côté de la rivière. Oui, et *ils* sont restés là jusqu'à la guerre. Bien sûr qu'on s'en souvient ! » Mais d'autres noms ne leur disent rien, alors qu'ils vivaient au voisinage de gens dont ils se souviennent. « Qui ça ? Je n'ai jamais entendu ce nom. Comment dites-vous, le commandant Knight ?

— Ah, c'était un personnage, il était connu comme le loup blanc. Un original, vous savez, le genre de type haut en couleur de ces temps-là. » Divers membres de la famille adressent au fermier des regards et des sourires lourds de sens, qu'il reçoit de bonne grâce. « Il vivait sur une ferme, à six ou sept kilomètres de là. Il domptait des léopards. Ou du moins il essayait.

— Jamais entendu parler de lui. »

Après le souper, nous nous laissâmes aller dans des sofas ou de gigantesques fauteuils, les bras passés autour de chiens et de chats. Il y a un gramophone à manivelle d'un autre âge, que quelqu'un de Harare a restauré comme une antiquité, et des caisses de disques qui attendent que quelqu'un remonte le gramophone et les fasse passer. Des airs anciens comme « Paloma » et « Red Sails in the Sunset » rendent un son métallique, et j'explique aux jeunes gens incrédules que, jadis, sous ces vérandas, on dansait jusqu'à l'aube, sans autre musique que ces gramophones à manivelle, auprès desquels se relayaient d'heure en heure ceux qui faisaient tapisserie ou qui voulaient bien se sacrifier. Ils murmurent qu'ils auraient bien aimé apprendre à danser, sur le ton dont on dirait aujourd'hui : « Quel dommage que nous ne sachions danser le menuet ! » Je dis qu'en Grande-Bretagne ce genre de danses revient à la mode, mais leurs visages semblent dire : il est intéressant d'entendre parler des coutumes des pays lointains.

Le fermier décrit son rêve : il aimerait que cette ferme devienne une sorte de commune, bien qu'il n'emploie pas le mot. Les jeunes fiancés sont déjà installés dans la maison que l'on a construite pour eux à une centaine de mètres de là. Les parents logent dans une autre maisonnette. Un fils voudrait acheter la ferme en bord de route : il a toutes les qualifications requises pour ce genre d'agriculture de pointe. « Les familles devraient rester ensemble », dit le fermier, en employant les mêmes mots que l'expert agricole ou l'agent de vulgarisation noir de la ferme des jésuites, près de Harare. Les deux hommes se ressemblent comme des frères, et pas seulement par leur connaissance de l'agriculture : l'un est un patriarche par tradition, l'autre, le Blanc, par tempérament. Et que pensent de ces projets les enfants du patriarche ? Ils sourient, mais ne disent rien. Et sa fille, mariée à un Sud-Africain qui ne comprend que les rues et les bureaux et ne saurait travailler la terre ? « Rien de plus facile », répond le fermier, la mine pourtant légèrement renfrognée. Il a pensé à tout. La fille peut s'installer ici car elle est zimbabwéenne, et faire venir son mari avec elle. Le couple pourra s'occuper de balades en canoë et gérer des chalets pour touristes autour du lac que l'on va bientôt aménager ici, à quatre ou cinq kilomètres de là. Le fermier a consenti à céder quarante arpents de terre pour le nouveau lac, mais il a bien l'intention d'en récolter les bénéfices.

« Des chalets et des canoës ! » protesté-je, car il parle d'un coin de nature particulièrement superbe au pied des collines.

Ayrton R. proteste à son tour : « Ce sera exactement comme Kariba !

— Pas du tout. Ce genre de choses peut se faire avec goût. »

Ma chambre, à l'arrière de la maison, est immense. Il y a des jouets que l'on a repoussés en vrac au fond des armoires. En plus d'une moustiquaire, les fenêtres sont pourvues de solides barreaux : la guerre du Bush a été terrible dans ces coins-là. Ce type de pays — tout en kopjes, en amas de blocs de pierres, en ravines et en arbres épais — était fait pour la guérilla. Dans la salle de bains, des araignées, des fourmis ailées et des phalènes cherchent la lumière ou tombent dans la baignoire. A Londres, une araignée exige des mesures adéquates : une serviette tendue au-dessus de la baignoire pour que la créature puisse grimper, ou un couvercle rempli d'eau, posé quelque part assez bas, puisqu'elles meurent de soif : elles vont chercher l'eau sous nos robinets. Ici, on n'y fait pas attention, c'est l'Afrique, il y en a trop. Je visitais un jour une ferme près de Nairobi, dont je me souviens surtout pour ses chevaux arabes que l'on amenait à la maison pour jouer et que l'on nourrissait de morceaux de sucre. Mais je me souviens aussi des chenilles. De temps à autre, les chenilles envahissaient la maison par milliers, et il n'y avait plus qu'à attendre qu'elles veuillent bien partir, débarrasser les chaises, les lits, la table de la salle à manger. Au bout de quelque temps, c'est à peine si on les remarquait, m'assura-t-on.

Je me réveille en pleine nuit pour écouter — mais quoi ? Les tam-tams, que l'on entendait battre jadis toute la nuit depuis le quartier des Noirs. Mais c'est comme si le pouls avait cessé de battre. La nuit est noire et presque silencieuse. A travers la grille parviennent des bruits discrets qui disent que la brousse est réveillée — des oiseaux, des petits animaux, voire un chien qui aboie depuis le village agricole.

Le matin, chacun se réveille à son heure et va prendre le café sous la véranda. La femme du fermier est allée se promener à cheval. Le fermier a déjà fait le tour de ses terres et nous fait la conversation. Ce matin, c'est la médecine. « Nous avons besoin d'un traitement pour une maladie, mais les médecins n'y connaissent rien. Nous l'attrapons souvent, les Blancs comme les Noirs. Les membres sont comme morts, on a mal au cou, aux épaules, et on ne peut plus bouger, on a mal partout, on voudrait mourir. Puis ça part. Une piqûre d'insecte, je crois, peut-être comme la tsé-tsé ou la malaria. On a mal au ventre. On va voir le médecin, il dit que c'est la grippe. Ce n'est pas la grippe. Les Africains le savent bien. Nous savons bien que ce n'est pas la grippe. »

La femme du fermier revient et nous partons nous promener, tous ensemble.

Les cochons de cette ferme, cela va sans dire, sont libres de fourrager à leur guise ; pas de cochons de batterie, ici. Ils forment une petite compagnie turbulente, qui sollicite notre reconnaissance et nos salutations.

Le fermier dit que tout le monde sous-estime l'intelligence des animaux. Si nous savions ce qu'ils pensent de nous, ça ne nous plairait guère. Sans compter leur sens de l'humour. Les porcs se font des blagues les uns aux autres. Les veaux aussi. Les petits des animaux jouent comme des gamins. Parfois il va dans le champ où se trouvent les veaux, s'assied tranquillement au pied d'un arbrisseau pour leur faire oublier sa présence et les regarde jouer au roi-du-château : ils se bousculent, se disputent une fourmilière jusqu'à ce que l'un d'eux ait gagné. Puis le gagnant redescend et ils recommencent la partie. C'est presque toujours le même veau qui gagne : l'aristocratie de la Nature, il faut bien se mettre ça dans la tête, la Nature ignore la démocratie. Parmi une foule de petits animaux, il y a toujours un bouffon, un farceur qui fait rire les autres. Parce que vous croyez que les animaux ne rient pas ? Détrompez-vous ! Vous voyez ce petit cochon, là-bas ? C'est l'avorton de la cochonnée. Il est plein de tics et ils se moquent de lui.

Il nous montre le potager. « Si nous pouvions nous contenter d'une agriculture de subsistance, nous vivrions comme des rois sur dix arpents. Tout pousse par ici. Sur un demi-arpent nous produisons déjà plus de légumes que nous ne pouvons en consommer : les Africains en récupèrent la majeure partie, et nous cultivons pour eux des choses qu'ils aiment manger, et pas nous. Nous avons des vaches et des porcs. Nous nous suffisons déjà à nous-mêmes, mais nous mettons tous nos soins à produire des excédents. Pourquoi est-ce que je cultive du tabac ? Pour rapporter des devises à Mugabe, mais je n'ai pas le droit d'acheter des pièces détachées ni de nouvelles machines. De riches fermiers, voilà comment ils nous appellent, des fermiers commerciaux, tout ce qu'ils voient, c'est la quantité de terres, pas les risques. Un orage de grêle peut nous faire disparaître en dix minutes. Nous scrutons les cieux tout au long de la saison des pluies, les nuages s'accumulent, mon Dieu, sera-ce pour cette fois ? Des centaines de milliers de livres de dégâts, songe-t-on en regardant : on risque gros. Et puis les criquets sont de retour. Nous avons eu des sauterelles sur la ferme, je les passe au pulvérisateur, mais une armée potentielle de criquets peut se cacher quelque part sur quelques dizaines de centimètres carrés de brousse, vous n'y faites pas attention, et votre compte est bon. Et si vous les empoisonnez, n'allez pas croire que ça ne fait pas de dégâts, tous ces poisons font des dégâts. Il nous faut payer le prix des poulets de batterie et des porcs que l'on torture dans des porcheries où ils n'ont même pas la place de se retourner. Qui va nous punir ? Dieu, voilà qui. N'allez pas croire qu'il n'a pas un œil sur nous. »

Il parle de sa main-d'œuvre d'un ton paternel, protecteur. Sa femme et lui aiment les Africains. Il n'y a jamais ce mépris glacial que l'on apprend à reconnaître. Et eux l'aiment bien, c'est lui qui le dit. « Ils m'appellent le Cinglé, mais c'est très bien comme ça. Si je suis un excentrique, ça veut dire que je ne fais pas les choses comme autrefois. Ils viennent me voir, ils me demandent ci ou ça : des prêts ou un coup de main auprès des bureaucrates. Je leur arrache les dents quand ils le demandent, je les soigne, nous discutons de leurs problèmes. Ils m'écoutent et je les écoute. Mais ce que vous ne devez pas oublier, c'est qu'ils se plient à nos habitudes parce que c'est le monde moderne et qu'ils doivent bien s'y résigner, mais nos manières ne sont pas les leurs, ils ne les aiment pas, ils aiment leurs manières à eux, notre manière de faire les choses va contre leur nature. Au bout du compte, ce ne sont pas nos manières à nous qu'ils choisiront. Eh bien, c'est parfait, c'est leur continent, mais j'espère qu'ils me laisseront en exploiter quelques arpents. Je crois bien que oui. Vous savez ce qui compte pour eux ? Tout ce raffut autour de la guerre a induit tout le monde en erreur. Ils n'ont pas le goût de la vengeance. La haine n'est pas leur fort. Quand vous engagez la conversation, vous savez ce que vous trouvez ? Ils sont très philosophes, ils ont du recul. C'est ainsi : ils m'aiment bien, et voilà pourquoi ça colle entre nous. »

La table du petit déjeuner est servie. La farine de maïs que nous connaissions a disparu. C'était une masse granuleuse, goûteuse, mais le grain est désormais raffiné et la sadza, qui a la consistance de la gelée, est blanche et insipide. Les hommes qui se tuent au travail toute la journée en mangent des assiettées. Les œufs brouillés viennent de poules libres de choisir leur alimentation : insectes et plantes de la brousse, mais aussi les céréales qu'on leur jette. Il y a également un pâté de poisson fumé au bois d'acacia. Les confitures, les fromages, les céréales sont tous des produits du pays. Le yaourt vient de la ferme.

Les hommes discutent du travail de la journée, comme s'il n'y avait personne d'autre à table. Exactement comme *avant*. Mais les femmes parlent d'aller passer la journée à Harare. Sur ce plan, les choses ont bien changé, ce n'est plus comme *avant,* quand les femmes étaient comme retenues prisonnières sur les fermes, quand une visite chez les voisins était un grand événement. Ma mémoire est ainsi soumise à si rude épreuve que je remets le problème à plus tard. Qui plus est, le fermier parle à nouveau. Du virus du sida. Il admire ce virus. « C'est le plus malin des petits virus. J'ai lu l'autre jour que c'était le diable qui l'aurait imaginé, mais non, c'est Dieu, qui nous donne un avertissement. Le sexe nous a tous rendus fous. Le monde entier a perdu la tête. Alors Dieu dit : " Maintenant, attention, je vous donne un nouvel avertissement ! La prochaine fois, si vous n'écoutez pas, ce sera pire que le sida. " »

Ce qui me ramène tout droit à mon vieux père qui vivait sous l'empire de l'Ancien Testament. De son point de vue, la Seconde Guerre mondiale imminente était le châtiment divin de nos péchés. Seuls Churchill et lui savaient ce qui s'abattrait sur nous : le Courroux à venir. J'étais là, dans ce même paysage, légèrement décalée, et j'écoutais une réincarnation de mon père, fulminant, annonçant de nouveaux châtiments de Dieu, cinquante ans plus tard, après la Seconde Guerre mondiale, après la guerre du Bush, mais aussi après toutes les autres guerres et catastrophes. Une sorte de continuité, j'imagine.

AU-DESSUS DE L'ARC-EN-CIEL

A Harare, on n'en finit pas de parler du nouvel accord sur la Namibie, exactement comme nous le faisons à propos de la fin de la guerre Iran-Irak, ou de la fin de l'invasion de l'Afghanistan. Chaque année qui passe, prévaut ce sentiment que ce n'est pas possible, que nous faisons métier et marchandise de folies, qu'il n'y a pas de raison que ça arrive, qu'on aurait pu l'éviter. Et pourtant ça arrive, sans que rien, apparemment, ne puisse l'arrêter. Et puis, ça s'arrête. Si on peut arrêter ça, pourquoi est-ce que ça a commencé ? Cette façon de penser ramène à des peurs, à des croyances primitives : y a-t-il un Dieu, une Puissance, qui a besoin de l'odeur du sang ? Après tout, nous y croyons depuis des milliers d'années, et peut-être cette croyance séculaire est-elle pour quelque chose dans ce sentiment d'impuissance que l'on éprouve quand la guerre fermente et qu'il paraît impossible de l'arrêter.

Mais le climat est maintenant à l'optimisme : S'*ils* peuvent arrêter la guerre de Namibie, alors *ils* peuvent arrêter les massacres au Mozambique. Apparemment, ce n'est qu'une question de temps.

Voire à l'outrecuidance : « Les groupies du tiers monde vont maintenant se tirer en Namibie, on ne les aura plus sur le dos. Ils font déjà leurs bagages.

— Peut-être trouveront-ils leur paradis en Namibie.

— Quelque part au-dessus de l'arc-en-ciel... »

DANS LES BUREAUX

J'ai passé un jour... deux jours... trois jours, dans les bureaux à Harare. Ce n'est pas de tout repos : la sécurité pose problème. A l'entrée des administrations, on trouve parfois des gardiens, mais dans les locaux de l'Aide, on se précipite pour vous ouvrir la porte et on la referme aussitôt. Les *skellums* en tout genre prolifèrent — les jeunes au chômage, qui ne sont encore que des enfants pour certains, et les anciens soldats qui vivotent tant bien que mal de petite et de moins petite délinquance dans cette ville populeuse. « Avec nous, les Blancs, il ne se passait rien de tel », entend-on, de cette voix dédaigneuse de ceux qui n'aiment pas les Noirs, « *nous* déambulions dans la rue chaque fois que nous avions envie de discuter le coup. » *Qui* déambulait ? Les Blancs. Les Noirs étant perçus comme des voleurs en puissance.

Les administrations, les bureaux de l'Aide : dans les deux cas, les mots que l'on entend le plus souvent sont « infrastructure », « agent de vulgarisation », « argent de l'Aide » et — bien sûr — « Camarade Mugabe ».

Je m'assieds et j'écoute. Pas seulement les faits et les chiffres, que l'on retrouve somme toute dans les brochures et les rapports qui envahissent ma chambre, mais les inflexions d'une voix. « Protagonistes passionnés » pour une femme et un homme, mais d'aucuns ont l'air aussi désespérés que des parents qui ont un enfant malade ; d'autres sont cyniques, il n'y a pas d'autre mot. La classe des nouveaux riches, l'élite corrompue, voilà le problème.

« Vous allez dans les villages et vous voyez comment ils travaillent ; vous voyez leur optimisme, et la pauvreté, la pauvreté terrible, puis vous retournez à Harare et vous observez ces gros pleins de soupe qui se pavanent, c'est moi qui vous le dis, ça me donne envie de... »

Sur le mur d'une administration, je vois une affiche :

262

Le Chef conduit ses hommes,
Le Dirigeant les inspire.
Le Chef compte sur l'autorité,
Le Dirigeant sur la bonne volonté.
Le Chef suscite la crainte.
Le Dirigeant irradie d'amour.
Le Chef dit « Je ».
Le Dirigeant dit « Nous ».
Le Chef montre qui a tort.
Le Dirigeant montre ce qui ne va pas.
Le Chef sait comment c'est fait.
Le Dirigeant sait comment faire.
Le Chef exige le respect.
Le Dirigeant force le respect,
Sois donc un dirigeant,
Pas un chef.

Cette exhortation, disent-ils, est placardée sur tous les murs de toutes les administrations du pays.

UN GROS PLEIN DE SOUPE BLÂMÉ

Dans certain bureau de l'Aide, quelqu'un m'a raconté cette histoire, pour me persuader — se persuader ? — que les choses n'allaient pas si mal, non, vraiment.

Un officiel très haut placé, une femme, « l'une des bonnes, vous savez », maintenait des liens étroits avec son village, qui se trouve dans une région isolée, loin de Harare. Elle voulut à tout prix que l'un de ses collègues, un homme, l'accompagnât en visite. « Depuis combien de temps n'êtes-vous allé dans votre village ?... Fort bien, alors vous devez m'accompagner dans le mien. » Il accepta en grommelant. La première nuit, elle s'efforça de l'amadouer en choisissant un hôtel convenable, mais la nuit suivante, l'hôtel était épouvantable. « Il y a bien des gens qui y descendent, non ? Alors pourquoi pas vous ? » Il ne cessa de se lamenter et de souffrir. Depuis l'ultime bourgade en bord de route, ils durent faire des kilomètres à travers la brousse pour rejoindre son village. Elle présenta cet homme à des femmes qui travaillaient dans les champs, et elles se mirent aussitôt à l'engueuler : s'il était un chef, alors qu'est-ce que le gouvernement avait dans la tête ? Il se plaignit : « Elles ne devraient pas me parler ainsi, elles devraient me témoigner du respect. » On avait envoyé un enfant chercher les anciens. Ils arrivèrent tous ensemble, dix ou douze, et le plus âgé prit la parole : « Assieds-toi, mon enfant, et maintenant tu vas nous écouter. » Le grand dignitaire s'assit avec soumission. « Mon enfant, dit le porte-parole, tu as très mal agi. Tu nous as oubliés. On en entend de belles sur ton compte. Comment se fait-il que nous ayons eu cette guerre terrible et que nous ne voyions maintenant que des gens comme toi, qui nous ont complètement oubliés et s'enrichissent à Harare ? »

Le dignitaire dut rester assis tandis que, l'un après l'autre, les anciens, puis les femmes, le tançaient. Mais sur le chemin du retour, il confia que l'expérience avait été merveilleuse. Ils l'avaient rappelé à son vrai devoir.

« Voyez-vous, me dit mon interlocuteur d'un ton persuasif, mais en soupirant, les choses ne vont pas si mal, n'est-ce pas ?

— Et le dignitaire a changé ses habitudes ?

— Ah ça, je n'en sais rien, j'ai bien peur que non. »

UN BUREAU POLITIQUE

Une jeune femme — cadre moyen (noire) — m'entretient des inconvénients de l'administration. « Nous allons nous assurer que les fonctionnaires n'aient pas de pouvoir, dit-elle. Sans quoi ils bloquent les choses quand nous prenons des décisions. " Mais oui, monsieur le ministre. " Vous comprenez ?

— D'aucuns ont prétendu, suggéré-je, qu'une administration responsable peut empêcher les débordements d'un mauvais gouvernement.

— Mais notre gouvernement n'est pas mauvais, il est bon, et il fera le maximum pour tout le monde, c'est tout. »

Ce service bien particulier emploie une pléiade de jeunes gens, hommes et femmes séduisants, qui ont tous entre trente et quarante ans et sont tout dévoués à la « ligne », quelle qu'elle soit, définie par le camarade Mugabe. Ce qui veut dire qu'ils doivent avoir l'air de marxistes, même s'ils ne le sont pas, qu'ils doivent soutenir le parti unique et — c'est là l'important — qu'ils doivent renforcer le contrôle toujours plus envahissant du parti dirigeant sur tous les rouages de l'administration. La nouvelle bureaucratie double chaque année — de manière exponentielle, prétendent les gens : pareille à l'apprenti sorcier, pareille à un champignon qui dévore tout. Il est inconcevable que les choses douteuses qui se passent échappent à la sagacité de ces gens : on devine sans mal ce qu'ils se disent les uns aux autres derrière les portes closes. Mais ils opposent un front uni et souriant à quiconque pourrait venir critiquer de l'extérieur.

Je fais observer que Lao-tseu disait : « Il faut gouverner un pays comme on ferait frire le menu fretin : d'une main légère. »

Ils échangent des regards, hésitent, puis rient. « Il est chinois ? »

Visiblement, ils le prennent pour un Chinois moderne, donc pour un marxiste, donc pour un bon.

Ma compagne — une femme qui passe beaucoup de temps dans les villages — évoque le nouvel hôtel Sheraton construit par des Yougoslaves et qui passe pour le bâtiment le plus laid jamais édifié. On l'appelle l'Hôtel du Peuple, mais aucun Povo n'oserait s'en approcher, car il se ferait aussitôt flanquer à la porte. Les officiels échangent un rapide coup d'œil : ils sont au courant de toutes les critiques.

« J'ai entendu dire par une villageoise de la Province centrale : " Ce qu'ils ont dépensé pour l'hôtel Sheraton suffirait à installer l'eau potable dans toute cette province. " »

Les officiels ne nous regardent pas, ni n'échangent plus le moindre regard. J'en déduis qu'ils sont probablement d'accord avec la femme de la Province centrale.

« Bien sûr que nous avons commis des erreurs », observe l'un d'eux un peu plus tard, au fil de la conversation.

Les nouveaux grands immeubles sont plus qu'un ulcère : dans certaines conversations avec des Povos, même avec des « protagonistes passionnés », il devient vite évident qu'ils sont le symbole de tout ce que les gens détestent dans le nouveau régime. Il n'y a pas seulement ce nouvel et luxueux hôtel du Peuple, que seuls fréquentent les gros richards et les hôtes de marque ; il y a aussi le nouveau QG du parti, pour lequel on a demandé de l'argent même aux plus démunis. Il y a le cimetière des Héros, qui coûte beaucoup d'argent. Et maintenant, il est question de bâtir un nouveau Parlement au sommet du kopje.

« Qu'est-ce qui ne va pas dans l'ancien ? » demandent les gens. Et, de fait, c'est un lieu plaisant.

« Et maintenant j'imagine que les chefs se rendront de leurs jolies maisons au Parlement en hélicoptère, ils ne mettront jamais un pied à terre, ils nous verront encore moins qu'aujourd'hui. »

Les Povos n'approuvent pas non plus les chefs qui passent leur temps à l'étranger. Il y a une nouvelle blague sur Mugabe. « En quoi le camarade Mugabe ressemble-t-il à Christophe Colomb ?
— Il passe son temps à découvrir de nouveaux pays. »

SIDA

Dans toutes les conversations, ces temps-ci, il est tôt ou tard question du sida. Pas dans les bureaux officiels : officiellement, le Zimbabwe ne connaît pas le problème du sida. Le ministre de la Santé vient de déclarer publiquement que des Blancs malintentionnés avaient inventé toute cette histoire de sida pour ruiner l'industrie touristique naissante du pays. Ce qui a provoqué la rage et le désespoir des médecins, comme de tous les gens avertis. Les médecins disent que la moitié des enfants qu'ils reçoivent en consultation sont séropositifs. Cinquante pour cent des militaires et des policiers sont séropositifs. Des gens meurent du sida dans les districts, mais les médecins ne disent pas « sida », ils emploient des euphémismes. Parfois, ils ne reconnaissent pas les symptômes du sida, ils croient vraiment avoir affaire à la tuberculose, à la malaria, à la « grippe ».

Le gouvernement a, peu après, changé de politique et le Zimbabwe a lancé une campagne efficace.

Un officiel : n'oubliez pas que le Zimbabwe est l'un des pays africains qui réussissent. Dix pour cent de la population disposent d'eau potable, quatre-vingt-six pour cent des enfants sont vaccinés contre la rougeole, la polio, le tétanos, la coqueluche. La mortalité infantile est de soixante et un pour mille. L'espérance de vie est de cinquante-sept ans pour les hommes, de soixante et un an pour les femmes. Soixante-quinze pour cent de la population est alphabétisée. Le pays est couvert d'un vaste réseau de dispensaires, assez rudimentaires certes, mais l'infrastructure existe. Et maintenant le mauvais côté des choses : le pays souffre de malnutrition périodique, généralement associée à la rareté des précipitations. La croissance démographique est égale à celle du Kenya, la plus forte du monde. Cela est dû en partie au fait qu'à la naissance du Zimbabwe, le gouvernement a prétendu que l'idée de limiter les naissances était une invention des Blancs dans leur complot contre les Noirs. Sans le sida, la population triplera en vingt ans. Comme dans tous les pays de l'Afrique subsaharienne, le sida est une espèce de joker.

On dit que les soldats cubains qui rentrent aujourd'hui au pays sont tous victimes du sida.

DOMESTIQUES

On demande à Dorothy quels sont les gens qui font les meilleurs employeurs. Les meilleurs sont les expatriés, répond-elle. Puis, les vieux « Rhodies » : « Au moins, nous les comprenons, eux et leurs façons de vivre. Dans l'ensemble, ils sont honnêtes. » Elle déteste du fond du cœur la classe des nouveaux riches noirs qui, dit-elle, traitent mal les domestiques, les sous-paient, ne leur accordent pas les congés normaux. Elle ne manque pas d'anecdotes sur leur mauvaise conduite. Pour commencer, ils exploitent les parents. Interrogé sur ce chapitre, un chef dit qu'elle est de parti pris : « Bien sûr que nous commettons des erreurs. » Mais elle doit savoir que tout Noir qui réussit se retrouve assiégé de parents sans travail ou moins fortunés, qu'il doit faire vivre. Les maisons de tous les chefs grouillent de parents pauvres. Ils les nourrissent et les hébergent et, en contrepartie, ceux-ci s'occupent des tâches ménagères et autres. Le chef paie les droits d'inscription des enfants et leur achète des habits. Parfois, un chef n'enverra pas moins d'une trentaine d'enfants à l'école. Nous nous retournons vers Dorothy. « Parfois c'est vrai, dit-elle. Je n'ai pas dit qu'ils étaient tous mauvais. Mais ces temps-ci, beaucoup de riches se conduisent comme des Blancs et ne secourent pas leurs familles. »

« Je ne sais pas ce qu'il y a avec ce pays. On ne peut plus s'en défaire. J'ai travaillé dans beaucoup d'États du tiers monde, mais celui-ci... vous vous souciez vraiment de ce qui lui arrive — peut-être parce qu'ils ont une chance de le construire. Mais je crois que ça tient surtout aux gens. Je n'ai pas envie de les quitter. Je sais que le jour où ils m'enverront quelque part ailleurs, je passerai la moitié de mon temps à m'inquiéter de ce qui se passe ici, à me demander s'ils se reprennent en main.

— Qu'est-ce qui vous fascine à ce point dans ce pays ?

— Rien de plus facile ! Qui va gagner, les bons ou les sales types ! »

L'ÉQUIPE DU PROGRAMME D'ÉDITION
DE LA COLLECTIVITÉ

C'est alors que, par un de ces coups de chance dont rêvent les voyageurs, et que nous ne saurions ni préparer, ni attendre, ni organiser, ni prévoir, je fus conviée à rejoindre une équipe de gens concevant des ouvrages éducatifs destinés aux villages. Ces gens-là, leurs idées, leur travail sont réellement révolutionnaires, mais pas au sens politique. C'est Cathie qui en a eu l'idée : une Sud-Africaine qui avait travaillé dans les zones rurales et qui avait été choquée par l'ignorance de la vie moderne chez les villageois zimbabwéens ; même les pratiques domestiques qui vont de soi pour tout Européen leur étaient inconnues. Et que dire du gaspillage de talents, de potentiels ? « On gaspille la ressource la plus importante du pays : les énergies intellectuelle et créatrice des gens qui vivent dans les zones rurales, que nul ne reconnaît ni ne prend la peine de développer. » Il y avait ici un manque, une lacune, il fallait absolument faire quelque chose : alors elle a décidé de le faire.

Ainsi vit le jour — mais pas tout de suite — une équipe formée d'elle-même, avec ses deux jeunes enfants, de Talent, jeune mère de trois enfants, et d'une ancienne Combattante de la liberté, Sylvia, une belle et vibrante dame, mère de huit enfants, sans oublier Chris Hodzi, jeune homme timide et délicat, comme on imagine que sont les artistes — et comme ils le sont parfois.

A l'époque où ils m'invitèrent, l'Équipe avait déjà terminé deux livres. Chaque livre équivaut en fait à plusieurs, parce qu'ils sont traduits en six langues. Le premier s'intitulait *Ensemble, construisons le Zimbabwe* (ce sont les villageois eux-mêmes qui ont suggéré le titre) : un manuel pour résoudre les problèmes civiques, apprendre à coopérer dans les faits, en faisant foin des slogans et de la rhétorique qui poussent les militants politiques à croire qu'il suffit de crier assez longtemps et assez fort de longues séquences de mots pour faire changer les choses.

Le deuxième livre n'était pas encore complètement bouclé. Il explique en détail les problèmes économiques. Comment obtenir un prêt bancaire, ouvrir un compte en banque, tenir une comptabilité, évaluer les chances de réussite d'un barrage... d'un nouveau trou de sonde... d'un potager... d'un magasin de village, ou même d'un étal au bord de la route. Chaque livre mêle texte et dessins, comme une bande dessinée.

L'Équipe préparait maintenant le troisième livre. Il est destiné aux femmes et sera le plus controversé parce que, si l'on reconnaît dans les femmes les agents les plus actifs du changement, elles doivent se battre tous les jours, à chaque instant, contre les attitudes traditionnelles concernant l'infériorité des femmes. Le Zimbabwe n'est pas le seul pays du monde où un nouveau gouvernement a décrété que les vieux préjugés sur les femmes étaient rétrogrades et stériles — « Nous allons donner aux femmes l'égalité devant la loi et au travail » — puis a dû batailler avec le passé. Ainsi de la Libye. Ou de l'Irak (qu'on le veuille ou non). Mais si vous parlez à des femmes de Libye, ou d'Irak, vous découvrez que la théorie est une chose, la pratique une autre. Il en va de même au Zimbabwe.

« Nous le savons tous : on peut modifier les lois, mais il faut ensuite changer les cœurs. » (Qui ? Lénine ? Staline ? Mao ? Rosa Luxemburg ? Emmeline Pankhurst ? Mme Thatcher ?)

Pour faire ces livres, il ne suffit pas de s'installer dans un bureau de Harare et de coucher par écrit des préceptes inspirés.

Pour le premier, c'est Cathie et Chris qui ont voyagé et sillonné le Zimbabwe en long et en large, cherchant à discuter avec les gens dont ils s'étaient laissé dire qu'ils jouaient un rôle de premier plan dans les affaires locales, ou qu'ils en avaient les capacités. Parfois, ils durent braver l'hostilité des autorités locales. Ils avaient très peu d'argent. Ils vécurent souvent de pain et d'oranges. C'est l'idéalisme qui les soutenait, ainsi que la réaction des villageois. Ce qu'ils proposaient — savoir-faire, information —, c'était ce que ces gens, qui ne s'étaient pas encore totalement remis de la guerre civile, à demi instruits ou incultes, désiraient plus que tout. « Je savais que le besoin existait, expliqua Cathie. Mais ce n'est qu'en allant dans les villages que nous en avons pris toute la mesure. Chaque fois que nous entrions dans un village, on nous accueillait comme si nous arrivions les bras chargés — à cause de ce gouvernement qui se gargarise de belles paroles. Mais ce que nous disions, c'était : " Voici comment vous faites ça. " Dès qu'ils l'eurent compris, la nouvelle se répandit et nous fûmes inondés de demandes de visites. Alors l'Équipe s'est agrandie, quatre personnes au lieu de deux. » Et bientôt, les autorités les ont remarqués, elles ont constaté qu'ils faisaient du bon travail et ont offert de les aider.

Le livre sur les femmes s'est fait par étapes, exactement comme les autres. L'Équipe a commencé par parcourir le pays, par chercher des femmes qui représentaient déjà les autres. Il fallait convaincre chacune d'en faire encore plus : beaucoup disaient qu'elles avaient déjà trop de travail. Alors l'Équipe devait faire le tour des villages, trouver d'autres femmes pour les persuader de prendre part à la fabrication du nouveau livre. Une fois le livre sur les femmes mis sur les rails, l'Équipe regagna Harare pour achever le deuxième livre et veiller à la traduction des trois volumes. Puis tous repartirent, pour le livre sur les femmes, à travers le Zimbabwe, afin de rencontrer les femmes. Quand je me joignis à eux, il y avait cinq semaines qu'ils étaient sur les routes et ils étaient fatigués. Ils avaient circulé en bus — ce qui n'était pas une partie de plaisir, parce que les bus sont surchargés et tombent souvent en panne ; en train ; en voiture quand c'était possible et, de temps à autre, confortablement, en voiture officielle. Cela arrivait plus souvent car les autorités locales commençaient à comprendre combien ces gens étaient précieux. D'un district à l'autre, l'attitude des bureaucrates locaux changeait. Il suffisait de l'hostilité d'un responsable local pour tout gâcher. Il fallait passer du temps en politesses, voire en flatteries, dans les bureaux des chefs du parti.

« Mais, ajouta Cathie, de sa voix haletante, où se mêlaient enthousiasme et appréhension à cause de ce qu'elle avait entrepris, ils nous aident de plus en plus, ils nous envoient même des messages pour nous faire venir dans leurs districts. »

Nous étions sur la route de Mutare, tous les cinq, en retard pour une réunion, et je renonçai à toute idée de regarder les éléments marquants du paysage — blocs de pierre en équilibre, rivières, à-pics — car, tandis que j'étais assise à côté de Sylvia, qui conduisait, je tournais la tête de façon que l'avalanche de renseignements et de statistiques qui émanait de Cathie, installée sur la banquette arrière, entrât par mon oreille droite et, avec un peu de chance, s'assemblât utilement dans mon cerveau déjà gorgé de faits.

La réunion a lieu dans un bureau des autorités locales. Un bureau est un bureau. C'est tout. Nous avons mis quelques minutes à peine pour venir de Harare : quelques-unes de ces femmes ont voyagé des heures, voire une journée entière, pour se rendre ici. Elles sont vingt à attendre : une petite foule grave, posée, attentive. Je comprends l'expression « être suspendu à ses lèvres » : elles sont suspendues à chaque mot, en l'occurrence à chaque parole, de Cathie, qui s'exprime en anglais. Chaque syllabe, chaque hésitation, chaque nuance est soupesée. Ce sont des femmes pauvres. Elles ont le plus grand mal à nourrir et à habiller leurs familles : certaines vivent avec vingt ou trente livres par mois. (Et pourtant l'Équipe dit que celles-ci sont relativement aisées : attendez un peu d'aller au Matabeleland, la semaine prochaine, nous serons alors avec des femmes vraiment pauvres.) Il est plaisant d'observer ces visages malicieux, pleins d'humour, de les voir se tourner vers leurs voisines pour une blague, un commentaire, puis rire aux éclats — et le rire se propage à travers la pièce. Une femme, puis une autre, confie que les semaines qu'elle a passées à quadriller l'arrondissement ou le district ont été plus pénibles que ne semblent s'en rendre compte les organisateurs. Ai-je bien compris ? « Vous n'avez pas à vous plaindre, vous autres. Vous foncez à travers le pays en voiture, alors que nous, nous nous servons de nos jambes, ou de bicyclettes. » Je crois que j'y suis. Mais le « vous » ne désigne pas seulement Cathie, la Blanche, mais aussi Chris, le Noir, si pauvres soient-ils, et

271

Talent, qui vit à Simukai, une ferme que l'on ne saurait guère qualifier de riche, et Sylvia qui a autant d'enfants qu'elles.

Cathie a dit que tout, dans la préparation de ce livre de femmes, est révolutionnaire, transgresse les coutumes : je commence à voir maintenant ce qu'elle veut dire.

Elle explique aux femmes que la réponse au livre est très bonne, partout des femmes y travaillent. Elle désire maintenant que chaque femme de cette pièce s'adresse aux femmes en face d'elle, et discute des idées qu'elles veulent voir dans le livre.

Cette manière de conduire une réunion est révolutionnaire. En fait, elle me fait penser aux histoires sur les premiers jours de la révolution russe, du temps où l'idéalisme gouvernait encore les événements et où les jeunes militants sillonnaient les campagnes pour demander aux villageois de prendre leur vie en main. A une différence près : qu'il ne se dit pas un seul mot de politique. Ni slogans ni rhétorique.

On ne demande pas seulement à ces femmes de prendre leur vie en main, sans se soumettre aux hommes, mais aussi de vaincre leur répugnance à parler à des femmes venues de régions parfois distantes de plus de cent cinquante kilomètres de la leur. Ici, nous transgressons les divisions tribales et claniques. Certes, c'est le Mashonaland, mais les Mashonas forment une population qui se subdivise à l'infini. Ce livre de femmes est subversif : les femmes elles-mêmes comprennent aussitôt en quoi, sous le regard des autorités locales, assises au fond de la salle.

Bientôt les femmes sont dans le feu de la discussion. Puis chacune à tour de rôle avance ses idées. Une fois que celles-ci ont été couchées sur le papier, on leur rend à nouveau l'initiative : « Et maintenant, ce que nous attendons de vous, les femmes, c'est que vous écriviez le livre. Si vous ne savez pas écrire, demandez à une voisine qui sait écrire de prendre note de ce que vous dites. Vous pouvez envoyer des récits, des poèmes, des chants, des blagues, des articles, ça n'a pas d'importance. Quand on aura reçu le matériau de tout le Zimbabwe, on vous le soumettra et nous pourrons décider ensemble de quoi sera fait le livre. »

Les femmes ne s'y attendaient pas. Elles sont d'abord perplexes, puis se montrent satisfaites. Bientôt elles nous confient, se confient, ce qu'elles vont écrire. Nombre des suggestions sont des critiques visant les cadres du parti.

L'Équipe m'a dit que les ruraux vidaient leur sac sur tout et tout le monde. Derrière moi sont assis les cadres du parti, ils tendent l'oreille : dans un pays vraiment communiste, de tels propos vaudraient la prison ou la mort à leurs auteurs.

LA MAISON EN RUINE DU TRANSVAAL

Cette réunion se tenait à Marondera, la ville la plus proche de l'endroit où mon frère passa le plus clair de sa vie, non loin des lieux où, il y a longtemps de cela, la famille s'allongeait sous les arbres et se fondait nuitamment dans la brousse. Marier ce passé avec les femmes réunies dans ce bureau était chose impossible, de même qu'il m'était impossible de m'imaginer en train de parler à mon frère de cette réunion. De toute manière, je n'aurais pu le faire, car il était mort. Il est mort au Transvaal, dans la voiture qui le transportait à l'hôpital. Si ça avait été une ambulance pareille à celles qui nous semblent aller de soi en Europe, ils auraient pu empêcher que la crise cardiaque lui fût fatale.

Mon frère m'avait rendu visite par deux fois, à Londres, et nous avions passé de longues heures, des jours entiers, à dire : « Te souviens-tu ? »

Il parlait de sa vie nouvelle mais il n'aimait pas le Transvaal. On ne ronchonne pas, bien sûr.

Une anecdote qu'il me raconta plusieurs fois. Tous les soirs, il allait se promener dans le veld : au départ, avec les deux chiens, puis avec un seul. Il tomba sur une maison en ruine au milieu d'herbages poussiéreux tant le bétail les avait piétinés et broutés.

« Ce n'est pas comme en Angleterre, si on trouvait une maison en ruine ici, quelqu'un saurait ce qui s'est passé. Mais là-bas, ça m'a fait tout drôle, cette vieille baraque, quelqu'un y avait vécu, non ? Je me demandais ce qui lui était arrivé. Je furetais alentour. Il y avait un plant de pommes de terre. Il avait fini de fleurir, alors je l'arrachai. Il y avait une cache de bonnes pommes de terre sous une dalle de béton fissurée. Mais l'endroit devait être désert depuis des années et des années. Je n'arrivais pas à comprendre. J'ai farfouillé dans les ruines, et partout j'ai trouvé des pommes de terre, toujours plus de pommes de terre, cette plante avait plongé ses racines partout — sous de vieilles briques, des dalles de ciment, je n'en voyais pas la fin. Il y avait quelque chose dans cette maison qui plaisait à la pomme de terre.

— Mais je croyais qu'elle n'aimait pas beaucoup la chaux ?

— A mon avis, il ne devait pas en rester beaucoup. Après tant d'années. En tout cas, j'ai continué à déblayer les briques jusqu'à ce que toutes les pommes de terre soient dégagées. Il devait y avoir de quoi remplir deux gros sacs. Mais je ne savais pas quoi en faire. Dans le temps, il devait y avoir des babouins, ou des oiseaux, mais maintenant il n'y a plus rien. J'ai rapporté quelques patates à la maison. J'y retournais tous les soirs, et les patates étaient là, puis un soir, elles avaient disparu. Probablement un berger. Au moins quelqu'un en a profité. L'idée de toutes ces patates qui pourrissaient sur place, saison après saison, sans que personne n'en profite, ne me plaisait guère. »

AU NIGHT-CLUB

La réunion suivante a lieu au Jamaica Inn, une ancienne boîte de nuit pour Blancs transformée en Centre de formation des femmes rurales. Dans un bureau attendent trente femmes, qui nous font aussitôt savoir qu'on les a fait attendre. Cathie s'excuse avec humour. Plus on s'approche de Harare, m'a-t-on prévenue, mieux les femmes sont habillées, plus elles ont d'assurance : voici une foule de femmes élégantes et sûres d'elles.

Sont également présents trois hommes, des cadres locaux, en qui l'Équipe salue des alliés. Ils s'assoient au fond de la pièce. Les débats ont lieu en shona, cette fois, et Chris Hodzi, qui est assis à côté de moi, fait des croquis, traduit à mon intention. Chris reste assis tout au long des réunions : il écoute et choisit les moments de tension, les instants les plus dramatiques ou les plus drôles.

Les hommes interrompent la conversation par des observations et des critiques ; Cathie me fait passer une note : les hommes jouent les avocats du diable, apprenant ainsi aux femmes à braver l'hostilité. Il me semble qu'un homme dit le

274

fond de sa pensée. C'est un grand homme d'âge mûr, un pilier de la société dans son costume trois-pièces. Son visage respire le calme et l'assurance.

Les trois hommes sont courtois et cérémonieux, tandis que les femmes soulèvent tous les points que nous avons entendu aborder à l'autre réunion — et que nous aurons d'autres occasions de retrouver. D'un bout à l'autre du Zimbabwe, dit l'Équipe, les femmes soulèvent les mêmes problèmes. Au demeurant, les hommes ne réagissent guère lorsque les femmes demandent que des représentants des autorités — autrement dit, eux-mêmes — se rendent dans les villages pour leur expliquer leurs nouveaux droits : souvent des fonctionnaires — des hommes — abusent de leur ignorance. Lorsque les femmes parlent de prostitution, les hommes se mettent à les interpeller pour de bon. L'Équipe dit qu'elle a trouvé des cas de prostitution dans toutes les zones rurales, si reculées soient-elles. Avant leurs voyages, les membres croyaient, comme tout le monde, que la prostitution était un problème des villes. L'homme qui se tient derrière moi dit que les villageoises sont cupides par les temps qui courent et ne se satisfont pas des revenus de leurs maris. Les femmes ne sont plus ce qu'elles étaient. Elles veulent faire carrière et négligent leur famille. Par exemple, qui s'occupe de vos enfants pendant que vous prenez du bon temps ici ? Les femmes rient et répondent que ce sont les voisines qui s'occupent de leurs enfants. Et vos maris ? Qui leur prépare à manger ? Aucune femme ne répond qu'elle ne voit pas pourquoi les hommes ne feraient pas eux-mêmes la cuisine ; elles disent que leurs maris n'ont pas à se plaindre.

Des femmes dépensent leur argent en maquillage, en vêtements, la seule chose qui les intéresse, c'est que nous les trouvions belles et que nous les aimions, déclare dans mon dos l'audacieux dissident.

Pas du tout, répond l'une des femmes, tandis que les autres claquent discrètement des mains pour l'encourager, se faire belle, c'est une question de respect de soi.

J'entends la voix mâle derrière moi, basse, intime, comme s'il chuchotait à l'oreille d'une femme qu'il tient dans ses bras : « Tu sais bien que je dis vrai. »

J'observe que l'on entend ces mêmes arguments dans tous

275

les pays du monde, mais j'ai le sentiment que « le monde » paraît déplacé dans cette salle.

Les femmes continuent à exposer leurs exigences ; les hommes les interpellent ; tout cela dans une relative bonne humeur, et chacun de blaguer et de rire.

Puis les femmes chantent en claquant des mains : c'est une chanson qu'elles ont composée spécialement pour cette réunion. « Nous nous sommes rassemblées pour travailler de nos mains. Nous avons laissé les chiens dormir allongés sous un arbre. »

C'est la fin de la réunion. Au moment où les femmes se lèvent et rassemblent leurs affaires, l'homme derrière moi remarque à voix basse : « Un homme rejette sa femme pour toutes sortes de raisons, notamment si c'est une sorcière. »

Silence, changement d'atmosphère, frisson. Personne ne rit. C'est un silence pesant. Jusqu'à maintenant, tout dans cette réunion, le ton, le style, tout est rationnel, raisonnable : le monde moderne. Mais la sorcellerie vient du passé. Et pourtant tout le monde sait combien elle est vivace. Les femmes ne regardent pas les hommes. Elles ne rient pas. Je dirais qu'elles ont peur. Quand je me retourne vers les hommes, ils me paraissent satisfaits : ils ont eu le dernier mot.

Une fois de plus, l'Équipe promet de revenir ici, quand l'heure sera venue de débattre des matériaux qui lui auront été soumis.

Et nous rentrons en ville.

LE TRAIN

Des gens me téléphonent pour me dire à quel point ils m'envient de partir avec l'Équipe du livre. « On devient cynique à Harare, avec toute la corruption et la bureaucratie. Mais quand on rencontre les gens des villages, en particulier les femmes, on n'est pas d'humeur cynique. »

Nous irons en train.

En 1982, ils disaient que les chemins de fer étaient morts, parce que l'on avait cessé d'investir, parce que la main-d'œuvre blanche qualifiée avait quitté le pays, et que nul ne savait faire marcher les trains. Alors que j'étais debout à côté de la voie en compagnie d'un fermier de Mutare, je l'entendis se lamenter :

« Sous notre gouvernement, les trains passaient par ici, par douzaines tous les jours, à destination de Beira. Ils arrivaient à l'heure. Ils étaient efficaces. Maintenant, on n'a qu'un ou deux trains par jour, et ils sont crasseux, pleins de voyous. »

Les investissements ont repris et les chemins de fer se rétablissent. Mais quand j'ai dit à Harare que nous prenions le train, plusieurs personnes ont dit : « Ne faites pas ça, c'est dangereux. Sauf si vous montez en première. »

Sur quoi Dorothy observe qu'elle va souvent à Bulawayo en train, en troisième classe. Les convives se pressent autour de la table. Elle sert le dîner. Ayrton R. se vante d'en avoir fait un vrai cordon-bleu. Elle se tient là dans sa robe élégante, belle dame replète, qui nous observe pour s'assurer que nous goûtons tout ce qu'elle a préparé, et elle sourit quand nous la complimentons. L'idée que je vais au Matabeleland lui plaît. A Ayrton R. aussi. Elle et lui évoquent avec nostalgie leur pays natal pendant que nous mangeons de la marmelade de mangue, et pour la centième fois tout le monde félicite Mugabe du Pacte d'unité.

A son avis, observe Dorothy, le train de Bulawayo ne me paraîtra pas « trop mal ». Elle trouve dommage que les gens condamnent parfois les choses sans en savoir assez long. Il se trouve que personne dans l'assistance n'a pris le train ces derniers temps.

L'Équipe voyage en seconde classe. A la gare, on fait la queue pour prendre les billets déjà réservés, mais à cette heure un employé aurait dû apparaître au guichet : personne. La queue s'allonge jusqu'à doubler, et bientôt la salle est si pleine que la queue ne ressemble plus à rien. « Ce n'est pas la corruption qui va tuer ce pays, c'est l'inefficacité. » Ce n'est pas la première, ni la vingtième fois que je l'entends.

Nous réglons notre problème en abordant un employé qui se tient à l'écart de la cohue, visiblement sans tâche précise. Son travail n'est certainement pas de s'occuper de nous, mais il le fait, de bonne grâce, sans attendre de pourboire. Et nous voilà sur le quai qui n'a pas changé, j'en mettrais ma main au feu, d'un seul écrou ni d'un seul boulon. Il a toujours l'air d'un Meccano géant... et serait-ce toujours le même revêtement de peinture gris ? Le long quai grouille de monde. Avant, le train consistait en quelque huit cents mètres de voitures, la plupart occupées par une poignée de Blancs accoudés aux fenêtres, suivies de deux voitures de visages bruns — des Indiens et des « gens de couleur » —, regroupement de population forcé qui ne pouvait qu'exciter la rancœur des uns et des autres, ce qui ne manquait jamais du temps de la « suprématie blanche ». Pour finir, arrivaient deux voitures où tous les Noirs s'entassaient les uns sur les autres. Ce système faisait qu'une poignée de Blancs épars occupaient la majeure partie du quai.

Je divertis l'Équipe en évoquant cette époque. Le passé leur paraît invraisemblable, et ils en rient. Cathie assure que, de son temps, les formes de ségrégation en Afrique du Sud n'ont jamais été aussi rigides. Talent, qui a passé toute sa jeunesse dans la guérilla, n'a jamais connu l'ancienne Salisbury. Chris a vingt et quelques années.

Juste devant nous, une femme noire est tellement chargée qu'on la dirait là pour illustrer quelque statistique. Elle a un bébé dans son ventre, un autre sur le dos, et un gosse qui s'accroche à sa main. Elle étend une couverture sur le quai et y installe trois autres enfants, des jumeaux de dix-huit mois et un gamin de cinq ans. Ils restent tous les trois assis là tandis que les grands tournent autour d'eux. Ils ne se plaignent ni ne s'agitent. J'observe qu'on aurait du mal à trouver des petits Blancs qui restent assis stoïquement, sans faire d'histoires. Cathie explique que l'on apprend aux enfants à bien se tenir, mais elle est convaincue que c'est mauvais d'obliger des bambins à rester assis et sages si longtemps. Je dis que si une femme doit s'occuper de plusieurs enfants en bas âge, mieux vaut qu'ils sachent se tenir. Talent écoute cet échange sans commentaire. Nous lui demandons ce qu'elle en pense et découvrons qu'elle ne trouve rien de bien remarquable au spectacle de cette femme épuisée. Ou peut-être est-elle elle-même fatiguée. L'Équipe a déjà dit qu'au début de la présente tournée à travers le Zimbabwe, voilà cinq semaines, tout le monde débordait d'énergie, mais chacun a maintenant besoin de reprendre son souffle. « Tout ira bien dès que nous serons vraiment au travail. »

Le long quai fourmille de gens, presque tous noirs. Parmi eux, se trouvent une douzaine de visages pâles peut-être. A quelques mètres de là, Chris nous fait signe qu'il a repéré nos places et il se fraie un chemin vers nous, tandis que la foule reflue à l'intérieur du train. La mère des enfants court dans tous les sens en sanglotant : l'un des bébés de la couverture s'est égaré. Elle est couverte de bébés : elle en a dans les bras, d'autres qui s'agrippent à ses genoux. Ils ne pleurent pas. Avec leurs grands yeux graves qui leur mangent le visage, ils regardent, impassibles, autour d'eux. Chris va alerter quelque employé de son triste sort, nous montons dans le train. Ils nous ont mis, les trois femmes, dans un coupé, et Chris dans un compartiment avec cinq autres. Nous ne voulons pas qu'on nous sépare : déjà nous nous sentons en famille.

A l'intérieur du wagon, je constate qu'il est identique à ceux d'avant : solide, respectable, étincelant de bois brun et de peinture jaune et verte. Oui, me dit-on, c'est probablement le même : ils n'ont pas encore renouvelé les voitures. Ici, la bassine métallique escamotable, là, à la même place, les crochets pour les clés, ou les ceintures, ou pour se hisser jusqu'aux couchettes supérieures. Je passe en revue la chaîne des pensées de circonstance : serait-ce le même coupé où en 48, en 38, je — et ainsi de suite. Entre-temps, le préposé aux couchettes a fait son apparition. Quand on achète son billet, on achète en même temps la réservation pour une couchette. Autrefois, il s'agissait d'un Blanc, maintenant c'est un Noir : la tâche ne va pas sans façons paternelles et il n'est pas avare de ses conseils — surtout ne laissez pas traîner vos affaires près des fenêtres où des voleurs pourraient mettre la main dessus depuis le quai. Ils utilisent parfois de longs bâtons munis de crochets. Et n'oubliez pas qu'un coup de froid est vite arrivé, avec toute cette pluie, alors tenez-vous bien au chaud. Tandis qu'il prépare les lits, resurgit l'inévitable heurt des cultures. Talent veut que les fenêtres restent hermétiquement fermées. Dans son village, elle aurait dormi dans des cases sans fenêtres, la porte verrouillée contre les voleurs, les chiens errants ou même les bêtes sauvages. Cathie et moi sommes certaines de ne pouvoir fermer l'œil sans air frais. On trouve un compromis, l'employé des couchettes tend l'oreille. Si nous l'en priions, il trancherait. Il se dirige vers le compartiment voisin en nous laissant douillettement installées. Nous nous allongeons les unes au-dessus des autres : moi en bas, Talent au milieu et Cathie en haut. Nous prévoyons de dormir dès que le convoi s'ébranlera, mais il ne bouge pas. Sur le quai, les gens qui sont venus dire au revoir se tiennent en groupes, discutant, riant. Des bouteilles de jus de fruits vont et viennent par les fenêtres. La scène pourrait se passer en Italie par sa vivacité, cette manière de savourer l'instant. Je me souviens d'une centaine de scènes d'adieux pendant la guerre, des scènes poignantes, pleines de cette gaieté insouciante qui est le secret et dangereux accompagnement de la guerre. Mais aujourd'hui que ces scènes se déroulent à l'aéroport, l'atmosphère du quai a perdu l'un de ses ingrédients. Combien de fois avais-je observé le départ du train, écoutant la longue note perçante du sifflet, un son qui rythma notre vie émotionnelle tout au long des années de la guerre, que l'on entendait d'un bout à l'autre de Salisbury. Mais cette locomotive fait entendre une voix nouvelle, lance de brefs et impérieux coups de sifflet : mais pas pour donner le signal du départ. Ni à neuf heures ni à dix ; ni à onze heures ni à minuit.

Veillant avec un soin jaloux sur l'honneur du Zimbabwe, Cathie et Talent m'assurent sans cesse qu'elles font souvent le voyage de nuit jusqu'à Bulawayo, qu'elles y travaillent le jour et rentrent la nuit suivante. Que ça n'était encore jamais arrivé.

A deux heures trente, la locomotive donna un coup de sifflet nerveux, parcourut deux cents mètres et s'arrêta. Nous dormions.

A six heures, le même employé se présenta, chargé de café et de biscuits. Son regard vers la fenêtre — amusé, plein de tact — attira l'attention de Cathie et de moi : elle s'était refermée pendant la nuit. Avions-nous bien dormi ? voulut-il savoir. Cathie engagea aussitôt la conversation en shona : j'ai bien dormi si vous avez bien dormi. Le convoi était immobilisé quelque part entre Harare et Bulawayo, où nous aurions dû être arrivés à cette heure. Cathie et Talent étaient inquiètes, sachant que des groupes de femmes parcouraient de longues distances pour venir à notre rencontre : les premières seraient au bureau à neuf heures trente. Le train restait à l'arrêt, remuant légèrement. Les heures passaient. Nous n'avions pas apporté de nourriture. « Ma mère me disait toujours : ne voyage jamais sans provisions ni café, observa Cathie. Vous imaginez comme je me moquais d'elle. » Des promenades dans les couloirs montrèrent, par les portes laissées ouvertes au nom de la sociabilité, des passagers qui se régalaient de fruits et de poulet. D'aucuns grommelaient, de cette plainte régulière et en sourdine faite pour soulager l'angoisse. Talent reste paisiblement allongée sur sa couchette. Elle a appris à patienter pendant la guerre, nous dit-elle. Parfois, ils se cachaient dans la brousse en attendant le moment où ils pourraient reprendre la route sans danger, des jours durant, sans vivres ni eau. Ils mangeaient des fruits de la brousse, quand il y en avait. Un jour, après la pluie, toute la compagnie — une centaine de personnes — se rassembla autour d'un arbre et chacun suça l'eau d'une seule et modeste petite branche. Cinq feuilles chacun. « Parfois je regarde en arrière et je me demande comment j'ai fait ces choses-là. Je ne pourrais plus, aujourd'hui. » Elle faisait partie de l'équipe qui ramassait les corps déchiquetés après l'explosion d'une bombe. « On trouvait une main, un pied, un bout de foie, ou un cœur, et on se disait : " Mais c'est l'un de mes camarades... " On n'enterrait que des bouts de gens. Il faut s'endurcir, il faut s'obliger à faire les choses sans y prêter attention. » Pendant un temps, Talent a désamorcé des bombes. Où ça ? « En Zambie : ils pilonnaient les endroits où ils croyaient que nous avions planté notre camp. Parfois ils nous touchaient, mais pas toujours. » A voir comment Cathie écoutait, je pouvais dire que Talent ne parlait pas souvent de la guerre. « J'ai eu de la chance, ajouta Talent, je n'étais pas au nombre des jolies filles. Les commandants entraînaient souvent les jolies dans la brousse. » Cette remarque me surprit : je la trouve très séduisante.

Sa guerre dura des années. Elle n'a jamais été une jeune fille puis une jeune femme avec habits, maquillage et flirts : elle a été un soldat dès son enfance. Elle était soldat quand elle a fait la connaissance de son futur mari, car elle faisait partie des hommes et des femmes qui convinrent, à Collection Point, de faire une ferme communautaire avec les anciens guérilleros à Simukai. Elle confia qu'elle avait vécu avec son mari plusieurs années avant de l'épouser. « Je n'arrive pas à comprendre comment des filles peuvent épouser des hommes qu'elles ne connaissent pas. » Elle a maintenant trois enfants en bas âge, dont son mari s'occupe quand elle est en voyage. Le mari de Cathie fait de même. Toutes les deux disent qu'elles ne pourraient jamais faire ce travail si elles n'avaient pas d'aussi bons maris.

« Parfois je n'arrive pas à croire que je fais ce travail, dit Talent. Je n'arrive pas à croire que je suis en vie. Souvent, quand j'étais dans la brousse, je n'arrivais pas à croire que la guerre finirait un jour et que je mènerais une vie ordinaire. »

Mais il semble que la guerre ne l'ait jamais réellement quittée : elle souffre de terribles migraines et reste parfois incapable du moindre mouvement des jours durant.

Écouter Talent, c'était comme écouter mon frère parler de la guerre.

Une guerre s'achève, on enterre les morts, on s'occupe des mutilés — mais partout, parmi les gens ordinaires, il y a cette armée dont les blessures ne se voient pas : ceux qui ont été engourdis, brutalisés, ou ceux qui jamais ne pourront croire vraiment à l'innocence de la vie, des vivants ; ou ceux qui jamais ne se déferont du poids de la douleur.

Pendant ce temps, le convoi s'anime de rumeurs : il y a un problème de freins, la locomotive est tombée en panne, la pluie a inondé la voie. Partout, il y a des mares, et le ciel est plein de nuages remuants, qui ne laissent voir le bleu que par intermittence.

Le train avança, puis s'arrêta. Aux alentours de Gweru, il trouva assez d'énergie pour parcourir quinze cents mètres de plus, puis encore quinze cents mètres, en s'arrêtant à mi-parcours tel une scolopendre blessée.

Des passagers, dont Chris, descendirent du train pour se promener ou s'asseoir sur le talus, d'abord par un ou deux, puis par groupes, jusqu'à ce que tout le train se fût apparemment vidé. On aurait dit un pique-nique, mais sans provisions. La scène me faisait penser à ce que l'on m'avait raconté de l'ancien temps — en l'occurrence, du temps d'avant ma naissance jusqu'à l'époque de la Première Guerre mondiale, quand le train qui filait au nord, en direction de Sinoia (Chinhoyi), s'arrêtait assez longtemps pour qu'un homme saute à terre et tire une biche-cochon, une antilope, un koudou, pour peu que le gibier surgît assez près de la voie ferrée. On distribuait ensuite la viande aux passagers. Lorsque la victime était un lion, on laissait au chasseur le temps de le dépecer. S'il était bien luné, le chauffeur de la locomotive laissait aux passagers le temps de pique-niquer.

Lorsque notre train eut retrouvé assez d'énergie pour avancer un peu, il sonna le rappel des promeneurs par de brefs ronflements agaçants, et tout le monde s'empressa de remonter. Bientôt, lorsque nous fûmes arrêtés, des passagers traînant leurs valises coururent sur la route, dans l'espoir qu'on les prendrait en stop. Mais ils se comptaient par douzaines, et il n'y avait guère de voitures, et ces temps-ci les automobilistes ne s'arrêtent pas volontiers.

Au cours d'une longue attente, deux jeunes Blancs des premières classes s'assirent sous un arbre pour observer les scènes animées auxquelles ils ne pouvaient se permettre de prendre part.

Aux alentours de midi, le train s'immobilisa à proximité d'un village et ce fut la cohue pour aller acheter des sodas, des biscuits. Tandis que le flot des passagers s'écoulait, un petit garçon à moitié nu se mit à courir depuis sa cabane sous le regard de sa mère. Il portait un récipient en plastique et sauta dans le train pour le remplir aux robinets du convoi. A peine avait-il vidé un réservoir qu'il courait à un autre wagon, s'arrêtant à chaque robinet. Pendant ce temps, sa mère faisait de grands gestes des bras et criait, de crainte qu'il ne lui fût enlevé. Mais bientôt il revint fièrement, son récipient rempli.

Le train lâchait paisiblement ses jets de vapeur. Qu'est-ce qui nous clouait sur place, toute la journée... une nuit de plus... pour toujours ? Le temps s'écoulait comme il le fait quand il n'y a apparemment aucune raison qu'une longue attente finisse un jour. Non, mieux valait ne pas regarder nos montres, parce que à cette heure ce n'étaient pas un, mais deux groupes de femmes qui nous attendaient à Bulawayo et se demandaient où nous étions.

C'est alors que firent leur apparition deux employés blancs, avec cet air de volontaires pour le martyre. Ils s'arrêtaient à la porte de tous les compartiments : ils avaient pour tâche de désamorcer la tension. Quand nous leur demandâmes ce qui pouvait bien retenir ce train, ils répondirent que c'était une défaillance du système de signalisation électrique provoquée par de fortes pluies. A chaque aiguillage, le conducteur devait attendre l'autorisation écrite d'avancer. « C'est dans votre intérêt à tous », soulignèrent-ils de ce ton vertueux et menaçant des employés aux abois. De grands éclats de rire les accompagnaient tout au long du train, tel un feu de brousse derrière un incendiaire. Quelles instructions écrites ? De qui ? Un homme courait-il de la gare la plus proche, porteur d'un message dûment cacheté de quelque pointilleux chef de gare qui avait consulté le règlement, sous la rubrique « Que faire quand la pluie fait sauter les plombs du système de signalisation » ? N'avait-on pas encore inventé la radio ? Ni le téléphone ? Personne ne croyait à cette absurdité, probablement une invention des employés qui étaient manifestement de beaux idiots, conclut Talent.

Bientôt, le train qui avait quitté Bulawayo ce matin-là pour Harare s'arrêta à côté de nous. Aux fenêtres se pressaient quantité de visages joyeux, pour nous offrir des sucreries, des biscuits, du Fanta et même de la sadza. « C'est une honte, mieux vaut retourner à Harare et réessayer demain. » En moins de temps qu'il n'en faut pour le dire, nos populations abattues eurent repris du poil de la bête et se mirent à rire et à blaguer. Vers deux heures notre train reprit soudain sa course et bientôt apparurent les aubépines et les acacias du Matabeleland. Légèrement excités, nous arrivâmes à la gare de Bulawayo avec neuf heures de retard. Une foule exubérante et tapageuse inonda le quai, qui s'enorgueillissait jadis d'être le plus long du monde. (Il s'allongeait de quelques dizaines de centimètres chaque fois que l'éclipsait un quai des Andes, de Cincinnati ou d'ailleurs.) Dans la cohue se pressait la jeune mère avec tous ses enfants dans les bras. Les femmes ressemblaient à des papillons. L'industrie cotonnière du Zimbabwe est en plein essor, le coton est la deuxième culture du pays après le tabac et il se trouve quelque part un styliste qui emplit les étagères des boutiques et couvre les femmes de motifs brillants et tourbillonnants qui ont fière allure sur les peaux noires. A la sortie, je m'arrêtai : j'avais entendu une voix du passé. Un Blanc adipeux et mal embouché en usait à l'encontre d'une petite troupe de Noirs dociles — cette voix impérieuse et cassante qui... « Mais au nom de quoi permet-on à cet homme de parler ainsi maintenant ? » demandai-je. Car je réalisai que je n'avais pas entendu cette voix, pas une seule fois, depuis que j'étais arrivée au Zimbabwe. « Vous ne voyez pas qu'il est sud-africain ? » dit Talent. Alors je vis : la bedaine caractéristique, le menton en avant qui vont de pair avec cette voix. Mais au nom de quoi ? Était-ce un groupe religieux ? Que venait faire ici ce groupe de Noirs sud-africains avec leur garde-chiourme ? C'était un mystère qui devait le demeurer, car nous avions hâte de savoir si les femmes nous avaient attendues.

Toute la journée, de demi-heure en demi-heure, des délégations avaient été dépêchées à la gare. Elles nous faisaient part de leur commisération et de leurs meilleurs vœux. Elles nous attendaient demain matin.

La pancarte du Grey's Inn Hotel montre un attelage sémillant, à la Dickens — oh, Angleterre perdue! On ne la pleurait pas moins dans les régions les plus inattendues de l'Afrique qu'en Angleterre même. A l'intérieur, cette charmante auberge est loin d'être anglaise. Mais je commence à me dire que cette société explosive, irrévérencieuse, spirituelle, égoïste ressemble peut-être à l'Angleterre du XVIIIe siècle. Mais alors, l'Angleterre est certainement plus proche de l'Angleterre du XVIIIe siècle à chacune de ses sautes d'humeur? Nous déambulons dans une rue de Londres et regardons les jeunes gens — car de plus en plus Londres a l'air d'une ville jeune. Si vous êtes prudente, vous serrez bien fort votre sac à main à cause des pickpockets. Effrontée, joyeuse, pleine d'audace avec une veste trois-quarts sur les hanches et une mise en plis aux épaules, l'air de dire : « Vous êtes loin d'avoir tout vu! » Ces barbares séduisants, qui ne sont jamais en manque de jeux de mots — à base de calembours et de slogans de télévision —, ne ressemblent à rien de ce que l'on trouvait dans ces mêmes rues lorsque je suis venue à Londres après la guerre. On avait plutôt l'impression d'une lugubre respectabilité égocentrique, à l'image des rues grises et lugubres et des derniers jours de rationnement.

C'est un hôtel à l'ancienne, où règne cette atmosphère des lieux qui ont bien vécu pendant des décennies. Ça ne veut pas dire qu'il est promis à la démolition, j'espère. Ma chambre est spacieuse et compte quatre lits : une chambre familiale pour une société qui s'enorgueillit d'avoir quantité d'enfants. Les autres ont aussi des chambres spacieuses.

Au cœur de cet hôtel, se trouve un patio, ou une cour, partiellement couvert et pourvu de parasols. Mais le ciel est gris : la longue période de froid n'est pas encore terminée. Deux heures durant, nous restons assis autour d'une table qui ne cesse de s'étendre à mesure que d'autres nous rejoignent : des amis, et les amis des amis, des parents, des aides et des admirateurs acquis depuis les précédentes visites de l'Équipe. La cour est bondée. Plus de Noirs que de Blancs, et de nombreux groupes mixtes. Je ne peux faire autrement que de le remarquer, à cause du passé, mais je sais que chacun ici est habitué depuis longtemps au mélange des races. En fait, une jeune femme — d'origine persane — me dit que les gens de sa génération s'étonnent du racisme de leurs aînés. C'est dans cet hôtel qu'un homme politique local, hostile au gouvernement de Mugabe, reçoit tous les soirs. Les gens viennent l'écouter. Il a la réputation de dire tout ce qu'il pense : dans les années précédant le Pacte d'unité, c'était certainement un acte de courage. Mais on est au Matabeleland, me rappelle-t-on, dans le pays du *Bulawayo Chronicle,* le journal qui ne craint jamais de dénoncer la corruption et l'inefficacité des pouvoirs publics. Les gens sont fiers que le seul journal que « tout le monde » lise soit de Bulawayo.

Je me souviens que Bulawayo et Salisbury ont toujours été concurrentes. Salisbury affirmait que Bulawayo était une ville mercantile, grossière, dénuée de grâce. Bulawayo prétendait que Salisbury était ennuyeuse, *civil service,* respectable, affectée. Aujourd'hui, Bulawayo dit que Harare est pleine de chefs qui s'enrichissent et pue l'argent douteux. Harare dit que Bulawayo est un trou perdu. Pour l'étranger, les deux villes paraissent pétillantes d'énergie et d'intérêt.

Les gens n'arrêtent pas de dire et de redire combien j'ai de la chance de venir au Matabeleland aujourd'hui. Tout le monde est heureux ici. D'abord à cause du Pacte d'unité, puis parce que Joshua Nkomo, leur homme, est un membre important du gouvernement. Et puis, la sécheresse est terminée, la saison a été bonne l'an dernier et, cette année aussi, il pleut bien. Si j'étais venue avant le Pacte d'unité, j'aurais trouvé tout le monde découragé et soupçonneux, les gens avaient peur, et on aurait cru que la longue sécheresse n'en finirait jamais.

Cathie m'explique : « Les zones communautaires où nous irons dans les tout prochains jours sont pauvres, les plus pauvres qui soient. Oubliez les environs de Harare, pleins aux as. Et pourtant, les gens ne manquent pas d'énergie, ni d'entrain, c'est si merveilleux. Ces femmes... Ce sont les femmes... rien ne peut les abattre. Elles ont la vie si dure qu'on s'attendrait à les voir baisser les bras, mais pensez donc ! »

Dans cette cour, et plus tard autour de la table du souper comme, en fait, partout où l'on cause, les mêmes sujets reviennent inlassablement. Dans ce que l'on appelle le tiers monde, ce sont toujours et partout les femmes qui changent les choses. Si vous voulez faire bouger les choses, allez voir les femmes, disent les volontaires de l'Aide qui sont allés dans une demi-douzaine de pays. Parfois il faut coopérer avec ce qui a

286

toutes les apparences d'une infrastructure — les hommes au pouvoir ; mais en réalité, c'est la femme. Pourquoi est-ce partout les femmes qui prennent ainsi leur vie en main ? demande quelqu'un. Personne ne répond : le *pourquoi* des choses n'est pas aussi intéressant que les choses elles-mêmes, que la *manière* dont les choses se font.

Ils parlent de l'Aide, de l'argent de l'Aide, exactement comme on en parle sous les vérandas. Avec regret. D'un ton amer, accusateur...

Le pire, c'est qu'une si grosse partie de l'argent de l'Aide ait été ainsi gaspillée. Et ce, entre autres raisons, à cause de toutes ces belles paroles entendues à la libération : les gens croyaient que dire de belles paroles ou faire les choses, c'était du pareil au même. Aujourd'hui, lorsque le gouvernement organise un rassemblement, peu de gens se déplacent : c'est un signe de maturité ! Espérons que Mugabe s'en rend compte. Il y a eu un grand rassemblement ici le mois dernier et quand le porte-parole du gouvernement — c'était une femme — a pris la parole, la foule n'a pas réagi. En revanche, quand c'est un chef local qui est monté à la tribune, tout le monde s'est déchaîné. Eh oui, les vieux chefs de tribu sont de retour. Mugabe a besoin de leur concours et il leur a rendu leurs tribunaux : ils peuvent juger les affaires locales. Mais, bien entendu, ils veulent tout récupérer : ils veulent le pouvoir de distribuer la terre.

Les pays qui versaient tout cet argent à l'Aide se sont lassés : ils s'y sont trop souvent brûlé les doigts. Mais c'était de leur faute. Ils distribuaient de l'argent à tort et à travers avant de s'assurer qu'il y avait une infrastructure sur laquelle construire... et beaucoup d'argent de l'Aide a été ainsi volé.

J'entends une autre version de la blague sur « le boulot le plus dangereux » : distribuer l'argent de l'Aide — avec un peu de chance vous vous en tirerez avec dix ans.

Mais a-t-on vraiment jeté des gens en prison ? Eh bien, pas beaucoup.

De nouveau resurgit cette question : comment se fait-il que tant de gens s'en tirent, *pensent* s'en tirer ? Partout, des gens se sont servis aussi ouvertement que s'ils récoltaient du miel sur un vieil arbre de la brousse. L'argent de l'Aide a fait la fortune de plus d'un chef.

Pourtant, il y a toujours une nouvelle série d'initiales,

désignant un nouveau fonds, une nouvelle agence, un nouvel organisme, qui vient se glisser dans des conversations d'initiés qu'un néophyte ne saurait décrypter. « Si nous pouvons obtenir X et XY pour financer le KA et le BC, l'IWP s'engagera et garantira le CBD et le WSP. »

Un Africain de l'Est bien connu, ancien ministre de l'Économie, dit qu'à son avis l'argent de l'Aide est la pire chose qui soit jamais arrivée au Zimbabwe. (Je dois ajouter qu'il est noir, sinon on me répondrait : « Quoi de plus naturel en somme ? ») « Mugabe aurait dû essayer de faire avancer ce pays par ses tirants de bottes. L'infrastructure était là. Maintenant, la réponse automatique à tous les problèmes est : " Donnez-nous de l'argent de l'Aide. " D'accord, ça aurait mis plus longtemps. Les organisations de l'Aide ont transformé les pays africains en une bande de mendiants. » Ou c'est un rédacteur en chef qui parle, un Noir : « L'Aide ne nous a fait aucun bien. Voyez ce qui s'est passé pendant la Seconde Guerre mondiale quand les importations se sont arrêtées : l'industrie secondaire s'est développée, la Rhodésie a appris à se suffire à elle-même. Puis les sanctions : elles ont fait le plus grand bien à ce pays, la même chose s'est reproduite. Mais bien sûr, ce n'est pas dans l'air du temps de le faire remarquer. »

Un autre ami, sud-africain (noir), dit qu'il n'a jamais rien vu de plus répugnant que Nyerere à la télévision, « souriant comme un doux et suave angelot », réclamant à deux mains l'argent de l'Aide. « Envoyez, envoyez », criait-il.

J'ai testé ces idées sur divers groupes de gens au cours de ce voyage, mais la réponse a été : « C'est très bien tant que vous n'avez pas vu par vous-même la pauvreté. » Je n'ai pas le cœur à tenir ce langage aux gens d'ici, tellement optimistes, tellement confiants. L'Équipe du livre se sert de l'argent de l'Aide. Elle a aussi refusé l'argent de l'Aide, le jour où une organisation a prétendu dicter sa loi, exercer un contrôle politique. « Ils arrivent en avion de quelque part — du Canada, de l'Amérique, du Danemark, d'Allemagne —, ils parlent à un bureaucrate dans un bureau d'Harare, puis ils disent : Nous allons vous donner de l'argent si vous faites ci ou ça. Si nous avons de la chance, ils font un petit tour de deux heures dans une zone communautaire puis ils se hâtent de regagner Harare. » Les livres que produit l'Équipe sont onéreux, mais pas en main-d'œuvre, laquelle est essentiellement bénévole. Au total, il doit y en avoir six, chacun dans les six langues principales. Il faudra encore six ans pour mener à terme le projet. Si le Zimbabwe change autant dans les six prochaines années qu'il a changé au fil des six dernières années, les livres devront changer, eux aussi.

« Ah bon, vous trouvez que le Zimbabwe a changé ? me demandent des gens que l'utopie rend impatients.

— Mais vous devez bien voir à quel point ça a changé. Être ici, c'est comme se retrouver au cœur d'un lent tremblement de terre. Je m'étonne que vous arriviez à garder l'équilibre.

— Il nous semble que tout va si lentement. »

Le lendemain matin, de bonne heure, lorsque le garçon apporte le thé, les biscuits, il pleut. Je suis assise dans mon lit, les livres de l'Équipe tout autour de moi, et je parcours le deuxième, qui s'intitule *Construire la richesse de nos villages. Introduction aux entreprises rurales.*

Rien que des bandes dessinées. Une jeune femme accorte dit : l'économie du Zimbabwe est, de toute l'Afrique noire, l'une des économies les plus tributaires des capitaux extérieurs. Près de soixante-dix pour cent du capital est sous la coupe des étrangers, essentiellement de cent trente sociétés britanniques et de quarante-trois sud-africaines. Les étrangers possèdent soixante pour cent des industries du Zimbabwe, quatre-vingt-dix pour cent des mines et dix-neuf pour cent des fermes. Entre 1980 et 1983, les profits qui sont sortis du Zimbabwe ont représenté au moins 3,33 milliards de dollars.

Une jeune femme exhorte : il sera donc lent et difficile de changer l'économie de manière à réduire le fossé entre les villages et le secteur urbain moderne, à réduire la dépendance du Zimbabwe à l'égard des techniques et des capitaux étrangers. Une autre jeune femme : en tant que villageois, nous ne devons pas ménager nos efforts, nous devons être bien renseignés et organisés pour cette tâche, car le gouvernement ne saurait l'accomplir seul. Et pour ce faire, il nous faut de bonnes connaissances de base sur l'économie du Zimbabwe.

Qu'est-ce que l'économie ? Une villageoise d'âge mûr donne une réponse, un homme mûr une autre.

Qu'est-ce que la production ? La production, c'est l'acte

par lequel on transforme les choses qui nous viennent de la Nature en biens utilisables. Pour produire, il nous faut les choses suivantes : ressources naturelles, main-d'œuvre, capitaux.

Lorsque Chris Hodzi fait ses dessins, il s'inspire des gens qu'il a vus, observés, écoutés lors des réunions qu'il suit, généralement sans se faire remarquer, en croquant des situations. Il me vient à l'idée que ces livres seront un catalogue des types et des personnalités de cette époque à travers tout le Zimbabwe — de ce qu'ils portaient, de leur allure, de leur manière de se tenir, de parler.

Nul n'y a songé, mais en général les choses les plus importantes arrivent comme ça.

1. Quel est le produit le plus important de votre village ?
2. Décrivez les ressources naturelles qui sont entrées dans sa production : main-d'œuvre, capital.
3. Avez-vous la moindre difficulté à obtenir les ressources naturelles, la main-d'œuvre ou le capital dont vous avez besoin pour produire les principaux produits de votre village ? Si oui, dites quelles sont ces difficultés et imaginez comment vous pourriez commencer à résoudre ces problèmes.

Les livres iront dans tous les villages du Zimbabwe comme le premier. Même quand les écoles laissent à désirer, ces livres, s'ils sont lus, auront valeur d'instruction civique. Personne ne l'avait prévu non plus.

A huit heures, nous étions dans un bureau. La réunion ajournée commençait. Les discussions eurent lieu en ndébélé : Cathie et Talent le parlent l'une et l'autre. Les femmes qui viennent des régions les plus pauvres ont connu des années de sécheresse. Elles sont toutes au courant du livre sur les femmes. Chacune a conscience de l'importance de l'occasion, est pleine d'espoir.

Deux instants mémorables, tous deux issus du passé. L'un quand une vieille femme a fait valoir un point de vue conservateur : il y en a toujours une qui le fait et, toujours, les jeunes femmes ont une façon de l'écouter qui ne trompe pas. Dans une certaine mesure, elles ne peuvent que lui donner raison. « Tous les us et coutumes d'antan n'étaient pas mauvais. Il nous faut garder ce qu'il y a de valable dans nos traditions. »

Et l'autre, quand une vieille rembarra une jeune fille qui disait que la loi devrait protéger les femmes contre le viol. Les femmes, expliquait-elle, ne savent plus se protéger. Et cette vieille technique, alors ? Un homme pourchasse une fille en pleine forêt. Elle relève ses jupes en courant, dévoile tout ; l'homme faiblit, il est de plus en plus faible, ne peut plus courir, ne peut plus l'attraper... Tout le monde rit, puis elles se souviennent de la présence de Chris, le seul homme de l'assemblée. Il rit lui aussi. La situation est sauvée.

La réunion s'achève dans les éclats de rire et les exhortations de dernière minute de l'Équipe : le sud du Matabeleland est réputé pour sa musique, n'oubliez pas que nous avons besoin de chansons et de poèmes pour le livre. Composez des poèmes et des chansons si le cœur vous en dit.

Puis nous descendons les escaliers et montons dans une Landcruiser Toyota qu'une administration locale a mise à notre disposition : ici, on apprécie le travail de l'Équipe. Ce véhicule est inspiré de la Land-Rover, mais il est plus spacieux, plus confortable, plus surélevé. On y flotte. Il peut transporter beaucoup de gens, et aujourd'hui c'est bien utile parce qu'il ne se passe pas de minute sans que quelqu'un demande s'il peut monter.

Il est encore très tôt. Si l'on se réveille à cinq ou six heures et que l'on prend le petit déjeuner à six heures trente, à onze heures on a l'impression que la journée est à moitié terminée. Le temps est gris, glacial, et il y a des flaques d'eau. Bulawayo a cependant un air de fête, voire de frivolité, parce que des lampadaires bleu ciel ornent toutes les rues où l'on s'attend presque à voir aussi des guirlandes et des calicots.

L'une des femmes qui nous accompagnent représente encore une autre organisation, mais il n'est pas possible de les dénombrer toutes. Bien avant la libération, elle a épousé un Noir — elle est blanche ; elle a élevé ses enfants et supporté tous les harcèlements que lui valait cette situation. Elle dit que la mauvaise Rhodésie du Sud d'antan est bien morte.

Nous sommes sur la route du Nord, qui nous conduirait aux Victoria Falls si nous y restions. C'est sur cette route qu'en 1982, des terroristes avaient pris des touristes en otage et en avaient tué trois. Plus personne ne s'en souvient. De part et d'autre, la brousse est belle, jeune, vernissée, pleine de sève. La dernière fois que j'ai vu le Matabeleland, tout était brun et poussiéreux, comme il l'est en général. A chaque détour de la route, on surprend des grosses biques et du bétail. Les biques errent, apparemment sans que personne les surveille, les bestiaux sont derrière les clôtures : ce sont des fermes commerciales, et la brousse est belle et intacte. Pas de gibier, cependant : beaucoup d'animaux, mais ce sont des bestiaux, des biques ou des ânes. J'essaie de me convaincre qu'un animal est un animal. Mais parfois un couple de pintades, ou de perdrix, court au bord de la route. A cette époque de l'année, les pintades ne forment pas de troupeaux, elles vont par deux, mais quelqu'un observa que l'an dernier, non loin de la mine de charbon de Wankie, les pintades étaient si nombreuses qu'on aurait dit que la terre bougeait : il y en avait des centaines.

LE JARDIN POTAGER

Les gens parlent du jardin comme ils parlaient de ce vaillant petit entrepôt près de Harare. Il y a quelque chose dans ce jardin qui les ravit, mais ils disent : « Attendez voir. » A mi-chemin des Chutes, nous bifurquons pour entrer dans une zone communautaire. En dépit des précipitations, la brousse est maigre et broussailleuse, semi-désertique, avec des petites collines desséchées. Soudain, dans ces friches apparemment infertiles, un grand jardin luxuriant. Les uns sur les autres, nous écoutons l'histoire de ce jardin... nous frissonnons, car on n'emporte pas de tricot au Matabeleland, dans ce pays où l'on cuit, et aucun d'entre nous n'est convenablement habillé.

Tout autour, les villages sont extrêmement pauvres. A la radio, dans une émission d'inspiration gouvernementale, il a été question des « projets » : autrement dit, comment les villages peuvent améliorer leur sort. On a parlé d'un jardin potager. Mais on est en pays sec, la terre est pâle, de quatrième catégorie... et pourtant il y a une mine d'or épuisée, avec son trou de sonde...

Cette fois, ce sont les hommes et les femmes tous ensemble qui ont créé le jardin. On y cultive des tomates, des oignons, des choux, du maïs, des carottes, des épinards : on n'aurait jamais cru que cette terre en était capable.

292

Vingt-quatre femmes et neuf hommes invitèrent quiconque était intéressé à rejoindre la nouvelle coopérative. Les femmes travaillent avec plus d'acharnement que les hommes, mais les hommes les aident, parce que la famille mange mieux, à la fois à cause du jardin et de ce qu'elle gagne.

Nous regardons une demi-douzaine de femmes au travail, pliées en deux, les genoux droits : impossible de travailler ainsi, direz-vous, et cependant elles le font, des heures durant. Elles sont nu-pieds, à cause de la boue.

Lorsque ce jardin potager a été créé, il n'y avait qu'une terre pauvre et sèche. Un agent de vulgarisation est venu et leur a expliqué comment aménager des tranchées d'irrigation et des buttes ; il leur a conseillé aussi de mettre une clôture tout autour, à cause des biques. Cette commune est aujourd'hui fermée, elle n'accepte plus de nouveaux membres, mais s'il y avait de l'argent pour un nouveau trou de sonde, on pourrait créer un autre jardin. Aujourd'hui tout le monde veut en lancer un nouveau. Le district tout entier a progressé du fait de ce seul jardin.

Comment vont-ils obtenir un nouveau trou de sonde ? Les représentants du village, les hommes, et les femmes, espèrent que les représentants de l'Aide qui sont parmi nous vont les aider.

L'une des femmes qui nous accompagnent, qui représente un modeste organisme, pas l'une des riches organisations internationales, a été sollicitée voilà deux ans : elle a proposé une centaine de dollars — une trentaine de livres sterling. L'homme qui parle au nom du village se veut réprobateur, quoique avec une pointe d'humour. « Une centaine de dollars, dit-il. Que pouvait-on en faire ?

— Mais vous m'avez dit, je crois, que vous vous en étiez très bien sortis ? » répond la femme de l'Aide.

L'homme continue à lui faire front, accusateur.

« Vous avez acheté des poulets, poursuit-elle, et, en moins d'un an, cette centaine de dollars vous en a rapporté cinq cents, c'est bien ce que vous m'avez dit... alors, ce n'est pas vrai ? »

L'homme rit et dit que si.

« Et voilà. Combien de gens reçoivent des centaines et des centaines de dollars sans qu'il y ait rien à montrer ?

— Oui, nous savons que c'est vrai, mais nous ne sommes pas de ces gens-là.

— Nous parlons bien d'argent pour un trou de sonde ? Mon organisation n'a pas d'argent pour ce genre de choses.

— Alors, qu'allons-nous faire ?

— Vous devriez en parler à cet homme, ici ; si vous réussissez à l'intéresser, il est votre homme. »

L'homme en question, l'un de ceux qui nous avaient accompagnés depuis la ville parce qu'il savait que nous visiterions le potager, prend les villageois à part pour évoquer les possibilités d'un trou de sonde.

Notre groupe s'est maintenant dispersé, et je me tiens à l'écart, quand un agent de vulgarisation — en l'occurrence, un homme d'une quarantaine d'années, boueux parce qu'il a aidé à dégager une douve d'irrigation engorgée — se précipite vers moi. Il rit de cet air qui veut dire que vous n'allez pas tarder à rire aussi.

Il s'arrête en face de moi, prend un air grave et déclare : « Voyez-vous, madame Lessing, vous ne comprenez pas nos problèmes. »

Ces mots, ceux-là mêmes qu'employaient jadis les Blancs chaque fois qu'un visiteur les critiquait, me font rire, comme de juste, et il opine du chef, pour signifier que j'ai bien compris et qu'il peut poursuivre.

« Nous sommes aujourd'hui un pays civilisé, déclare-t-il en guettant ma réaction avant de continuer sa plaisanterie.

— Je le vois bien, dis-je.

— Comme tous les autres pays civilisés, nous avons une élite dirigeante corrompue », dit-il, et son corps tout entier est maintenant secoué de rire.

Nous rions. Puis il retourne jeter un coup d'œil sur le fossé d'irrigation tout en hochant la tête et en riant.

Le fait est qu'un nouveau scandale, une nouvelle affaire de corruption a dernièrement éclaté en Grande-Bretagne.

Les gens qui cultivent ce potager sont fiers, comme les gens du hangar, car leurs installations sont gratuites pour ceux qui n'en sont pas membres. Ils peuvent se procurer des plants gratuitement. En échange du fumier de leurs bestiaux, ils reçoivent des légumes sans bourse délier.

Les cultivateurs ont décidé de renoncer à l'usage des engrais s'ils peuvent obtenir assez de fumier. Les légumes cultivés avec des engrais n'ont pas bon goût, disent-ils. Si l'on cultive une rangée de légumes avec des engrais, et une autre avec du fumier, la différence est perceptible à la première bouchée.

On est tout fier de nous montrer comment, à l'intérieur de la clôture, on a ménagé un espace libre où il y a des trous pleins d'herbes flétries que l'on laisse pourrir pour nourrir les papayers, les goyaviers et les orangers que l'on va bientôt planter. On est tout fier de nous montrer comment, à l'extérieur du jardin, les toilettes Blair sont à moitié dissimulées derrière des massifs de cosmos plumeux roses et blancs. La clôture est bien entretenue. Les cabanes du village ont un beau toit de chaume.

Comme nous regagnons la Landcruiser, les femmes s'avancent pour nous vendre des légumes. Les mères de familles, parmi nous, s'empressent d'en acheter : il n'est pas facile de trouver des légumes pareils. Les femmes ont gagné quelques sous, elles sont satisfaites et fières. Ce jardin potager, cette entreprise qui est en train de changer leur vie, a placé deux mille dollars à la banque. C'est une très grosse somme pour eux, même s'ils sont nombreux à se la partager. Rien ne saurait faire mieux comprendre la pauvreté qui règne ici : le plaisir que procurent à ces femmes ces quelques pièces, deux petits dollars pour un gros tas de légumes. Dans ce district déshérité, une famille qui améliore sensiblement son niveau de vie, c'est une famille qui trouve le moyen d'acheter une paire de chaussures pour un enfant qui va à l'école, un tricot pour les jours frais comme celui-ci, une lampe à pétrole pour que les enfants puissent faire leurs devoirs.

On me dit que la région compte deux bonnes écoles primaires. Les deux écoles secondaires sont dans le même état que celle que j'ai vue il y a une semaine. Le directeur de l'une est accusé de détournement de fonds.

Nous passons tout notre temps à ramasser des gens au bord de la route et à les déposer. La Landcruiser est perçue comme un bus, et sur cette route de brousse, apparemment nul n'a peur de prendre des auto-stoppeurs. Nous discutons des problèmes de toutes sortes et de la crise, mais nous rions sans arrêt, en particulier de la corruption et des scandales, et tout le monde y va de son histoire.

Un politicien de Harare rencontre un vieil ami, un ancien Combattant de la liberté, devenu chef, dans une rue de Bulawayo. Ce chef avait fait la une des journaux, cette semaine, pour s'être fait pincer en flagrant délit de vol. Le premier dit :

« Je ne crois pas que je puisse me permettre d'être vu en ta compagnie cette semaine. » Le délinquant répond : « Quel dommage, j'allais t'inviter à dîner. — Une autre fois, dit le premier. — Non, j'ai la solution, dit le chef. Viens passer la nuit chez moi, comme ça on ne te verra pas avec moi en public. Et je te conduirai à la maison que je montre aux chiens de garde du gouvernement quand ils viennent voir si je ne transgresse pas le " code de conduite du dirigeant ". Je ne voudrais pas te compromettre en te montrant ma ferme, mon magasin, mon hôtel, mon autre maison, mon... »

Le code de conduite qu'a imposé le camarade Mugabe est censé, comme la loi somptuaire des Romains, endiguer cette vague de cupidité.

On raconte une histoire du Manicaland. « Vous n'avez pas honte d'être devenu aussi riche si vite ? Vous n'avez pas peur que le gouvernement vous punisse ? — Non, ce gouvernement est du côté des pauvres, n'est-ce pas ? Eh bien, j'ai été pauvre, alors le gouvernement doit être de mon côté. »

L'histoire d'un politicien dont la femme est tristement célèbre pour sa cupidité : « Oh, c'est un homme de bien, nous le savons tous, il est incorruptible, qui oserait dire le moindre mot contre lui ? Mais quand on couche avec la corruption, comment appelle-t-on ça ? »

Au milieu des blagues et des anecdotes, vient toujours un moment où quelqu'un dit : « Ils nous prennent pour des idiots parce que nous sommes pauvres. Les chefs oublient que nous les observons. Nous savons qui est bon, qui est mauvais. »

« Souvent il ne s'agit que d'une petite corruption, mais derrière toute petite corruption, il y a l'aval d'un homme important. Ils devraient se souvenir qu'il est dangereux de prendre une voiture officielle pour apporter des cornes de rhinocéros aux trafiquants. Le braconnage des rhinocéros bénéficie de soutiens puissants. Les braconniers transportent des armes puissantes. Qui peut se payer des armes pareilles ? Seulement les chefs. »

« Pendant la guerre du Bush, les camarades écoutaient les gens et nous demandaient conseil. Maintenant, ils ont tout oublié. »

« Le terme naguère honoré de " camarade " devrait être abandonné, ou réservé aux escrocs et aux criminels. Dans certains pays communistes, ils ont renoncé à l'employer. Quand les gens se mettent à l'employer de manière sarcastique, alors ça suffit. »

Ils parlent de Joshua Nkomo avec affection, d'un ton approbateur. On a oublié qu'il a vécu si longtemps dans la brousse, qu'on l'a accusé de toutes sortes de rébellions et de séditions ; c'est comme s'il avait toujours compté au nombre des chefs, un architecte du Zimbabwe, un homme de bien.

On raconte une histoire à ce sujet. Nkomo visite un sanctuaire des Matopos, et les ngangas saluent en lui Lobengula : il est le vieux roi réincarné, ou tout au moins, c'est l'esprit du vieux roi qui l'anime.

« Tu ne nous écoutais pas quand tu étais Lobengula, lui reprochent les sages. Tu n'écoutais pas quand tu te battais contre les Britanniques et que tu as été battu, comme on t'en avait prévenu. Es-tu maintenant ce Lobengula qui ne voulait pas écouter la voix des ancêtres, ou es-tu celui qui fera ce que nous dirons ? » Joshua répond humblement : « Je suis celui qui fera ce que vous direz. — Alors tu auras les honneurs, une longue vie et de grandes responsabilités publiques. »

L'histoire est-elle authentique ? Elle illustre les sentiments qu'inspire Joshua Nkomo, autant que le besoin de continuité dans une société qui a été si violemment et si souvent perturbée au cours des cent dernières années.

A l'hôtel, nous sommes nombreux à dîner et nous restons longtemps assis à discuter. Sylvia préside la table ; sa fille, qui apprend le métier d'hôtelière, est à l'autre bout. C'est au tour de Sylvia de nous raconter sa vie. Nous écoutons comme les gens semblent le faire à cette époque, en y voyant un épisode de cette épopée qu'est la construction du Zimbabwe.

Sylvia est née de père polygame. Elle a été élevée pour obéir, elle n'avait pas le droit de dire autre chose que « oui » ou « non » en compagnie de ses aînés, jamais elle n'aurait osé critiquer ses parents. Mais elle a fait un mariage moderne, elle a épousé un homme qui l'aide, qui prend sa part de responsabilité en toute chose et qui s'occupe des enfants — un travail de femme, selon les idées d'autrefois — quand elle est en voyage. Sa fille a continué à aller de l'avant. Je ne vois pas ce qui la différencie de n'importe quelle Européenne de dix-sept ans. Elle est jolie, vive, indépendante.

Nous lui demandons de nous dire ce que la nouvelle génération a dans la tête.

Elle répond en souriant, avec un plaisir et une délectation indéniables : elle sait combien ses paroles doivent nous frapper, en particulier sa mère. Elle n'est pas cruelle, mais on lui a demandé de dire sa façon de penser : visiblement, elle en a discuté avec ses amies. En vérité, c'est au nom de sa génération qu'elle s'exprime.

« Pour commencer, dit-elle en buvant à petites gorgées — du vin du Zimbabwe, qu'elle juge, en sa qualité d'étudiante en cours de formation —, nous restons à la maison avec nos mères le plus longtemps possible, parce que cela signifie que nous ne sommes pas tenues de nous marier, d'avoir un mari qui nous dit ce que nous avons à faire. Il n'est pas question pour nous de nous marier avant d'être indépendantes dans notre travail et de pouvoir faire ce qui nous plaît. En second lieu, nous ne sommes pas du tout reconnaissantes à nos parents de tous les sacrifices qu'ils ont faits pour nous — la guerre d'indépendance, on s'en fiche, comme de tous les gens qui sont morts en notre nom, et de ceux qui n'ont pas fait d'études parce qu'ils se battaient, de tout cela. Nous voulons prendre du bon temps. Nous allons avoir une belle vie. Nous sommes égoïstes, nous le savons. Mais c'est comme ça. C'est vous qui avez voulu savoir. »

Ses yeux sont pétillants de malice. Nous l'avons écoutée, espérons-nous, de bonne grâce. C'est Talent qui s'est le plus sacrifiée pour le Zimbabwe, mais ce soir elle est lasse et se contente de sourire. Cathie me paraît sincèrement choquée. Sylvia, la mère, une vraie belle femme au port de reine, dont on attendrait une réaction vive, prend les choses avec humour. Quant à Chris, qui est de la même génération que la jeune fille, il la regarde de son point de vue, celui d'un homme beaucoup moins privilégié. Sa vie est difficile, car ça ne rapporte pas grand-chose de faire des dessins pour ces livres.

La fille enchaîne en nous racontant comment elle a organisé sa vie. Quand elle aura son diplôme — avec mention « très bien », cela va sans dire —, elle cherchera un très bon hôtel à Harare et, à partir de là, se trouvera un très bon hôtel en Europe.

Après qu'elle est allée se coucher, j'observe qu'on pourrait entendre les mêmes propos — mot pour mot — dans la bouche des jeunes Soviétiques : j'ai déjà lu ça il y a à peine une semaine.

298

« On n'en a rien à faire de votre guerre, de vos souffrances, de vos sacrifices... allez vous faire voir. Vous avez fait un beau gâchis, et maintenant, nous allons nous occuper de nous. »

Vous est-il venu à l'idée — dit quelqu'un — que c'est la génération qui avait des idéaux si élevés et de si belles pensées qui a fait tout ce gâchis ? Qu'est-ce qui nous permet de penser que ces enfants égoïstes feront pire ?

Avant d'aller au lit — tard, il est neuf heures — un fonctionnaire des Nations unies en visite m'offre un café et me donne le point de vue international.

Il y a un nouveau mot pour désigner certains pays africains : ce sont des « kleptocraties », explique-t-il. Mais oui, le Zimbabwe a quelque chose que les autres n'ont pas. Espérons que Mugabe en a conscience. Jamais un pays n'a disposé d'un tel capital de bonne volonté à ses débuts. Mais il traite son peuple en ennemi.

Je dis ça parce que — à ce que l'on dit — il ne rencontre jamais le commun des mortels, il vit dans une tour d'ivoire, entouré de sycophantes.

Mais, ajoute-t-il, c'est le cas de tous les dirigeants. Ils ne rencontrent personne d'autre que leurs homologues, dans les conférences internationales, et comme ce sont tous des escrocs, ils mettent tout le monde dans le même sac.

Mugabe, dis-je, n'est pas une crapule. Je lui rapporte ces propos — devinez de qui ? — d'un agent de vulgarisation, qui me les a tenus ce matin même : « Le camarade Mugabe ? Oui, il a ses défauts, c'est un être humain. Mais regardez la Tanzanie, ils ont un saint au pouvoir et voyez dans quel pétrin ils sont. Et la Zambie ? On pourrait dire que Kenneth Kaunda est un quart de saint. Qui voudrait connaître les difficultés dans lesquelles se débat la Zambie ? Non, nous ne voulons pas d'un saint pour dirigeant.

— Tout ça est bien subtil, reconnaît l'homme des Nations unies.

— Mais c'est qu'ils sont subtils.

— Les villageois, vous voulez dire ?

— Vous devriez essayer d'en rencontrer quelques-uns.

— S'ils blaguent encore, c'est qu'ils ont de la chance. Impossible de plaisanter en Zambie. Demandez l'heure, ils jettent un coup d'œil par-dessus leur épaule pour voir si la police secrète n'écoute pas. Ils ne sont pas seulement autoritaires et corrompus : ce pays est un vrai gâchis, un désastre.

— Ce n'est pas le cas ici.

— Pas encore.

— Quel optimisme !

— J'ai passé beaucoup de temps en Afrique. »

Nous discutons de la corruption des États africains. « Évidemment, ce n'est pas le nouveau parti ou le nouveau dirigeant qui décrète : " Eh bien voilà, nous allons devenir un pays de corruption."

— Non, la corruption gagne peu à peu du terrain jusqu'à les contaminer, dit-il.

— Peut-être qu'elle a progressé ainsi en Zambie, en Tanzanie et ailleurs, mais c'est impossible au Zimbabwe, car ils ont l'exemple des autres.

— Mais si, elle les a contaminés.

— Pourtant, Mugabe ne ménage pas ses efforts.

— Je vois que vous êtes sous le charme. Ce sont des choses qui arrivent, dit-il. Ce que vous ne voyez pas, c'est que Mugabe n'y peut strictement rien, parce que s'il jetait tous les escrocs en prison, il ne lui resterait plus le moindre partisan.

— Absurde. Vous ne mettez jamais les pieds hors de Harare ou de Bulawayo, vous autres. »

Et le lendemain matin de très bonne heure, au petit déjeuner, dans la salle à manger, j'entends un agent de l'Aide, un Américain, raconter la même chose que l'homme des Nations unies : « Si Mugabe laisse passer cette chance, s'il la bousille, ce sera une tragédie. Combien de fois un dirigeant dispose-t-il de tels trésors d'énergie ? Peut-être la révolution a-t-elle mal tourné ici... (il veut parler de Harare), mais là-bas, dans les villages, c'est encore l'avenir. Que se passera-t-il si tout cet optimisme tourne à l'aigre ? On ne mobilise pas de telles espérances avec quelques discours ou un rassemblement du parti — non, ce qui se passe dans les zones communautaires et les zones de réinstallation est la continuation de la guerre de libération. C'est ça, la révolution.

« Eh bien, dit l'homme des Nations unies, je vais devoir vous croire sur parole. »

Mais cette corruption dont tout le monde parle, jour et nuit, jusqu'à l'obsession, et qui, assure-t-on, rend impossible tout

300

investissement au Zimbabwe, comparée aux scandales financiers qui secouent continuellement la Grande-Bretagne, le Japon, les États-Unis, la France, l'Allemagne, fait plutôt l'effet d'un petit délinquant qui mettrait la main sur une tirelire. Plus tard, à Londres, j'ai exposé ce point de vue à un financier, un homme de la City, qui m'a répondu, visiblement surpris de mon incapacité à saisir le fond du problème : « Vous ne comprenez donc pas ? Avant qu'un pays puisse connaître ce genre de choses, il lui faut une infrastructure digne de ce nom. »

Le lendemain, nous roulons vers le sud à travers les Matopos, de belles collines granitiques couvertes de broussailles, et je tombe d'accord avec Dorothy et Ayrton R., pour qui c'est la meilleure partie du pays. Elle n'est pas seulement belle, mais riche en sanctuaires et en endroits magiques. Puis nous laissons les collines derrière nous et entrons dans une région plus pauvre encore que celle d'hier.

« Ceux-là passent leur temps à se plaindre, ils ne ressemblent pas aux gens que nous avons rencontrés au jardin. »

Quelqu'un suggère qu'il manque ici cette personnalité énergique que l'on trouve si souvent à l'origine du changement. Cathie, cette boule de feu faite femme, qui libère des trésors d'énergie et d'initiative partout où elle se trouve, a du mal à l'accepter, parce qu'elle est par principe attachée au travail de groupe. Mais elle finit par reconnaître que lorsqu'on va dans une région et que l'on trouve des « projets » qui marchent et des gens optimistes, cela est souvent dû à la présence d'une femme, d'un homme — d'un individu — qui a servi de levain.

Nous voici bientôt arrivés à un « point de croissance », et le bureau est en fait un vieux corps de ferme racheté à des fermiers blancs : une soixantaine de personnes, surtout des femmes, se pressent aux abords et sous la grande véranda, où pendant de si longues années des domestiques noirs ont des milliers de fois servi le thé ou des boissons au fermier, à sa famille, à ses hôtes. Cet appentis carré, à l'arrière de la maison, était vraisemblablement l'office. Devant le bâtiment, la brousse est étincelante et une douzaine de biques en profitent.

Au moment où commence la réunion, l'une des nôtres déclare qu'elle a entendu dire qu'il y avait une réunion sur le sida juste en bas de la route, et elle s'en va pour savoir de quoi il retourne.

Parmi les cinq hommes présents, il y a le président du village.

301

Ils restent tranquillement assis tandis que Cathie et Talent expliquent que, ce livre pour les femmes, ce sont les femmes elles-mêmes qui vont l'écrire et leur demandent de suggérer des thèmes. Lesquels, en définitive, sont les mêmes que ceux déjà évoqués lors des autres réunions.

Le ton change lorsqu'une femme demande à savoir pourquoi on ne les laisse pas exercer d'autres types d'activités : pourquoi elles ne peuvent conduire un bus, par exemple.

Le président déclare que les femmes ne sont pas bâties, physiquement, pour conduire des bus : elles ne peuvent grimper sur le toit pour descendre les bagages.

Une femme : « Soudain il est question de notre faiblesse. Personne ne fait état de notre faiblesse quand on plante, quand on cultive, quand on bine, quand on récolte, quand on prépare la cuisine, quand on élève les enfants, quand on construit des maisons, quand on installe des toitures... » Elle n'avait pas fini, mais le président l'arrête : ce n'est pas lui qui préside cette réunion, certaines femmes le lui rappellent en le prenant à partie.

Il dit : « C'est votre devoir de faire ces choses pour votre mari.

— Et chaque fois que nous reprochons aux hommes leur paresse, il est subitement question de Devoir.

— Mais, insiste l'homme, tout plein d'une tranquille conviction, c'est votre devoir. »

Sur ce, intervient la femme plus âgée qui doit parler au nom de la tradition : elle dit qu'il y avait du bon dans l'ancien temps et qu'il ne faut pas jeter le bébé avec l'eau du bain, que la liberté des femmes, c'est bon en dehors du foyer, mais qu'à l'intérieur mieux vaut s'en tenir aux usages d'autrefois. « Bien parlé, la mère », dit le président.

Murmures et rires. Il semble que quelque chose dans ce mélange bien particulier d'individus pousse à l'affrontement. Et pourtant, ce n'est pas venimeux : on rit, on plaisante, rien de cette haine des hommes vindicative et froide que certaines féministes ont érigée en principe et qu'elles essaient d'imposer aux autres.

« Pourquoi y a-t-il encore si peu de femmes aux postes de direction ? » demande un homme. Il ne cherche pas à provoquer.

« Parce que, prétendent les hommes, l'égalité des droits ne

302

veut pas dire qu'*ils* devraient s'occuper des enfants et faire la cuisine.

— Mon mari reste assis, les bras croisés, et attend d'être servi alors même que j'ai fait tout le travail, que je suis malade et qu'il n'a pas travaillé de toute la journée. »

Une autre : « Je rentrais des champs, hier ; mon mari me dit : " Pourquoi l'eau n'est pas prête pour ma toilette ? " Je verse l'eau, et il dit : " Pourquoi mon repas n'est pas prêt ? " Je vide l'eau de la toilette et je mets l'eau pour le porridge, et il dit : " Qu'est-ce que c'est, pourquoi tu ne t'es pas lavée ? " »

La femme traditionaliste, d'un air sévère : « Certaines femmes sont trop paresseuses pour préparer un feu assez grand pour mettre deux marmites.

— Mais je n'avais pas le temps d'aller chercher du bois parce que les chèvres étaient dans le champ et que je devais protéger les plantations. Vous oubliez qu'on ne peut plus compter sur les enfants, maintenant qu'ils vont à l'école. »

Silence. Tout le monde veut que les enfants aillent à l'école, mais leur travail manque. Du coup, les femmes ont la vie plus difficile.

« Et, poursuit la plaignante, mon mari n'a pas voulu m'aider avec les biques quand je le lui ai demandé.

— Parce que ce n'est pas le travail des hommes, dit le président.

— Alors qu'est-ce que c'est, le travail d'un homme ? » demande suavement une femme. C'est l'une de ces fortes femmes formidables que l'on trouve souvent, me dit-on, derrière les groupes locaux de femmes. En règle générale, c'est une femme d'âge mûr qui a déjà élevé ses enfants et qui peut fort bien se passer d'un homme. On la compare aux mammies des marchés en Afrique de l'Ouest, à ces commerçantes qui ne ménagent pas leurs efforts et trouvent toujours des finances. Mais ici, ces femmes n'ont pas leur niche comme en Afrique de l'Ouest : il leur reste à se faire une place.

Le président l'attaque de front : « C'est Dieu qui a voulu les différences entre les hommes et les femmes. »

Sur ce, l'une des participantes blanches, une Américaine, demande : « Alors, pourquoi les rôles des hommes et des femmes sont-ils différents d'un pays à l'autre ? Aujourd'hui, tout le monde circule à travers le monde, et on sait très bien à quel point les cultures sont différentes, on ne peut plus dire : c'est Dieu qui a voulu ci ou ça. »

Une femme observe, avec humour, qu'elle n'est jamais allée plus loin que Harare, pour voir sa sœur, et que sa sœur se plaint de son mari, exactement comme elle.

Et maintenant la question de la pension alimentaire, qui a fait l'objet de discussions enflammées à chaque réunion. Il y a une nouvelle loi, dont les libéraux et les progressistes se sont félicités, selon laquelle les hommes qui abandonnent leur femme doivent assumer la responsabilité des enfants. Dans les villages, cette loi est perçue différemment ; les femmes mariées respectables sont en colère.

« Déjà nos maris ont deux familles, une nouvelle en ville, tandis qu'ils laissent leurs véritables épouses à la maison. Ils dépensent tout leur argent pour les nouvelles femmes. Nos enfants ont faim. Ces femmes des villes sont des putains. Si le gouvernement leur accorde de l'argent pour leurs enfants, il sera encore plus facile à nos maris de nous abandonner. »

Le président : « Si vous voulez savoir pourquoi vos maris prennent de nouvelles femmes, vous n'avez qu'à regarder vos portraits de mariage. »

Cette remarque cruelle suscite l'indignation, pas la colère car une partie des observateurs l'ont jugée méritée.

Les femmes s'exclament, échangent des propos acerbes. « Ces sales femmes ont tout leur temps pour elles. » « Elles peuvent se payer une nouvelle robe et du rouge à lèvres. » « Je n'ai même pas de quoi acheter du savon pour laver mes enfants, et à plus forte raison pour me laver. » « Ça fait cinq ans que je n'ai pas changé de robe. » « Oui, parfois, une prostituée est entretenue par quatre ou cinq hommes qui lui donnent leur argent. Aucune femme ne peut suivre. »

Le président : « Les femmes sont belles quand elles se marient, puis elles se laissent aller.

— Nous sommes débordées de travail, vous ne comprenez pas ?

— Non, il ne comprend pas, parce que les hommes ne travaillent jamais.

— Pourquoi dites-vous cela, alors que vous savez très bien que je travaille dur en tant que président du village ?

— J'aimerais bien être à votre place.

— Oui, et moi aussi.

— Et moi donc ! » Grands éclats de rire. Les femmes le regardent comme elles regarderaient sans doute un de leurs sales mômes.

Puis vient la question des infirmes. Souvent les hommes les violent, puis il y a des enfants, dont personne ne s'occupe. Et les hommes devraient y réfléchir à deux fois : ils ne devraient pas coucher avec des infirmes.

Le président observe : « Ce n'est pas parce qu'une femme est estropiée qu'elle ne fait pas l'affaire. »

Tout au long de cette réunion, il garde un air calme, souriant, olympien, pas un seul instant il ne perd sa dignité. Joue-t-il sciemment les provocateurs ? Je vois Cathie et Talent se chuchoter quelques mots à l'oreille en le regardant — elles se posent exactement la même question. Sylvia est aussi calme et impérieuse que lui, même si elle se désolidarise de cette brutalité. Chris, l'artiste, continue à dessiner.

« Les hommes qui font ces choses, il faudrait les arrêter », dit une femme, en défiant directement le président, mais celui-ci se contente de sourire.

Cathie et Talent suggèrent aux femmes de composer une chanson sur un homme qui engrosse une infirme et l'abandonne.

« Et nous l'obligerons à la chanter, suggère une autre — à l'adresse du président.

— Oui, je la chanterai, dit-il. J'ai une belle voix. »

Une pause. Puis une femme d'âge mûr observe que les anciennes lois n'étaient pas toujours bonnes. Si une fille tombait amoureuse d'un homme qui ne plaisait pas à ses parents, elle ne pouvait l'épouser. A voir comment les femmes la regardent, c'est son histoire qu'elle raconte. On entend des murmures de sympathie.

Cette réunion s'achève, comme les autres, sur les promesses de l'Équipe qui reviendra dans quelques mois collecter tous les matériaux.

Puis, comme toujours, une chanson. Le message est vigoureux, mais l'air est le même : un vieil air. Certaines chansons africaines sont aussi naturellement mélancoliques que les chansons russes, elles sont faites pour vous briser le cœur, même quand leur thème est joyeux.

Les gens changent lentement, mais ils changent.
Allons donc lentement, et ils changeront.

Voilà une chanson. Puis une autre :

Parlez-leur de développement,
Parlez-leur de santé.
Ne demandez pas aux gens de faire ce que vous dites,
Demandez-leur de faire ce que vous faites.

Et maintenant, un hymne :

L'amour de Dieu est si merveilleux.
L'amour, l'amour, le merveilleux amour de Dieu...

Et les femmes qui dansent forment un grand cercle. De toutes parts d'autres affluent en entendant la musique. Certaines restent en arrière, ululent et claquent des mains. Une poignée d'entre elles ont des bébés sur le dos.

Comme nous regagnons la voiture, tout le monde nous escorte ; la femme qui a assisté à la réunion sur le sida est de retour. Elle est partagée entre le rire et la fureur. Il existe un documentaire bien fait, convenable, sur le sida, qui appelle les choses par leur nom et explique les dangers. Mais les religieuses de la mission locale ont opposé leur veto. Nul ne semble s'étonner que les nonnes aient ce pouvoir. Les mêmes nonnes, me dit-on, ont brûlé *The Grass is Singing* [*Vaincue par la brousse,* en français], mon premier roman, en expliquant que le livre était bon, mais dangereux.

Le film projeté à la place assurait que le sida était un danger pour les homosexuels et les drogués. Mais l'homosexualité ne fait pas partie de la culture africaine ; en Afrique, le sida est une maladie hétérosexuelle. Ici, personne n'a entendu parler de drogues plus fortes que la marijuana, qui pousse partout et qui fait partie de la culture. Plusieurs centaines d'écoliers, qui pour certains ont tout juste neuf ou dix ans, ont regardé ce film sans rien comprendre et, à cet instant précis, ils se dispersent, désorientés.

Le médecin du coin a dit que, dans la région, cinq personnes étaient mortes du sida au cours des dernières semaines. Il s'agit, bien entendu, des cas de sida reconnus. Comme personne ne sait rien du sida, une personne peut en mourir et la seule chose que l'on entendra, c'est : mon frère est devenu très maigre, puis il a eu des tumeurs et il est mort.

Tandis que nous grimpons dans la Landcruiser, un villageois me dit : « Vous avez choisi le bon moment pour venir au Matabeleland. Le Pacte d'unité nous a rendus heureux. Les dissidents ont cessé de faire de notre vie un enfer. La récolte a été bonne l'an dernier. Les pluies sont bonnes cette année. Et — bien sûr ! — il n'y aura plus jamais de sécheresse dans notre Matabeleland. » Tout le monde rit, et c'est au milieu des rires que nous quittons le point de croissance.

Le train de Harare est parti à l'heure. En début de matinée, après le café et les biscuits, je suis allée faire quelques pas dans le couloir. Six femmes dans ce compartiment, ça faisait beaucoup.

Deux fenêtres plus bas, une jeune fille élégamment vêtue regardait défiler la brousse. Deux antilopes broutaient dans une plantation de gommiers. Une perdrix se lança dans une folle poursuite derrière nous, comme si elle faisait la course avec le train.

Un jeune homme, beau, un dandy, observait la fille du bout du couloir. Il s'approcha nonchalamment, s'excusa poliment en se faufilant devant moi, et commença par un « Où allez-vous ? Belle journée, vous ne trouvez pas ? Je ne vous ai pas déjà rencontrée ? ». Elle donna un petit coup de pied sec dans la paroi du couloir et baissa la tête : timidité virginale, que toute une culture séparait de sa robe, de ses souliers, du béret rose. Il lui fit la causette — avec drôlerie, essayant visiblement de la charmer. Mais la cour progressait lentement. Elle ne réagissait pas, absolument pas, mais continuait à tripoter le bois du bout du pied et à pencher la tête.

Soudain, elle ne put s'empêcher de glousser. Il rit aux éclats de sa victoire, claqua des mains et fit une pirouette sur ses talons. Après quoi, il lui fallut cinq minutes pour lui arracher un rendez-vous à Harare, ce soir, dans un bar, pour prendre un verre. « Et qui sait ? Peut-être nous plairons-nous et irons-nous manger de la sadza tous les deux. » Comme si cette tête penchée, cette indifférence maussade n'avaient jamais existé, elle se mit à bavarder avec animation jusqu'à notre arrivée à Harare, une heure plus tard.

Une soirée à Harare, en compagnie d'universitaires, de journalistes de divers pays, d'hommes politiques au pouvoir ou non, sans oublier quelques fermiers, des musiciens, un mélange de Noirs et de Blancs. Quel est leur point commun? Ils voyagent, ils font des comparaisons, ils sont de la classe des voyageurs.

S'il est difficile à la plupart des Blancs de quitter le Zimbabwe, c'est chose impossible pour la quasi-totalité des Noirs et le monde n'existe guère en dehors de l'Afrique australe.

Les universitaires présents sont partis en missions de recherche à l'étranger. Les journalistes circulent, par définition. Les fermiers ont des parents en Europe. Comme leurs pareils dans le monde entier, les hommes politiques sont toujours de quelque comité, commission ou conférence.

Il s'est produit quelque chose d'extraordinaire.

A sa naissance, le jeune Zimbabwe affichait un enthousiasme communiste des plus naïfs et des plus simplistes. La presse ne se permettait pas la moindre critique à l'égard des pays communistes. C'est à peine si l'on évoquait la révolution Gorbatchev. Les autocritiques de l'Union soviétique passaient inaperçues. Il avait échappé à la grande majorité que Staline n'était plus le Père de son peuple mais un tueur fou.

On est parfois tenté de croire que les attitudes mentales d'un pays ne sont pas sans rapport avec le soleil et la terre. La vieille Rhodésie du Sud était pareillement indifférente au monde extérieur, et heureuse de l'être. La quitter, c'était quitter un pays assommé ou drogué. On ne trouve d'endroits comparables que dans certains États du Midwest, en Amérique, où la curiosité envers le monde cesse, disons, aux frontières de l'Iowa ou du Nebraska. Un public universitaire saura à peine où se trouvent l'Afghanistan, le Sri Lanka ou le Pakistan. En Californie, des jeunes gens hébétés par le soleil ouvriront de grands yeux au nom de Gorbatchev.

De même, au Zimbabwe. On peut passer une soirée avec un professeur d'histoire ou de littérature, dont l'attitude envers l'Union soviétique ou la Chine reste celle d'il y a trente ans. Quelqu'un peut bien observer — d'un ton las, pour avoir appris l'inutilité de ce genre de remarques : « Mais les Russes eux-mêmes débattent de la collectivisation forcée des terres, des purges de Staline. — Propagande capitaliste, rien de plus » : la réponse fuse aussitôt, avec tout le pharisaïsme du vrai croyant. C'est ainsi qu'un discours de rentrée à l'adresse des étudiants pourra commencer par un éloge des réalisations de notre grand frère, l'Union soviétique, sans évoquer le moins du monde le courageux examen de conscience des cinq dernières années, pour la bonne raison que l'illustre universitaire n'en a jamais entendu parler. Si quelque esprit intrépide objecte : « Mais on entend des critiques de l'Union soviétique par elle-même, à toute heure du jour et de la nuit, sur les ondes courtes », le visage de ces survivants, de ces staliniens, arbore l'air malin et aguerri de ceux à qui on ne la fait pas : ils ne vont pas se laisser abuser, pas eux !

L'un des effets néfastes du communisme en Occident, le pire peut-être, c'est que des générations de politicards ont appris la politique dans ce que l'on appelle le « style de travail communiste ». Le « style léniniste ». Ce style de travail requiert un langage moqueur, railleur, fondé sur le mépris moral des adversaires, qui pénètre l'esprit et le caractère et interdit toute réflexion qui ne se cantonne pas au niveau de la cour de récréation. J'ai grandi à une époque où « tout le monde » était communiste. (« Tout le monde a été communiste ; personne ne le reste. ») Les gens de mon espèce reconnaissent au premier coup d'œil les représentants de la « gauche dure » à la télévision — cet éclat de fausseté à peine dissimulé, cette fierté d'être aussi habiles à évincer leurs adversaires en truquant les élections, en trafiquant les statistiques, en se livrant à de véritables assassinats psychiques, tout ce « sac à malices ». Cet air immédiatement reconnaissable, comme un doigt que l'on porte à son nez avec un petit clin d'œil, ceux qui n'étaient pas jeunes du temps où « tout le monde » était au « parti » ne le reconnaissent pas, hélas. Autrement dit, ils ne savent pas s'en défendre.

Les bouleversements en Union soviétique et en Europe de l'Est envoient onde de choc sur onde de choc pour miner la vieille garde, mais dans les régions du monde les plus isolées, retranchés dans les universités et les instituts de recherche, ils survivent, fiers de leur « sac à malices », du « style de travail », refusant sciemment de savoir que non seulement leurs grands modèles se sont sabordés, mais que les attitudes mentales qui allaient de pair avec eux ont aussi disparu. Ces escrocs à la petite semaine ne peuvent se voir comme les autres les voient, puisqu'ils s'identifient à Lénine, le pur. Ils font beaucoup de tort, parce que l'idéalisme des jeunes qui apprennent à voir à travers eux se flétrit — ils s'enflamment, puis deviennent cyniques et finissent par se détourner de la politique, voire même par perdre le sens le plus élémentaire de la collectivité.

Au Zimbabwe, en 1988, les « voyageurs » savent ce qui se passe en Union soviétique et en Chine, dans le monde communiste auquel, en théorie, ils appartiennent, et ils en débattront avec subtilité, avec toute la sagesse du monde. Mais le commun des mortels ne sait rien. Le privilège, dans notre monde, réside souvent en ceci que les gens sont informés ou non. Quelqu'un l'a-t-il voulu ? Bien sûr que non. C'est ainsi, et cette tyrannie mentale est perpétuée par les staliniens obtus qui se battent pour conserver leur place dans les hautes sphères de l'intelligence, parce qu'ils ne trouveraient pas de poste ailleurs. Ils sont infiniment doués pour l'intrigue politique et infiniment dénués de scrupules. Les hommes droits et informés de leurs départements désespèrent et vont voir ailleurs, quand ils le peuvent, parce que, au lieu de consacrer leur énergie à l'enseignement, il leur faut essayer de faire front contre des collègues qu'ils méprisent, mais ne sauraient ignorer.

Pendant ce temps, dans les écoles de tout le Zimbabwe, des élèves rêvent des lointains rivages du savoir, de cette université du Zimbabwe où ils ne mettront probablement jamais les pieds parce qu'ils ne sont pas assez savants.

La recherche sur les rouages de l'esprit humain montre qu'un certain pourcentage de gens sont incapables de changer d'avis, de se rendre à l'évidence. Si, à un moment ou à un autre de leur vie, l'idée que tous les chats sont noirs s'est gravée dans leur esprit, ils répéteront ensuite à jamais que tous les chats sont noirs, même si l'on fait défiler sous leurs yeux des chats blancs porteurs d'étiquettes marquées « chat blanc ».

C'est difficile à croire, tant qu'on ne l'a pas vu. La plupart d'entre nous avaient pu, maintenant, en juger... par exemple, il était une fois une jeune femme qui avait grandi dans les sphères supérieures du parti communiste d'Allemagne de l'Est, et qui connaissait tout de l'intérieur, puis qui séjourna sept ans à l'université de Moscou ; elle épousa un Anglais, et vécut dans une université anglaise. Sachant tout du communisme, elle n'était pas communiste, mais elle eût été ravie de discuter de ce qu'elle savait. Les cercles universitaires de gauche refusèrent toujours d'avoir le moindre rapport avec elle. Elle était réactionnaire, fasciste ; probablement même à la solde de la CIA.

« Mugabe devrait faire quelque chose.

— Mais quoi, au juste ?

— Eh bien, il pourrait faire un discours.

— Mais il est marxiste. Et les révélations de l'ère Gorbatchev ne sont pas apparues dans un seul discours, il a fallu des mois et des années pour qu'elles voient le jour, les gens ont mis du temps à s'y faire.

— Alors il devrait donner des instructions à la presse...

— Mais ce sont des pratiques que l'on réprouve, non ?

— Alors il ne devrait pas décourager les rédacteurs en chef vifs et critiques.

— Mais qui vous dit qu'il le fait ? »

Oh, ce n'est certainement pas Mugabe lui-même : Mugabe est *bien sûr* du bon côté, en l'occurrence du côté de la libre circulation de l'information. Les conversations se prolongent toute une soirée, durant laquelle on suppose que Mugabe a été mal informé. Il est entouré de béni-oui-oui qui ne lui disent pas la vérité.

Quelqu'un observe que n'importe quel dirigeant qui arrive quelque part au-devant de la scène passe — en Occident, en particulier en Grande-Bretagne — pour un géant de la démocratie libérale. Si Gengis Khan se présentait aujourd'hui, les grandes signatures de la presse londonienne s'empresseraient de nous rassurer : il aime les films occidentaux, il est abonné au *Guardian,* il soutient Amnesty International et il est plutôt du genre pince-sans-rire.

Nous — c'est-à-dire les Européens, nous qui avons une expérience de la démocratie telle qu'elle se pratique en Europe —, nous imaginons avoir appris la démocratie aux pays que nous avons colonisés. En Rhodésie du Sud, les Blancs ont connu une démocratie vivante, qu'ils n'élargirent jamais aux Noirs, qui n'ont jamais souffert, sous les Blancs, que de diverses formes de répression. Alors, pourquoi ne se seraient-ils pas tournés vers le communisme ?

Robert Mugabe est le produit d'une culture autoritaire. Il a

311

été éduqué par des catholiques autoritaires. Les gens qui l'ont instruit, et ses camarades d'école, disent qu'il était intelligent, qu'il passait son temps à lire, qu'il ne frayait pas volontiers avec les autres, mais observait et écoutait : « le type même de l'intellectuel ». Il a grandi sous la « suprématie blanche », autant dire sous un couvercle de glace, un ciel gelé. Sa culture, son peuple étaient sans cesse critiqués, dénigrés, méprisés. Quand ils disent aujourd'hui : « Mais c'est notre culture, c'est notre coutume », comme si c'était là le dernier mot, c'est l'amour-propre que l'on entend, l'orgueil d'un peuple qui a survécu à des décennies de dédain. Quand Mugabe a pris part à la lutte de libération, c'est à la domination britannique qu'il s'est opposé, et la phraséologie marxiste était alors commune à tous les mouvements de libération. Ils disent que c'est Samora Machel qui a finalement fait de lui un communiste, et qu'il s'est converti sur le tard. Parce que l'Union soviétique a fait l'erreur de soutenir Joshua Nkomo, Mugabe s'est tourné vers la Chine, dont l'histoire, depuis 1949, n'a été qu'une longue succession de vagues de meurtres collectifs, qui ont fait des millions et des millions de morts pour raisons idéologiques. (J'ai bel et bien entendu un chef dire à ce propos : « Mais on ne fait pas d'omelette sans casser des œufs. ») Il a conduit une armée qui ne s'est pas battue uniquement contre les troupes de Smith, blanches et noires, mais aussi, parfois, contre les armées de groupes politiques adverses, de l'évêque Muzorewa, de Nkomo, car si ces armées avaient le même but, elles se disputaient souvent le futur pouvoir.

Mugabe a fait de la prison sous Smith. Être détenu ou prisonnier était une rude expérience. La prison fut le théâtre de centaines d'exécutions : beaucoup d'amis ou de camarades de Mugabe y ont trouvé la mort. Les hommes de Smith ont commis toutes sortes d'atrocités, dont on parle sans qu'elles aient été officiellement dénoncées ; et ce, au nom de la nécessité d'enterrer le passé et ses « erreurs ». Smith a refusé à Mugabe l'autorisation de rendre visite à son fils — son fils unique — quand il était malade, et quand il est mort on ne lui a pas permis d'assister aux funérailles. On dit parfois que c'est la chose la plus stupide que Smith ait jamais faite. Lorsque Mugabe est arrivé au pouvoir, c'était après plus d'une décennie de guerre menée, comme toutes les guerres, avec brutalité de part et d'autre. Les tentatives d'attentat l'ont isolé, l'ont rendu méfiant. Pourquoi, avec une telle histoire, attendre de Mugabe qu'il soit un mélange d'Abraham Lincoln, de Jefferson et de Gandhi ? Mais voici ce que les gens attendent : le camarade Mugabe, comme Dieu, est du côté de tout le monde. Et il se montre parfois magnanime.

Qu'est-ce qui, dans l'expérience de Mugabe, serait de nature à lui faire admirer la démocratie ?

Pourtant, tandis que le communisme et le marxisme — l'idée — s'effondrent, que les sociétés communistes se décomposent, probablement les dirigeants « marxistes » du Zimbabwe seront-ils bien contents que leur communisme ait toujours été plus rhétorique que concret.

Qu'est-ce qui supplantera le marxisme ?

Le christianisme est fort au Zimbabwe, plus fort que le marxisme ne l'a jamais été.

Extrait d'une lettre : « Le pape vient de visiter le Zimbabwe. Des milliers de gens se sont pressés pour le voir. N'allez pas vous imaginer qu'ils sont tous devenus catholiques, c'était beaucoup plus excitant qu'un rassemblement du parti, c'est tout, et ils *adorent* les réceptions. Le camarade Mugabe était là. Il a dit : " C'est comme être baptisé une seconde fois. " Mais aussi, qu'il ne voyait pas le moindre conflit entre le christianisme et ce que son gouvernement représentait. Tels sont au moins les propos qu'on lui prête. La presse ne les a pas repris. »

Le marxisme dépérit, les chefs sont plus forts que jamais. On dit même en blaguant que les chefs de tribu se révéleront à la longue plus forts que les nouveaux chefs. Peu à peu, ils récupèrent leurs pouvoirs et leurs privilèges. Ils sont conservateurs, assoient leur position sur « notre culture », « nos coutumes ».

Mais pas toujours. Et Robert Mugabe, cet homme conservateur par tempérament et autoritaire par éducation, n'a rien à voir avec le mâle africain traditionnel. Il est bien disposé envers les femmes et — dit-on — sa mère a sur lui une grande influence : une femme remarquable, dont la vie est aussi dure que celle de toutes les femmes africaines ou presque.

Toujours et partout, des citoyens s'interrogent — pourquoi il ou elle ou ils font-ils ci ou ça ? — et sur le même ton d'incrédulité frustrée que le « mais pourquoi Mugabe fait-il... ? ».

Il y a sûrement un ingrédient secret, une information retenue, une carte escamotée — le joker du paquet ? —, car les citoyens n'arrivent pas à croire à ce qui se passe.

Prenons un événement récent en Grande-Bretagne. (Mais la même chose s'est produite également aux États-Unis.) Il a été décidé de fermer les hôpitaux psychiatriques et d'en renvoyer tous les pensionnaires, qui devraient être désormais « soignés au sein de la collectivité ». Quiconque connaissait les services qui s'occupaient de ces malheureux pouvait prévoir ce qui arriverait. Les pauvres gens vivraient d'expédients, se feraient exploiter par des propriétaires, boiraient ou se drogueraient jusqu'à ce que mort s'ensuive. Mais si les gens sensés ordinaires pouvaient le voir, les experts en étaient bien incapables. Il était évident que, consternés par le sort pitoyable des personnes renvoyées, d'aucuns ne tarderaient pas à s'exclamer : « Eurêka ! J'ai trouvé ! Ce dont nous avons besoin, c'est d'a-s-i-l-e-s, de r-e-f-u-g-e-s, où l'on puisse s'occuper d'eux. Que n'y a-t-on songé plus tôt ? »

C'est le genre de choses qui ne cessent de se reproduire, toujours pour la plus grande perplexité des gens qui ne sont ni experts ni fonctionnaires.

Il y a un facteur X. Dès que les gens accèdent au pouvoir, fût-ce à un niveau ordinaire, ils ne rencontrent que des gens pareils à eux et qui pensent comme eux : ils succombent à une espèce de douce hypnose collective. Rien de plus enrichissant, à cet égard, que de passer une heure, par exemple, en compagnie de responsables travaillistes, puis une heure avec des conservateurs de même rang. Ils vivent dans des paysages mentaux différents, qu'ils réaménagent continuellement de manière à les faire cadrer avec leurs croyances. C'est un mécanisme tellement puissant que les hommes politiques paraissent capables de se persuader de tout et de n'importe quoi. Au moment de la grève des mineurs, tout ce que le pays compte de militants de la gauche dure — des partisans d'Arthur Scargill — était sûr que la Grande-Bretagne était au bord d'une révolution rouge : ils se partageaient déjà les portefeuilles ministériels. Deux ans plus tard, ils devaient secrètement s'interroger : « Je me demande bien ce qui m'a pris ? »

LES FERMIERS DES MONTAGNES

Et maintenant, de nouveau, la route de Harare à Mutare. Une fois encore, nous filons en rase campagne à travers ce pays ondoyant sans prendre garde à toute cette magnificence ; et ces autres voyages où nous regardions à loisir comment un éboulis de rochers surgissait devant nous, grandissait à vue d'œil, se dispersait au détour de la route puis se rassemblait, se relevait, paraissait basculer, puis chuter en arrière à l'approche d'un autre éboulis — le lent déploiement du paysage, tel un récit bien connu ou un souvenir que l'on raconte avec des pauses pour ménager ses effets : tout cela faisait partie du passé. Même les voyages d'il y a six ans appartenaient à une autre époque. Les lieux de l'accident ? La conversation dans la voiture était si divertissante que j'oubliai d'y jeter un œil. En 1982, chaque étendue de brousse, chaque colline ou montagne était un souvenir dans la topographie de la guerre. Cette guerre s'était enfoncée, avec toutes les autres guerres, dans les souvenirs des personnes vieillissantes ; une nouvelle génération de jeunes gens s'adressent déjà des mimiques ironiques lorsque leurs aînés entonnent : « Vous souvenez-vous de la nuit où les troupes gouvernementales sont venues et… ? » *Ils ne peuvent pas tourner la page ? On n'a aucune envie d'entendre parler de ça.* La voiture transportait une cargaison d'optimisme : les pluies, les bonnes pluies, étaient là, la fin de la sécheresse ; une campagne verte, du bétail gras, des gens bien nourris. Le monde entier est à la merci de la venue des pluies en temps voulu, mais au Zimbabwe il n'est de conversation qui ne vous le rappelle. « Encore trois années de pluies suffisantes, et Mugabe sera tranquille. Une nouvelle sécheresse comme la dernière et nous aurons des problèmes. » *Nous ?* J'entends encore les Blancs, quand ils disaient *nous* — c'était pour dire, tout dernièrement encore, nous les Blancs, mais aujourd'hui, il s'agit du Zimbabwe.

La route est presque déserte. Est-ce le signe que l'on conduit mieux ? Oui, très largement. Les vieilles guimbardes sans licence ont-elles disparu des routes ? Oui, mais il y en a encore beaucoup d'autorisées. Vous souvenez-vous qu'il n'y avait pas d'essence dans les pompes, parce que les Sud-Africains — bon, d'accord, la Renamo — ne cessait de couper l'oléoduc ?

« Oui, vous avez raison, c'est vrai, mais aujourd'hui nos troupes gardent les pipelines.

— Quand on vit dans un pays, c'est à peine si l'on remarque les changements.

— Quels changements ? Les choses sont-elles vraiment si différentes ? »

A Londres, j'attends des visiteurs et je demande : « Quels changements avez-vous remarqués depuis votre dernier passage ? » Ils me répondent, et je dis : « Vraiment, êtes-vous sûrs ? »

A Mutare nous faisons les boutiques, puis nous nous enfonçons dans les montagnes. Je guette les babouins.

« Vous avez toujours un homme armé d'une carabine qui tire les sangliers et les babouins ? »

Le planteur de café répond, avec le petit sourire de celui qui prend plaisir à décevoir les sentimentalistes : « Non, je n'en ai plus besoin. Par chance, les léopards sont de retour dans les collines et ils s'occupent des babouins à notre place. »

Et maintenant, les flancs de coteaux, et depuis les vérandas nous contemplons les montagnes et les collines, les lacs, les rivières : de l'eau, de l'eau, à cause des pluies. Et tellement près qu'on la croirait à un jet de pierre, cette montagne du Mozambique.

« Les rebelles du Mozambique viennent-ils par ici ?

— On pense qu'ils ont rôdé dans les parages il y a quelques mois. Mais tout au long de la guerre, les " terrs " n'ont cessé d'aller et venir à travers nos fermes, et nous ne l'avons jamais su. Maintenant qu'ils nous le disent, on rit un bon coup.

— Les paysans du Mozambique traversent-ils encore la frontière pour trouver des vivres ?

— Eh oui, ils viennent, les pauvres bougres, ils meurent de faim là-bas, n'oubliez pas qu'ils viennent chercher des vivres auprès de leurs frères. »

Le spectre des deux jeunes commissaires blancs autochtones

lançant les dés sur une carte, l'un rhodésien, l'autre portugais, est à deux doigts de se manifester, mais il s'abstient.

« Et le bataillon qui était ici, qui vous rendait fous ?

— Il est parti, Dieu merci.

— Quels autres changements ?

— Voyons voir. »

Le domestique, un nouveau, apporte le thé, les boissons, pose tout sur la table ; on fait les présentations et il s'en va préparer le dîner.

Assis, nous regardons la lumière du soir qui sculpte le paysage.

« Voyons voir. »

Il y a un couple de nouveaux venus, des Blancs.

« Aucun Noir ? »

Un regard rapide. Rires. « Vous n'avez pas su ? Tekere s'est débarrassé de tous les squatters. C'est Edgar Tekere qui les a flanqués à la porte. Les flancs de coteaux où ils essayaient de faire pousser du mealie et où ils créaient toute cette érosion — ils guérissent tout seuls. Je vous ferai voir. La forêt revient.

— Ainsi, vous ne détestez plus Tekere ?

— Détester Edgar Tekere ? Certainement pas. C'est un brave type.

— Combien y avait-il de squatters, vous avez une idée ?

— Probablement plusieurs centaines. Bon, c'était ridicule, non ? Aucune idée de la protection de la nature, aucune idée de... si on va faire de l'agriculture en montagne, il faut savoir ce que l'on fait.

— Oui, oui, absolument... Saviez-vous que les Noirs vous croient très riches ? Ces riches fermiers des Vumba, comme ils disent.

— Ça par exemple ! Eh bien, nous avons presque tous été à deux doigts de la faillite, la saison dernière. Vous avez su que les X ont sauvé leur ferme de justesse ? Ils n'avaient jamais fait une aussi bonne récolte de kiwis, mais les prix ont chuté à presque rien, parce que tous les pays du tiers monde font du kiwi, ça pousse si facilement ; quant à nous, les planteurs, nous ne survivons que parce que nous faisons du café de qualité : de l'arabica. Vous saviez que notre café est l'un des plus prisés par les acheteurs ? »

L'orgueil de la vieille Rhodésie du Sud, l'orgueil du Zimbabwe nouveau résonne dans sa voix. Nous avons toujours su y faire, tel est le message implicite.

A part ça?

« Nous aménageons une nouvelle retenue d'eau. Une autre sécheresse comme la dernière, et on est bon. »

Il raconte cette histoire. Sur une nouvelle section, la canalisation perdait ses joints de caoutchouc et l'eau ruisselait. Quelqu'un chapardait le caoutchouc. « Nous avons planqué nos gars pour découvrir qui était le voleur...

— Attendez une minute, qu'est-ce que ça veut dire exactement?

— Peu importe. Eh bien, si vous voulez savoir, nous avons trouvé quels étaient les gosses qui avaient de nouvelles frondes sur le terrain de jeu. Nous sommes allés chez le directeur. Nous lui avons dit qu'il devait punir les gamins. L'ennui, c'est que leurs pères leur avaient déjà flanqué une rouste. Ainsi, ils se sont fait corriger deux fois. On ne les y reprendra pas, à voler notre caoutchouc. Mais je n'ai pas oublié quel plaisir j'avais à jouer avec ma fronde quand j'étais môme. »

Je raconte la nouvelle de Tchekhov sur ce paysan qui vole les écrous des traverses de la voie ferrée. Le propriétaire terrien du pays, qui est aussi le magistrat, demande au paysan pourquoi il fait cette chose dangereuse. Il y a eu des accidents de train, il ne s'est jamais dit que des gens étaient morts par sa faute? « Eh bien, Votre Honneur, dit-il, c'est ainsi. J'aime pêcher. Ces écrous de traverses font un lest parfait pour attraper certaines espèces de poissons. — Vraiment? s'exclame le propriétaire terrien. — Quelles espèces? J'ignorais cela. » Il aime pêcher, lui aussi. Le paysan et le propriétaire discutent des diverses profondeurs où l'on trouve certains poissons dans les rivières, des appâts qu'ils aiment, du meilleur lest pour les lignes. Ce sont des experts en la matière, ils savent tout des poissons et de leurs mœurs. Mais l'heure arrive où le propriétaire terrien doit laisser place au magistrat, qui condamne le paysan à x années d'exil. L'homme se retire, incrédule : il n'arrive pas à croire que ce pêcheur qui lui a parlé d'homme à homme des mœurs des poissons se retourne contre lui. « Mais je n'ai pas le choix, explique le magistrat. Tu as volé les écrous, n'est-ce pas? »

Le planteur écoute cette histoire avec son petit sourire

caractéristique qui veut dire : eh bien oui, c'est ainsi, que ça vous plaise ou non !

Facile à dire... « Une histoire qui aurait pu se passer dans l'ancienne Rhodésie », n'étaient ces raclées que l'on administre dans les nouvelles écoles. C'est illégal, mais dans certains pays — en Grande-Bretagne, par exemple — des adultes semblent penser qu'ils ont le droit de battre les enfants.

« Il est parti, et le nouveau directeur est arrivé, écrivit Jack plus tard. Il travaille dur et, jusqu'ici, passe tout son temps à l'école. Mais il boit et bat les enfants. Il les bat si fort que nous... (Il entend par là les maîtres blancs expatriés) allons le voir pour lui demander si c'est bien nécessaire. Il bat les petits aussi, même s'ils sont en retard parce que les rivières sont en crue des suites de la pluie. »

Chaque fois que vous rencontrez des professeurs, ils parlent, horrifiés, des rossées.

« Ils battaient les enfants dans l'ancien temps ?

— Oui. Et les femmes aussi. Des raclées incroyables. Horribles. Terribles. Lorsque nous leur faisons des remontrances, ils se disent : oh, ce ne sont que des histoires de petits Blancs. »

Très bien, et à part ça ?

Il faut des heures de bavardage pour se tenir au courant.

Nous prenons le souper de bonne heure. Nous nous levons avant le soleil. J'essaie de voir si le vervet est dans son arbre en bas de la colline, que nous puissions regarder ensemble le lever du soleil, mais l'arbre a connu le sort de tous les arbres, et le singe aussi peut-être. Des vervets font une brève apparition à la lisière de la clairière, jouent, se pourchassent dans les branches, puis disparaissent. Des jeunes. Pas un philosophe parmi eux.

Et les animaux que j'avais rencontrés la dernière fois ? L'intelligente petite Vicky s'est fait écraser par un chauffeur ivre au Club. La vieille Annie — le bull-terrier — s'est fait tuer par un sanglier. Le ridgeback grand et maigre dont les pattes s'ouvraient et qui glissait sur la dalle de ciment polie était décidément trop bête pour faire de vieux os et a trouvé une mort prématurée. On avait laissé à la petite chatte noire un chaton de sa dernière portée, mais le père était un chat de la brousse et ce chaton, ce vaillant et solide petit mâle, a filé dans la brousse à son tour. Il revient voir sa mère, et ils s'assoient nez à nez, à l'endroit où les arbres commencent, derrière la maison.

Un nouveau bull-terrier est couché sur le dos et grogne de plaisir tandis qu'on allume les feux de la soirée. Il y a un jeune chien noir, Seamus, un croisé de terre-neuve.

Et le grand chien noir, Tarka, qui me réveillait toutes les nuits en fourrant sa truffe dans ma main, sur ma figure, esseulé parce que les siens étaient partis ? Il est trop vieux pour faire ses rondes de nuit aujourd'hui, il reste à la maison. Quand il y a une soirée au Club, il se tient au bord de la salle, vieux chien raide au museau grisonnant, regardant le jeune Seamus qui caracole et saute parmi les danseurs qui disent : « Regarde, Seamus danse avec nous — viens, Seamus, danse avec moi... » Et le jeune chien, qui en pleure presque tellement il est fier, se laisse conduire pour quelques pas, ses pattes de devant soigneusement tendues, tandis que les gens l'applaudissent. C'est ce chien qui, il y a quelques mois, lorsque le planteur est tombé du mur du barrage par une nuit noire et s'est cassé la jambe, incapable de faire un pas, est resté à côté de lui ; puis, lorsque le planteur a retrouvé assez de force pour se traîner jusqu'à la maison, il a réglé son pas sur le sien et s'est placé de telle façon que le fermier puisse s'appuyer de tout son poids sur son dos. Il lui a fallu des heures pour parcourir les quinze cents mètres de route chaotique qui le séparaient de la maison.

UNE RÉCEPTION

Une grande réception : tout le monde vient. On aurait du mal à trouver pareille nourriture en Grande-Bretagne. Les légumes n'ont jamais connu ni insecticides ni engrais : ils se nourrissent de compost. Nul n'a jamais entendu parler de jambons injectés d'eau. Le bœuf fumé n'a jamais été gavé d'hormones.

C'est une soirée bruyante et agréable, avec beaucoup de jeunes gens. Les fillettes de la visite précédente ont grandi et sont dispersées aux quatre coins du monde : il y a de nouvelles petites filles, et elles sont toutes amoureuses d'un beau jeune homme de Sandhurst en visite. Qu'est-il arrivé au parachutiste ? Oh, il est parti cultiver la terre quelque part, ça va bien pour lui, disent-ils.

Pas la moindre trace, dans aucune conversation, de la

complainte geignarde d'il y a six ans. Il pourrait s'agir d'autres gens : ce sont d'autres gens, tous impliqués dans quelque projet de développement.

Plus encore que la dernière fois, ils comptent diversifier la production : l'effondrement des prix du kiwi a été salutaire. Et ils pourraient bien cultiver l'un des cafés les plus recherchés du monde, mais il y a des montagnes de café...

Ces quelques familles produisent aussi des corossols, des noix de Queensland, des pacanes et des légumes pour le marché de Mutare, sans oublier les petites papayes nouvelles. Dans une cuisine, la femme d'un fermier s'est mise à faire des fromages avec l'excédent de lait : aujourd'hui, elle n'arrive pas à produire assez pour satisfaire les hôtels et les ambassades en ville. La dernière fois, je l'ai vue au travail sur sa table de cuisine ; aujourd'hui, elle a des pièces spéciales dont on surveille la température et elle a des employés.

La conversation se poursuit ainsi :

J'ai entendu dire que Bob se débrouille bien avec son éland, vous pensez que l'éland marcherait bien ici ? (L'éland s'élève comme le bétail, pour la viande.)

Le zèbre... serait-on en trop haute altitude pour le zèbre ?

Si le camembert est une réussite ici, pourquoi ne pas essayer... ?

Je plante cinq arpents de grenadilles cette année.

Les plumes d'autruche sont de retour...

Au Pérou ils...

Au Mexique...

En Arizona...

J'achète cinquante essaims supplémentaires. Des abeilles tueuses, comme on les appelle en Amérique. La moindre chose les rend hystériques en Amérique.

Je dis : « Mon frère avait deux cents essaims. Quand je lui ai dit qu'on les appelait des tueuses, il a ri.

— De toute façon, on peut les rendre inoffensives. Je ne vois pas le problème. »

Mangues... ananas... fraises... papayes... Destinés pour une part à faire des fruits secs ou des fruits confits : le marché extérieur est porteur.

Les nouveaux moutons... les nouveaux porcs... les nouveaux poissons...

Le monde entier se donne rendez-vous sous ces vérandas quand il y est question de trouver de nouvelles cultures, de nouvelles idées.

Et puis, chose qui n'eût certainement pas pu se produire la dernière fois : « Je ne comprends pas pourquoi les Africains n'essaient pas ci... n'essaient pas ça. » « Je ne vois pas ce qui les empêche de... dans les zones communautaires. » « J'en toucherai un mot au ministre la prochaine fois qu'il viendra, je lui suggérerai de... »

UNE ADMINISTRATION

En fait, cette fois-ci, on n'a pas passé beaucoup de temps dans les montagnes.

Nous redescendons et prenons la route de Mutare où, dans un bureau de l'administration, nous nous retrouvons aux prises avec la Bureaucratie. Aujourd'hui, nous sommes trois : le planteur de café, une visiteuse d'Afrique du Sud et moi. Ces temps-ci, les Blancs ne se promènent pas dans les villages juste quand ça leur chante : le souvenir du temps passé est beaucoup trop vif. En outre, il y a une Sud-Africaine : le fait qu'elle n'admire pas son gouvernement n'est pas écrit sur son visage. Mais le planteur connaît bien l'un des employés. Pendant la guerre, le paisible personnage assis derrière son bureau était un commandant bien connu, et le planteur et lui étaient ennemis. Plus d'une fois, le commandant avait traversé la ferme, de nuit... Ha-ha-ha ! Les deux hommes ont le goût de la camaraderie virile. « Vous n'avez jamais su comment j'allais et venais à travers votre ferme. — Alors, c'est probablement vous que j'ai tiré comme du gibier cette nuit-là. » Parfois ils s'en vont prendre un verre au bar. Mon père aimait à rendre visite à un petit ouvrier allemand non loin de notre ferme. Les deux hommes s'étaient retrouvés dans des tranchées adverses au début de la Première Guerre mondiale. A Harare, on m'a parlé d'un célèbre chef de la guérilla qui autorisait régulièrement un agent de la sécurité à traverser son territoire parce qu'il apportait des médicaments dans les villages ; cette mission charitable achevée, ils reprenaient les hostilités. Les deux hommes sont maintenant de bons amis.

Visiblement, le fait qu'ils aient essayé de s'entre-tuer n'est pas la seule chose qui les rapproche.

Ce jeune employé savoure le fait d'être en position de dire oui ou non. On lit dans sa pensée comme à livre ouvert, il se dit que c'est bien fait pour la Sud-Africaine d'être obligée de présenter une requête à un Noir. Le planteur de café n'aime pas avoir à mendier. Pas pour lui : en tant qu'officier de protection de la nature, il peut aller partout où il en a envie. C'est moi qui pose le problème le plus épineux : je suis un personnage vraiment suspect, semble-t-il. Ça ne sert à rien de dire que j'ai ma carte de journaliste. « Ce n'est pas une recommandation, répond le jeune homme. Il nous est arrivé de donner l'autorisation à des journalistes, les résultats n'ont pas été probants.

— Mais c'est une amie du Zimbabwe, proteste le planteur.

— Il y a ami et ami », dit l'employé. Avec délectation. Avec ce plaisir robuste qui va de pair avec certains types de débats politiques. Je dis que j'ai été interdite de séjour dans ce pays pendant près de trente ans et que c'est un peu dur à avaler de voir que ce gouvernement se montre aussi méfiant. « Ah, riposte le fonctionnaire, mais c'est que vous êtes dans cette zone, la zone politique, nous devons être vigilants.

— Tout de même pas à ce point-là ?

— Et, après tout, il y a eu quantité d'émigrés interdits de séjour.

— Certes, mais j'ai eu l'honneur d'être proscrite par lord Malvern lui-même.

— Et comment le savez-vous ?

— C'est lui qui me l'a dit. »

Nous nous dévisageons — en politicards aguerris. Son visage rayonne d'une incrédulité théâtrale : sourcils arqués, menton en avant, lèvres serrées. Sa main est levée, paume devant, comme pour dire : « Jusqu'ici, mais pas plus loin. » Lentement il abaisse la main, pose judicieusement sa paume sur le bureau, s'assied les yeux baissés, méditant. « Excusez-moi », dit-il, et il sort passer un coup de fil d'un autre bureau.

Il revient, tout sourires. Il confie maintenant qu'il est lui-même écrivain, qu'il voudrait être romancier. Nous discutons des problèmes de création littéraire. Mais l'administration lui mange tout son temps. Hochant la tête sur son destin, la vie de bureau, il nous laisse filer dans la brousse avec des subalternes.

Il y a deux véhicules : celui de l'administration et le camion du planteur.

LA ZONE DE RÉINSTALLATION

Nous filâmes sur la route est, puis nous nous engageâmes sur une mauvaise route, non goudronnée, et enfin, à quelques kilomètres de là, sur une piste sillonnée d'ornières, tout le temps à travers un pays beau et sauvage. La terre est pâle : de la terre de quatrième catégorie ; elle n'a pas été achetée à des fermiers blancs « sautant le pas », car c'était une terre libre, qui appartenait à l'État. Toujours précautionneux quand il s'agit de réinstaller des populations, s'assurant qu'il y ait au moins un genre de centre administratif, de l'eau, des transports, ce gouvernement l'est maintenant plus que jamais, parce que passe au premier plan un problème auquel on n'avait pas pensé plus tôt. La protection. La précieuse terre, si précaire, si facile à détruire.

Le planteur est aujourd'hui chargé de la protection pour le Manicaland. Il dépend d'un chef, qu'il présente comme un type très sûr, un bon gars, vous savez. Sa tâche consiste à veiller sur les souffrances ou la bonne santé de la terre. Comme nous avançons en cahotant sur la piste, il ne cesse de s'exclamer : « Regardez ça ! Voyez-moi ce champ ! Il en a sacrément bavé depuis la dernière fois. Regardez ces ornières : c'est l'érosion. » Ou : « Regardez, là, ce gars, il sait y faire, c'est un champ parfait. Mais voyez celui-là, de l'autre côté de la route, c'est du gâchis, l'an prochain il n'y aura plus de terre si... » Il se cramponne au volant, il souffre, attention à la crise cardiaque ! Nous tâchons de l'apaiser. Mais ça ne sert à rien : s'il aperçoit un coin de terre malade, il se sent mal. Un lopin de terre heureux et bien soigné le comble. « Regardez cette rigole. Elle n'était pas là l'an dernier. *A quoi il pense, ce mec ?* » Et il arrête la voiture, si bien que le véhicule qui suit doit s'arrêter aussi. Tout le monde descend, pour l'observer penché au-dessus de cette sale balafre de la terre. Il la montre du doigt comme le jugement de Dieu : « *Mais regardez-moi ça.* »

« Vraiment, je ne comprends pas, dit-il, en indiquant d'abord le champ érodé. C'est aussi facile de faire les choses bien que de les bousiller, alors pourquoi ce type ne fait pas aussi bien que celui-là ? »

Il a l'air de penser que c'est une question simple, une question à laquelle on peut répondre par une phrase qui commence par : eh bien, voyez-vous, c'est comme ce...

Nous filons, plus loin, toujours plus loin de Mutare. Nous passons devant des points de croissance, tous nouveaux. Nous passons devant des pancartes : « Bienvenue à l'école... » Nous croisons des rangées de femmes et d'enfants qui vendent des mangues. C'est un pays de mangues. Peut-être avez-vous déjà goûté des mangues, mais jamais comme celles-ci. Pourquoi ne sont-elles pas connues dans le monde entier ? Les transports, voilà la raison. Grandes distances, mauvaises routes.

Nous passons notre temps à prendre des auto-stoppeurs : les « on ne m'y reprendra pas deux fois » des régions sophistiquées ne sont pas de mise ici.

Un homme âgé, qui est resté blotti contre le flanc du camion cahotant pendant quelques kilomètres, un homme tranquille, ordinaire, souriant, qui s'est éloigné dans la brousse avec un sourire et un geste de la main quand nous l'avons déposé, a trois fils. L'un suit en Tchécoslovaquie une formation d'ingénieur dans l'aéronautique, car il a bien réussi à ses examens. L'autre vient de passer son certificat d'études et tout le monde attend les résultats. Le troisième a échoué à ses examens. Le contraste entre l'avenir de l'aîné et celui du troisième était présent à l'esprit de chacun de nous : l'un vivra dans le monde moderne, l'autre comme s'il n'existait guère.

J'observe combien il est étrange de ramasser au cœur de la brousse un pauvre homme dont un fils est à l'université en Europe, mais je me fais rembarrer par un « Il y en a beaucoup comme lui ». J'aurais bien voulu croire qu'ils étaient nombreux à faire des études en Grande-Bretagne comme son fils aîné.

Nous sommes maintenant à des kilomètres de tout, au bout du monde. Laissant les voitures, nous marchons dans la brousse et nous asseyons sur des rochers sous des arbres secs, légers, aériens, qui donnent une ombre odorante et mouvante. Il est midi. Une colombe tachetée d'émeraude appelle : on lui répond.

Il y a un village près d'ici, bien que nous ne puissions le voir.

Des gens viennent du village s'asseoir parmi nous. Des enfants. Des hommes. Pas de femmes. Mais il y a des femmes avec nous, des fonctionnaires ; deux personnes que nous avons prises en stop sont ici pour faire un recensement et elles s'assoient à l'écart, sous un arbre, avec le chef, dissertant gravement autour de graphiques et de carnets. Un agent de vulgarisation, une femme, est ici pour contrôler l'état des pluies, des récoltes. Bien des affaires furent réglées pendant l'heure que nous passâmes ici à paresser. Certainement autant qu'au cours d'une réunion de travail dans un bureau.

La conversation glisse sur le Mozambique, qui est si proche, et sur les gens qui ne cessent de traverser la brousse pour venir chercher de la nourriture ici. « Comment pouvons-nous nous sentir en sécurité au Zimbabwe alors que la guerre s'éternise au Mozambique ? — Elle ne finira jamais. L'Afrique du Sud a tout intérêt à ce qu'elle dure. »

Une blague du Mozambique : qu'est-ce qu'une sardine ? Une sardine est une baleine qui est passée par les sept stades de la transformation socialiste.

Un vieux dit aux enfants que le Mozambique était jadis un pays riche, que la nourriture y abondait. Les enfants assis hochent la tête, incrédules : ils ont toujours vu les habitants du Mozambique se faufiler à travers la brousse pour leur demander des vivres.

« Pourquoi sont-ils si pauvres ? demande un garçon d'une dizaine d'années.

— Il y a la guerre, répond le vieil homme.

— Il n'y a pas eu la guerre ici ? demande une adolescente qui se souvient vaguement de quelque chose de ce genre.

— Non, nous n'avons pas eu de guerre », répond le gamin de dix ans.

Les adultes se regardent, Noirs et Blancs, hochent la tête et rient.

Je pose la question : « Si vous aviez une seule chose à demander ici, que choisiriez-vous ?

— De l'argent », répond le chef. Tout le monde rit.

« Bon, très bien. Vous avez cinquante mille livres. A quoi les dépenseriez-vous ? »

L'immensité de cette somme les fait rire encore. Ils discutent un moment et se mettent enfin d'accord : « Un barrage, voilà ce dont nous avons le plus besoin. Il nous faudrait endiguer la rivière qui coule sous ces collines. »

Je leur parle du jardin potager que j'ai vu au Matabeleland : terre médiocre, mais une réussite, à cause de l'eau. Aussitôt ils se montrent intéressés, se rapprochent, posent des questions : Combien d'eau ? Se sert-on d'engrais ? D'où est venu l'argent ?

Je demande ce que les gens de ce village font pour se divertir.

« L'an dernier, le gouvernement a fait circuler son unité cinématographique », me répond-on gravement : quelque chose les a tous fait rire dans le film qu'on leur a montré. Ils n'ont pas dit ce qui était si drôle.

Et quand il n'y a pas de cinéma ?

Ils restent assis chez eux, ils bavardent, racontent des histoires pendant la soirée, parfois ils dansent.

Arrive un autocar, qui nous conduit au point de croissance. Nous pouvons y faire des achats.

Parfois nous allons à Mutare, visiter des parents, mais la route est longue, plus de cent soixante kilomètres.

Plus tard dans la journée, ailleurs, une autre réunion, sous un arbre.

Les représentants du village local sont venus à la rencontre des agents de vulgarisation en visite et d'un agent de vulgarisation local, une femme, qui fait partie des vingt pour cent de femmes qui sortent désormais des collèges agricoles. Elle est jeune, élégamment vêtue, mariée, mère de trois enfants. Autour d'une table installée sous l'arbre, il y a une dizaine de personnes qui dirigent les affaires du village.

Ils ne paraissent pas satisfaits de voir des fonctionnaires de Mutare. Quand l'un des hommes descend du camion et se dirige vers la table, tous se mettent aussitôt à plaisanter sur quelque conseil qu'il leur a donné lors de son dernier passage. Il y a deux sortes de gens ici, c'est facile à voir : les villageois, d'un côté ; les experts et les fonctionnaires, de l'autre.

A Harare, j'ai entendu : ces nouveaux experts qui sortent des collèges agricoles, ils croient tout savoir. Ils vont dans les villages et disent ce qu'il faut faire à des gens qui travaillent la terre dans ces conditions depuis des siècles. Vous devez faire ci ou ça, disent les experts. Mais ça ne marchera pas, disent les villageois, et il est difficile de savoir quand c'est le conservatisme paysan qui parle, ou quand c'est la voix de l'expérience.

On m'a montré des rapports savants, qui émanent souvent de l'université et défendent les pratiques agricoles traditionnelles. Les villageois savent très bien s'occuper de la terre pendant une année de sécheresse, comment cultiver cette terre pauvre, comment garder les bêtes en bonne santé quand le fourrage vient à manquer. Mais si les experts de niveau universitaire ne tarissent pas d'éloges sur les pratiques traditionnelles, cela ne veut pas dire qu'on les enseigne dans les collèges agricoles. Il faut toujours beaucoup de temps avant que les résultats des recherches ne soient inscrits au programme des écoles et des collèges.

Quand je dis au planteur de café : « Les missionnaires et les explorateurs d'autrefois eux-mêmes louaient les qualités de fermiers de ces hommes », il répondit : « Vous ne comprenez pas. C'était alors : très peu d'habitants, beaucoup de terre. Ils n'ont pas changé de pratiques pour s'adapter aux nouvelles conditions. Je ne cesse de leur dire... »

Même jour, dans la soirée, le soleil doré et bas fait des ombres. Nous nous tenons près d'une nouvelle clôture solide, financée par quelque source étrangère, par l'Aide.

De belles vaches noir et blanc se pressent pour nous observer.

Le planteur de café pérore. « Regardez cette clôture. Je sais ce que ça coûte. On ne trouve pas de clôture de cette qualité à moins de tant de livres le mètre. Clôturer ce coin de brousse a dû coûter tant de livres. Elle durera tant d'années. Oui, de la clôture de première catégorie, une sacrée merveille. Mais si on avait tendu ce fil d'arbre en arbre, en le faisant correctement de manière à ne pas abîmer les troncs, il en aurait coûté tant de livres et on aurait pu clôturer trois fois cette superficie. »

Il est solidement campé sur ses jambes, les mains sur les hanches, face à un groupe d'Africains qui l'écoutent gravement. La Sud-Africaine et moi apprécions toutes deux cette scène traditionnelle, le Blanc qui fait la leçon aux Noirs ; nos regards se croisent, nous prenons garde de ne pas sourire et nous tournons vers les vaches qui ont envie, sans en avoir envie, de lier connaissance. Autrement dit, poussées par la curiosité, elles s'approchent à un mètre cinquante, puis se tiennent prêtes à reculer d'un bond au plus infime mouvement de notre part.

Nous entendons : « Voilà l'ennui, avec tout cet argent de l'Aide. Ils le gaspillent, ils le gaspillent. Mais pourquoi ne leur

328

avez-vous pas dit... pourquoi ne vous êtes-vous pas tout simplement interposés et... »

Tout ceci n'a pas de sens, parce que tout le monde sait que lorsque des experts internationaux débarquent dans une région, ce sont eux qui décident de ce qu'ils veulent faire, et si ça ne plaît pas aux gens du pays, tant pis pour eux. On se voit bien en train d'expliquer à quelque Suédois ou à un Allemand bien organisé : « Vous cassez pas la tête avec ces pieux de clôture en acier, il suffit de tendre le fil d'arbre en arbre et... »

« C'est navrant, entendons-nous. La seule chose qui soit essentielle, la clé de tout, la *priorité,* c'est de bien clôturer la terre pour empêcher les mombies d'entrer, et pour que la terre puisse se reposer et revenir, qu'il n'y ait pas d'érosion... jetez-moi un coup d'œil là-dessus. »

Il emmène sa classe examiner une aire clôturée sans mombies. « Regardez. Cette terre se repose depuis deux ans et, comme vous pouvez le voir, la brousse revient. Vous voyez cette plante ? Quand vous voyez cette plante, ça veut dire qu'il n'y a pas eu de bestiaux depuis deux saisons au moins. Vous voyez où je veux en venir ? Si vous remplaciez les poteaux métalliques par les arbres, vous pourriez clôturer trois fois cette surface. »

De l'autre côté de la clôture, là où sont les bestiaux, il y a un grand branle-bas. Un autre groupe de bétail s'approche du premier, ses sabots soulevant un nuage de poussière pâle qui ternit l'éclat de son cuir. Il est conduit par un taureau. Le premier groupe est aussi conduit par un taureau. L'intrus s'avance, vraisemblablement pour négocier avec le premier le partage de ce pâturage. Les deux taureaux, mufle à mufle, reniflent fortement tandis que les vaches se rejoignent, se mêlent et se mettent à brouter. Un veau nouveau-né, aussi mou, sinueux et brillant qu'un gant de soie noire, tourne le dos au troupeau, le museau à la clôture, et nous fixe d'un air sauvage et offensé.

« Il y a encore autre chose, dit le planteur. L'argent gaspillé, gaspillé, gaspillé pour des symboles de statut social. La grande mode, de nos jours, c'est de se faire construire une maison en briques cuites. Mais faire des briques, ça veut dire brûler du bois. On gaspille le bois. Pourquoi pas des briques de kimberlite ? Ça ferait parfaitement l'affaire. Saviez-vous que dans certains pays ils n'emploient jamais de briques cuites, ils se servent de briques faites de boue et d'eau, et qui durent des siècles ? Pourquoi voulez-vous à tout prix... »

Les deux taureaux ont trouvé quelque compromis et coexistent désormais pacifiquement.

« Ça me met hors de moi, dit le planteur. Je fais le tour des villages et partout je vois ces fours, pour quoi faire, bon sang... de l'argent jeté par les fenêtres, tout ce bois perdu... »

Quand le planteur n'est plus à portée de voix, nous demandons aux fonctionnaires et aux villageois si ça ne les froisse pas qu'on leur fasse ainsi la leçon.

Ils ne se regardent pas. Puis ils sourient et, après un temps de pause, l'un des villageois répond : « Non, ça nous est égal. Nous savons qu'il veut nous aider. C'est un brave homme. »

Est-ce simple politesse ? Impossible de le savoir. Nous discutons de l'incident et concluons qu'ils sont sincères. Les villageois, tout au moins ; pour ce qui est des fonctionnaires, c'est peut-être une autre affaire.

Nous remontons en voiture. Nous reprenons les longues, longues routes à travers la brousse crépusculaire, repassons par Mutare et remontons dans les montagnes.

Au souper arrive l'employé de bureau de Mutare. Des années durant, il s'est occupé de réinstaller les gens à travers les districts de l'Est. Il connaît ça par cœur. Ce que je ne dois pas perdre de vue, dit-il, c'est que dans son idéalisme des premiers jours, Mugabe envisageait des exploitations collectives, sur le modèle des kolkhozes russes, où la terre appartenait à la collectivité. L'idée n'a pas donné de meilleurs résultats ici qu'en Russie, ou en Tanzanie, où ils ont aussi essayé. C'est un fiasco, et tout le monde le sait. Mais le savoir est une chose, l'admettre publiquement en est une autre. Ça marche quand on donne la terre aux paysans et qu'on met les machines et les installations en commun. Est-ce vraiment leur terre ? Eh bien, voilà encore une de ces fameuses « zones grises ». C'est la terre de l'État mais c'est aussi la leur. Ce qu'ils veulent, c'est posséder la terre, avec des titres de propriété qu'ils puissent transmettre à leurs enfants. Les choses paraissent évoluer en ce sens, bien que les questions de droit demeurent ambiguës. Et il y a encore autre chose, de bien plus délicat. Pour obtenir de la terre dans une zone de réinstallation, il faut s'engager à suivre ce mode de vie, accepter d'être un fermier, et rien qu'un fermier. Mais ils réclament les mêmes conditions que dans les zones communautaires, où au moins un membre de la famille aura du travail dans la ville la plus proche. La pauvreté des zones de réinstallation est pire que dans les zones communautaires — et voilà pourquoi, disent les fermiers réinstallés.

Mais le gouvernement dit : dévouez-vous totalement à ce mode de vie, consacrez-y toute votre énergie, et les zones de réinstallation s'en trouveront transformées, elles seront riches...

Eh bien, oui, avec le temps. Une génération ? Deux ?

Dans la zone de réinstallation, on nous montra la maison d'un bon fermier, qui a donné satisfaction aux agents de vulgarisation, et qui est pour tout le monde une source de fierté et d'inspiration. Il habite une petite maison de brique, avec deux pièces et une cuisine. Il a un joli jardin. Le champ, derrière, est vert et correctement tracé. Mais les jeunes gens qui grandissent dans cette maison, à cent soixante kilomètres de Mutare, feront tout pour aller en ville. A n'importe quel prix. Même s'il leur faut pour cela s'entasser avec vingt autres personnes dans une malheureuse chambre.

LÉGENDES

Nous roulons maintenant au sud de Mutare, à la lisière de la zone de réinstallation où nous étions hier. Nous quittons une zone d'ordre, de confort — de civilisation — pour une autre. Une heure durant, la pâle aridité de la terre de quatrième catégorie nous accompagne, et nous savons que les nombreux villages que nous cache la brousse sont les mêmes que les quelques autres que nous avons visités. Nous le savons parce que l'agent de réinstallation d'alors est avec nous, et il connaît chaque recoin de cette brousse, chaque cabane, chaque nouveau point de croissance. Il s'identifie aux efforts des personnes réinstallées avec la même passion que le planteur de café quand il ressent dans sa chair les souffrances de la terre. Lorsque nous disons avoir parlé de ce que nous avons vu hier, et avoir trouvé ça décourageant, il dit que si nous avions vu la région auparavant, nous serions impressionnés.

Cet ancien agent de réinstallation est aussi un historien et il connaît tout de l'histoire de cette région. Ce qui veut dire que, dans son esprit, la frontière avec le Mozambique, si proche de nous, n'est rien de plus qu'une bizarrerie politique temporaire, comme elle doit l'être aussi aux yeux des villageois qui voient leurs tribus arbitrairement divisées.

Notre vision du Mozambique futur reflète le passé. Les districts orientaux du Zimbabwe et le Mozambique forment un tout historique et géographique. Quand ? De telles idées ont besoin, en un sens, de la qualité de ces longues périodes de temps qui verront l'océan Indien se répandre dans le Mashona-land. Non, le nouveau Monomotapa n'aura guère besoin d'un million ni même d'un millier d'années pour prendre forme, mais un paysage temporel vaporeux convient mieux à une région déjà peuplée de rois légendaires et de vieilles cités en ruine qui attendent d'être exhumées des forêts et des jungles sur les rivages du même océan. Pour un chef, un parti, une junte, l'un des pires côtés de la prise du pouvoir, c'est qu'il faut ensuite ramener ses rêves à la mesure des impératifs de la conservation du pouvoir. Le soir, dans la brousse, les Combattants de la liberté peuvent bien s'asseoir autour d'un feu et bavarder : « Je me demande si cette frontière disparaîtra un jour, si cette tribu pourra vivre comme autrefois. Toutes ces frontières sont de toute façon arbitraires, ce sont les Blancs qui les ont inventées, alors pourquoi leur prêter la moindre attention ? » Mais la guerre terminée, quand on n'est plus assis parmi les arbres à regarder la lueur des flammes dessiner des arabesques dansantes sur les feuillages et les herbes, c'est le genre de conversation que l'on ne peut avoir que les portes closes, quand on s'est assuré que personne, pas même un domestique, ne vous écoute. Combien d'armées sont-elles sorties de la brousse, des forêts, des montagnes pour découvrir qu'elles avaient perdu la liberté de rêver qui était la leur du temps qu'elles possédaient les haillons dont elles se couvraient et les armes qu'elles portaient ?

PLAISIR

Aujourd'hui, la pluie menace de tous côtés. Des rideaux gris se sont abattus dans notre dos, puis tout autour de nous, puis, comme nous filions à travers les montagnes, nous pénétrâmes dans une zone de pluies diluviennes, mordantes, qui ne faiblirent qu'au moment où nous les laissâmes, lugubres masses pourpres tirant sur le noir et masquant les montagnes, et vîmes devant nous l'éclat du soleil orange vif, que nous crûmes atteindre, mais non ! Au tournant suivant de la route, les nuages aux couleurs de contusions étaient de nouveau devant nous : nous étions au cœur d'un nouvel orage, qui cinglait la voiture de ses grêlons. A midi, profitant d'une éclaircie, nous nous arrêtâmes au bord d'une rivière, dans un lieu tout à la fois sauvage et reculé, pourtant agrémenté d'une table et d'un banc pour les pique-niques. Comme nous étions assis, trois hommes descendirent d'une Land Rover pour jeter un coup d'œil sur la rivière. Deux touristes et leur guide. Nous les prîmes pour des Suédois, des Allemands, des Danois ou des Américains, mais nous entendîmes parler italien. C'étaient de riches Italiens, élégamment vêtus, qui pouvaient s'offrir les services d'un guide qui les avait conduits au bord de cette rivière tumultueuse, gorgée de pluie, avant de filer sur Mutare. Nous reprîmes ensuite la direction opposée, à travers un pays plus sauvage et plus montagneux, sans jamais la moindre voiture en vue, tandis que les orages continuaient à se déployer tout autour de nous, jusqu'à ce que tout ne fût plus que pluie grise. Nous arrivâmes à l'hôtel Chimanimani sous la pluie et y trouvâmes un immense feu dans un immense salon. L'hôtel est spacieux, toutes les pièces y sont grandes et hautes de plafond, les chambres, grandes, avec des vérandas d'où l'on peut contempler des montagnes, et encore des montagnes, et tout près, les beaux remous bleus d'une piscine. Le vieux style colonial, auquel on doit quelques-uns des hôtels les plus agréables du monde, mais celui-ci était presque vide. Comment se fait-il qu'un tel hôtel n'affiche pas complet en permanence ? L'un des problèmes, semble-t-il, est qu'il est proche du Mozambique ; il y a deux ans, une bande de terroristes de la Renamo a traversé ces montagnes. Bon, très bien, et alors ? Personne ne cesse de prendre la route à cause des statistiques des accidents de voiture. On ne peut pas expliquer pourquoi les gens choisissent d'avoir peur.

Nous dînâmes dans la salle à manger spacieuse et presque vide, écoutant les rires et le tintamarre des réjouissances générales qui venaient du bar extérieur, car il est plein à craquer tous les soirs, même lorsque les bars de l'intérieur de l'hôtel ne sont guère fréquentés. Ce soir-là, l'hôtel était enfermé dans un silence de pluie, mais au matin la pluie n'était plus que bruine. Nous fîmes tours et détours à travers les montagnes, qui n'avaient plus de secrets pour les deux hommes qui les avaient sillonnées en long et en large. Puis, des montagnes, nous rejoignîmes les Bridal Veil Falls, les chutes du Voile de Mariée. (A travers le monde entier, on amoindrit et on domestique des chutes d'eau d'une beauté sauvage en les baptisant de ce nom.) L'eau se brise et s'écrase, plonge en cascades blanches de trente mètres de haut au-dessus des rochers puis se perd dans un étang. De part et d'autre des chutes, les escarpements grouillent de nids d'oiseaux, et l'endroit est prisonnier du silence que fait ce grondement continu. On trouve là des bananiers à tous les stades de leur existence. Car à peine ont-ils enfin fleuri qu'ils meurent, de nouveaux plants surgissent parmi ces géants dont les branches affaissées montrent qu'ils sont voués à retrouver la terre. Ils ont des nervures rouges et brillent tels des joyaux. Nous étions assis sur un coin d'herbe verdoyante, entre des rochers, lorsque le planteur de café observa : « Pendant la guerre, une bande de " terrs " a tué des touristes ici. Les gens du pays n'approchent pas. Juste à côté de là où vous êtes assis. » Nous ne nous relevons pas pour autant. Qu'elles qu'aient pu être les vibrations de peur et d'horreur, elles ont de longue date quitté les lieux : il n'est pas de site plus exquis. En outre, nous fîmes remarquer que bien rares sont sans doute les endroits au monde où il n'y eut ni meurtres ni batailles ni morts. Ni, bien sûr, amours, baisers, pique-niques et bons moments. Puis nous repartîmes sur une autre route à travers les montagnes, sans voir âme qui vive, hormis quelques bestiaux qui nous fixèrent craintivement, en bêtes qui ne sont guère habituées à voir des véhicules gravir leurs hauteurs solitaires. Nous passâmes la matinée en voiture, avec les montagnes du Mozambique sur notre droite, tantôt longeant des crêtes dominant des vallées où nichaient des fermes, des barrages et des plantations, tantôt traversant des forêts qui sont encore saines et sauves. Nous roulions lentement et nous arrêtions sans cesse, tellement nous avions envie que le voyage ne prenne jamais fin. Lorsque nous retrouvâmes la route principale, nous savions que nous laissions derrière nous l'un des rares endroits au monde dont la Nature est restée seigneur et maître. Enfin, plus ou moins.

L'HÔTEL MASHOPI

Sur la route de Mutare à Harare, je m'arrêtai à Macheke, devant le vieil hôtel, qui n'était plus condamné ni à l'abandon, mais dans lequel on reconnaissait de nouveau l'hôtel de ces week-ends d'antan. Je demandai à voir le gérant : un jeune homme noir qui dirigeait une équipe d'auxiliaires enthousiastes. Je lui dis que dans le temps cet hôtel était réputé et toujours plein. Mais réputé auprès des Blancs, il ne pouvait en être autrement, et cela lui était bien égal. Je lui dis que pendant la guerre, la RAF venait de Salisbury pour le week-end : parfois les sauteries se prolongeaient durant plusieurs jours. Mais il crut que je parlais de la guerre du Bush, et il n'avait jamais entendu parler de la RAF : la Seconde Guerre mondiale était terminée quand il était né. Je demandai si je pouvais visiter les lieux au nom de l'ancien temps. Il se montra courtois, amusé. A l'arrière, l'aile des chambres, quoique agrandie, était encore visible et identifiable, et la volée de marches que je n'avais pu voir en 1982 apparaissait à travers les gravats de la nouvelle construction. Un café en plein air agrémenté de tables et de parasols avait remplacé les arbrisseaux. Le bar était toujours à sa place, mais agrandi lui aussi, et à l'endroit où nous avions dansé était venu se nicher un débit de boissons. Dans la salle à manger, pareille à elle-même, où j'avais pris mon déjeuner, j'aurais pu croire que la porte allait soudain s'ouvrir et laisser entrer des spectres rameutés par cette résurrection de lieux anciens. « Vous voyez ? les apostrophai-je en silence. Tout s'est passé exactement comme nous le disions... eh bien non, pas exactement comme nous le disions... » J'aurais pu m'adresser à eux en imaginant le degré d'ironie précis se lisant sur chaque visage, si je n'avais été aussi pressée. Je remerciai le gérant. Je jetai un coup d'œil de l'autre côté de la route, sur les minables gommiers, m'assurant que ces misérables babouins n'avaient pas reparu. Puis je m'en allai, sur la route de Harare.

CE BON VIEUX SMITHIE

Il me vient à l'idée que personne ne parle de Smithie : voilà six ans, ils ne cessaient pas d'en parler. Il est allé en Amérique, expliquant que le Zimbabwe est plus tyrannique que l'Afrique du Sud. Des gens pensent qu'il a envie de se faire arrêter, de devenir un martyr. « Mais Mugabe est trop intelligent pour lui. »

Ils me racontent un incident survenu au bureau de poste local. M. Smith, Mme Smith font la queue, ils attendent leur tour « exactement comme tout le monde », disent-ils, d'un ton approbateur. Un jour, Mme Smith a dit à une Noire qu'elle espérait que sa fillette allait bien. « Vous vous souvenez, je lui donnais des bonbons ?

— Oui, je m'en souviens, Amai... », terme de respect pour les femmes âgées. « Mais, voyez-vous, les bonbons ça ne suffisait pas. »

UN GROUPE DE RÉFLEXION

« Ils » disent qu'il existe un groupe de réflexion officieux, composé de hauts dignitaires des deux partis. Ils sont tous de la « classe des voyageurs », et s'abstiennent d'employer la rhétorique d'un marxisme mort et discrédité. Deux langages ou façons de parler ont cours au Zimbabwe, comme tel était le cas en Union soviétique avant Gorbatchev : le langage public, officiel, que l'on emploie pour se protéger, et le langage vivant qui reconnaît la fausseté du premier. On dit que « Mugabe lui-même » vient parfois aux soirées du groupe de réflexion. S'il ne le fait, c'est donc que les gens aimeraient qu'il le fasse. Les idées du groupe de réflexion filtrent, exercent une certaine influence, tel un cours d'eau fraîche qui se jette dans une eau croupie. Mais pour rien au monde on ne parlerait en public le langage du groupe de réflexion, et jamais la presse ne l'emploie. « Si vous êtes seul, entre quatre-z-yeux, avec un ministre, vous vous rendez compte qu'ils savent tous quelle est la situation. Quand ils sont tous ensemble, au Conseil des ministres ou dans l'une de ces commissions, ils ont peur de dire le fond de leur pensée. »

« Ils » disent que ce groupe de réflexion jouit d'un tel prestige que de très hauts responsables d'Afrique du Sud viennent s'asseoir et écouter. « Qui sont ces gens ? Des libéraux ? — Oh non, mieux que ça, vous seriez surprise, oh non, du sérieux, des gens du gouvernement. »

LA VIEILLE FERME

Et maintenant, l'heure était venue d'en finir avec les enfantillages. Je devais retourner à la vieille ferme. Et pour être sûre de tourner enfin à droite, ce ne serait pas moi qui tiendrais le volant. Cette histoire des pays mythiques d'écrivains est loin d'être simple. Je connais des écrivains qui, de très bonne heure, érigent de grandes palissades tout autour du leur et veillent ensuite à ne jamais s'en approcher. Et ·pas seulement des écrivains : tous les gens que je connais des anciens dominions, des colonies, de n'importe quel coin de la terre où ils ont grandi avant de se lancer dans cette fuite décisive, de la périphérie vers le centre : quand l'heure vient pour eux de rentrer pour la première fois au pays, ils ont l'impression de se dépouiller de leur nouvelle peau et d'offrir une chair dénudée et cuisante au passé. Au demeurant, tout enfant qui a quitté les siens pour devenir adulte connaît le rapetissement du premier retour.

L'univers enfantin est plein de géants : rien de plus facile que de transporter un voisin, un oncle, une tante ou le boutiquier du coin dans un monde de conte de fées ou de bandes dessinées, mais l'adulte qui revient chez lui retrouve, somme toute, les gens tels qu'ils sont. Et c'est bien là le problème : on se retrouve rapetissé par la seule présence de ces puissants arbitres. Mais dans « le district » — ainsi l'appelions-nous, comme s'il ne pouvait y en avoir qu'un (de même qu'il n'est de peuple au monde qui ne se soit appelé, à ses débuts, « les hommes », tout simplement) —, dans le district, Lomagundi, ils étaient tous géants, dignes de contes de fées et d'épopées, parce que les fermiers blancs vivaient à quelque distance les uns des autres, et que tout ce qu'ils faisaient se voyait, et tout ce qu'ils disaient aussi, parce que c'était le temps des lignes de téléphone collectives, où il y pouvait y avoir jusqu'à vingt fermes sur une même ligne. Elles existent toujours. Les solitaires écoutaient ces conversations, voire y participaient. On pouvait sans peine poursuivre la discussion à trois ou à quatre, comme si tout le monde était réuni dans la même pièce ; comme si tout le monde avait vécu sur scène, l'art des conteurs amplifiant ensuite démesurément chaque relief, chaque événement : le mot « commérage » ne convient certainement que pour les ruelles et les populations entassées les unes sur les autres... Et les Africains contribuèrent à cela, avec leur coutume de donner aux Blancs des surnoms épiques : Visage Furieux, la Femme-aux-deux-maris, le Fils-aux-cheveux-de-feu, l'Homme-qui-aboie-comme-un-chien.

Prenez les Matthews, nos plus proches voisins. Il était « le Grand Bob » parce qu'il mesurait un mètre quatre-vingt-dix et qu'il était massif : on l'aurait dit taillé dans un quartier de bœuf bien marbré de graisse. Elle était « la Petite Mme Matthews », parce qu'elle était haute comme trois pommes, dodue et coquette. On réprouvait la brutalité de ce monsieur avec les indigènes. « Il ne connaît pas sa force, voilà le problème », disait-on il y a cinquante ou soixante ans, quand on était tenté de comprendre les emportements du Grand Bob. Il avait été agent de police à Glasgow. On l'imaginait sans mal déambuler sur les trottoirs sombres et mouillés, les mains dans le dos, sa matraque sous le bras. Lorsque mon frère et moi faisions chez eux un saut à bicyclette, elle faisait la cuisine à l'office : gâteaux pour le thé, galettes, crêpes, galettes d'avoine, cakes, gâteaux de Savoie, tartes, tourtes, pain au gingembre, pain aux fruits secs, croquets. Tout ceci apparaissait sur la table pour ce repas suprêmement écossais qu'est le thé. Leur maison était pleine de meubles achetés dans des grands magasins, c'est-à-dire de lourds buffets et d'armoires vernis. Parfois venaient des nièces, et alors la Petite Mme Matthews et les filles exécutaient la danse du sabre écossaise, kilt au vent, jouant de leurs mules aussi légèrement que des chats de leurs pelotes autour de la garde des épées. Eussent-ils été remarquables s'ils étaient restés en Écosse ? Mais le poids de Bob, alors, et sa taille ? Ils eussent suffi à sa notoriété en tout lieu, et ces poings... « Seigneur, quand le Grand Bob frappait, on aurait dit un marteau-pilon. » Les Noirs le surnommaient Foudre et Éclair, et ils mettaient des marques sur les arbres près des sentiers qu'empruntaient les gens en quête de travail, histoire de prévenir : « C'est une mauvaise ferme. »

Mais la question est ailleurs : qu'est-ce qui, avant la Première Guerre mondiale, a bien pu amener le Grand Bob et la Petite Mme Matthews à quitter Glasgow pour venir cultiver la terre dans la vieille Rhodésie du Sud, parmi les bêtes sauvages et les barbares ? Quelle effervescence, quelle ambition, quel crime, quel romantisme, bien dissimulés derrière des airs conventionnels, les ont conduits si loin de leur pays ? Eux, ainsi que tout le reste de nos voisins. A les voir tous le dimanche à l'église — les services presbytériens et anglicans se succédaient tour à tour dans la salle paroissiale —, ces gens posés, chapeautés et endimanchés, les yeux baissés sur leurs missels, chantant à l'unisson *Rock of Ages* et *All Things Bright and Beautiful,* on les imaginait sans mal au « pays » d'où rien, assurément, ne les avait jamais obligés à fuir. Mais ce n'était pas vrai. Chacun d'eux dissimulait quelque chose, qui, pour n'être pas évident, n'en était pas moins pressant, quelque chose qui les avait conduits jusqu'ici, au district, pour se répandre sur tous ces arpents volés aux Noirs et cultiver la terre avec toute l'énergie de pauvres gens qui se souviennent de la pauvreté.

Le district était plein de laissés-pour-compte, pour le meilleur ou pour le pire, à qui l'Angleterre ou l'Écosse avait paru trop petite.

Aujourd'hui, quand je pense à ces gens, parmi lesquels j'ai grandi, voici ce qui m'intéresse : qu'étaient-ils avant de vendre leurs meubles et d'embarquer sur les bateaux qui les menèrent lentement au Cap ou à Beira, avant de prendre le train de Salisbury, puis de se disperser en quête de terres, prêts à tout risquer dans un pays dont ils ne savaient rien ? Chacun d'eux arriva dans le district dans le même état que les familles qui débarquèrent sur les côtes de la Nouvelle-Angleterre ou de la Virginie, l'esprit farci de récits de dangers et de fortunes. Mais, aussi, de pensées de liberté.

Revenir sur la ferme, le bon sens me le disait, sans parler des amis, ne pouvait que me ramener les pieds sur terre. La suite prouva que non, même si je ne m'attendais pas à ce que mes idées en fussent modifiées comme elles l'ont été.

Pour commencer, il y avait cette histoire du temps ou, si vous préférez, du climat. Le jour où Ayrton R. me conduisit au district, tout le monde s'inquiétait de la pluie. Après les pluies satisfaisantes mais brèves d'il y a quelques semaines, la pluie avait cessé. Le mois de novembre était pourtant bien avancé. Tout au fond de notre esprit est enfouie l'idée que nos nouvelles connaissances météorologiques devraient mettre le temps au pas : que lorsque nous disons « zone de convergence intertropicale », les mots devraient suffire à forcer les masses d'air chaud et humide qui s'élèvent des océans et des forêts à venir au bon endroit, en sorte qu'elles heurtent les zones de hautes pressions au sud-est, près du Mozambique. Mais les cieux étaient d'un bleu calme et lumineux, sans le moindre signe de pluviosité, des nuages noirs bordés d'or se déployaient au zénith, des éclairs zébraient la ligne basse de l'horizon, tonnaient comme une promesse. Tout le monde pensait « sécheresse », mais pourtant, personne ne le disait : superstition. Il suffit de dire « sécheresse » pour que sécheresse il y ait.

Je n'avais aucune envie de voir les terrains de la vieille ferme clairsemés par l'aridité et obscurcis par la fumée des feux de brousse : chose rude et dénudée que la brousse avant la venue des pluies, description fidèle d'un état d'esprit dont j'avais peur — bien que j'en eusse assez souvent rêvé. Isolement. Exclusion. Exil. Plus rien au monde n'existe en dehors de la ferme. Je voulais la brousse gorgée de sève et luxuriante, le paysage de la saison des pluies, et j'étais presque sûre de la trouver. Après tout, on disait bien qu'il avait plu dans le Nord-Est, pas assez, certes, mais il avait plu. Par-dessus tout, les oiseaux migrateurs étaient arrivés. La poussière de la saison sèche nous recouvrait encore la peau de son velours que ces oiseaux voyageurs annonçaient déjà la saison des pluies. Et, mieux encore, dans ce lointain *alors,* les cigognes et les hirondelles apportaient des nouvelles de pays que j'avais peine à croire que je verrais un jour, car l'Angleterre se trouvait dans une région de l'esprit aussi différente de l'Afrique que l'atmosphère d'un rêve récurrent l'est de celle d'un autre. *Là-bas,* la neige, le brouillard, le soleil pâle, les longs crépuscules d'un pays pastel où les oiseaux criaient sur des côtes crayeuses qu'ils ne quittaient jamais. *Ici,* le soleil se levait et se couchait à six heures tapantes, les couleurs étaient vives, la chaleur brûlait et cuisait, on vivait en altitude, au milieu de cieux spectaculaires. Il ne neigeait jamais. Quand j'étais jeune, j'étais à des années-lumière de l'Europe. Si ce n'est à travers la littérature. Quand j'arrivai en Angleterre, proscrite, l'Afrique que je connaissais était hors d'atteinte. Mon destin a toujours été d'être séparée de mes paysages. Mais quelques jours après mon retour à Londres de ce voyage, en 1988, je vis un météorologue qui présentait à la télévision la carte du temps et expliquait que la zone de convergence intertropicale, au-dessus de l'Afrique australe, influait sur les masses d'air chaud et froid, plus au nord, et que celles-ci venaient à leur tour perturber le temps sous nos climats, sous le ciel de l'Angleterre. J'étais installée sur mon canapé londonien, les rideaux bien tirés pour me protéger de décembre, et les murs certains et immuables qui avaient séparé mes paysages intérieurs s'évanouirent dans une carte de rivières de vent et d'océans d'airs, les deux mondes se rejoignirent plus rapidement que ne saurait le faire le Concorde, ou que ces machines que l'on met aujourd'hui au point et qui un jour relieront Londres à Harare, Londres à Tokyo en deux heures.

Mais cette résolution des impossibilités attendrait encore un mois.

Non, le vrai thème de mon retour à la ferme, c'était la distance, ce qu'il était advenu d'elle.

Quand Ayrton R. et moi prîmes la route, il faisait beau. Nous traversâmes les banlieues nord de Harare tandis que je pointais les événements et les hommes : ici, il s'est passé ceci, il est arrivé ça ; non, il n'est pas possible que les gens survivent à ce à quoi ils survivent, à ce à quoi nous survivons tous, c'est bien là la question ; et, Dieu merci, nous oublions tout ça, sauf lors de voyages comme celui-ci.

Mais attendez... est-il vrai... peut-être n'est-ce pas vrai ? Imaginez que l'on ait pu garder en mémoire ces misères enfantines, le mal du pays telle une meurtrissure en plein cœur, les trahisons — si on les laissait s'attarder dans notre tête toujours à découvert, pays maudit dont on s'est extirpé, que l'on a quitté à jamais, mais visible, sans rien pour le masquer... ce paysage de douleur aurait-il moins de force qu'il n'en a assurément ? Il existe un poisson qui s'appelle le crapaud de mer, qui a l'air si mauvais qu'on le dirait fait pour illustrer un conte moral. Il maraude juste sous la surface de la mer, à l'affût d'oiseaux migrateurs qui décident de risquer quelques heures de sommeil en se laissant ballotter par les vagues. C'est l'instant que choisit cette brute pour se glisser furtivement, se saisir d'une patte ballante, et entraîner sa victime au fond, toujours plus profond...

Nous roulions sur les bonnes routes lisses des villes, mais tandis que la mémoire attendait la rencontre soudaine et cahoteuse des routes de campagne, il ne se produisit rien de tel, nous continuâmes à filer, en toute sécurité, infiniment loin de la brousse et du passé. Oui, j'étais allée dans le district voilà quelques semaines à peine, et sur une ferme pas très éloignée de la nôtre, mais on y était venus par une route différente, une route qui ne partageait point mon enfance, ni ces voyages d'*alors*, les interminables trajets du temps enfantin... « Quand serons-nous arrivés ? — Bientôt. — Mais *quand ?* », tandis que vallées et collines défilaient cahin-caha, la route serpentant parmi les touffes d'herbes hautes et les éboulis de rochers. C'est par cette route que je conduisis mon père à Salisbury, dans la vieille auto : lui, diabétique, au bord du coma, ma mère à côté de lui, sur la banquette arrière, les yeux posés sur son visage, ses doigts calmes sur son pouls. La route n'était *alors* qu'une piste, plissée en longues et lentes vagues de terre, de Salisbury jusqu'au Zambèze, tout au nord. Si je roulais vite, les plissements secouaient le malade qui, d'une voix entrecoupée, me suppliait de m'arrêter. Je m'arrêtais donc, puis je roulais lentement, aux alentours de huit kilomètres-heure, montant et descendant de la crête d'un plissement à la suivante, esquivant les nids-de-poule... il était capital qu'il arrivât au plus vite à l'hôpital, tout de suite, mais si je roulais vite, ces ondulations de la chaussée ne manqueraient pas de le tuer. Combien de fois avons-nous fait ce trajet ? J'ai oublié. Puis ils ont aménagé ces routes en bandes. Fonçant aujourd'hui sur cette route merveilleuse, je cherchais les vieilles routes en bandes, ces fils brisés qui apparaissaient à côté de la voie ferrée et se perdaient dans l'herbe. Ces fragiles rubans de tarmac de trente centimètres de large marquaient une avancée dans les techniques nouvelles — c'est la Rhodésie du Sud qui inventa ces routes — et désormais le voyage de Salisbury cessa d'être un cauchemar, il ne demandait plus que trois ou quatre heures de conduite prudente. Quant aux anciennes pistes poussiéreuses et boueuses qu'étaient les premières routes, elles ne sont plus visibles, mais je suppose que si l'on arrêtait cette course folle vers le nord, si l'on descendait de voiture, que l'on dévalât le talus et que l'on cherchât dans l'herbe épaisse d'après les pluies, il y aurait des traces de ces routes où nous musardions, glissions et dérapions ou attendions

342

patiemment des heures durant l'hypothétique décrue d'une rivière. Mais à présent, on ne remarque plus les rivières qui montent sous l'effet de la pluie ou paressent sous les ponts. Bientôt, bien avant que les paysages de la mémoire et des rêves ne disent la chose possible, le Dyke est là. Cette chaîne de montagnes, pleine de lumières cristallines et du bleu des lointains horizons, quel dommage que ma mère n'ait pas su qu'elle est liée au Rift et à l'océan Indien, ou qu'elle l'est pour les romantiques qui ne veulent point entendre les objections des pédants. La mer occupait tous ses souvenirs, ses propos. Elle était fille de Londres, fille des rues, mais la mer était l'arrière-pays de ses pensées, et un éboulis de rochers de granit ou la course échevelée de nuages blancs au-dessus d'un crépuscule rouge suffisait à lui faire parler de vagues s'écrasant sur les récifs ou de tempêtes. Plus tard, je découvris que sa mère, Emily Flower, celle qui est morte en couches avec son troisième enfant, était fille d'un batelier de la Tamise, si bien que la mer et les rivières coulaient dans ses veines. Elle était fière d'avoir le pied marin : lors de cette terrible traversée de la Caspienne, alors que son mari et ses enfants souffraient du mal de mer, ou plus tard, lors du grand voyage vers l'Afrique, alors que les coups de vent étaient si mauvais que tous les autres passagers, allongés sur leurs couchettes, attendaient la mort, elle était restée sur le pont, avec le capitaine. Sur la ferme, à mille huit cents mètres d'altitude, elle brûlait de retrouver la mer, mais nous n'en avions pas les moyens. Elle était abominablement prisonnière sur cette ferme. Nous ne connaissions personne en Angleterre chez qui aller passer nos vacances. Si quelqu'un du district rentrait au pays, c'était pour suivre un traitement ou faire ses derniers adieux à des parents âgés. Même les « fermiers à chéquiers », de l'autre côté du district, rentraient rarement au pays et nous discourions tous de leurs périples comme de récits de voyageurs tirés de notre propre expérience. Les riches fermiers allaient à Durban, pas nous.

Mais si l'on avait su que le continent se fracturerait et que l'océan Indien... l'écume, les vents marins et les navires marchands arabes seraient venus s'ajouter, dans les propos que nous écoutions, enfants, aux récifs porteurs d'or, aux affleurements de quartz, aux safaris marchands des Arabes et aux mineurs arabes que l'on tenait, en ce temps-là, pour responsables des vieux puits de mine que nous découvrions au hasard de nos promenades dans l'herbe haute.

Si seulement nous avions su la véritable histoire de cette région... Nous croyions qu'à l'arrivée des Blancs, elle était habitée par des populations guère plus avancées que les chasseurs-cueilleurs ; oui, elle avait d'insignifiants petits champs de céréales et de gourdes. Le fait est que des siècles durant, son histoire fut celle de grands et de petits royaumes, de guerres, de conquêtes et de coups de force, de traîtres, de traités et d'espions, histoire dans laquelle les Portugais n'intervinrent pas seulement comme négociants, loin de là : ils furent également des faiseurs de rois et, plus d'une fois aussi, des souverains. Exactement comme dans les pièces de Shakespeare sur les Plantagenêts — tout cela était bien plus satisfaisant que ces vagues et sentimentales histoires avec les Arabes.

L'espace d'un instant, entre Harare et le Dyke, j'essayai à tout prix de ralentir l'allure, pour que ce détour de la route, cette descente, pût s'accorder avec le passé ; mais tout cela était vain, le Dyke était derrière nous et en un rien de temps nous serions à Banket.

C'est au cours de ce trajet que je compris, en mon for intérieur, dans mes os et dans mon sang, comment ceci s'était produit jadis, il y a longtemps, en Europe. Les grandes villes étaient si loin que les gens ne pouvaient y aller qu'une fois dans leur vie, à moins qu'ils ne connussent des gens qui avaient fait le voyage. Les villages où ils achetaient ce qu'ils ne cultivaient pas étaient à une journée de route, à pied ou à cheval. Une nuit de crainte ou d'excitation dans une auberge, et les voilà rentrés au pays, avec assez d'histoires pour étonner les voisins. Puis soudain, en l'espace d'une génération, de bonne routes, des voyages en coche, et le monde se rétrécit. Ce qui était hors d'atteinte se retrouvait désormais à deux pas. Les chemins accidentés qui avaient suivi les sentiers découverts par les nécessités de la marche, d'aller quelque part à pied, les sentiers qui serpentaient, hésitaient, sinuaient et contournaient les monticules et recherchaient le long des rivières les endroits où l'on pouvait passer à gué : ces chemins-là disparurent, engloutis par les herbes, puis par les arbrisseaux, puis par les arbres. Cette révolution ne s'est pas encore produite dans certains pays d'Afrique. Elle se fait toujours attendre dans certaines régions du Zimbabwe, car on peut foncer jusqu'à la fin du revêtement de goudron pour découvrir devant soi les bosses sablonneuses d'une route de brousse dont les pas des marcheurs ont tracé le cours. La voiture qui filait droit à travers les infinies variations de la brousse doit ralentir et se régler sur le paysage du marcheur.

Nous voici maintenant à Banket, devenue une petite ville, tandis que l'ancienne Banket, « la Station » n'est visible qu'à l'œil de l'Histoire : le mien. *Alors,* le centre de « la Station » était une longue et étroite bande de constructions pareilles à un hangar pourvu de vérandas, la Dardagan's comme on l'appelait, du nom du Grec qui possédait l'hôtel, la boucherie, l'épicerie et le bazar cafre. Une petite pièce, tout au nord de l'alignement de briques, faisait office de boucherie, avec son comptoir de zinc et les grands crochets métalliques, derrière, auxquels pendillaient les quartiers de viande sanguinolents. Dehors, sous l'arbre derrière la boutique, ils découpaient un bœuf ou une vache, dont le quadruple estomac laissait se répandre un bol alimentaire odoriférant. Parfois une carcasse couverte de mouches pendait à un arbre. Après la boucherie, venait le magasin, juste à côté, le long de la véranda, avec ses fruits en conserve, ses boîtes de singe et ses biscuits, mais aussi ses pièces de coton. Des sacs de sucre et de farine, de farine de maïs notamment, se dressaient sur une dalle de béton, que le « garçon », toujours à l'affût des fourrageurs, débarrassait, d'un coup de balai, de colonies de toutes petites fourmis noires. Juste à côté, sous la même véranda, il y avait l'hôtel, qui consistait en un bar et une demi-douzaine de tables pour servir à manger aux voyageurs de commerce ou aux gens qui se rendaient en Rhodésie du Nord. Comme toutes les hôtelleries de campagne, le bar était une affaire juteuse, car tous les soirs il y avait affluence, surtout des hommes. Il y avait deux chambres. Quelques mètres séparaient cette construction du bazar cafre.

Ici, sous la véranda, à travers la porte pourvue d'une moustiquaire, une fillette, couverte de poussière pour avoir parcouru une dizaine de kilomètres à pied depuis la ferme, regardait le voyageur de commerce avec ses longues jambes, ses bras et sa gorge brûlés, le short et la chemise kaki que portaient les fermiers qu'il allait voir pour vendre des bains contre les parasites du bétail, du fil, de l'acide carbonique et de la peinture. Il était allongé de tout son long, les jambes tendues, en équilibre sur son siège, tandis que, d'un air pénétré, il avalait goulûment un paquet entier de biscuits Marie, vidait d'un trait le thé rouge-orange, assez fort pour décaper n'importe quel estomac, et s'épongeait sans cesse la figure : il faisait chaud sous cette tôle ondulée. La fille de la ferme voisine braquant les yeux sur un monde d'un inaccessible raffinement : un homme qui surgissait sous cette véranda puis remontait dans sa voiture pour filer vers d'autres stations, sur la route, ou vers Lusaka, ou rentrer à Salisbury, un homme qui *circulait* à sa guise et — l'adolescente avait besoin de le croire — se trouvait une femme pour la nuit à chaque escale. Le fait est — on était dans les années trente, celles du « marasme » — que le voyageur s'était accroché au travail qu'il avait eu la chance de trouver, et qu'il avait une femme qui travaillait quelque part comme maîtresse de maison ou ménagère — n'importe où, elle aurait les enfants sur les bras pendant les vacances scolaires. Le voyageur sentait la pression de ce regard famélique posé sur lui, levait les yeux, mais c'est à peine s'il discernait à travers la lumière crue la silhouette de la fille plaquée contre la moustiquaire. S'approchant, accommodant son regard à l'éblouissement de la gaze métallique, il vit qu'elle avait de longues jambes brûlées qui se terminaient dans des « veldschoen », ces ancêtres des chaussures connues sous le nom de *hush puppies,* et les bras nus, également brûlés par le soleil ; un .22 long rifle pendouillait à sa main et, chose incongrue, sa robe était une belle petite pièce qui eût fait bonne figure en ville. Car elle avait apporté six pintades, tirées parmi les immenses hardes qui couvraient la ferme de leurs cliquetis et de leurs déplacements, filant telles des ombres noires à travers la brousse avant de prendre leur envol et d'aller se poser dans les arbres loin de leur poursuivant, le .22 long rifle. En échange des six pintades, elle avait reçu juste de quoi s'acheter une pièce de coton assez grande pour tailler une robe qu'elle monterait cette nuit-là sur la machine à coudre de sa chambre : une robe qui prouvait qu'elle était adulte. Mais si cet homme était venu ouvrir la porte, la fille se serait enfuie, car elle avait besoin de regarder, d'observer, de rêver, et une conversation était bien la dernière chose qu'elle espérât : elle n'aurait pas manqué d'abaisser le voyageur, elle le savait, d'en faire quelque captif de la nécessité, comme ses parents à elle.

Ces petites constructions en bandes avaient l'air fermées et vides, maintenant, bonnes pour la casse. De même qu'avec l'hôtel de Macheke, je n'arrivais pas à croire que ces bâtiments si légers, si étroits, aient pu contenir tant de vie et tant de gens. Pourtant, les jours de courrier, ou les jours de danse ou de gymkhanas, des centaines de gens passaient devant ces vérandas, entraient et sortaient du bar. La poste que j'ai connue est encore là, parmi les autres bâtiments, charmant petit édifice. Et, pour le reste... l'énergique Banket s'étend à vue d'œil, les nouvelles cités sont pleines de Noirs décemment logés ; ou du moins, il y a de belles maisons, mais qui sait combien de locataires héberge chacune d'elles ?

A droite de la grand-route du Nord, deux routes, deux belles routes toutes nouvelles, dont l'une qui suit le trajet de l'ancienne ligne de chemin de fer jusqu'à la mine Ayreshire. Nous l'appelions la piste Ayreshire, bien que les traverses de la voie ferrée eussent été de longue date déplacées, ou volées, quand on ne trébuchait pas sur elles dans la brousse, abandonnées, gorgées d'eau et transformées en vrais nids de moustiques.

Dans les années 1890, la mine Ayreshire était une grande mine, qui possédait son propre hôtel. A cette époque, et plus tard encore, elle était tristement célèbre pour la légèreté ou la cruauté avec laquelle on y traitait les mineurs. De notre temps, elle n'était plus vraiment exploitée, c'était une mine à ciel ouvert, propriété d'un certain McCauley. Les hommes qui travaillaient pour lui le détestaient tellement qu'ils tendaient parfois un fil de fer d'un arbre à l'autre en travers de la route, quand il revenait d'un voyage à Salisbury ou à Banket. L'idée était que la voiture heurterait le fil au niveau du pare-brise et se renverserait. Mais personne n'ignorait la présence occasionnelle de ces fils et nous faisions attention. Aucune voiture ne se retourna et il s'éteignit dans son lit. Il aimait à dire qu'il était sorti indemne des tranchées, en France, et que ce n'étaient pas des Cafres qui auraient sa peau. Je me demandais, je m'en souviens, pourquoi un homme aussi méchant était toujours si content de lui.

De Banket à la ferme, en voiture, le trajet pouvait prendre une heure, et pas du seul fait des singulières réactions de mon père à la vitesse ; s'il pleuvait, en effet, la route était rouge de boue, on s'y enlisait, on dérapait. S'il faisait sec, au contraire, les roues pouvaient s'enfoncer dans des ornières de poussière rouge.

« Aller à la Station » était tout un état d'esprit, une odyssée. Mais si j'y allais à pied, je pouvais flâner sur la piste deux heures durant. Aujourd'hui, quelques minutes suffisent.

Cette nouvelle route, qui efface les vieux tournants, les détours, les dos-d'âne, traverse champ après champ la riche terre de Banket, une terre qui vaut certainement les plus belles terres du monde, une terre rouge, tendre, riche et moelleuse. La brousse avait été déblayée pour aménager ces champs, au point qu'il n'en restait plus que quelques bandes, çà et là. Jadis, ce sol était fier de ses seize sacs de maïs par arpent et dans le pays tout entier on citait la région en exemple, mais de nos jours, les miracles génétiques aidant, on jugerait indigne de faire moins de trente ou trente-cinq, et quarante, ce ne serait pas plus mal. « A lui seul, ce district pourrait nourrir la moitié du Zimbabwe », dit Ayrton R., qui est peut-être du Matabeleland, mais a manifestement pour Banket et ses hauts faits un attachement viscéral.

Nous passâmes devant la maison des Matthews, pareille à elle-même en apparence, et j'attendais cet instant où paraîtrait la longue maison basse au toit de chaume, confirmant tant de rêves et de cauchemars, mais il y avait la colline, oui, absolument, véritablement, une colline, elle ne s'était pas évanouie, et au sommet de celle-ci, sinon la longue maison, un autre bungalow grisâtre et sans grâce, plus en retrait. Mais c'était bien le champ, le grand champ, ou plutôt la Grande Terre, qui me retenait. Il était là, le « champ de cent arpents » que mon père avait essouché en 1925. Nous étions tous là, mon père, ma mère, mon petit frère, alors âgé de trois ans, et une fillette. Quatre bœufs, attelés ensemble, remorquaient les arbres abattus, enchaînés tels des criminels, jusqu'au bord de l'espace essarté, où on les brûlait.

« C'est une honte », disait ma mère, avec l'inflexion mondaine qu'elle donnait aux invocations de son *vrai* monde à elle, l'Angleterre. « Ce coin de brousse est pareil à un parc naturel anglais. » Nous étions là, la famille anglaise au complet, tandis que les Noirs brandissaient leurs cognées, que les arbres basculaient, et que le grand bûcher rugissait, avec ses gerbes d'étincelles et sa fumée noire où les oiseaux battaient des ailes et tournoyaient. On dit que la fumée attire les oiseaux, parce qu'elle les débarrasse de leurs parasites ; partout où il y a de la fumée, il y a des oiseaux. Ma mère voyait un parc, mais j'avais

348

passé six mois en Angleterre, à cinq ans, et je me souvenais de l'horreur que m'avaient inspirée la crasse, la noirceur, l'humidité qui, scène après scène, s'étaient gravées dans mon esprit et devaient longtemps demeurer pour moi synonymes de l'Angleterre. Les ganglions noirs et humides des voies ferrées sous la pluie. L'étal d'un poissonnier où un homard noir et trempé agitait futilement ses pinces. Une chambre dans une pension de famille, et la pluie noire qui ruisselait aux fenêtres. Une rangée de jardinets, tous aussi proprets et jolis qu'une image de livre d'enfants, et dans l'un d'eux, un homme triste qui grinçait des dents, et reniflait, et donnait des coups de fourche dans la terre comme s'il avait voulu la tuer. Il était dehors sous une bruine glaciale et portait un imperméable parsemé de grosses taches d'eau, et sous les attaches des épaulettes (faites pour retenir les gants que portaient les officiers) il avait passé des gants de cuir informes. Ils pendillaient à son épaule comme des doigts morts et gris.

Le « champ de cent arpents », ou la Grande Terre, en cette journée de novembre, attendait d'être planté, avec sa riche terre nue et sombre traversée par les billons que mon père avait tracés. Il y a soixante ans que ce champ produit ; sans doute avait-il bien fait les choses.

Et maintenant, le tournant qui conduit à la maison, l'endroit où se trouvait le kraal du bétail, où l'on allait chercher le fumier pour l'épandre dans le champ de l'autre côté du chemin. Le kraal avait disparu ; disparu aussi, le petit coin de brousse qui, pour quelque raison, était plein de bauhinias, avec leurs fleurs pareilles à des bouts de crêpe de soie blanche et une odeur sèche et attrayante. La colline était devant : la route était maintenant bonne et solide, et il n'était plus nécessaire de donner des coups de volant et de ralentir au-dessus des dos-d'âne et des ornières. Appuyant sur le champignon parmi les arbres clairsemés, nous eûmes tôt fait d'arriver au sommet de la colline. Disparu, le gros muwanga qui jadis dominait tout ce paysage, ruisselant de miel que nous récoltions une fois l'an, en en laissant suffisamment pour les abeilles. « Eh bien, tu peux nous enterrer au pied du vieux muwanga », aimaient à dire mes parents, voulant dire par là qu'il ne valait certes pas un orme, un frêne ou un chêne, mais qu'il n'y avait pas mieux à part ça. Le vieil arbre avait été abattu par la foudre : de notre temps, déjà, le tronc blanc portait la cicatrice noire de la foudre sur un flanc.

Nous étions au sommet, et nous tournions le dos au nouvel affreux bungalow.

« Que voulaient-ils dire, la colline a disparu ? » Ayrton R. et moi nous posions la question l'un à l'autre.

En effet, le sommet avait été arasé, pour en faire un lieu plat et docile : le terrain pierreux descendait en pente raide depuis les murs de notre maison. On en avait rogné un bon morceau : trois mètres ? Six ? C'est un plateau de belle taille. Parce qu'on était en novembre, la brousse était foisonnante et verte — ce qu'il en restait. Campée au sommet d'une colline, qui n'avait rien d'imaginaire ni d'inventée, j'en éprouvai un soulagement qui amortit une autre surprise : sur la colline, la brousse était maigre et abîmée, et tandis que nous regardions jadis les arbres épais et les *vleis,* avec leurs quelques champs épars, la brousse avait maintenant disparu, pour faire place à de vastes champs qui grimpaient et s'étendaient partout, n'en laissant subsister, çà et là, que de modestes lanières. La voici, la terre de Banket, cette faiseuse de prodiges riche et rouge, et j'imagine que la question qu'il faut poser, c'est : comment a-t-on pu laisser un tel trésor si longtemps improductif, sans le débroussailler ?

La campagne atteint des sommets, ici, sur cette colline : le paysage s'amoncelle. La colline où se trouvait jadis l'enclos du bétail est à peine plus basse. A un peu plus d'un kilomètre, en direction des montagnes du Nord, se dresse la colline des Koudous, où mon frère et moi aimions à nous promener la journée entière. Elle grouillait de gibier. Les sangliers s'y plaisaient tout particulièrement. Exactement comme dans mon souvenir, voici un groupe de collines, ou de hauts lieux, qui donnent un centre à ce grand cercle de montagnes. Les Hunyanis, au nord-ouest, les Umvukwes (ou le Grand Dyke) au sud-est, et, juste devant, les Ayreshire Hills, qui s'élevaient claires et nettes en cet après-midi... inchangées. Eh bien, bien sûr... mais pourquoi bien sûr, quand tant de choses ont changé ? Non, ils n'auraient pas pu souffler le sommet de ces collines, mais à leur pied — on ne le voit pas d'ici — se trouve le nouveau barrage, qui par sa taille sera le troisième du pays. Si l'on regarde de l'endroit où se trouvait jadis la façade de la maison vers les Ayreshire Hills, il semble que la brousse n'ait pas

350

changé, mais les collines et les vallées cachent les nouvelles fermes.

Je regardais « la vue », ce pour quoi mes parents avaient construit la maison là où ils l'avaient fait, et qui nourrit leurs yeux et leurs espérances tout au long des années où ils vécurent sur cette ferme où rien ne se passait comme ils le voulaient.

Elle est belle. Elle était plus belle que je ne m'y attendais, à cause de ces inexplicables mises en garde de mon frère : « N'y retourne pas, ça te déchirera le cœur. » Qu'est-ce qui lui avait déchiré le cœur ? Bientôt, j'eus compris. Non que notre vieille maison eût disparu, comment aurait-il pu en aller autrement ? Elle était de boue et de chaume. Non qu'ils eussent arasé le sommet de « notre » colline. Non, c'était la brousse. Elle avait disparu. Là où il avait passé son enfance, il y avait d'interminables champs rouges, *sa* brousse : disparue. Quand les forêts qui recouvraient l'Europe à la fin de la dernière période glaciaire cédèrent la place aux champs et aux troupeaux, croyez-vous que les hommes qui avaient passé leur jeunesse sous de grands arbres, égaux circonspects des loups et des ours, revenaient, après quelque absence, pour retrouver leur vrai pays disparu et se répandaient en mises en garde à l'adresse d'autres exilés : « Ne rentre pas. Quoi que tu fasses, ne reviens pas ici, ça te briserait le cœur » ? Et passaient le restant de leurs jours à pleurer des arbres qui se sont envolés en fumée ?

J'étais là, accablée, au bord des larmes ; j'avais peine à croire à toute cette magnificence, à l'espace, à cette merveille. J'avais grandi ici. J'ai vécu ici depuis l'âge de cinq ans jusqu'au jour où j'en suis partie à jamais, treize ans plus tard. J'ai vécu *ici*. Pas étonnant que ce pays mythique ait été tiré à hue et à dia... quel privilège, quelle félicité ! Et pourtant, ma pauvre mère a passé toutes ces années à déplorer que ses enfants fussent si mal lotis, leur place eût été en Angleterre, dans quelque école traditionnelle.

Mais il était temps maintenant de me retourner, de jeter un œil sur cette nouvelle maison. Si quelqu'un avait voulu construire une maison réunissant tout ce que mes parents détestaient, ç'aurait été celle-ci. Un bloc sans grâce et sombre en guise de bungalow, peint d'une couleur terne et tapi six ou sept mètres en retrait, peut-être même cinq six mètres plus bas que notre ancienne maison.

Plus loin, en bas de la colline, se trouvaient des femmes et des enfants. Ayrton R. alla leur parler et revint en disant qu'ils n'avaient pas voulu répondre ou ne parlaient pas anglais. On voyait bien par les fenêtres que l'endroit était plein d'enfants, qui nous regardaient fixement, tandis que nous leur souriions, exprimions par de grands gestes notre besoin de leur parler. Quantité d'enfants.

Nous renonçâmes et nous dirigeâmes à l'arrière de la colline. Jadis, l'herbe était haute et épaisse : jamais personne n'y allait, sauf mon frère et moi, pour atteindre la grande *vlei* derrière la colline, qui grouillait d'oiseaux et de gibier. Il y avait aussi, mais nous ne connaissions pas la plante alors, des bosquets de marijuana et parfois, sur un kilomètre ou presque, la brousse était saturée de ses relents, de son odeur âcre et velue, pareille à la sueur.

Voici les lieux du drame de la papaye. Ma mère avait planté des papayers avec goût, où ils faisaient joli, mais elle les trouvait languissants. Des graines de papaye jetées sur le tas d'ordures donnèrent naissance à tout un bosquet d'arbres d'où tombaient les fruits jaune rosâtre, en si grande quantité qu'on ne prenait plus la peine de les ramasser. La terre se nourrissait de chair de papaye.

Non loin de l'endroit d'où les femmes nous regardaient, se trouvaient autrefois nos cabinets : une fosse profonde, surmontée d'une caisse d'emballage renversée et percée d'un trou, à l'abri d'une petite cabane que protégeait une barrière d'herbes, à l'image des cabinets de tout le monde ou presque, dans le district.

Partout sur le plateau qui couronne la colline, des bâtiments de brique désaffectés et, à demi caché dans l'herbe, un alignement de briques et de béton avec des anneaux de fer rouillés, pour les porcs, ou les vaches peut-être. Une grange s'élevait ici aussi : sûrement pas très intelligent, car il fallait tout hisser au sommet de la colline par carriole ou en camion. En bas, à l'endroit où se trouvaient nos granges, près du sentier : rien. Les briques avaient été acheminées ici pour édifier ces constructions désormais ruinées. Mais il n'y en avait pas assez pour que l'on pût dire : ici, les étables des vaches ; là, un garage ; plus loin, une porcherie. Il ne restait plus ici que la carcasse des bâtiments, dont on avait retiré les briques pour en construire ailleurs de nouveaux. Trompeuse mélancolie.

Ce que je regardais, ce n'était pas seulement le théâtre de notre vie passée, qui n'avait point laissé de traces, rien, car les fourmis, les térébrants et les termites avaient tout démoli, mais aussi les restes d'un autre effort ultérieur, qui avait échoué. Tout, ici, parlait d'échec.

« Ils ont planté des arbres fruitiers, avait déploré mon frère. Des arbres fruitiers ! »

Et ils étaient bien là, manquant d'eau et mal en point, des vergers trop grands pour une famille, une ferme, mais trop modestes pour le commerce. A ces arbres, ils auraient pu cueillir assez de pêches pour les porter à la station et les vendre aux fermiers qui venaient chercher le courrier — et qui avaient très certainement leurs propres pêches —, mais personne n'aurait pu en vivre. Non, ce que nous regardions, j'en étais sûre, ce n'était qu'une autre expérience de mes parents, toujours en train d'essayer un peu de ceci, un peu de cela. On aurait pu croire que les gens qui leur avaient succédé s'étaient laissé contaminer.

Ont-ils rêvé à leur tour de trouver de l'or ? Nous recherchâmes dans la broussaille les vieilles tranchées de prospection de mon père, bien que les puits qu'il avait creusés de toutes parts afin d'inspecter quelque filon prometteur fussent tous comblés. Si nos successeurs portaient un marteau de prospecteur pour arracher un éclat à une roche affleurant à la surface, ils étaient à l'image de la plupart des fermiers du district, de Banket, qui devait son nom à un filon aurifère du Rand.

Nous gagnâmes la nouvelle maison. Il y avait une petite plate-bande de soucis que l'on venait d'arroser. Les savants et passionnés travaux de jardinage de ma mère, qui se heurtaient toujours à la couronne rocailleuse de la colline, se perpétuaient ici, dans ce vaillant petit coin de fleurs.

Une fois de plus, nous essayâmes de communiquer avec les enfants. Étaient-ce des squatters ? La ferme n'était-elle qu'une annexe de l'une des gigantesques fermes de pointe du district ? Était-ce la maison du régisseur noir, avec ses multiples enfants, ses parents, les enfants des amis ?

Le spectre de mes parents était très présent. Mon père, je le savais, riait, car cette scène, si admirablement manigancée par le Grand Conteur, confirmait tout ce qu'il avait toujours su de la vanité des désirs de l'homme. Ma mère faisait bonne contenance. Je l'imaginais fort bien dire : « Ce n'est pas plus mal », de sa voix mondaine et enjouée, au vu de l'affreux bungalow de banlieue, des visages noirs agglutinés aux fenêtres dont les carreaux étaient fêlés et où pendaient des rideaux déchirés : « Ce n'est pas plus mal que nous ne sachions pas ce qui se passe, n'est-ce pas ? » Puis, prenant la situation bien en main : « Je me demande s'ils ont essayé les pélargoniums ? Ça pousse bien ici. Peut-être en toucherai-je un mot... »

Quant à moi, j'essayais de percer l'obscurité de cette pièce, par-delà les multiples visages, et je songeais que ces enfants n'étaient pas plus éloignés de la civilisation que je ne l'étais, petite fille, avec les merveilles du monde dans les livres et même les villes d'Afrique du Sud, au loin, à cause de notre pauvreté.

Mais il y avait une différence... Dans le salon de notre maison, il y avait des bibliothèques, des journaux et des revues venus de Londres.

Point de livres, ici. Rien dans cette pièce pour ces enfants, pas un livre, pas un jouet, pas une revue, pas un cahier, pas un crayon, pas une image.

Ainsi nous tenions-nous là, observant, par-delà les champs et la brousse, comme nous le faisions *alors,* d'abord cette chaîne de montagnes, puis celle-là, car si nos yeux s'attardaient trop longtemps sur un ensemble de collines, où la lumière changeait, on risquait de passer à côté du drame des Umvukwes (ou du Dyke), où le soleil effleurait un pic tandis que l'ombre découpait encore ses pareils.

Et ici, mais au-dessus de nos têtes — bien au-dessus —, nous nous asseyions tous les soirs où il ne ventait ni ne pleuvait pour regarder les étoiles et les comètes qui filaient, car le ciel était si pur *alors* que...

Suffit.

J'avais mal au cœur, non pour mes parents, qui somme toute ne s'en étaient pas trop mal sortis, bien qu'ils ne vissent pas les choses ainsi, mais pour mon frère, qui avait tellement souffert de revenir ici. Eh bien, partout dans le monde, tous les jours d'autres gens pleurent des arbres, la forêt, la brousse, des rivières, des animaux, des paysages perdus... on pourrait dire que l'esprit de l'homme est ainsi fait qu'une couche de chagrin devient toujours plus sombre et profonde.

Nous reprîmes la route, ne mettant que quelques minutes pour rejoindre les Ayreshire Hills, où se trouve le nouveau barrage.

Mazwikadei. En 1956, je me tenais au sommet d'une colline dominant un paysage qui serait bientôt englouti par les eaux du barrage de Kariba, tout juste achevé, et dont les hautes parois arrondies et blanches se dressaient au-dessus du Zambèze. Toute cette splendeur serait bientôt submergée. « Pourquoi pas ? L'Afrique est vaste, n'est-ce pas ? » Et maintenant le lac Kariba est immense, il domine la carte et l'esprit des habitants de ces contrées, de même que le Dyke, plus au sud.

Après une bonne saison arrosée, ce nouveau barrage est presque plein.

Mon frère et moi aimions prendre la carabine et nous promener à travers la brousse jusqu'aux Ayreshire Hills, évoluant en silence à la façon des Noirs, pour l'avoir appris d'eux, écoutant les cigales et les mouvements des animaux, observant les oiseaux. La grande *vlei* sur notre ferme, avec sa profusion d'épineux, est telle qu'elle était jadis, mais le silence règne. On y entendait le roucoulement des colombes, celles qui ont une délicate bague noire autour du cou. De tous côtés, foisonnaient dans cette brousse les colombes, les oiseaux migrateurs et autres touracos, et surtout cette mélancolique enchanteresse, la colombe turvert dont le cri, disent les Africains, résonne comme une plainte : « Ma mère est morte, mon père est mort, tous mes parents sont morts, oh, oh, oh, oh... »

Nous traversions le Menene à gué, sur des pierres, guettant les crocodiles. Après quoi venait le Mukwadzi, juste en dessous des collines, la rivière que l'on vient d'endiguer. Nous aimions à nous accroupir sur certaine longue pente de granit chaud et rugueux pour regarder par-delà une petite gorge, étouffant nos voix en un murmure, tâchant de ne pas bouger. Bientôt les babouins arrivaient, par douzaines, sous la garde d'un gros mâle qui nous tenait à l'œil, avertissant les siens par des grognements et des aboiements si, par quelque étourderie, nous esquissions un geste. Nous les regardions descendre à la rivière pour aller boire — une cinquantaine, peut-être —, les petits montés sur le dos de leur mère. Puis ils retournaient se perdre dans les collines, le gros mâle s'en alla en dernier en nous adressant par-delà la rivière un ultime aboiement de réprimande.

Tout ce pays s'enfonce sous l'eau. S'enfonce, s'enfonce...

Eh bien quoi, dit la voix du bon sens — la mienne, quelquefois tout au moins. C'est arrivé en Europe voilà des siècles. Pourquoi un continent serait-il forcément peuplé par sa propre faune, par les arbres indigènes de ses origines ? L'Europe se porte bien. Elle est belle. On vient l'admirer des quatre coins du monde. Et alors ? Nous faisons bien, n'est-ce pas ?

Et, encore...

❚)✦(❚

1989

Un monde en engendre un autre.

Santayana

AIR ZIMBABWE

Je suis assise à côté d'un chef, un mini-chef, qui a un nouveau poste dans quelque ministère et qui est sorti du Zimbabwe pour la première fois de sa vie. Pour New York. Une conférence. Son histoire est, doit être — comment pourrait-il en aller autrement ? —, celle d'un homme qui est parti de rien et s'est enrichi. En effet, quand il a eu dix-huit ans, il a quitté son village, près de Rusapi, pour rejoindre les camarades dans la brousse, mais il a eu de la chance, il n'a été qu'une seule fois témoin d'un drame, lorsqu'un ami s'est fait tuer dans l'explosion d'une mine — pendant des mois et des mois, il n'a pas mangé à sa faim. « J'étais si maigre que ma mère pleurait quand elle me voyait. Mais les filles ne pleuraient pas. J'étais trop beau garçon. » Après la guerre, il a été employé de bureau à Harare, au service d'un chef qui avait été son commandant dans la brousse. Puis, lorsque cet homme fut promu à de plus hautes fonctions, on lui proposa le poste vacant. « Nous étions trois à espérer ce travail, et quand ils m'ont dit que c'était pour moi, je suis rentré à la maison pour le dire à ma femme et nous avons pleuré toutes les larmes de notre corps ! » Il était gras et imbu de lui-même, mais la délectation que lui procurait le beau monde qui était maintenant le sien dissolvait sa suffisance en un rire nostalgique. L'excès de plaisir aimantait irrésistiblement ses mains dodues l'une vers l'autre et il ne pouvait s'empêcher de battre doucement des mains, d'applaudir à sa bonne fortune. Ou bien il hochait la tête en souriant, incrédule. Êtes-vous déjà allée à New York ? Connaissez-vous le White Plaza Hotel ? Aimez-vous la cuisine thaï ? Avez-vous vu *Les Misérables* ? C'était tellement triste que j'en aurais pleuré. Avais-je été à Paris ? Il irait bientôt à Paris, pour une conférence. Je lui demandai ce qu'il choisirait pour le Zimbabwe si son vœu le plus cher pouvait être exaucé. « Comment pouvez-vous me poser une telle question ! La prospérité, bien sûr. — Imaginez que sa marraine, une fée, lui offre au nom de tout le Zimbabwe... — Qui c'est, cette marraine-fée ? La Banque mondiale ? » Les contes de fées, dis-je, sont souvent des histoires d'esprits bons ou malins qui exaucent des souhaits ou jettent des malédictions. Je commençai par *Blanche-Neige*. Il se montra enchanté, c'est le mot, jamais il n'y eut pareil auditeur. Il se frottait les mains, il applaudissait, il riait, il soupirait, il écoutait de toutes les fibres de son cœur. Et voilà comment je passai la nuit, jusqu'à ce qu'il s'endormît, à raconter des contes de fées à un chef.

A l'immigration, un fonctionnaire sarcastique et désagréable m'a fait passer un moment pénible : prouvant ainsi à quel point le Zimbabwe est entré dans le monde moderne. Le Zimbabwe n'aime pas les journalistes. Il y a des journalistes et des écrivains qui se procurent des passeports spéciaux où ne figurent pas ces mots dangereux. Plus tard, j'en discutai avec un chef qui me répondit que s'il avait son mot à dire, il ne laisserait entrer aucun journaliste. Je demandai si, par hasard, il admirait le *Chronicle* de Bulawayo ? Il dut bien admettre que oui, en effet. Avait-il jamais lu la presse britannique et américaine ? Oui, mais nous sommes un pays nouveau et nous ne pouvons nous permettre la critique. Pourquoi pas ? dis-je. C'est un signe de faiblesse d'être à ce point susceptible. Admirait-il vraiment les articles du *Herald* où on lit généralement une prose de ce genre : « Notre grand dirigeant, le camarade Mugabe, inspire le Zimbabwe par son exemple et il nous conduit en avant vers... » Aux toutes premières syllabes, il se dérida, puis il m'en voulut de ma légèreté.

LA MAISON DE LA BANLIEUE RICHE

Ayrton R. et moi nous tenons de nouveau dans son jardin, considérant sa maison, puis l'écran qui masque le quartier des domestiques, les deux chambres et la cour où l'on fait la cuisine, et d'où viennent des éclats de voix, de rire et, souvent, de la musique.

Il y a deux semaines encore, il y avait aussi les bruits que faisaient les onze enfants du jardinier.

Voici ce dont Ayrton R. se mit à parler à peine étais-je arrivé : il était profondément affligé.

Tous les après-midi à cinq heures, il y avait des hurlements et des larmes tandis que la mère les mettait en rang d'oignons dans la cour et les lavait dans un baquet. Les voisins se plaignaient.

« Mais, George, pourquoi votre femme doit-elle laver les enfants au moment précis où tout le monde rentre du bureau et a besoin de paix et de repos ?

— Parce qu'il faut bien qu'ils fassent leur toilette avant d'aller au lit.

— Mais pourquoi doit-elle les laver si énergiquement qu'ils braillent ?

— Les enfants détestent ça, tout le monde le sait. »

Onze enfants, ça fait beaucoup de bruit. Ils avaient besoin de beaucoup de place. Ils se répandaient souvent de la petite cour dans le jardin d'Ayrton R., qui faisait mine de ne rien voir. Les voisins se plaignirent de nouveau. Ils furent conviés à venir voir les criminels, le jardinier et sa femme, deux personnes confuses mais têtues, dont la seule défense fut : les enfants font beaucoup de bruit. Conversation tendue autour d'une tasse de thé : ces négociations se déroulaient dans le salon d'Ayrton R. « J'ai insisté pour que tout le monde s'installe dans le salon, qu'il n'y ait pas de confrontation boss blanc-domestique noir.

— Et alors ?

— Alors elle a eu lieu quand même. Le problème, c'est que les enfants devraient être avec leurs deux parents. George devrait avoir toute sa famille avec lui. D'un autre côté, on ne peut pas vraiment avoir onze enfants dans une seule pièce. Et deux parents.

— C'est ce qui s'appelle une impasse.

— Mais George a une maison dans son village et il y a une école à proximité. Les enfants ne vont pas à l'école quand ils sont ici. »

Les onze enfants et leurs parents, treize personnes. Dorothy, son homme et ses trois enfants, qui sont ici par intermittence. Dix-huit personnes dans deux pièces. Impossible.

« Je suis terriblement navré, George, mais il est tout simplement impossible que vous gardiez tous vos enfants ici. Peut-être deux... bon, trois ou quatre. Mais pas onze.

— Ce n'est pas votre voix que j'entends, c'est la voix des voisins, répondit George avec dignité, d'un ton de reproche.

— Non, je suis désolé, c'est ma voix. »

Plus tard, sa femme reconduisit les onze enfants au pays dans la zone communautaire. Bientôt il y en aurait douze, preuve qu'elle était encore une femme, qu'elle n'était plus déprimée. Mais elle rentra presque aussitôt avec le nouveau bébé et quelques-uns des plus petits.

Ayrton R. voyait les choses autrement.

« Comment croire qu'en huit mois les choses aient pu changer...

— Des choses ont certainement changé dans cette maison — non, ce n'est pas que George ait trop d'enfants, et de toute façon, ce n'est jamais que notre façon de voir à nous. »

La fille aînée de George, celle qui a l' « esprit », est maintenant en compétition avec sa cousine, la nièce de George : laquelle des deux a hérité de l' « esprit » de leur grand-père ? Il était nganga. Les vrais ngangas ont finalement refusé de reconnaître à la fille du jardinier la qualité de médium. Le fait est qu'elle est manifestement cinglée et que son état empire. Ses parents veulent qu'elle rentre à la maison et qu'elle vive au village, mais elle dit, d'abord avec calme, puis en criant et en hurlant, que la maison de Harare est son foyer et qu'elle n'a pas l'intention de la quitter un jour. Elle dort par terre, dans la cuisine qui sépare la chambre du jardinier de celle de Dorothy, et elle y reçoit des hommes. C'est une honte et un déshonneur pour des parents que de surprendre les ébats amoureux d'un enfant, mais ils y sont bien obligés. Dorothy y est aussi contrainte. Son homme, que tout le monde voue aux gémonies, la suppliant de le flanquer à la porte, couche avec la fille du jardinier, juste derrière le mur où Dorothy a son lit. Pourquoi ne le flanque-t-elle pas à la porte ? Mais cette femme avec trois enfants qui ne s'est jamais mariée espère qu'il lui rendra l'honneur en l'épousant. Si vous avez bonne mémoire, la fille du jardinier avait couché avec les huit gardes d'une institution où elle faisait le ménage. Ces hommes sont des policiers. La rumeur prétend que cinquante pour cent des policiers et des soldats sont séropositifs. (Les autorités n'ont pas encore divulgué ces chiffres : en attendant, d'aucuns prétendent que la proportion est encore plus élevée.) C'est Dorothy qui disait que tous les gens qui avaient le sida méritaient la mort. Telle est la tragédie qui se déroule en silence dans le quartier surpeuplé des domestiques.

« Le gouvernement peut enfin passer aux aveux sur le sida, parce que le sida n'est plus un complot des Honkies, mais les responsables continuent à mettre des gants. Sur la nouvelle affiche que l'on voit partout, une prostituée se tient dans l'ombre tandis qu'un homme hésite : va-t-il coucher avec elle ? Mais c'est l'armée et la police qui sont les plus atteintes, pour autant qu'on le sache, bien sûr. L'affiche devrait représenter un homme en uniforme et une femme qui préfère ne pas coucher avec lui. Mais les préjugés contre les femmes sont omniprésents dans cette culture et ce serait trop espérer, j'imagine. »

Et maintenant, pour « me remonter le moral », Ayrton R. m'emmène au supermarché.

« J'ai bien peur qu'il ne nous faille admettre que, partout, les citoyens jugent leur gouvernement à ce qu'ils peuvent se mettre sous la dent et qu'ils se fichent de la démocratie. »

LE SUPERMARCHÉ

Le Zimbabwe ne manque de pas grand-chose. Ceux qui ne peuvent se passer d'huile d'olive, de poisson en conserve ou de certaines épices s'en font expédier par des amis. Quiconque quitte le pays revient chargé de whisky. Mais, avec le lancement de nouvelles sociétés de produits alimentaires il y a toujours des produits nouveaux sur les étagères surchargées. Les comparti-ments de congélation sont pleins. Empilés d'un bout à l'autre du magasin, on trouve quelques-uns des meilleurs morceaux de bœuf du monde, du bacon et du jambon qui ne sont pas injectés d'eau, des saucisses et du salami de premier choix. Il y a des rangées de poulets et de canards. Les fromages sont bons, quoique peu variés. Le pain est excellent, de même que les fruits et légumes. On trouve ici différentes variétés de farine de maïs pour la sadza, mais plus de Noirs que de Blancs fréquentent ce magasin et ils ne s'en tiennent pas à la sadza. Rayon après rayon, les étagères sont chargées d'alcools et de liqueurs, rien que des marques sous licence. (Sur un camion garé devant un magasin,

dans une petite ville proche de la vallée du Zambèze : « Cin-
zano, la boisson de l'Afrique ! ») La bière est bonne. Imbuvables
il n'y a pas si longtemps, les vins du Zimbabwe remportent des
prix internationaux : les vins blancs, bien sûr, car les rouges
n'ont pas encore fait leurs preuves. Tout ceci est produit au pays.
Qu'un pays se suffise à lui-même, ce n'est guère un tour de force,
serez-vous peut-être tenté de penser, mais c'est mieux que les
pays environnants. Les magasins d'alimentation du Zimbabwe
feraient figure de luxe inaccessible pour le Mozambique, le
Malawi, la Zambie, la Namibie, l'Angola, sans parler des pays
plus au nord, dont la situation est parfois catastrophique. « Il ne
faut pas juger le Zimbabwe à l'aune des autres pays africains : il
ressemble davantage à un pays d'Amérique du Sud » (rapport
des Nations unies).

Les pratiques commerciales en vigueur dans cette partie du
monde ne satisferaient pas les amateurs de morale politique. Le
Botswana a passé des accords commerciaux préférentiels avec le
Zimbabwe et l'Afrique du Sud : il importe des produits d'Afrique du Sud, qu'il revend sous une autre étiquette au Zimbabwe.
L'Afrique du Sud appose des étiquettes zimbabwéennes sur les
fruits qu'elle vend à l'étranger. Les habitants du Zimbabwe vont
au Botswana acheter les produits qui manquent au pays : ce sont
souvent des produits sud-africains.

« Et pourquoi le camarade Mugabe ne fait-il pas... ? »

Le camarade Mugabe désapprouve tout ceci, et il le dit, mais
le roi Canut ne pouvait rien contre la marée.

LE MOZAMBIQUE

Et de quoi parle-t-on encore ?

L'an passé, le Mozambique apparaissait tôt ou tard dans
toutes les conversations. Aujourd'hui, rares sont les gens qui en
parlent. Parce que le problème est en passe de trouver une
solution. Maputo revient à la vie : les gens recommencent à
voyager. Quelques Mozambicains, parmi les plus vaillants,
regagnent les villages en ruine. Toujours est-il que les camps de
réfugiés du Zimbabwe et du Malawi sont encore pleins et qu'il
arrive tous les jours de nouveaux réfugiés. Les gens meurent de

faim au Mozambique. Des bandes de pillards menacent les villages. Il en coûte plus d'un million de livres par jour au Zimbabwe de surveiller l'oléoduc de Beira et de soutenir l'armée du Mozambique. Nul ne semble réprouver cette aide, mais on dit en blaguant que le Zimbabwe, ancienne colonie, a lui aussi sa colonie : le Zimbabwe est fier de lui et de son aide à son voisin en ruine. L'oléoduc, par exemple. On considère que si « ils » — c'est-à-dire la Renamo — font sauter une canalisation, l'armée du Zimbabwe peut la remettre en état de marche en soixante-douze heures. Il est impossible de monter la garde sur toute la longueur, plusieurs centaines de kilomètres. Le tout dernier attentat remontait au mois dernier, et l'oléoduc avait été remis en service presque aussitôt. Ce sont les Britanniques qui entraînent aujourd'hui les troupes du Zimbabwe : les jours infâmes de la Ve Brigade sont révolus. « Ce sont de bons gars maintenant, nos soldats du Zimbabwe... » (C'est le planteur de café qui parle.) « Eh bien, voyez donc qui les a entraînés ! Ils sont prêts à tout, mines antipersonnel, bombardements, attaques aériennes, tout. Vous vous souvenez, la dernière fois que vous êtes venue, l'oléoduc était coupé et on est restés des semaines sans pétrole ? Ça n'arriverait plus maintenant. »

Conformément à la ligne « politiquement correcte », les « bandits » du Mozambique sont toujours de la Renamo. Mais l'histoire du chasseur de crocodiles met la puce à l'oreille. Le chasseur avait reçu l'autorisation de capturer des crocodiles dans les lacs du Mozambique pour les exporter vivants. Il s'aventura sur le lac en bateau, mais des détachements de la Renamo, puis du Frelimo, le mirent en joue, l'obligeant à regagner la rive, et exigèrent une part des recettes. Plusieurs fois, il faillit se faire tuer. Il a fini par renoncer. « Ainsi, ni la Renamo ni le Frelimo n'ont rien obtenu de lui. Ils ne l'ont pas volé. »

CORRUPTION

D'un bout à l'autre du Zimbabwe, les gens parlent de corruption.

Il semble que les gens s'en soient accommodés. Sous la véranda d'une ferme blanche : « Pourquoi blâmons-nous les

367

hommes de Mugabe ? Les hommes de Smith ont tous fait leur beurre. Le seul honnête homme, c'était Whitehead, et il est mort pauvre.

— Et Smith ?

— Oh, il était honnête, mais il est raide comme la justice, déclare d'un ton enjoué un ancien fervent de la cause de Smith. Voyez dans quel pétrin Smithie nous a fourrés ! Quel besoin avions-nous d'une guerre ! Seule une minorité de Blancs la voulaient, cette guerre, mais nous en avons tous fait les frais. »

Ou : « Le pays tout entier fricote. Non, je n'en fais pas le reproche à Mugabe. Nous avons tous appris à le faire à l'époque de l'UDI[1]. Il fallait mentir et tricher pour survivre, à cette époque, et c'est devenu notre sport national. Impossible de survivre sans fricoter sous la législation financière de Mugabe. Tout le monde le fait. »

Une variante de l'ancienne blague : deux ministres du Zimbabwe se présentent aux portes de Nacre. « Le Zimbabwe ? demande saint Pierre. Jamais entendu parler. Il faut que je consulte le Boss. » Il va trouver le Boss et lui dit : « Nous avons là deux ministres du Zimbabwe. — Ah oui, répond le Boss, un petit pays intéressant. Je vais venir avec toi les interroger. » Ils arrivent à l'entrée du Ciel. « Ils sont partis », s'exclame saint Pierre, et le Boss ajoute : « Je ne vois personne non plus. — Non, mais ce n'est pas vrai, les portes de Nacre, ils les ont volées ! » (Un fonctionnaire des Nations unies.)

Un rapport des Nations unies : « L'Afrique entière est gâtée par la rhétorique. Il n'y a aucun rapport entre ce qui s'y passe et la description qu'on en fait. Et de tous ces pays, le Zimbabwe est le pire. »

LE SCANDALE TOYOTA

L'entreprenant rédacteur en chef du *Chronicle* qui a révélé le scandale a été limogé ou, comme dit le gouvernement, promu à un poste où ses talents de journaliste ne lui seront d'aucune utilité. Le *Chronicle* est devenu presque aussi terne que le *Herald*.

---

1. UDI : Déclaration unilatérale de l'indépendance. *(N.d.T.)*

Mais — expliquent les « apologistes passionnés » — la *Financial Gazette* est bien informée et critique, et il existe une revue, *Parade,* qui n'a pas froid aux yeux. Pourquoi pas ? rétorquent les cyniques. La *Gazette* et *Parade* ne sont lus que par des intellectuels, les Povos ne les lisent jamais.

A la suite des révélations du *Chronicle,* a été constituée la Commission Sandura : les auditions qui ont suivi au tribunal se sont déroulées sous les quolibets, les cris et les rires de la foule, tandis que les accusés atteignaient des sommets dans le parjure le plus délirant, au point que l'une des personnes présentes dans le public put parler d'un « mélange de baron de Münchhausen et de Cecil Rhodes se vantant de l'annexion du Mashonaland. C'est moi qui te le dis, camarade, seul le Zimbabwe était capable d'un tel numéro : c'était mieux que n'importe quelle pièce de théâtre ». Le Zimbabwe unanime applaudit Mugabe d'avoir nommé la Commission Sandura : enfin il se conduisait comme on l'attendait de lui, en rempart contre la corruption, en défenseur du bien et de la droiture. Les étudiants, en particulier, ne tarissaient pas d'éloges. Mais c'est alors que le président amnistia les coupables, et ceux qui s'étaient parjurés devant la cour et allaient devoir purger des peines de prison également. « Deux poids, deux mesures. Une loi pour les chefs, une loi pour les Povos », dirent les cyniques. Dirent, bientôt, les très cyniques. Comme nous le savons tous, il n'est pire cynique que l'idéaliste trahi. Il va sans dire que les rumeurs vont bon train sur les raisons de l'intempestive grâce présidentielle. « On » dit que des proches du président étaient impliqués. « On » dit que le président ne peut se permettre de heurter de front les chefs corrompus qui le maintiennent au pouvoir. Les esprits charitables prétendent que Mugabe est blessé de voir déshonorés et en prison d'anciens camarades qui se sont battus avec lui dans la brousse.

Maurice Nyagumbo
Héros du Zimbabwe tombé en disgrâce

Maurice Nyagumbo, qui était ministre d'État du Zimbabwe, en charge des affaires politiques, jusqu'à sa démission la semaine dernière à la suite d'un trafic illégal de voitures, est mort à l'hôpital après avoir absorbé du poison. Il avait 64 ans. Il avait démissionné après qu'une enquête judiciaire diligentée par le président Mugabe eut établi qu'il était impliqué dans un scandale : il aidait des gens à acheter des véhicules neufs pour les revendre au marché noir à des prix gonflés.

Avant sa disgrâce, Nyagumbo avait été une grande figure de la lutte pour l'indépendance du Zimbabwe et avait passé de longues années en prison pour avoir combattu la domination de la minorité blanche. Au lendemain de l'indépendance, accordée en 1980, il obtint un poste de premier plan dans le gouvernement de Robert Mugabe : il était en fait le numéro quatre du cabinet et le numéro trois du parti dirigeant, le ZANU-PF.

Maurice Nyagumbo était né en 1924 à Rusape, en Rhodésie du Sud, de parents paysans. Il fit des études primaires dans des écoles de missionnaires avant d'aller chercher du travail en Afrique du Sud en 1940. Dormant à la belle étoile, il exerça diverses activités, dont celle de serveur à table, puis trouva à se loger chez des danseurs noirs d'une salle de bal. Il adhéra ensuite au parti communiste sud-africain, jusqu'à son interdiction en 1948.

En 1955, il se fit expulser d'Afrique du Sud, sous prétexte qu'il était en contact avec les Mau-Mau au Kenya. De retour en Rhodésie, il fut l'un des fondateurs de la Ligue nationale africaine de la jeunesse, avant de devenir secrétaire de la section locale du Congrès national africain de Rhodésie du Sud. En 1959, ses activités politiques lui valurent d'être jeté en prison, puis il fut assigné à résidence dans le district de Gokwe jusqu'en 1962.

A sa libération, il adhéra à l'Union populaire africaine du Zimbabwe (ZAPU), le parti de Joshua Nkomo, qu'il quitta l'année suivante avec d'autres, dont Robert Mugabe, pour former l'Union nationale africaine du Zimbabwe (ZANU). Lorsque le ZANU fut interdit, en 1964, il fut arrêté ; il devait passer les onze années suivantes dans des prisons et des camps de détention divers. Élargi en 1975, il fut bientôt reconnu coupable de recruter des jeunes gens pour les entraîner à la guérilla et fut condamné à quinze ans de prison.

Il fut libéré en 1979, juste à temps pour suivre les ultimes stades de la conférence de Lancaster House, à Londres, qui aboutirent à l'indépendance du Zimbabwe. Après quoi il eut divers portefeuilles au gouvernement, dont celui de ministre des Mines et de ministre d'État des Affaires politiques et de la Coopération.

En 1980, il publia une autobiographie dont le credo était : « Certains d'entre nous doivent rester aux côtés du peuple, même s'ils doivent pour cela faire de la prison. » Il fut sans conteste un homme courageux, prêt à souffrir pour ses convictions. Après l'indépendance, avec son béret, à côté du président Mugabe, et en sa qualité de ministre d'État chargé des Affaires politiques, il était l'un des symboles de la lutte.

Il laisse une femme et six enfants.

(The Times, notice nécrologique)

TEKERE LE DOUBLE

Edgar Tekere, le franc-tireur, l'outsider, dont on parle toujours avec cette incrédulité piquante et sardonique que nous réservons aux possibilités douteuses mais divertissantes.

Si l'on joue à ce petit jeu qui consiste à se tenir à l'écart d'une conversation, pour en écouter la sonorité plutôt que le sens, Tekere-Tekere-Tekere revient sans cesse, cliquetant comme un criquet.

Il est à lui seul l'opposition à Mugabe, et il s'est fait mettre à la porte du ZANU-PF, le parti de Mugabe, pour avoir critiqué la corruption et dénoncé la tolérance coupable du président. Son nouveau parti s'appelle le Mouvement de l'unité du Zimbabwe. (Il est intéressant de voir combien les mouvements politiques qui sèment en fait la division aiment à employer le mot « unité » ou « uni ».) Mais le ZUM a un impact parce que tout le monde sait que ses critiques sont justes. Quel genre d'impact? Nul ne le sait. Il séduit aussi certaines personnes — et elles sont nombreuses — qui aimeraient voir plus de Blancs au Parlement, à cause de leurs connaissances et de leur savoir-faire. (Quand on apprécie les Blancs dans les pays noirs, c'est rarement pour leur charme, leur esprit, leur rayonnement, ou leur bon cœur, mais plutôt parce qu'ils sont équipés pour affronter le monde moderne.) Partout la campagne bat son plein en vue des prochaines élections, suivant des méthodes bien connues du Zimbabwe — comme du Kenya, de l'Inde, des pays communistes et aussi, bien entendu, de l'Angleterre du XVIIIe siècle. Tous les sales coups possibles et imaginables sont bons pour écarter ou discréditer l'adversaire. Des bandes de brutes font irruption dans les meetings de Tekere et menacent ses éventuels partisans de violences, quand ils ne les rossent pas carrément, et jamais ils ne sont rappelés à l'ordre ni châtiés. Parce qu'ils sont

371

membres de la section de la jeunesse du ZANU-PF. (« Pourquoi Mugabe ne... ? ») Les élections partielles sont truquées. Tekere lui-même est publiquement diffamé tandis qu'est habilement orchestrée une campagne de ragots.

C'était Tekere qui, sous l'empire de la boisson, avait tué un fermier blanc juste après la libération. Ce qui a certainement terni son image brillante de Soldat de la Libération. L'incident est de nouveau sur toutes les lèvres, de même que son empressement à travailler avec Smith. En outre, les autorités ont divulgué le dossier médical de Tekere, qui donne de lui l'image d'un schizophrène. Qu'il soit alcoolique ne semble pas le discréditer : d'aucuns pensent que c'est à cause de cela qu' « ils » — les Povos, cette fois — ne prennent pas Tekere au sérieux.

Tekere a retourné les critiques à son avantage, se présentant lui-même comme un « Two-Boy », un double, ainsi qu'on surnomme les schizophrènes par là-bas. Sur ses affiches électorales, il se présente comme « Edgar Tekere le double, le chrétien alcoolique », et il fait rire tout le monde.

En vérité, Tekere joue un rôle politique classique, se laissant mettre dans une position que d'autres s'empressent de lui assigner. Il passe pour être en tout point l'opposé de Mugabe. Mugabe n'a jamais fait rire personne. A peine pointe-t-il le bout du nez hors de chez lui que Mugabe a besoin de toute une escorte et de vitres blindées et fumées, tandis que Tekere se laisse approcher par tout le monde, c'est un homme sans peur, « il vit dangereusement, exactement comme nous ». Tekere ne passe pas son temps à courir d'une conférence à l'autre. Tekere conduit une petite voiture et ne porte jamais de costume trois-pièces.

Durant ce genre de conversations, les origines tribales des hommes politiques viennent toujours sur le tapis. Tekere est du Manicaland, ce qui fait de lui un représentant du Zimbabwe oriental, au même titre que Joshua Nkomo représente le Matabeleland.

Mais quelqu'un me donne une leçon d'ethnologie. Toute cette histoire de Matabélés, de Mashonas et de Manicas ! Il n'y a pas de Mashonas. Ou plutôt, il y a quatre grands groupes de Mashonas : les Karangas, les Manyikas, les Zerurus et les Kore Kore. Le groupe le plus fort est celui des Zerurus, aux alentours de Harare. Mugabe était d'origine karanga, mais il a été élevé en

Zeruru. Souvent, on ne peut comprendre les batailles qui se déroulent à l'intérieur du Parti que par les rapports de forces entre ces divers groupes. Pour l'instant, les Karangas perdent du terrain : ils ont tous les autres contre eux. Mais Terence Ranger (le prestigieux historien du Zimbabwe) dit qu'avant l'arrivée des Blancs, ces divisions étaient insignifiantes : ce sont les missionnaires qui les ont exacerbées. Du coup, chaque groupe a prétendu qu'il était le plus important : « Le vrai peuple, c'est nous. »

« Tekere, dit quelqu'un, n'est pas moins mashona que Mugabe. Ils diront n'importe quoi pour discréditer Tekere. »

Au cours d'une soirée de discussion à bâtons rompus avec un haut fonctionnaire, celui-ci traita Tekere de « nazi ». Une sottise qui suscita des protestations unanimes. « Oh si, c'est du pareil au même. Au départ Hitler n'était qu'un homme de droite : ce n'est que par la suite que les gens ont découvert qu'il était nazi. » (Le mot « objectivement » est implicite.) « Ce qui fait donc des étudiants qui soutiennent Tekere des nazis. » (Les étudiants ont de nouveau manifesté — ils ont provoqué des « émeutes », d'après la presse gouvernementale — contre la corruption. Certains avaient la carte du parti de Tekere et criaient : « T'ien an Men ! ») Le fonctionnaire s'obstina à traiter les étudiants de nazis. Pas une seule fois il ne voulut reconnaître que leurs doléances étaient fondées. Il y avait dans son discours sur les étudiants une obstination hystérique rebelle à tout raisonnement. Compte tenu de la loi suivant laquelle les mêmes gens tiennent le même langage en même temps, cette idée des « étudiants nazis » a probablement cours dans les hautes sphères.

SIDA, SIDA, SIDA

A peine huit mois auparavant, l'atmosphère m'avait rappelé le Brésil en 1986. Il y avait des gens qui disaient, mais en privé : « Le sida est une bombe à retardement, le compte à rebours a commencé, mais notre gouvernement ne veut pas le savoir. Le Brésil a bien pu être inventé pour plaire au virus du sida. C'est une société permissive et hédoniste, où l'homosexualité masculine et féminine — tout — a droit de cité. Une transfusion sanguine est une condamnation à mort. Les drogues sont partout. » Quelques mois plus tard, le gouvernement brésilien comprenait que le sida ne disparaîtrait pas de lui-même et lançait des campagnes d'information limitées, à la radio, à la télévision, dans la presse. Les pays pauvres n'ont pas les moyens d'une vraie propagande. En comparaison du Brésil, le Zimbabwe dispose d'une bonne infrastructure, sous forme d'hôpitaux et de dispensaires. Le problème, c'est que personne n'a idée des proportions prises par la maladie. Les médecins disent que les cas de sida sont bien plus nombreux que les pouvoirs publics ne veulent bien l'admettre. Les hommes politiques laissent filtrer des chiffres préjudiciables, mais qui n'ont aucune chance d'être exacts. Tout le monde sait que dans le Nord, en Zambie, au Kenya, au Zaïre, en Ouganda, dans d'autres pays également, toute une génération risque de mourir du sida avant la fin du siècle. Déjà, en Ouganda et au Kenya, il y a des villages déserts, où tant de gens sont morts du sida que les survivants ont fui : ils ont fui la sorcellerie, le mauvais œil. Le Zimbabwe s'estime chanceux en comparaison de ces pays. Mais l'est-il vraiment ? Quand un sujet est présent à l'esprit de tout le monde ou *presque,* qu'il reste du domaine du « J'ai rencontré un médecin qui dit... » ou « On dit que dans les zones communautaires... », sans que l'on produise de faits ni de chiffres précis comme en Europe ou aux États-Unis, il hante toutes les conversations, fait une brève apparition puis se retire : les gens paraissent gênés, mal à l'aise, comme s'ils avaient peur qu'on les accuse d'être alarmistes. Et dans la mythologie politique de gauche, la vraie nature du sida est encore monstrueusement déformée. Ainsi, dans un groupe d'idéologues, la seule mention du sida inspirera aussitôt de violentes diatribes contre la CIA qui a sciemment créé le virus du sida pour affaiblir le tiers monde. L'idée que la maladie est peut-être venue des singes d'Afrique centrale est une invention malveillante de scientifiques occidentaux qui ont laissé par mégarde le virus s'échapper de leurs éprouvettes et qui, maintenant, essaient de masquer leur incurie par des mensonges, en rejetant la faute sur l'Afrique... « comme d'habitude ! ». Ces gens en sont au même stade que l'Union soviétique, encore très récemment, où l'on expliquait que le sida était impossible dans un pays communiste, il n'était concevable que dans les sociétés capitalistes : le mal est un attribut de l'Autre ; les démons, les dangers et les menaces ne peuvent venir que d'une volonté mauvaise. Ou du Mauvais Œil.

Pendant ce temps, les transfusions sanguines inspirent la terreur — et mainte histoire. Des soldats zimbabwéens qui montaient la garde au Mozambique ont été transfusés. Ils ont tous été contaminés et ont rapporté la maladie avec eux, pour la transmettre à leurs femmes et à leurs enfants. Le Mozambique est plein de malades du sida. (C'est exact.) « Non seulement nous, les Zimbabwéens, nous devons dépenser nos richesses à monter la garde au Mozambique et à le défendre, à nourrir des réfugiés par centaines de milliers, mais ils nous empoisonnent nos garçons avec leur sida. *Nous* avons une bonne infrastructure médicale, *nous, nos* transfusions sanguines sont sans risque. Mais les Mozambicains sont indécrottables. Il faut tout le temps qu'on s'occupe d'eux. »

Pendant ce temps, certains ngangas n'ont pas vraiment arrangé les choses en prétendant que si un homme couche avec une vierge, ça le guérira ou ça le préservera du sida. La plupart ont compris que le sida n'était pas de leur compétence et s'en remettent à la science.

GUÉRISSEURS, ESPRITS ET PRÉSERVATIFS

Extrait de l'*Observer* :

On est surpris de voir les longues boîtes blanches de carton parmi tout leur bataclan — lances, peaux d'animaux séchées, sans oublier la cantine en fer-blanc remplie de potions, dans une cabane qui sent le renfermé. Chaque boîte contient cent préservatifs et, au cours des trois semaines passées, Stephen Njekeya en a distribué environ vingt-cinq à ses clients. « Je suis médecin », dit-il, son affreuse chevelure remuant au gré de ses hochements de tête.

Pour des centaines de gens, aux environs de la petite ville de Gutu, au sud du Zimbabwe, il l'est en effet, depuis ce jour, à la fin des années cinquante, où il a eu une attaque dans laquelle on a voulu voir une « possession spirituelle ». Du coup, il a été jugé digne de faire son apprentissage de guérisseur traditionnel.

« Ces herbes étaient employées par mes plus lointains aïeux, depuis plus de trois générations, dit-il, et elles sont encore utiles. »

Njekeya, et les 35 000 autres membres de l'Association nationale des guérisseurs traditionnels du Zimbabwe (Zinatha), rassemblement de médiums, de guérisseurs par les plantes, de sages-femmes traditionnelles et de guérisseurs par la foi, ont pris une nouvelle importance tandis que le Zimbabwe se bat contre l'épidémie de sida.

Alors que la journée mondiale du sida focalisait hier toute l'attention, l'Afrique est au centre des préoccupations. Et les 5 086 cas déclarés par le Zimbabwe à l'Organisation mondiale de la santé en septembre représentent le taux de croissance le plus rapide du continent. Une enquête sur les dons de sang bénévoles indique que 4,2 % de la population adulte du Zimbabwe est contaminée par le virus HIV, mais le pourcentage serait beaucoup plus élevé, à en croire certains experts.

75 % des Zimbabwéens habitent la campagne, nombre d'entre eux sont analphabètes et trop pauvres pour s'acheter une radio. Cette situation constitue un obstacle majeur pour le personnel sanitaire qui s'efforce de sensibiliser la population. Depuis février, cependant, la Zinatha anime un projet pilote dans le district de Gutu, réunissant les guérisseurs connus sous le nom de ngangas afin de les informer sur la maladie et de s'assurer leur concours.

Près de 80 % des Zimbabwéens, sur une population de dix millions, préféreraient consulter un guérisseur traditionnel avant un médecin occidental. Profondément enracinés dans la culture populaire, les ngangas jouissent d'un large respect dans la communauté. « Par leur seule importance numérique, les guérisseurs traditionnels ont un rôle immense à jouer dans la prise de conscience du problème du sida », constate Céline Gilbert, responsable des projets au Zimbabwe Trust, organisation d'aide indépendante qui soutient le projet de la Zinatha.

Njekeya affirme qu'il fut le premier à détecter les symptômes du sida chez des malades en 1985 et qu'il en fut troublé parce que, à la différence d'autres formes de maladies sexuellement transmissibles, elle ne s'en allait pas. Il dit avoir alors diagnostiqué une *runyoka* — maladie censée se manifester par la présence de fourmis qui se glissent dans le corps de leurs victimes et que l'on contracte par l'adultère.

Sachant que le sida se contractait par un contact avec du sang contaminé, les ngangas se mirent alors à redouter d'attraper le virus et de le propager à travers des pratiques contraires à l'hygiène. Njekeya explique qu'il demande désormais à ses patients de payer un nouveau rasoir chaque fois qu'il en emploie

376

un, le plus souvent pour de petites incisions que le guérisseur frotte de mushanga (un médicament).

Anna Dondo, autre guérisseur, dit qu'ils ont cessé de mordre leurs patients pour aspirer la cause du mal qu'ils ont diagnostiqué. Désormais, elle coupe en deux une balle de tennis et utilise la partie concave comme une « bouche ».

Ils ont admis qu'ils ne sauraient soigner le sida, mais les experts médicaux occidentaux pensent que, habitués à traiter les maladies sexuellement transmissibles, les guérisseurs sont particulièrement habiles à identifier les symptômes. A Gutu, ils commencent à adresser leurs patients aux dispensaires locaux en leur expliquant que le savoir traditionnel ne peut plus rien pour eux et qu'il faut faire appel à la médecine occidentale.

L'ÉCOLE DE LA BROUSSE

« L'homme sans caractère », démis de ses fonctions de directeur et maintenant simple instituteur, a reçu l'ordre de restituer l'argent qu'il a volé à l'école et aux élèves. Tout le monde sait qu'il ne peut le faire à cause de son petit salaire. Tout le monde se demande si l'on a bien fait de ne pas l'envoyer en prison. « Ça lui aurait donné une leçon !

— Oui, mais de quoi vivrait sa famille s'il était en prison ?

— C'est déjà une terrible punition de se retrouver instituteur après avoir été directeur. »

Le nouveau directeur avait pris un bon départ, se tuant au travail, « de l'aube au crépuscule, et menant tous les maîtres à la baguette ». Puis il se révéla être alcoolique. C'est lui qui bat si terriblement les enfants. Jack l'entreprit à ce sujet : « Comment pouvez-vous battre un enfant en retard quand il n'a pu traverser une rivière à cause de la pluie ? Qu'est-ce qui vous permet de battre les grandes filles ? Ce n'est pas juste ! Qui plus est, c'est contraire à la loi. »

Les raclées continuèrent, du fait du directeur, et d'autres professeurs. Jack se rendit auprès des responsables locaux et dénonça le directeur, qui fut officiellement blâmé.

Plus tard, Jack dut prier ce même directeur de faire un rapport sur son travail. « M. Jack Pettifer » (c'est un pseudonyme) « est un maître assidu et scrupuleux. Dieu veuille qu'il ne soit plus jamais en poste dans la même école que moi. Il manque de loyauté envers ses collègues. »

Jack répliqua, d'un air de reproche : « Voyons, ce n'est pas vrai. Ce n'est pas juste. Vous bafouiez la loi et je n'ai fait que mon devoir en vous dénonçant. Comment puis-je obtenir un autre poste avec ce rapport inique ? »

Le directeur rédigea donc un rapport honnête, mais continua à rosser les enfants.

Jack se demande s'il doit rester un an de plus. « Que va devenir la bibliothèque de l'école quand je partirai ? Personne ne s'occupera du journal. Personne ne prendra la défense des gosses. »

Trois mois plus tard, Jack s'en allait. En moins d'un mois, la plupart des livres avaient été volés. Le journal cessa de paraître. Jack demanda à son successeur s'il voulait qu'il mette en chantier deux numéros pour lui, mais il répondit que non, ce n'était pas nécessaire. Tous les appareils d'entretien furent volés. Mais il y avait six professeurs qualifiés au lieu d'un.

Par un chaud après-midi de novembre, Jack, Ayrton R. et moi-même sommes à nouveau dans une classe qui a encore un chevron de fendu et un carreau de cassé, bien que la poussière ait été balayée. Nous sommes en compagnie de quinze solides gaillards et de plantureuses demoiselles qui font leur avant-dernière année d'école. Ils ont l'air d'adultes, et ce sont des adultes. Souvent, au cours de ce dernier voyage, je me suis méprise sur les âges, en prenant des jeunes gens pour plus âgés qu'ils ne l'étaient. Cela vaut pour les enfants également. Vous voyez un gros bébé vigoureux qui déploie des trésors d'énergie en quête d'expériences nouvelles, d'un œil vif et observateur : vous lui donnez dix mois ; mais non, il en a deux, ou cinq semaines.

Une vigueur physique irrépressible : voilà ce que l'on remarque de tous côtés.

Les jeunes gens sont bruyants, rieurs, exubérants, sans la moindre inhibition. Ils rentrent juste de Harare où la plupart d'entre eux n'avaient jamais été. Jack les y a conduits, à ses frais, en bus, pour visiter une imprimerie et un journal, puis dîner au restaurant. Le voyage en bus dans les deux sens, de longues heures durant, faisait partie de l'expérience.

Nous sommes ici dans la salle de classe : Jack a pensé que ce serait une bonne idée qu'ils nous interviewent tous, dans le cadre de leur apprentissage du journalisme. Jack lui-même, Ayrton R., l'un des professeurs et moi sommes chacun entourés par un groupe qui nous demande quelle est notre couleur préférée, si cette école nous plaît, si nous aimons le Zimbabwe, si nous trouvons juste que les filles aient toujours tant de travail (les filles). Mais il est visible que les élèves qui couchent nos réponses par écrit dans leurs carnets sont de plus en plus distraits, car ils n'ont d'yeux que pour le beau et jeune professeur qui parle de ses problèmes. En un rien de temps, tous s'attroupent autour de lui et nous, les interviewés, aussi, car nous ne sommes pas moins captivés qu'eux.

Avec ses deux bacs, ce professeur est la star du personnel enseignant. Il est plus diplômé qu'aucun autre maître, non seulement de cette école, mais aussi de tous les environs. Il a été admis au collège de formation des maîtres, si bien qu'il a déjà un pied sur l'échelle qui peut le conduire, enfin, à Harare. Il parle rêveusement, et souvent, de vivre là-bas « un de ces jours ». Mais pour l'instant, c'est de sa femme qu'il parle. Il est adossé au mur, les bras ballants, comme s'ils avaient mal d'être vides, et tandis qu'il parle, il ne regarde aucun de nous : ses yeux sont inondés de larmes et il s'adresse au mur.

« Voici mon jour de tristesse, dit-il, c'est un jour trop, trop triste, car ce matin j'ai appris que je suis désormais un homme divorcé. Mon mariage est fini. » Il est incapable de dire un mot de plus et fait mine d'attendre que les apprentis journalistes aient fini de prendre des notes.

Sa femme est employée de bureau dans une petite ville, à quatre-vingts kilomètres de là. C'est la ville avec un hôtel qui a l'électricité, un bar, une salle à manger, et une cour avec des guirlandes de lumières de toutes les couleurs suspendues entre les branches des arbres. Et, souvent, de la musique. Elle déjeune à l'hôtel. C'est admissible. Mais on l'a aperçue dans le même hôtel le soir, très tard. (Dix heures, peut-être ? Onze ? — tout est relatif.) Des amis lui ont dit qu'elle y prend du bon temps avec des hommes. Ce qui veut dire qu'elle est une pas-grand-chose, comme disaient mes parents. Il a dû demander le divorce.

Il vient à l'idée de plus d'un auditeur qu'il y a anguille sous roche... Une belle jeune femme lui dit (les yeux énamourés) :

« Mais quand vous serez en formation, votre femme ne sera-t-elle...

— Mon ex-femme... » Il sanglote sans retenue.

— Mais elle restera seule à Kusai et n'est-elle pas tout le temps seule pendant que vous êtes ici ? Elle doit se sentir seule.

— Mais je me sens seul moi aussi. »

Et maintenant, tandis qu'à l'extérieur le tonnerre et la pluie se tapissent dans les cieux brûlants, le silence étouffant confiné dans l'air poussiéreux de la classe annonce sans mots — en fait hurle positivement — que s'il est seul, il n'a qu'à se...

Il est adossé au mur, mollement, ses bras pendent, les paumes tournées vers l'extérieur, sa tête est légèrement rejetée en arrière, ses yeux sont clos. Tel un homme attendant la dernière balle...

« Et ce n'est pas ma faute. Je lui ai demandé de passer un autre certificat pour qu'elle puisse enseigner, elle aussi, mais elle préfère l'hôtel de Kusai. Je lui ai dit : c'est ton devoir d'avoir plus de qualifications et d'aider le Zimbabwe. »

Deux jeunes hommes le soutiennent par un « C'est une honte » doublé d'un « Ce n'est pas bien ».

« En outre, ajoute-t-il, avec la belle apparence de justice qui accompagne de telles remarques, les femmes doivent obéir à leurs maris, c'est écrit dans la Bible. »

Modérément vertigineuse, au fond, cette conversation, qui glisse d'un niveau à un autre, comme cela est si fréquent lorsque, suivant l'expression consacrée, il y a brassage des cultures. Entre le jeune homme qui fait la leçon à sa femme et l'invite à se qualifier et celui qui dit : les femmes doivent obéir à leurs maris, il y a des abîmes culturels, que n'atténue en rien le fait qu'il cite les Écritures quand ça l'arrange.

« Vous savez, intervient Ayrton R., les femmes du monde entier trouvent de moins en moins convaincants les hommes qui invoquent le soutien de Dieu dans ce domaine. »

Cette contribution n'est pas celle d'un égal, il s'en faut de beaucoup : tout se passe comme si Harare elle-même avait pris la parole.

Le maître se tient face à Ayrton R : il est jugé et condamné.

Une jolie fille sauve la situation en demandant, dans un gloussement, son crayon en équilibre sur son carnet : « Que pensez-vous de l'amour ? »

Il répond avec sévérité que les enfants à l'école ne devraient penser qu'à leurs livres et au savoir : l'amour, c'est pour les plus âgés. Sur le visage des filles apparaissent des sourires pour le moins sceptiques : dernièrement, deux grandes filles ont épousé leur professeur.

« Oui, c'est aujourd'hui que mon divorce est définitif. » A la façon dont il prononça ces mots, on aurait dit que le divorce est de ces choses désagréables qui vous arrivent naturellement quand on pense à l'amour alors qu'on devrait étudier.

« Et maintenant, dit Jack, vous devez lui demander dans quelle mesure vous pouvez rapporter ses propos et dans quelle mesure ils doivent rester confidentiels. Parce qu'un bon journaliste se doit de respecter celui qu'il interviewe.

— Non, écrivez tout ça, s'exclame le beau professeur, ça m'est bien égal. Ça apprendra aux autres qu'il ne faut pas se marier par amour. »

Des larmes jaillissent dans ses beaux yeux et les jolies filles brûlent de les essuyer d'un baiser, une par une.

Pendant ce temps, quelque part dans son bureau de Kusai, à quatre-vingts kilomètres de là, une jeune femme divorcée le jour même pense à la soirée qu'elle va passer avec un admirateur local, voire avec un chef de Harare de passage. A la table d'un restaurant aux lumières si délicatement tamisées, elle dira combien elle est malheureuse, combien l'a déçue son mari, qui la néglige et ne pense qu'à lui.

« Pauvre petit chou ! » Rien de plus facile à imaginer. « N'y fais pas attention. Quelle honte ! Jamais je ne me permettrais, avec un joli brin de fille comme toi. »

LES ANIMAUX PERDUS DE LA BROUSSE

Le lendemain matin, la minuscule chambre de Jack était pleine d'élèves et de professeurs venus nous dire au revoir, et se retrouver en compagnie de gens que portaient les bienheureux ichors et zéphyrs de Harare.

Le beau professeur était là lui aussi. Il confia que rien ne lui plaisait davantage que d'aller se promener seul dans la brousse. « Je suis un homme sérieux, me dit-il sévèrement. Les gens ne me comprennent pas. » Nous nous tenions à la porte. Il fit un signe de la main en direction des arbres ravagés et de la terre érodée et il me vint à l'idée que, lorsqu'il disait « brousse » et que je disais « brousse », nous ne parlions pas de la même chose. Je lui dis que les alentours de ce pays étaient restés trente années durant gravés dans mon esprit comme l'idéal de ce que pouvait être une forêt, avec des musasas vieux de trois siècles peut-être, et grouillant d'animaux de toutes sortes. Il garda le silence, surpris. Je vivais cette suspension de probabilité qui accompagne les imprévus, lorsqu'on commence un voyage, un pèlerinage, ces moments où les choses se mettent en place : il ne m'était jamais, au grand jamais, venu à l'esprit qu'il y avait au Zimbabwe une génération qui ne savait pas à quoi son pays avait ressemblé, tout récemment encore.

« Des animaux ? demanda-t-il. Quels animaux ? Des mombies, vous voulez dire ? Des chèvres ?

— Quand j'étais petite, à Banket, la brousse était pleine de koudous, d'antilopes, d'élands, et de toutes sortes de daims plus petits, en particulier des céphalophes. Il y avait le chevreuil à dague et le chevreuil de la brousse, des fourmiliers, des porcs-épics, des chats sauvages et des singes, des babouins et des sangliers. Il y avait toutes sortes d'oiseaux. Il y avait encore des léopards dans les collines. Les éléphants avaient disparu. Les lions aussi. Mais on ne pouvait pas faire un pas dans la brousse sans effaroucher quelque créature.

— Vous viviez dans une réserve ?

— Non. Mais la brousse était comme ça alors. Partout. Dans tous les coins du pays. Et les oiseaux... le chœur de l'aube — ça nous cassait les oreilles. Il y avait des volées d'oiseaux qui se posaient sur les lignes du téléphone... toutes sortes d'oiseaux. Et à tout moment de la journée, si vous leviez les yeux au ciel, vous aperceviez des faucons qui tournoyaient. Cinq, dix, parfois plus. Puis on voyait que partout dans le ciel il y avait des faucons qui tournaient en spirale dans les thermiques. Ils allaient par vingt ou trente. Le ciel était plein de faucons et de milans. Les groupes les plus lointains ressemblaient à des petites mouches noires sur fond bleu. Maintenant, quand vous levez les yeux... » Nous nous éloignâmes de la maisonnette de Jack pour nous engager sur le chemin voisin, les toilettes Blair à quelques pas devant nous, le réservoir d'eau toujours hors service sur son promontoire, et les quelques arbres qui parsemaient le paysage au loin. Nous levâmes la tête. Il n'y avait pas un oiseau dans le ciel. « Des centaines, dis-je. Maintenant, on a bien de la chance quand on en aperçoit un. Et le matin, quand on allait voir ce qui s'était passé pendant la nuit, on examinait la route poussiéreuse, et les traces d'oiseaux et d'animaux étaient si nombreuses dans la poussière qu'il fallait parfois une bonne demi-heure pour s'y retrouver. »

Il baissa les yeux, délaissant le ciel bleu et vide pour regarder alentour, d'un air sombre, à cause de son malheur, bien sûr, mais aussi parce qu'il était désorienté.

« Et vous dites que ce n'était pas un parc de safari ?

— Non, vous ne comprenez pas — c'était partout comme ça alors. Dans toute la brousse. Et maintenant, sur cette route, on ne verrait que les traces des roues de bicyclettes.

— Probablement la mienne », dit-il, et il rit.

A quelques jours de là, sous la véranda de certain club perdu dans les montagnes, et dont on parlait comme d'un bar — rien de moins... —, on me présente à un homme, un Blanc, qui ne m'eût point démentie si j'avais dit qu'il était jadis le plus dur d'entre les durs. Car c'est bien ce qu'il avait été.

« J'ai failli faire mes valises et " sauter le pas " lorsque nous avons perdu la guerre. La pire erreur de ma vie, si je l'avais fait.

— Avoue donc, tu les aimes bien, les gosses noirs, pas vrai ? » lui soufflent ses joyeux compagnons, l'encourageant comme on le fait avec un enfant dont on espère qu'il va vous épater.

« Pour sûr que je les aime. Ce sont vraiment des gosses formidables. »

Il avait découvert par hasard que les enfants noirs des cités ne savaient rien de la brousse, ni des animaux qui y vivaient, et pas grand-chose de la vie de leurs grands-parents. Il monta un camp dans un coin de brousse encore intact, loin de toute ville, où il fait maintenant venir des groupes d'enfants pour une petite semaine et leur parle des arbres, des plantes, des animaux.

Quand il n'est pas avec les enfants, son travail consiste à éliminer les sujets malsains des troupeaux d'éléphants.

« Histoire qu'ils ne soient pas trop nombreux, vous comprenez ?

— Trop nombreux par rapport à quoi ? »

Large sourire ironique. « Oui, c'est juste. Mais n'oubliez pas que nous sommes le seul pays qui les ait bien traités. De toute

383

façon, ils sont beaucoup trop nombreux, les bougres. On n'est pas près de les voir disparaître. »

Mais ce qui lui plaît par-dessus tout, c'est le temps qu'il passe avec les enfants noirs.

« Je me faisais des idées sur les Affs, vous savez.

— Il me semble me souvenir que pas mal de gens disaient des choses de ce genre.

— Mieux vaut tard que jamais. »

Je raconte cette histoire à un couple d'amis noirs, des poètes. Nous sommes sous une véranda, à Harare, une véranda pourvue d'un filet et de barreaux comme les garde-manger d'autrefois : nous sommes assis à l'intérieur d'une cage. La maison a été cambriolée la semaine dernière. Le monde est de plus en plus un paradis pour les voleurs, songeons-nous. Y aura-t-il bientôt plus de voleurs que d'honnêtes gens ? Devrions-nous rejoindre cette profession florissante ?

Ces poètes sont pauvres : la plupart des écrivains le sont ici, à moins qu'ils n'appartiennent à l'université.

Quand je suis avec eux, il me suffit de quelques instants à peine pour me mettre au diapason de leur état d'esprit : c'est une humeur sombre que nous partageons, car ce ne sont pas des gens privés d'information — loin de là. Par les temps qui courent, l'Afrique, le continent, n'inspire à personne des réflexions heureuses et optimistes. Personne n'aime le marxisme ni la censure qui infantilise la presse. Ils savent qu'en Europe et en Union soviétique le communisme est très mal en point, mais la plupart des poètes de ce pays sont jeunes, ce qui veut dire qu'ils ont pris part à l'euphorie de la révolution, et les voilà assis au chevet du communisme, comme à celui d'une mère ou d'un père moribonds.

Ce que je leur ai dit du bar dans les montagnes et du chasseur d'éléphants les a, semble-t-il, laissés sans voix. Souvent, au cours de ce voyage, sur le point de poser une question ou d'ajouter une observation, l'inhibition a retenu ma langue, comme si cet organe était le Fossé Culturel incarné. En outre, tous ceux que je croise me paraissent avoir une plaie à vif que la peau commence tout juste à recouvrir.

« Excusez-moi, dit le poète A. Vous dites bien qu'un fermier blanc emmène *nos* gosses en voyage pour leur montrer la brousse ?

384

« — Oui, c'est bien ce que je dis. Un ancien fermier, en fait. »

Dans les yeux des deux jeunes hommes qui me font face, on lit la colère, mais ce n'est pas le problème. Ils sont abattus, blessés.

« Qu'est-ce qui lui prend ? »

Non sans mal, je me résous à répondre : « Parce qu'il ne supporte pas l'idée que les enfants noirs ne sachent rien de leur brousse. »

Cette seule remarque touche à des tabous : il n'est de Noir qui ne soit convaincu que tous les fermiers blancs sont aussi mauvais que Simon Legree[1], qu'ils n'ont jamais le moindre élan d'humanité.

« J'aimerais bien le rencontrer, ce phénix », dit l'un, se voulant drôle, mais il rit d'un rire profondément triste.

« Non, ça ne collerait probablement pas, dis-je, en tâchant de me mettre au diapason. Il faut avoir été élevé dans ce milieu, vous savez, pour comprendre... » Je me laisse manifestement troubler.

« Des cœurs d'or cachés ? dit, ou plutôt ricane, le poète B.

— Non, pas exactement. Mais vous savez, certains se donnent du mal.

— Je n'avais pas remarqué.

— S'ils sont tous paternalistes ces temps-ci, imaginez ce qu'ils étaient avant.

— Il arrive un peu tard, ce paternalisme.

— Eh bien, vous êtes tous dans le même panier », dis-je en me rangeant, en fait, aux côtés du camarade Mugabe, avec son « Nous sommes tous citoyens du Zimbabwe maintenant ».

Les deux jeunes hommes se sont visiblement laissé piéger : gestes de nervosité contrôlée, yeux inquiets, visages plus sombres que jamais.

« Et de toute façon, qu'est-ce qu'un Honkie sait de la brousse ? »

De nouveau, un poids me pèse sur la langue.

« Il sait. Mon frère était pareil. Il avait l'instinct des animaux. Quand on sortait dans la brousse avec lui, il savait où trouver une biche-cochon, ou un koudou — il connaissait les

---

1. L'horrible garde-chiourme qui martyrise les esclaves dans *La Case de l'Oncle Tom.* *(N.d.T.)*

sentiers qu'ils prenaient. » Silence, parce que je parlais de mon frère. Un autre fil se tissait à la toile de l'inhibition : la famille.

« Son *cookboy*... son domestique.

— OK, son cookboy, dit le poète B., amer. Oh, ne vous inquiétez pas, le mari de ma sœur a trouvé un bon boulot et elle m'a dit qu'un homme était venu demander du travail, et il a dit : " Avez-vous besoin d'un cookboy, madame ? " »

Rires, cette fois absolument partagés, avec toute l'histoire du pays derrière.

« Le cookboy de ton frère ? renchérit le poète B., les mains grandes ouvertes en un geste d'acceptation du destin.

— Il venait chez mon frère et demandait à l'accompagner, lui et son frère — pour aller à la chasse. Parce que mon frère savait toujours où se cachaient les animaux. »

Silence.

« C'était quand ?

— Quand il y avait encore des animaux, dis-je, d'une voix aussi amère que la leur.

— Oui », confirme le poète A.

Le poète B. : « J'ai grandi à Harare, si bien qu'il me faudrait demander à ton frère également.

— Je ne suis pas retourné dans mon village depuis... eh bien, un bon moment, deux ans... non, trois... oh, probablement pas loin de cinq ans », ajoute le poète A.

J'aurais pu préciser ici que mon frère avait sans doute bien compris les mœurs des animaux, mais qu'il ne connaissait les Africains qu'à travers l'écran de ses préjugés : mais à quoi bon, ils le savaient bien. Mon frère, et d'autres amoureux de la brousse que j'ai mis à l'épreuve, ignoraient qu'un certain arbre, le muhacha, est sacré pour les Mashonas, alors même qu'ils avaient dû passer dessous un millier de fois, avec des Noirs.

« Vraiment ? avait dit mon frère, comme si je parlais d'une autre planète, c'est intéressant, je ne le savais pas. »

Lui et les autres amoureux blancs de la brousse l'interprètent non pas comme des Blancs, ce n'est pas le problème — mais comme des modernes.

Un anthropologue : « Quand je suis avec les anciens, je dois me rappeler qu'ils vivent dans un paysage différent. Chaque rocher, chaque arbre, chaque sentier, chaque colline, chaque oiseau, chaque animal a un sens. Si une chouette appelle ou que vous voyiez un oiseau, c'est un message d'une autre dimension. Un galet disposé à proximité d'un chemin fait partie d'un ensemble. On aperçoit un bout de chiffon noué à un arbrisseau — regardez! Très vraisemblablement une affaire de magie. *N'y touchez pas!* Nous ne vivons pas dans ce monde, mais le fait est que leurs jeunes non plus. Ils en savent aussi peu que nous. Mais quand je suis avec les vieux, j'ai parfois un aperçu d'un paysage qui existait partout au monde avant l'entrée en scène de l'homme moderne. »

En 1964, aux fêtes de l'indépendance de la Zambie, fut organisée une exposition sur l'art de la Rhodésie du Sud. Près de la porte, quand on sortait, se trouvait un grand tableau représentant un vieil arbre. L'artiste se tenait à côté du tableau avec cet air que l'on voit souvent en Afrique du Sud — « Si vous choisissez de me remarquer, de me poser des questions, vous pouvez obtenir des réponses intéressantes ». Mon compagnon et moi nous arrêtons — quel bel arbre ! — et attendons. L'artiste, un homme assez vieux, nous examine attentivement, nous jauge, comme on voit parfois les écrivains le faire, et dit : « Cet arbre était le téléphone de notre village. »

A ces mots, d'autres personnes avaient ri et s'en étaient allées.

« Quel genre de téléphone ?

— Vous autres, vous avez des lignes de téléphone. Nous, nous avions les arbres. Par l'intermédiaire de cet arbre, les femmes adressaient des messages aux hommes qui étaient à la chasse — " Quand rentrez-vous à la maison, qu'est-ce que vous nous ramenez à cuisiner ? " Et les hommes envoyaient des messages — " Nous serons de retour dans la nuit ", ou " Nous ne pouvons rentrer avant demain, nous traquons un bel éland ".

— Pourquoi ne dites-vous pas au gouvernement comment ça marche ? plaisantons-nous. Ils aimeraient bien savoir comment économiser de l'argent.

— Ah, mais voilà, c'est ça le problème, répond l'artiste. Tous nos anciens savaient s'y prendre. Et quelques enfants savent encore, parfois. Mais les jeunes gens ne savent pas du tout. Ça s'est perdu.

— Et vous, alors ?

— Quand j'étais petit, les vieux m'envoyaient à l'arbre. »

De la même façon, les Bochimans du Kalahari possédaient et, pour quelques-uns, possèdent encore, des talents que les jeunes

387

ont perdus : ils savaient plusieurs jours à l'avance quand des gens devaient arriver, par exemple. Et dans un récit de voyage en Haïti, il est dit que les gens se servaient des arbres de la même manière : et une fois encore, les jeunes avaient perdu cet art.

L'anthropologue qui pleurait les paysages perdus (car l'impartialité de l'homme de science se faisait invisible quand il parlait d'eux) me raconta cette histoire — une histoire non pas du passé, mais de l'année précédente, 1988. « Une jeune fille refusait d'épouser le vieil homme que lui avait choisi sa famille. Ils lui jetèrent un sort. Elle s'affaiblit, tomba malade et essaya de se noyer. Ils la retirèrent de l'eau. Elle consentit à épouser le vieil homme et sa famille enleva le sort.

— Quelle horrible histoire !

— Oui, mais ce n'est pas là le problème. Vous êtes-vous demandé combien de fois, dans notre culture, des gens jettent des sorts à d'autres — non, non, pas les sorciers ni ce genre de chose... Que sont ces sorts ? Des désirs intenses. Bon, à votre avis, combien de fois des familles, ou tout simplement des individus dépités, souhaitent le malheur de quelqu'un ? Eh bien, songez-y... »

Il est certainement vrai que la sorcellerie a des dimensions insoupçonnées et qu'elle a son utilité. Le petit chat d'Ayrton R., aujourd'hui très vieux en vérité, appartenait à sa mère, elle l'adorait. Aujourd'hui, Dorothy et George croient tous deux que l'esprit de la mère d'Ayrton R. est dans le chat, qui est son mudzimo. « Une bonne chose, dit Ayrton R. Ça veut dire qu'en mon absence, ils s'occupent bien du chat. »

L'indifférence ou la cruauté envers les animaux est parfois une réaction à ce qui est pour eux le sentimentalisme des Blancs. A moins qu'ils n'enragent de voir les Blancs aimer les animaux quand ils sont méchants avec les Noirs.

ANIMAUX

Une blague qui est aussi une chanson populaire. Un Blanc part se promener en voiture. Son chien est à côté de lui, sur le siège avant, et son domestique noir sur la banquette arrière. Il y a un accident, l'homme est tué. La police demande au serviteur ce qui s'est passé : « Ne me demandez pas, demandez au chien. »

A un moment ou à un autre, au cours des derniers siècles, le Zambèze a changé de cours. Il se jetait jadis dans l'océan Indien à l'endroit où se trouve Beira. Son actuel delta se trouve à cent cinquante kilomètres environ plus au nord. « La question que je me pose, c'est : comment les animaux ont pris cela ? »

Une petite escarmouche dans la guerre que se livrent les hommes et les animaux. Un fermier, qui cultivait des agrumes, fit une mauvaise récolte à cause des vervets et des simangas. Il installa une clôture électrifiée. Les singes passaient sans mal par-dessus. Il la rehaussa. Les singes s'aperçurent que les décharges électriques ne les tuaient pas. Ils apprirent à sauter de manière à se faire propulser par les décharges électriques dans le verger où ils mangeaient tout leur content, puis ils ressortaient en usant du même stratagème. Le fermier ne put se résoudre à amplifier les décharges électriques, au risque de blesser gravement les singes. Il se rabattit sur la solution d'un homme armé d'une carabine : coûteux et moins efficace.

On réintroduit des simangas dans les régions d'où ils ont disparu.

L'histoire de deux créatures sans importance

Dans une maison de Harare, un grand chien noir, un croisé de terre-neuve et de rottweiller, accueille le visiteur, bien décidé à se faire remarquer : d'un œil effronté, pour ne pas dire impérieux, il surveille chacun de vos mouvements. Il vous escorte jusqu'à la maison, puis dans le jardin, toujours sur vos talons, en vous fourrant son museau dans la main. Quand vous vous arrêtez pour faire demi-tour, sa tête est là, qui attend d'être flattée, caressée, et jamais ses yeux ne quittent votre visage. Un autre chien, un petit berger allemand, est couché dans un nid de poussière, près de la porte de service. Il regarde, et tout son corps dit : « Je ne suis pas digne d'être remarqué », tandis que ses yeux sont affamés d'affection. Quand vous allez dorloter ce chien, la truffe du gros chien, sa tête, puis ses épaules s'interposent entre votre main et la tête du petit chien. A chaque fois, c'est pareil : il n'est pas possible de caresser le berger allemand, le gros chien ne le tolérera pas. Le berger allemand connaît vos bonnes dispositions, mais il sait aussi qu'il n'a pas le choix : il n'a rien à demander, vu qu'il croupit dans son nid de poussière. Il a trouvé refuge dans cette maison accueillante, pleine de gens de toutes les couleurs, et de chats, surveillée par ce chien jaloux. Ses maîtres sont partis dans le Sud, vers la République : ils ont « sauté le pas » et l'ont abandonné. Ce berger allemand, disent ses nouveaux maîtres qui en plaisantent avec leurs invités noirs, est raciste. Il a été dressé pour attaquer les Noirs. Aujourd'hui, on lui reproche les talents pour lesquels auparavant on l'appréciait, on l'applaudissait, on lui donnait des friandises : quand il fait ce pour quoi il a été dressé, on le gronde et on le punit. Ce chien désorienté et malheureux est sûr d'une seule chose : pour rien au monde il ne perdra ce foyer où, au moins, on le nourrit et où il a son coin pour dormir. Tandis qu'il observe le chien sûr de lui et heureux, le berger allemand semble pleurer en silence. S'il était un homme, il dirait : « Désolé, je n'y peux rien, je ne sais pas pourquoi je suis méchant. »

L'ÉQUIPE DU LIVRE

Nous prenons un autocar à destination d'une ville de la Province centrale. Le car est efficace, bien conduit, ponctuel. Finis les jours où l'Équipe faisait de longs voyages en bus, car les autorités ont vu une caricature de Chris — l'Équipe debout sous la pluie, toute crottée, à côté d'un bus en panne — et elles ont tenu à ce qu'elle voyage moins dangereusement : au cours des cinq semaines que dura mon voyage, la presse rapporta quatre graves accidents de bus. « Nous ne tenons pas à perdre toute l'Équipe d'un seul coup! » s'exclamèrent les officiels. Les repas ne se limitent plus à des oranges, du pain et du lait. « Au moins était-ce un régime sain », dit Cathie. Mais même au cours de ce voyage, à la fin, quand les finances se tarissaient, j'entendis l'Équipe dire à Cathie qu'elle ne devait pas s'imaginer qu'ils accepteraient qu'elle les nourrisse tous avec cinq dollars après une pénible journée de travail. « Je perds plusieurs kilos à chaque voyage », disait Chris, qui est trop maigre.

A mi-chemin, nous nous asseyons sous les arbres, dans un café en plein air, et j'écoute Talent, Sylvia, Cathie et Chris s'échanger des renseignements : bavardages et commérages. Chose apparemment banale. Au stade où elle en est, l'Équipe doit avoir conscience de ses points forts et de ses faiblesses. Ces quatre petites personnes vulnérables sont assaillies de demandes. Chaque village du Zimbabwe voudrait recevoir leur visite. A Harare, le téléphone ne cesse de sonner. Des organisations d'aide, des administrations, des « groupies du tiers monde », tous ont le sentiment qu'il se passe quelque chose d'extraordinaire. L'Équipe commence à prendre conscience de sa force, parce que c'est ainsi que les autres la voient. Mais comment peuvent-ils répondre à la demande, s'ils sont faibles ? Ils discutent de leurs « méthodes de travail » et se critiquent gentiment les uns les autres. Je me rends compte que je suis témoin d'un processus qui était le but des vieux militants communistes : le spectacle politique leur inspire une même indulgence ironique. Quand je demande s'ils ont entendu parler des idéalistes de la vieille Russie qui « allaient au peuple » forts de leurs compétences et de leur enthousiasme, ils répondent que non, mais ça les intéresse. « Je ne trouve pas ça étrange, que nous soyons pareils, dit Talent. Des gens avaient terriblement besoin de leur aide. Nous aussi. »

Mesurant l'ampleur de l'aide nécessaire, l'étendue des besoins, ils rient tous les quatre, involontairement, et se regardent, partageant une même incrédulité amusée.

C'est le niveau des espérances qui les a surpris... qui les a soutenus... qui les inspire. Et, souvent, les effare. Ce qu'ils font est, en fait, impossible.

Deux sources, deux rivières — deux crues — ont nourri ces espérances. La première, c'était que les Blancs étaient partis, eux qui passaient leur temps à dénigrer systématiquement tout ce qui était noir, de cet air froid, dédaigneux, pharisaïque, jamais satisfait. Soulagés de ce poids, les Africains avaient le sentiment que, désormais, tout était possible. L'autre, c'était la rhétorique de la révolution, qui promettait tout. « En cette aube... » Il n'était, au Zimbabwe, une femme, un homme ou un enfant qui n'attendît la belle vie pour tout de suite, ou presque. Mais il ne se passait pas grand-chose, si ce n'est que la nouvelle bureaucratie grinçait, grognait et les entortillait dans la nasse des règlements, anciens et nouveaux. Et puis, là-haut, à Harare, les gros pleins de soupe... Dans ce vide est arrivée l'Équipe qui a dit : « Vous pouvez faire tout ce que vous voulez, il vous suffit d'avoir les connaissances techniques, et voici ce que vous devez savoir. Et maintenant, apprenez à le faire tout seuls. » Dans le cas du livre sur les femmes, on leur a dit : « C'est à *vous* de choisir les thèmes, à *vous* d'apporter la matière et d'écrire le livre. »

Pendant que nous buvons du Coca-Cola et mangeons du pâté en croûte, je les écoute maintenant partager leur mépris des grandes organisations d'aide : « Ils débarquent à Harare, ils ne peuvent pas commencer sans bureaux, sans traitements de texte ni ordinateurs, il leur faut du personnel et des fonds immenses.

— Je n'ai encore qu'un bureau, explique Cathie, nous nous servons de notre ligne téléphonique privée et je n'ai qu'une machine à écrire, aucun appareil.

— Et pourtant nous avons tout un réseau de gens qui travaillent pour l'Équipe à travers le Zimbabwe.

— Ça marche parce que nous pouvons compter sur la bonne volonté des gens eux-mêmes. »

Ils blaguent sur le dos des experts connus sous le nom de consultants. « Beaucoup n'ont jamais mis les pieds ailleurs qu'à Harare. S'ils s'abaissent au niveau des villages, ils descendent dans un hôtel trois étoiles et font la tournée des administrations locales. Ils ne savent rien de la situation, mais c'est eux qui dictent leur loi et nous disent ce que nous devrions faire de l'argent de l'aide.

— Imaginez un peu ! Nous revenons d'un mois de tournée à travers les villages et voici qu'un Danois, un Allemand ou un Américain nous dit : " Non, d'après nos renseignements, le *fond* du problème c'est... " »

J'ai une coupure de presse sur moi.

Ils se penchent au-dessus de la table, lisent, et leurs visages s'épanouissent peu à peu en un large sourire.

« Si nous avions ne serait-ce qu'une fraction de cet argent...

— Ne serait-ce qu'un millième.

— Qu'un millionième. »

Conseiller l'Afrique est devenu une grande industrie, avec les sociétés européennes et nord-américaines de conseil, qui ne demandent pas moins de 180 000 dollars par an et par expert. A chaque instant, l'Afrique subsaharienne compte au moins 8 000 expatriés qui travaillent pour des organismes publics dans le cadre des programmes d'aide officiels. Plus de la moitié des 7 et 8 milliards de dollars dépensés chaque année par les donateurs servent à payer ces hommes. Et pourtant, depuis vingt-cinq ans que l'Afrique est indépendante, elle a plongé : son autonomie alimentaire était jadis assurée, la famine sévit partout désormais. L'Afrique est-elle bien conseillée ?

(Lloyd Timberlake, *Africa in Crisis*)

D'un filet à provisions, Cathie extrait du matériel destiné aux prochains séminaires et le distribue. Il y aura tel et tel problème, explique Cathie. Les quatre se penchent en avant, se dévisagent, attentifs. Sylvia prend la parole, suivie de Talent. S'ils ne savaient se ménager ces instants où ils sont ensemble, sans travailler vraiment, rien ne se ferait. Cette pause, sous les arbres, est l'équivalent d'une réunion d'organisation, mais ils ne l'appellent pas comme ça. Pour eux, d'ailleurs, ce n'est pas une réunion. S'ils laissaient se fossiliser ce petit organisme fragile, si plein de vie, qui se développe suivant son propre élan interne, s'il leur fallait une structure, ils auraient besoin de longues heures de réunion pour s'occuper de ce qu'ils règlent actuellement en quelques minutes.

Ce sont tous des gens sous pression dans la vie ordinaire. Talent a trois enfants en bas âge et assume de lourdes responsabilités dans la gestion de la ferme collective. Elle ne peut se lancer dans ces voyages que grâce au soutien de son mari : « Il n'y a ni hommes ni femmes, il n'y a que des êtres humains sur cette ferme. » C'est lui qui l'a dit. Avec ses huit enfants, Sylvia ne trouve pas la vie facile. C'est une grande femme au port de reine, sûre d'elle, compétente. Cathie, qui brûle d'une énergie incandescente et rayonne sur tout son entourage, est la cheville ouvrière de l'Équipe, une organisatrice-née. Elle a des enfants, et dit qu'elle ne pourrait pas faire ce travail sans l'aide de son mari. Lorsqu'ils sont tous les quatre assis ensemble, « en famille » — le mot est d'eux —, leurs différences de tempéra-

393

ment et de style se manifestent dans chacun de leurs gestes, dans leur façon de s'asseoir, de parler. Cathie se penche, souriante, toujours souriante, et ses mains exposent ses idées en accord avec son débit haché, fébrile. Sylvia se carre sur sa chaise, hochant la tête, sceptique, magistrale. Talent prétend qu'elle est timide et qu'elle a du mal à parler, mais avec ses amis elle est drôle, spirituelle : bref, comique. Chris reste le plus souvent silencieux : il observe et écoute, et cinq minutes plus tard il fait circuler un croquis qu'il a fait des trois autres engagées dans une joute verbale.

Un jeune homme s'approche de nous. Il est timide, hésite, attend que Cathie et les autres le reconnaissent, le saluent. L'an dernier, il a travaillé avec l'Équipe dans ce district et, sachant qu'ils devaient faire un saut par ici aujourd'hui, il a guetté l'autocar. Il a besoin de conseils.

Voici son problème. Sa famille veut à tout prix qu'il se marie. Il a trente ans et, dans la culture shona, il est déjà vieux. Il est temps qu'il se marie. Mais comment pourrait-il entretenir une épouse ? Sur le minuscule salaire qu'il touche en sa qualité de travailleur social de première classe, il entretient déjà une vieille mère, toute une brochette d'amis au chômage ainsi que la famille de son frère. Le frère en question, qui a lui-même quinze ans, a engrossé une fille de quatorze ans. Les deux adolescents se sont fait chasser de l'école et sont donc ainsi assurés de se retrouver sans emploi. Le père de la fille a exigé le mariage. Ils n'ont pas encore vingt ans et déjà deux petits enfants. C'est ce jeune homme qui les fait vivre. Le mariage lui fait peur. Son père avait abandonné sa mère qui, longtemps, a nourri ses enfants avec ce qu'elle ramassait dans les poubelles des Blancs. (C'est une anecdote que j'ai entendue à maintes reprises et ce sont des choses qui arrivent encore. « Mais de nos jours, les poubelles les mieux garnies sont multiraciales, j'imagine que c'est le progrès. ») Ce jeune homme a envie d'un vrai mariage, explique-t-il : comme Cathie, comme Talent. Il les a entendues parler de leurs maris. Il n'a pas envie d'épouser la fille que sa famille lui a choisie, parce qu'il ne la connaît pas. Que doit-il faire ? Il paraît sûr qu'elles auront la réponse. Talent et Cathie se consultent. Puis Cathie explique que, loin d'être une limite, le mariage devrait élargir les possibilités de vie. Oui, ajoute Talent, il vous faudrait une partenaire comme mon mari, qui vous fasse penser à tout.

« Mais comment le savoir à l'avance ? demande le jeune homme. J'ai une fille et je l'aime, mais comment savoir si elle va se révéler une vraie femme, comme Cathie et comme Talent ? »

Sur ce, on nous fait signe de regagner l'autocar.

Nous sommes cinq, qui trouvons nos places dans le car bondé, mais nous disons en plaisantant qu'en fait nous sommes six. Dans tous ses déplacements, l'Équipe emporte un gros tambour. Car il ne saurait y avoir de réunion réussie sans musique. « Il n'y a pas de tambour au Zimbabwe qui ait davantage voyagé », dit Cathie.

A notre arrivée en ville, au terminus, une voiture officielle attendait. « Vous ne savez pas ce que ça signifie, explique Cathie. Regardez, c'est la voiture du district. Ils ont dit qu'ils tenaient tellement à notre venue qu'ils ne nous laisseront pas payer au centre de formation. Et regardez : ce sont les grands patrons de la région. Ils sont venus nous accueillir. Vous n'imaginez pas le changement. »

On nous conduisit au centre de formation, qui a été construit non pas en ville, mais à l'extérieur : un grand bâtiment léger, qui a maintenant cinq ans, entouré de pelouses, puis d'arbres, proclamant fièrement : « Voici le Progrès, voici le monde moderne, voici le Zimbabwe. » Il est plein à longueur d'année, les gens viennent de toute la Province centrale pour y suivre des cours de gestion, de comptabilité, d'expertise comptable, de couture.

Le centre accueille deux cents personnes à la fois. Pour la semaine de séminaires de l'Équipe du livre, trente femmes sont venues, et neuf hommes. Qu'il se trouve des hommes ici, épaulant les femmes, pour le livre des femmes, est une révolution de plus, et de taille. D'une certaine façon, tous ces hommes doivent être extraordinaires, car non contents d'aller contre les idées traditionnelles, ils s'exposent aux critiques, voire à la dérision, de leurs semblables. Les membres de l'Équipe se félicitent de la présence des hommes : « Et voilà, Chris, tu ne seras plus le seul maintenant. »

A peine sommes-nous entrés que nous nous asseyons tous en cercle : au total, une quarantaine de personnes. Tout le monde se présente, l'Équipe d'abord, Cathie, Sylvia, Talent et Chris. Chacun y va de sa petite autobiographie à l'adresse de la compagnie, penché en avant, dans le silence absolu de la concentration. Tous n'étaient pas là, quelques mois plus tôt, lorsque l'Équipe était venue dire que le livre des femmes était leur affaire. Comment ne se diraient-ils en les voyant : « Quel mélange de personnalités inattendu : comment en sont-ils venus à travailler ensemble ? » tout comme les observateurs — moi-même et les deux fonctionnaires — se demandaient comment les gens qui étaient prêts à se dépenser sans compter pour le livre s'étaient choisis, ou avaient été choisis, tellement ils étaient différents : tantôt bien habillés, tantôt pauvrement vêtus, les uns sûrs d'eux, d'autres luttant contre leur timidité. Deux femmes donneront une idée du contraste. Mme Berita Msindo, huit enfants, déclare qu'elle a toujours travaillé, d'abord comme enseignante, puis comme haut responsable du développement. Elle était fière d'être la première femme de la province à conduire une motocyclette. Elle revient juste d'un voyage d'étude à Rome. « Tous mes enfants réussissent », observe-t-elle, comme si cela n'avait rien d'extraordinaire. Les deux aînés sont à l'université, l'un est en Angleterre où il poursuit des études d'agriculture et d'économie. Deux autres sont profes-seurs. Les quatre plus jeunes ont de bons résultats scolaires. Mme Msindo ajoute que son mari est fier d'elle : sans lui, elle n'aurait jamais pu si bien se débrouiller. C'est une grande et belle femme, pleine d'humour, satisfaite de voir tout le monde applaudir quand elle a fini.

L'autre femme est maigre, hésitante, angoissée : elle vient d'une région sinistrée par la sécheresse. Elle et les autres villageoises se lèvent à trois ou quatre heures du matin, font plusieurs kilomètres à pied jusqu'au trou de sonde afin de rapporter de l'eau à boire et pour la cuisine : se laver est devenu un luxe. Dans sa région, tout le monde est à court de vivres. Ses yeux brillent d'une admiration passionnée quand elle entend Mme Msindo raconter sa vie. Elle dit que lorsque les pluies viendront et que les choses seront plus faciles, elle passera son certificat. Elle sait qu'elle pourrait réussir, si elle en avait le temps et l'occasion. Et maintenant, tout le monde l'applaudit et, tandis qu'elle sourit avec reconnaissance, on dirait qu'elle se pénètre en douceur de la sympathie de tous, de leurs encourage-ments.

Cette entrée en matière pour souder le groupe, pour instaurer un climat de communion, prend près de trois heures. Quand une femme parle d'une de ses réalisations, on claque doucement des mains, mais quand les hommes parlent, les applaudissements se font particulièrement nourris. Les officiels qui se tiennent légèrement en retrait, observant et écoutant, et qui n'ouvriront plus la bouche passé les premières salutations, sont impressionnés et le disent. « Vous autres, vous faites des prodiges », déclare le représentant du district. Il a l'air stupéfait : probablement se demande-t-il comment s'est développé ce climat d'entraide, de confiance, de solidarité, quand avec d'autres, à d'autres périodes, il ne se passe rien.

Ces préliminaires achevés, les femmes dansent et chantent en l'honneur de l'Équipe.

Le repas du soir était en cours quand nous rejoignîmes le réfectoire. C'était une grande pièce, avec quatre tables sur toute la longueur. A l'extrémité se trouvait le comptoir du service, où des hommes et des femmes, jeunes pour la plupart, recevaient des assiettes pleines de sadza, de viande et de légumes verts. Comme d'habitude, je m'étonnais de la quantité de sadza servie, au moins deux livres dans chaque assiette. Une bouillie épaisse, pas très différente de la polenta. Quant à la viande, c'était du bœuf braisé, excellent, accompagné d'une sauce riche. Le chou était bien préparé. De quoi satisfaire un Italien affamé. Mais le plus surprenant, c'est que l'on mange cette ration trois fois par jour, souvent avec quantité de grosses tranches de pain blanc. Tant qu'on n'a pas le ventre bien rempli, à la limite de l'indigestion, il n'y a pas de vrai repas. Souvent, les invités africains à qui l'on sert un repas « de Blanc » se gaveront de sadza à peine rentrés chez eux. Lorsque Jack emmena ses jeunes journalistes en herbe dans un restaurant de Harare, ils se plaignirent, en ne plaisantant qu'à moitié, qu'il n'y eût point de sadza. Sans doute y a-t-il là une dimension émotionnelle. Au Japon, à cause de la famine qui sévit après la Seconde Guerre mondiale, où une poignée de riz valait son pesant d'or, le riz est devenu une nécessité émotionnelle, alors même que la nourriture abonde. Le bol de riz est là, et les convives en mangeront une petite cuiller ou deux après un long repas. Sa seule présence rassure, comme une manne. Dans les maisons des nouveaux riches, on ne sert pas de repas sans sadza, bien que le menu se compose habituellement de plats « de Blanc ».

Mais la sadza n'est plus un plat « de Noir ». Le fils d'une

famille blanche privilégiée, à qui l'on demandait ce qu'il voulait pour son repas d'anniversaire, répondit que rien ne lui ferait plus plaisir qu'un ragoût accompagné de sadza. Dans tous les restaurants, tous les hôtels, à chaque barbecue, on y a droit. Dans la cour de tous les hôtels de province, de grandes marmites de sadza accompagnent les barbecues. Rien n'est plus gratifiant, pour qui est sensible aux ironies de l'histoire, que de voir ces Blancs qui vivent au Zimbabwe tout en cultivant leur sentiment de supériorité se remplir de grandes assiettes de sadza. *Alors* — dans l'ancien temps — la sadza était une nourriture de Cafre, et aucun Blanc n'aurait rêvé d'en manger.

Le repas de ce soir — comme tous les autres repas — fut bruyant et exubérant, dans une atmosphère de vacances. Pour la plupart des gens qui suivent ici des cours, ce centre de formation dans la brousse représente une période d'abondance. Peu de gens peuvent se permettre de manger de la viande à chaque repas, voire chaque semaine, et encore certainement pas des gros morceaux. Et quand nous rejoignîmes nos chambres, le bloc des douches grouillait de femmes. On aurait dit une kermesse, une vraie fête de l'eau. Toutes ruisselantes d'eau chaude, elles se prenaient mutuellement à témoin de leur plaisir et de leur surprise devant pareille prodigalité. Dans les villages, personne ne dispose jamais d'eau chaude et propre en quantité illimitée. De même qu'elles se gavaient, certaines femmes se douchaient plusieurs fois par jour.

Chris dormait dans l'aile des hommes. Talent et Cathie se partageaient une chambre, Sylvia et moi une autre. Toutes les quatre entassées sur le lit de Talent, nous discutâmes des stratégies du lendemain. L'atmosphère rappelait agréablement celle de l'école après l'extinction des feux.

« Il nous faut procéder lentement, expliqua Cathie. Nous l'oublions, nous l'avons fait si souvent, mais pour la quasi-totalité des gens qui suivent ces cours, c'est du nouveau. Ça vaut le coup de prendre la peine d'expliquer en long et en large. C'est la première fois que l'on demande aux gens de choisir leurs thèmes, d'écrire leurs articles, leurs poèmes, leurs récits, puis de commenter le tout. Il ne faut pas qu'ils soient intimidés. Nous devons être attentifs à ceux qui ne parlent pas et les encourager. »

Talent avait pour elle l'expérience de l'armée, puis de la ferme collective. « Nous devons les scinder en groupes plus petits pour qu'ils discutent du matériel entre les sessions. Ils se soutiendront mutuellement et il leur sera plus facile de nous critiquer. » Elle est toujours la première à mettre la théorie en pratique.

Talent et Cathie se lancèrent dans une discussion serrée, savante, détaillée, sur la bonne taille des groupes en fonction de leurs buts. Sylvia était fatiguée, elle avait envie d'aller au lit. La chambre était divisée par une cloison, pour plus d'intimité, mais il était facile de parler. Nous bavardâmes longtemps, de même que Cathie et Talent dans leur chambre. Dans toutes les chambres de ce pavillon des femmes, jusque tard dans la nuit, on entendit des voix, des rires et, une ou deux fois, des chants. Sylvia ne riait pas. Elle me parlait d'une amie proche dont le couple s'était brisé, et comme elle aime à le faire : elle ne veut pas que je m'empresse de juger des us et coutumes qui, est-elle convaincue, me sont difficilement compréhensibles. C'est souvent le cas, en effet.

Il y a plusieurs enfants, l'aîné a presque vingt ans, le dernier est encore un bébé. Le mari est fonctionnaire. Le couple a toujours eu des difficultés : lui, pendant un temps, a été alcoolique, elle l'a aidé à s'en sortir, l'a protégé, a intercédé auprès de ses supérieurs. Puis il y a eu une autre femme et un bébé : elle l'a récupéré. Voilà quelques semaines seulement, elle a découvert qu'il y avait non seulement une nouvelle femme mais un nouveau bébé : elle n'en avait rien su avant que quelqu'un lui dise que le bébé était baptisé. Elle s'en est prise à son mari : il a répondu qu'elle n'avait qu'à accepter la polygamie. « Quand nous nous sommes mariés, tu avais le choix entre un mariage chrétien monogame et un mariage suivant nos coutumes. Tu as choisi le mariage à l'église, répondit-elle. — J'ai changé d'avis. » Elle refuse d'accepter la polygamie. Il est tout le temps fourré chez sa nouvelle femme et son bébé, et quand il rentre à la maison, c'est pour lui crier après. Pendant ce temps, c'est elle qui nourrit les enfants, presque entièrement, parce que tout son argent à lui va à sa nouvelle femme, au bébé, à la nouvelle maison. Les parents de la nouvelle épouse disent qu'il doit couper les ponts avec son ancienne femme et viennent la menacer. La nouvelle loi lui permettrait d'obliger son mari à subvenir aux besoins des enfants, mais elle a peur. Sylvia me dit qu'elle a honte de me raconter cette histoire. Je réponds que je ne vois pas de différence entre bien des hommes de la culture dite occidentale et ce mari. Monogamie, polygamie, qu'y a-t-il dans un mot ? De nombreux couples occidentaux sont poly-games, et de plus en plus de couples se brisent, se remarient, et les enfants ont parfois un coin, voire une chambre, dans les deux foyers. Sylvia rit à l'idée qu'un enfant ait toute une chambre pour lui, voire deux, dans deux maisons.

Elle dit que les choses ne se ressemblent qu'en surface : elle ne pense pas, non plus, à la différence de niveaux de vie. Cela ne rime à rien, dit-elle, de juger à l'aune de ce qui se passe aujourd'hui, il faut considérer l'histoire également. Quand elle était jeune, il y avait quatre épouses et chacune d'elles était mariée convenablement, dans les règles. Une femme qui n'est pas mariée passe pour une prostituée ou une femme légère. Son père avait dû épouser les femmes d'un frère défunt. Il n'a pas vraiment aimé de femme avant sa quatrième épouse. « Selon notre coutume, le survivant doit épouser la veuve de son frère ; c'est une bonne chose, parce que cela veut dire que les femmes ne sont pas abandonnées, mais c'est une mauvaise chose parce que leurs maris ne les aiment pas. » Je demande si les quatre femmes s'entendaient bien. Sylvia commence par dire que oui ; puis elle admet qu'elle n'a jamais entendu parler de vraies amies parmi les femmes d'un même homme. Bien qu'elles pussent feindre pour plaire au mari. « Les mariages polygamiques sont mauvais pour les femmes », dit-elle enfin, dans un aveu dont elle préférerait s'abstenir. Quand les gens disent « nos coutumes », « notre culture », par les temps qui courent, ils attendent de vous que vous les preniez au sérieux, même quand ils ne voient dans ces formules que de précaires radeaux de sauvetage dans une mer démontée.

J'étais allongée dans l'obscurité, écoutant les femmes de tout le bâtiment qui parlaient, riaient, s'aspergeaient et chan-taient sous la douche, et je songeais à l'homme qui avait dû épouser trois femmes qu'il n'avait pas choisies, avant de pouvoir épouser l'élue de son cœur. Mais il n'était pas possible d'en faire état. Ce que l'atmosphère vous empêche de dire, tel un invisible crampon sur votre langue, vous montre souvent combien vous êtes sotte. Ce n'était pas un gentil bavardage détaché sur les différences culturelles, et ce ne pouvait l'être. Sylvia était trop malheureuse, un monceau de misère juste de l'autre côté de la cloison, à cause de cet échec conjugal, alors qu'elle avait si peur pour son couple.

Une blague du *New Yorker* me revint en mémoire : au cours d'une soirée, un gosse de quinze ans qui a mis son premier costume d'adulte aborde un homme passablement éméché, à l'air soucieux. « Je ne sais pas si vous vous souvenez de moi ? Nous nous sommes rencontrés ici l'an dernier : je suis le fils de votre troisième femme. »

Mais je n'ai pu lui raconter cette blague ; l'atmosphère l'interdisait. Elle ne l'aurait pas trouvée drôle... peut-être ne l'était-elle pas, après tout... si je la trouvais drôle, c'était peut-être que quelque chose n'allait pas très bien de mon côté ? En ce cas, quelles conclusions en tirer sur la culture « occidentale » ? Sylvia avait-elle des blagues à me raconter que je trouverais choquantes ? Mais Sylvia ne me racontait pas de blagues. Pas cette nuit-là, ni au cours de ce voyage.

Le lendemain matin commença la semaine de travail. Chaque session débutait par une saynète qui résumait un problème, et que l'on répétait pendant quelques minutes après le petit déjeuner. Puis on dansait et on chantait. Tout le monde s'y mettait.

La plupart des problèmes nous étaient devenus familiers depuis l'an passé. Il y en avait deux, provoqués par l'existence même du livre des femmes : un livre vraiment révolutionnaire — assuraient Cathie et Talent — qui remettait en cause la trame de « notre culture », de « nos coutumes » et ne pouvait que susciter des oppositions. Le premier était que les bébés sont automatiquement déclarés sous le nom du père, « qui va ensuite d'une femme à l'autre, sans que la loi ne nous donne le moindre droit sur les enfants que nous élevons. Parfois, le père disparaît de la circulation pendant des années, mais la loi lui permet de revenir quand il veut et de prendre les enfants ». Et l'autre : « Pourquoi la terre serait-elle automatiquement enregistrée sous le nom de l'homme quand ce sont les femmes qui font tout le travail ? »

Mais il y avait encore un autre thème. L'an passé, personne n'évoquait le sida, pas une seule fois, dans les réunions, mais la propagande officielle est efficace, car un sketch de l'un des groupes sur les prostituées et leurs clients commençait par un homme affaibli, clopinant à travers la salle de cours, et aussitôt tout le monde a dit : « Il a attrapé le sida. » Ce sketch était drôle aussi. Toutes les saynètes impromptues, tous les sketches sont drôles.

Certains incidents se détachent de cette semaine, la plus mouvementée dont j'aie le souvenir.

Cathie se tient au tableau noir, traçant des diagrammes de statistiques. Elle dit qu'elle va sauter la page suivante du livre, sous sa première mouture, parce qu'elle est trop difficile. Elle veut dire que les statistiques sont trop détaillées pour qu'on puisse les illustrer de cette façon, mais l'une des femmes, qui n'a pas bien saisi, dit à voix basse : « Essayons. Il est possible que nous soyons assez intelligents pour comprendre. »

Un officiel local, un homme, prend la parole : « Je ne sais pas comment il se fait que les gens qui font le gros du travail, presque toujours des femmes, qui travaillent à longueur de journée et parcourent de longues distances, ne touchent presque rien, tandis que les hommes assis dans leurs bureaux gagnent dix à vingt fois plus. » Parce qu'il fait partie des hommes assis dans un bureau, il est applaudi et aussitôt ils composent une chanson là-dessus, qu'ils lui chantent en claquant des mains et en ululant.

Les juges se montrent parfois très sévères, surtout avec les femmes. Une femme avait eu un troisième enfant et l'avait tué : elle entretenait déjà sa mère, son père et sa grand-mère. « Je ne puis nourrir toutes ces bouches avec mon salaire. » Elle a été condamnée à une peine de prison et ses enfants ont été placés.

Une autre femme tua son neuvième bébé, fut jetée en prison et ses huit enfants furent placés. L'agent de l'aide sociale expliqua : « Nous avons voulu savoir comment les choses se passaient. On versait huit allocations à un parent qui ne savait pas où étaient passés les enfants. Nous avons perdu huit enfants. Où sont-ils ? »

Débat sur le pourquoi de cette inflexibilité des juges : la conclusion est qu'ils sont nouveaux dans le métier. « Les gens ne peuvent être souples que lorsqu'ils sont sûrs d'eux. Mais pendant qu'ils apprennent à avoir confiance en eux, c'est nous qui trinquons. »

(Le Zimbabwe a plusieurs systèmes juridiques. Le droit coutumier shona. Le droit coutumier ndébélé. Le droit coutumier mbacha, mélange de shona et de shangaan. Le droit romain-hollandais. La *common law* anglaise.)

A plusieurs reprises, dans les ateliers, des femmes se sont

plaintes que des pauvres paysannes noires travaillaient pour des fermiers noirs plus riches, des femmes en particulier, qui les payaient mal ou pas du tout, et ne leur donnaient que quelques vivres. « Nous n'avons pas le choix, nous devons travailler pour elles, il nous faut bien nourrir nos enfants. »

Un soir, après le souper, une femme vint s'asseoir à côté de moi et me demanda : « Avez-vous déjà vu des gens aussi pauvres que nous ?

— Beaucoup plus pauvres, dans d'autres pays. »

— Je ne suis jamais sortie de cette province. Il me semble que nous sommes très pauvres. S'il arrive qu'on n'ait pas assez à manger, on n'est pas très pauvre ? »

Je lui répondis : « Il y a des régions du monde où les gens se contentent de subir la pauvreté. Mais, vous autres, si vous êtes dans une mauvaise passe, vous cherchez les moyens d'en sortir. Si vous avez un problème, vous décidez de le résoudre. C'est ça qui fait votre richesse par rapport à eux. Et vous débordez d'énergie et de détermination. »

Elle se creusa la cervelle, un long moment : une minute au moins. Alors que je croyais la conversation terminée, elle observa : « Et pourtant, nous devons tellement d'argent. »

Moi : « La dette globale de tous les pays d'Afrique est inférieure à l'endettement de n'importe quel pays d'Amérique du Sud.

— Vous voulez dire que l'Afrique est plus riche que l'Amérique du Sud ? Vous avez été en Amérique du Sud ?

— Au Brésil.

— C'est pire qu'ici ?

— Oui, c'est pire. Pour commencer, les différences sont plus grandes entre les riches et les pauvres.

— Nous avons des riches ici aussi, maintenant. Vous ne les avez pas vus ?

— Rien d'aussi dur ou cruel que dans des pays comme le Brésil. »

Elle demeura tranquillement à côté de moi, songeuse. Puis : « Pourquoi les pauvres de certains pays ne se plaignent-ils pas ?

— Tantôt parce qu'ils manquent d'énergie, tellement ils sont mal nourris ou accablés de maladies, tantôt parce qu'une religion leur apprend à souffrir en silence.

— Mais j'ai de la religion et je me plains. Je passe mon temps à me plaindre. Mon mari me dit : " Femme, pourquoi te plains-tu ? " Je réponds : " Ta vie est très bien, mais j'ai la vie très dure et voilà pourquoi je me plains. " » Elle rit, bruyamment, si bien que les gens se retournèrent et rirent par sympathie.

Au cours d'un atelier, quelqu'un raconta une terrible histoire de cruauté, de bêtise officielle. Toute la salle riait, une quarantaine de personnes. « Pourquoi riez-vous ? C'est une histoire terrible, dis-je à mon voisin. — C'est bien pour ça que nous rions. »

Un homme qui s'était montré hostile envers les femmes au cours de la dernière visite de l'Équipe était de nouveau ici, prétendant que son état d'esprit avait changé : il savait maintenant qu'il était dans l'erreur. Mais, expliquait-il, ça le blessait d'entendre les femmes critiquer les hommes qui, tous, aimaient les femmes. « Pour ma part, je pense que les femmes sont un don de Dieu. » Tout au long de cette journée, chaque fois que les délibérations devenaient trop pesantes, quelqu'un observait : « Les femmes sont un don de Dieu », et tout le monde riait, les hommes aussi.

Ces hommes savent que, par leur seule présence, ils sont révolutionnaires. Ils aiment qu'on leur demande ce qui les rend particuliers, plus entreprenants que d'autres hommes.

Voici un texte autobiographique soumis à un atelier :

En 1965, le neuvième jour du mois de mai, un petit garçon est né à Masvingise, petit village des terres communautaires de Chivu. « Il s'appellera Amos », convinrent-ils enfin.

Resplendissant de fraîcheur et d'innocence juvéniles, le bébé ne pouvait prévoir la misère qu'annonçait sa naissance. Il ne réussit à entrevoir son père que dix-sept ans plus tard, et ce fut tout.

A la différence des autres enfants du village, je me débrouillai pour entrer dans une école des missions à Bergena, en 1980, pour mes études secondaires.

Je suis devenu un exemple brillant et beaucoup d'hommes de la famille ont envoyé leurs enfants à l'école. Aujourd'hui, je travaille et je dois tout à ma mère qui a inlassablement travaillé à faire de moi ce que je suis. Cependant, mon père me manque, mais je ne suis pas sûr qu'il aurait fait de moi ce que je suis aujourd'hui. Amos Sithole. Assistant de coopération. Gutu.

Je profite de ce que je me trouve en compagnie de tant de gens si différents pour leur demander ce qu'ils pensent d'Edgar Tekere, dont le nom est cité dans toute la presse comme une menace pour le gouvernement, l'ordre, la sécurité, et Robert Mugabe.

Mais personne ne parle de Tekere et de son nouveau parti. En fait, personne n'évoque le Pacte d'unité. C'est la Province centrale, et pas le Matabeleland, mais il y a quelques mois à peine, le pays tout entier célébrait le Pacte. Les gens ne tardent pas à prendre la bonne fortune comme si elle allait de soi.

Tekere ? Nous n'allons pas voter pour lui. Nous ne sommes que des idiots de villageois, ne l'oubliez pas, et nous n'avons pas envie d'une autre guerre.

Tekere ? Il est utile dans l'opposition, il se charge de les tenir en éveil pour nous, mais il n'est pas assez stable pour être un dirigeant.

Tekere ? Je l'aime parce qu'il est une solution de rechange. Mais ils disent qu'aux prochaines élections nous pourrons voter pour les gens que nous mettrons nous-mêmes en avant, pas pour une liste établie par Mugabe. Si c'est vrai, tout le monde oubliera Tekere.

La semaine s'écoule, l'Équipe s'essouffle. Elle met tant d'énergie dans les ateliers et les séminaires, et dans les discussions qui se poursuivent tous les soirs dans les chambres. Et, une fois encore, cela fait déjà plusieurs semaines qu'elle a pris la route. Les femmes s'inquiètent de leurs enfants et de leurs maris. Chris parle de sa petite amie.

Quand ils seront de retour à Harare, ils auront des pièces entières remplies de matériel recueilli à l'occasion de ces ateliers et des précédents. Chris devra faire quantité de dessins et les soumettre à l'Équipe. Il n'est pas question de favoriser une région ou un district aux dépens des autres.

Rentrée chez elle, Cathie n'aura pas le temps de se reposer, tellement elle a de correspondance. De l'ensemble du Zimbabwe les demandes de visite de l'Équipe du livre affluent. Cathie n'a pas de secrétariat pour l'aider. Comment parvient-elle à tout faire ? Elle-même ne le sait pas : plus on a de travail, plus on en abat, dit-elle. Mais elle est inquiète : « Parfois je me dis que ce que nous faisons est impossible.

— Bien sûr que c'est impossible, dit Talent. C'est pour ça que nous le faisons. »

L'Équipe est également soucieuse parce qu'on ne lui réserve pas toujours un tel accueil. Elle a des ennemis. Et il ne sera pas facile de « les » amener à accepter ce livre de femmes, si plein d'idées explosives. « Nous ne savons pas qui sont nos ennemis. Personne ne va dire quoi que ce soit contre nous au grand jour, maintenant, parce que les villageois nous aiment, mais soudain vous vous heurtez à un barrage, et puis vous savez... »

« Mais souvent ce n'est pas l'hostilité qui fait obstacle, c'est l'inefficacité », dit Talent.

Hier soir, il y a eu une soirée après le souper. Sodas, bière, collation et danses entrecoupées de sketches imaginés par les différents groupes.

L'un porte sur les filles très qualifiées qui cherchent du travail, en vain, parce que les chefs préfèrent les filles sans qualification, quand elles sont jolies ou qu'elles leur sont apparentées. « Tu dis que tu es la cousine issue de germains de la tante de ma mère ? Prends un siège et remplis-moi ce formulaire en quatre exemplaires. » Les filles qualifiées se retirent en égrenant à l'intention de leurs collègues et du public la liste de leurs qualifications chèrement acquises.

Un autre porte sur un charlatan, un guérisseur de village qui exploite la jobardise de ses patients.

Un sketch montre une femme possédée par l'esprit qui se répand en prophéties positives et optimistes en tout genre sur l'avenir du Livre des femmes. Puis ce sont les ngangas qu'elle raille en se mettant à trembler et à se contorsionner, et à demander de l'argent aux passants moqueurs.

Un des sketches se veut solennel : « Ces livres nous ont rendu un très grand service, en tant que communauté. Ils ont changé nos attitudes, nos méthodes de travail, et nous ont donné le sentiment de faire partie du Zimbabwe. Ces livres ont ouvert les yeux des dirigeants de la communauté, mais aussi les nôtres, en tant qu'acteurs du développement. »

Lorsque cette soirée s'achève, il est à peine vingt-deux heures, mais les femmes disent qu'elles n'iront pas se coucher avant d'avoir dignement pris congé de l'Équipe du livre. Le centre de formation dispose d'un hall d'entrée imposant et spacieux. Les femmes et quelques hommes en prennent possession, réclamant le tambour de l'Équipe. Ils se lancent dans une danse — trépignante et bondissante — à mille lieues des danses posées de la soirée officielle. L'édifice tout entier vibre de leurs chants et du son du tambour. Ceux qui sont allés se coucher descendent les réprimander, mais se laissent entraîner à leur tour dans le cercle des danseurs. « Voici notre livre, dit l'une des chansons de leur composition. Nous, les femmes du Zimbabwe, nous faisons notre livre. Il va changer la vie de nos enfants et de nos maris. Il va gagner d'autres pays. Harare, entends-nous, entends-nous. »

Quiconque aurait obervé ces femmes au cours de la semaine d'ateliers se serait fait une certaine image d'elles ; le même observateur ayant un aperçu de cette danse effrénée verrait quelque chose de très différent.

Je prétends, on le remarquera, que les Africains, ces Africains-là tout au moins, ont du rythme. Pourquoi pas ? — puisque ils sont les premiers à le dire. Ces femmes sont pénétrées de la portée dramatique de la chose quand, ayant introduit un atelier de travail par une danse, elles s'assoient et disent d'un ton sévère : « Nous avons l'impression que le sous-alinéa (d) de la clause 2, page 4, est mal rédigé. Nous proposons de le remplacer par cet autre sous-alinéa. » Elles ont conscience de la valeur des deux mondes et entendent les conserver l'un et l'autre.

Mais allons, du courage, vous les politicards qui ne souffrez pas que les Africains aient du rythme, qui n'arrivez pas à croire qu'il soit possible d'avoir du rythme et d'autres choses encore... Dans une réunion d'intellectuels, à Harare, un poète, qui revenait tout juste des zones rurales, où tout se chante, se danse, se raille et se joue, pria les écrivains et les poètes présents de chanter une chanson, mais ils ne purent pas, ils se tortillèrent de gêne, de réticence et d'embarras, ainsi que sont censés le faire les gens civilisés.

Et, une fois où j'étais restée assise deux heures dans une voiture à regarder un trottoir de Bulawayo, sur plusieurs dizaines de passants, je ne vis que deux femmes qui marchaient comme tout le monde le faisait jadis : des déesses, il n'y a pas d'autre mot. Les autres marchaient d'un pas lourd, sourd, pesant, elles étaient gauches et sans grâce, comme nous. Petite fille, j'aimais contempler les villageoises qui allaient au puits, une main levée pour retenir les récipients qu'elles portaient sur la tête, et j'essayais de faire comme elles, mais je n'y arrivais pas.

Ce soir-là, les femmes ne se mirent pas au lit. Quand elles eurent fini de danser, elles allèrent toutes sous la douche avant de s'installer dans les bus qui devaient les reconduire dans leurs villages, à cinq heures du matin. Certaines avaient les larmes aux yeux.

L'Équipe se réunit autour d'une tasse de thé et dresse le bilan de la semaine. Une réussite. Une femme d'un autre cours, qui a déniché un exemplaire du projet de livre sur les femmes, s'assied à côté de nous : « Ce sont les chefs et les patrons qui devraient lire ces livres et s'instruire auprès de nous. Ils parlent toujours d'éduquer le peuple. Ils ne savent rien de nous, parce qu'ils ne se rapprochent jamais de nous. »

D'autres femmes nous rejoignent. « Maintenant que tout le monde sait que ce sont les femmes qui font tout le boulot, les épouses des chefs et des arrivistes en tout genre descendent dans les villages habillées en mannequins, les cheveux tirés, les joues rayonnantes de fond de teint orange pour leur éclaircir la peau. Elles félicitent les villageoises et retournent à leurs politicailleries de Harare. »

A Harare, j'ai entendu un agent de vulgarisation, une femme, dire qu'elle refusait de se rendre dans une zone communautaire si elle ne pouvait rester au village, depuis qu'elle avait entendu parler d'une chanson composée sur les visiteurs condescendants — « Maintenant, au boulot, mesdames, continuez, le Zimbabwe est fier de vous, ici, prenez donc une friandise, prenez donc un bout de gâteau ».

Les villageoises méprisent les filles élégantes des villes qui « veulent être des Noires blanches ». Les pharmacies sont pleines de crèmes qui blanchissent la peau, certaines à base de produits chimiques interdits dans d'autres pays.

Les villageois n'admirent pas Harare. Le mot lui-même désigne peut-être un état d'esprit. Peut-être parlait-on ainsi de Babylone.

Majestueuse

Harare
       une
              putain
qui
       essaie
              un costume

408

trop grand
            de new york
    qualité
        d'importation

                          Simbarashe R. Johnson
          (Paru dans, *Tso Tso,* une nouvelle revue.
          Tso Tso signifie « broutilles ».)

Aucun de nous n'a envie de quitter cet endroit euphorisant, dynamique.

« Je ne sais pas pourquoi, explique Cathie, mais dans les bureaux de Harare, ils parlent comme si ces gens étaient des imbéciles. Il me faut parfois des heures pour faire comprendre à des fonctionnaires ce que ces gens saisissent d'emblée. Ils sont bien plus dégourdis. Les femmes politiques sont toutes des intellectuelles portées à l'abstraction. »

Ce centre de formation, que dirige un corps enseignant optimiste et attentif aux problèmes sociaux, ne ressemble à l'école de la brousse que d'un seul point de vue.

Si vous y regardez de plus près, vous verrez que des carreaux manquent par terre ou se détachent. Les rideaux tombent. Les rideaux de douche sont déchirés. Des lamelles de bois se détachent des bords des tables, certaines chaises sont branlantes, voire inutilisables, parce qu'elles ont perdu leurs vis. Règne ici une atmosphère de douce dilapidation. Pourtant, un jeune homme qui a suivi des cours dans divers centres de formation observe : « C'est ici que je préfère venir : c'est si bien entretenu. » Mystère. Rien ici que ne pourrait remettre en état une ménagère efficace pourvue d'un pot de colle, d'un tournevis, d'une aiguille et de coton, d'un escabeau. Un soir, l'eau a coulé des heures durant d'un tuyau flexible, derrière un chemin qu'empruntait constamment le personnel, et ce dans un district où l'eau manque.

« Ils devraient former une équipe de jeunes femmes chargée du petit entretien et l'envoyer d'une institution à l'autre. »

« Pourquoi l'une de ces organisations d'Aide ne... ? »

« Pourquoi Mugabe ne... ? »

Au retour, nous traversons l'une des plus grandes cités noires.

LES NOUVELLES CITÉS

Dans l'ancien temps, les cités noires autour des villes étaient des amoncellements d'habitations de fortune en tout genre, parfois de simples alignements de brique : des pièces uniques bâties les unes à la suite des autres, sans même de cabinets, ou des appentis de tôle ondulée pareils à des usines. Parfois, les autorités locales édifiaient des banlieues faites de centaines, voire de milliers de maisonnettes de brique identiques, des pièces uniques avec cuisine, et toilettes collectives à l'arrière, ou, grand luxe, des deux pièces. De nos jours, les nouvelles banlieues sont devenues des villes à part entière. Là encore, elles sont faites de milliers de maisonnettes — deux pièces avec une véranda, une cuisine et une salle de bains. Pour faire une cité de ce genre, avant toute chose, on commence par abattre les arbres indigènes, on trace les routes — généralement un simple quadrillage — puis on élève les maisons dans une plaine poussiéreuse ou boueuse. Elles sont aussi serrées les unes sur les autres que les vieilles maisons construites sous les Blancs : les nouvelles banlieues, comme les anciennes, ont l'air de ce qu'elles sont, des tentatives désespérées pour loger la population à bon marché. Le Zimbabwe ne manque guère d'espace, ce n'est pas comme en Europe où chaque mètre carré est âprement disputé. Alors pourquoi toutes ces maisons entassées à la manière des jeux de construction ? Parce que cela réduit d'autant le coût des équipements : les canalisations, les fils, les câbles, les caniveaux, les égouts qui permettent à beaucoup de gens de vivre ensemble. N'est-ce pas une politique à courte vue ? Le camarade Mugabe n'aurait-il pas été mieux inspiré d'exiger dès le départ qu'on consentît un plus gros effort financier et qu'on aménageât des villes avec des maisons assez espacées pour permettre un minimum d'intimité ? On a peine à voir comment ils trouvent la place, ne serait-ce que de tendre une corde à linge, d'autant qu'à peine installés les gens plantent des arbres fruitiers. Pour trouver la brousse, les arbres de leur patrimoine, il leur faut quitter les cités et faire des excursions à la « campagne ». Pourquoi le camarade Mugabe n'a-t-il pas...? Assurément *il* n'a pas pu donner son aval à une politique aussi imprévoyante ?

Et, comme dans l'ancien temps, il faut une heure pour

rejoindre la grande ville où l'on travaille, une heure pour en revenir, sur des routes embouteillées, encombrées de bicyclettes, de bus et de voitures (encore peu nombreuses, toutefois). Les gens qui vivent dans ces cités ne peuvent, pour la plupart, se payer une voiture. Il est question de construire des chemins de fer pour relier les cités noires à la grande ville — qui n'est plus blanche maintenant, mais multiraciale. Les banlieues de fortune sont noires, et pauvres.

Quand on traverse une cité de ce genre en voiture, ou quand on la survole, et qu'on voit cet alignement ordonné, pour ne pas dire régimentaire, de maisons toutes semblables, on en retire l'image d'une multitude d'habitations, une par famille. Mais chaque maison, conçue pour une famille, héberge parfois une vingtaine de personnes. Quiconque est condamné à la vie rurale et possède un parent en ville fera valoir les vieux droits de la parenté et tâchera de se faire une place dans une maison déjà pleine à craquer, une maison adaptée à la famille nucléaire : la mère, le père et deux ou trois enfants. Mais on ne saurait imaginer maisons moins faites pour la vie clanique ou communautaire, à laquelle se prêtaient mieux jadis les cabanes agglutinées les unes aux autres : il est facile de construire une nouvelle cabane si des parents sont de passage ou se retrouvent sans abri. Ou plutôt, c'était facile jadis, mais aujourd'hui il n'y a pas assez d'arbres, ni assez d'herbe pour la toiture.

Non, les villes modernes, et la nécessité à laquelle elles répondent, sont en train de tuer la vie de clan, la famille élargie.

Les cités nouvelles ne sont pas bon marché. En fait, il en coûtait moins, autrefois, de louer une maison, quand elles étaient subventionnées.

Deux petites pièces, une cuisine, une salle de bains peuvent accueillir un nombre de personnes limité, même si on dort à dix dans la même chambre. « J'ai un grand cœur, tu le sais », écrivait une femme en réponse à un cousin de province qui lui demandait un coin quelque part, « mais ma maison est petite. Il ne reste aucune place pour dormir, hormis sous la table de la cuisine. »

L'Équipe du livre s'inquiète parce qu'elle passe son temps dans les régions rurales, plutôt que dans des agglomérations pauvres et surpeuplées, dont les populations n'ont sans doute pas moins besoin d'aide.

« Mais les problèmes ne sont pas les mêmes. Elles n'ont pas besoin qu'on leur parle de lancer des coopératives ou d'ouvrir des comptes en banque. Il s'agit plutôt de savoir comment affronter la bureaucratie.

— Mais nous en sommes tous là ! »

LE JARDIN DE HARARE

La diversité des fleurs est infinie. Je demande à Ayrton R. de me servir de guide et de m'indiquer les noms. Clérodendrum : séjour de gloire. Rouge foncé. Clérodendron : cœur ensanglanté. La marmelade jaune de la broussaille. Mackaya : masse rose pâle, veinée de carmin. Parterre d'aspidistras. Hortensias divers. Citharexylon, bois de guitare. Magnolias. Parterre d'ajugas. Fougères arborescentes. Marronnier du Cap. Bambous nains. Plants de pommes de terre géants, de six mètres de haut ou plus, couverts de fleurs pourpres. Oreille d'éléphant. Balsamine. Arums indigènes. La fleur-éperon : des hampes pourpres. Buissons de plectranthus. Prunus en fleur. Agapanthe bleue. Joubarbe commune, également appelée plante-araignée. Bougainvillées marron, orange, roses et blanches. Hédychium : jaune et rouge. Diverses variétés de cannas. Mauve, rose. Cassave ornementale. La plante ténia : feuilles étroites et segmentées. Albizia : arbre indigène. Géraniums. Succulentes. Petits tournesols. Le croton du Kenya. Un arbre aux feuilles qui rappellent celles du chêne et aux panicules rouilleuses. Hyménospérum. L'arbre à fanchon : un arbuste rouge. D'Australie : le cerisier arbustif, avec ses fruits rose vif. Thunbergia : une plante grimpante bleue. L'arbre à chapelets : myrte crêpé. Cactus d'Arizona, avec une fleur qui rappelle le nénuphar, sur lequel on laisse grimper une plante rampante canari, une plante indigène. Cactées aux fleurs pareilles à des fontaines rouges. Beaumontia, une plante grimpante avec d'énormes fleurs blanches. Strelitzia du Natal, la fleur nationale de Californie. Red Robin : un gros buisson. La plante à chapeau de Chine : rouille, pourpre, jaune. Berbéris. Ficus benjamina. Le goyavier-ananas : des décorations de Noël. L'arbre à baies de pigeon : jaune. Mûriers. Pêchers. Agapanthe blanche. Marguerite des

412

districts orientaux, indigène. Rose pompon. Escallonia. Hamélia : assez proche de la fleur du chèvrefeuille, toujours en fleur. Herbe des pampas. Herbes de cuisine. Nénuphars indigènes. Belles-de-jour. Le bananier indigène veiné de rouge, des Bridal Veil Falls de Chimanimani : c'est vraiment un bananier. Marguerites arborescentes jaunes. Penstémon. Chèvrefeuille du Cap : orange. Hélianthème de Méditerranée, magenta : un ciste. Véroniques. Cannas de plus de deux mètres cinquante, rose orangé. « On pourrait se contenter de cannas. » Marguerites de Barberton. Chanvre de Nouvelle-Zélande : bonne à tout faire dont les fleurs ressemblent à des groseilles rouges. Lantanier jaune. Aubépine du Cap : buisson couvert d'une masse de fleurs blanches. Poinsettias nains blancs. Goyavier. Acanthe : pourpre. Le figuier sauvage : indigène. L'ageratum géant, moutonneux et mauve. Citronniers et orangers. Bauhinias, pourpre et blanc. Un gros buisson jaune, sans nom. Le buisson d'hier, d'aujourd'hui et de demain. Grenadiers. Sauge arbustive, très grande. Parterre de marguerites, roses. Fuchsias. Lanternes vénitiennes : orange. Plante grimpante rose, anonyme. Le buisson à mouchoirs : blanc. Ipomées bonne-nuit, blanc et jaune. Cotonéaster. D'Afrique du Sud : succulente avec de toutes petites fleurs magenta. Cascades de nasturtiums. Cycas du Japon. La houppette à poudre buissonnante, rose pâle, telle une délicate fleur de chardon. Hypéricums. Le coin des iris, mêlés aux buissons à mouchoirs blancs et rouges. Les aloès de Nyanga, avec leurs épis rouges qui pendillent. Le callistémon, que les oiseaux aiment tant. Le bambou sacré de Chine. Chèvrefeuilles. Azalées. La plante miroir de Nouvelle-Zélande. Le sabot-de-la-Vierge, thumbergia de Mysore, telle une orchidée, avec ses panicules pendillantes jaune et rouille foncé. Monstera : plante grimpante de la taille d'un arbre. « Ça me fait toujours de la peine quand je vois les monsteras prisonniers dans les bureaux anglais. » Rothmania, un arbre avec des fleurs en forme de clochettes roses. Laurier-rose. Malherbe. Pétunias, œillets, bleuets. Pin de Norfolk Island, des Nouvelle-Galles du Sud. Soucis.

Nous sommes au fond du jardin. Ma liste à la main, j'écoute les touracos tapageurs. A mesure que la brousse se raréfie et disparaît, les oiseaux vont-ils venir se réfugier en ville dans les jardins publics, comme en Grande-Bretagne ?

Une équipe de Noirs travaillent à la piscine d'Ayrton R., où est apparue une fissure. Je les écoute parler et rire, comme je l'ai fait la moitié de ma vie, de l'extérieur, sans y participer. Mais au centre de formation, j'y ai pris part, sans jamais penser à la couleur de peau de qui que ce soit.

« C'est assez vertigineux, dis-je, cette descente en piqué des vérandas aux terres agricoles, suivie d'un retour éclair.

— Maître blanc et madame blanche, regardant des Noirs au travail, dit Ayrton R. Que cela vous plaise ou non.

— Direz-vous que ce coin de colza, là-bas, est plus grand que l'an passé ?

— Hummmmm, oui, je crois. Eh bien oui, c'est exact. »

Dans mon esprit, ce jardin paradisiaque se laisse lentement submerger par une mer verte de mealie et de colza. Bon. Tel est certainement le destin du monde. Une semaine plus tôt, je lisais le récit du voyage de deux exploratrices à travers le désert de Gobi — avant qu'il ne fût quadrillé de routes militaires. Elles étaient tombées sur un jardin clos, un véritable enchantement avec ses arbres en fleurs, ses plantes et ses clapotis, un paradis perdu parmi des lieues de rocaille et de poussière. A quelques mois de là, elles reprirent le même chemin. Une petite guerre avait détruit le jardin, dont il ne restait plus que des flancs de collines couverts d'arbres carbonisés et de canaux souillés. Mais : l'un des plus jolis jardins de Londres a cultivé des légumes tout au long de la guerre (la Seconde Guerre mondiale) et, le jour où la guerre s'est terminée, on s'est mis à rétablir les pelouses et les mares, à replanter des roses.

« A votre avis, qui habitera cette maison dans trente ans ? » demandé-je, sans vouloir le froisser.

Ayrton R. est terriblement remué. « Moi, je l'espère. »

Nos yeux glissent de sa maison vers la colline et les demeures de la classe des nouveaux riches noirs. Nous songeons tous les deux que ce ne seront pas Dorothy ou George ni leurs enfants qui achèteront cette maison, ni les hommes qui travaillent à la piscine.

Voici un poème qui fustige la classe des nouveaux riches noirs :

La vengeance du pauvre homme

Vous me considérez comme de la merde
Vous me bousculez, me repoussez du pied,
Avec des bottes toutes crottées,
Et vous me traitez de minable, de pouilleux.
Quand je serai mort et enterré,
Vos actes vous lacéreront le cœur.

Vos fermes, sauvages et broussailleuses,
C'est moi qui les ai défrichées, clôturées, labourées ;
La moisson que j'engrange, vous la vendez
Et dépensez seuls les rentrées.
Quand je serai mort et enterré,
Vos actes vous lacéreront le cœur.

Vos vaches, je les baigne et je les trais,
Vos chevaux, je les ferre et je les brosse,
Vos moutons, je les nourris et je les soigne,
Et pourtant je vis de miettes.
Quand je serai mort et enterré,
Vos actes vous lacéreront le cœur.

Dans votre somptueuse demeure,
Je m'échine et je trime pour vous,
Pourtant au cœur de Harare
Vous voyez en moi un étranger.
Quand je serai mort et enterré,
Vos actes vous lacéreront le cœur.

Dans des hôtels qui étincellent,
Vous dînez de viande grasse,
Vous vous régalez de puddings onctueux,
Et dans des lits douillets plongez votre carcasse.
Quand je serai mort et enterré,
Vos actes vous lacéreront le cœur.

Ma Kufa est osseuse et creusée de rides,
Votre Gutsa est ronde et dodue,
Languissante et chétive, ma Kufa,
Débordante de vitalité, votre Gutsa.

Quand je serai mort et enterré,
Vos actes vous lacéreront le cœur.

S. J. Nondo (extrait de *Tso Tso*)

Gutsa : la sonorité dit tout. Kufa : associé à la mort, aux privations. « On devrait être satisfait, j'imagine, qu'il n'y ait pas que les Blancs qui soient des vilains, dit Ayrton R. Mais je ne crois pas en être un. »

SOUS LES VÉRANDAS

Quelqu'un raconte que Smith, à qui l'on demandait aux États-Unis ce qu'il pensait du gouvernement noir, a répondu que les Blancs avaient sous-estimé l'intelligence des Africains. Tout le monde se délecte de ce petit conte moral.

Les enfants des rues à Harare — des bandes de petits criminels, mais aussi des gosses ordinaires, jouent à des jeux inspirés de leurs histoires traditionnelles de lièvres, de tortues et d'autres animaux. Ils conservent la structure des contes, l'intrigue, mais les personnages sont rebaptisés J.R., Bobby, Sue Ellen, et ainsi de suite.

Un homme qui a participé aux festivités organisées en l'honneur des toilettes Blair déclare que la demande s'envole, jusque dans les lieux les plus reculés, parce qu'elles sont un symbole de statut social. « Il est salutaire de méditer sur ce thème : dans quelle mesure le progrès de l'humanité est-il tributaire d'un " J'ai des toilettes Blair, et tu n'en as pas " ! »

Le ministre de la Justice a fait dix ans de prison sous Smith, il a été torturé, battu. Il envisage d'abolir la peine de mort et « on » dit que c'est un homme bon, attentif au sort des prisonniers. « Je sais ce que c'est », aurait-il déclaré. Les dissidents qui étaient en prison lors de l'amnistie proclamée à l'occasion du Pacte d'unité, et qui n'ont pas été élargis parce qu'ils avaient commis des crimes violents, devraient être prochainement libérés. Il n'y a pas de prisonniers politiques dans les geôles du Zimbabwe. Tous les gens à qui je pose la question répondent : « Non, les conditions sont bonnes. Nous nous en sortons très bien. Nous n'avons aucune raison d'avoir honte comme l'Afrique du Sud ou la Zambie.

— Et la nourriture ?

— Je n'ai jamais vu de détenu suralimenté », m'entends-je répondre.

LES VENTS DE L'HISTOIRE

« Quel est le métier le plus dangereux du Zimbabwe ? " Ministre de l'Intérieur : votre conscience vous tuera. " »

Nous parlions de l'homme qui dirigeait la prison, à la périphérie de Salisbury, au cours de la guerre de libération, en des temps où l'on ne comptait plus les personnes pendues, battues, torturées. « Non, on ne peut pas blâmer le gouverneur de la prison, il ne faisait jamais que son métier, le responsable c'était le ministre. »

Mais probablement est-ce une erreur que d'imaginer des officiels responsables dont le remords aurait submergé et attendri la conscience.

A Londres, dans les années cinquante, vivaient nombre des hommes qui dirigeaient les mouvements de libération dans les colonies britanniques d'Afrique. Ils étaient tous pauvres et beaucoup ne pouvaient rentrer au pays, où on les aurait aussitôt jetés en prison, s'ils ne s'en étaient pas déjà évadés. D'aucuns vivotaient en travaillant dans les postes, qui ont toujours été une bouée de sauvetage pour des gens surqualifiés. D'autres subsistaient grâce aux aumônes des bonnes âmes. Il y avait des maisons où ils pouvaient toujours venir se restaurer et rencontrer des révolutionnaires d'autres parties de l'Afrique.

Au nombre de mes visiteurs, figuraient un professeur, Orton Chirwa, qui devait bientôt regagner le Malawi libéré, mais il devait y faire de longues années de prison sous le règne du cruel président Banda — il est encore en prison ; un futur président ; de futurs ministres ; un dirigeant syndical qui allait bientôt mourir de la malaria ; un homme qui, rentré se battre dans son pays, allait séjourner dans les geôles britanniques avant d'être nommé, à la libération, ministre de l'Économie puis de retourner en prison sous prétexte qu'il était une menace pour son pays.

Il a fait sept ans de prison, le plus souvent en cellule. Mais aussi un héros juvénile, rond, doux, rayonnant d'idéalisme, la mascotte de tous les hommes plus âgés parce qu'il était poète et se lançait souvent dans des odes spontanées à la libération, à la Liberté et à la Justice.

Les années passent, pour ne pas dire les décennies, et cet ancien poète idéaliste et moi nous retrouvons dans la cuisine d'une ferme du Devon. Rencontre improbable, mais c'est une autre histoire.

Il est devenu un homme gras, tout resplendissant de réussite. Il est ministre de l'Intérieur dans l'une des anciennes colonies qui, manifestement, s'en tirent le plus mal.

Je suis particulièrement heureuse de tomber sur lui, car pas plus tard que la semaine dernière je parlais à l'homme qui avait fait sept ans de prison : il a maintenant retrouvé la liberté et donne des cours sur les affaires africaines dans les universités américaines. Et, comme par un fait exprès, il a fait une année de prison dans le territoire de ce ministre : encore une histoire passablement improbable, mais l'Afrique est pleine de surprises.

« Vous vous souvenez de M. ? demandé-je.

— Comment aurais-je oublié cet excellent camarade ?

— Saviez-vous qu'il a fait sept ans de prison ?

— Je l'ai vaguement entendu dire.

— Saviez-vous qu'il a passé un an dans vos prisons ?

— Vraiment ? Oh ! Alors là, vous m'étonnez.

— En fait, il a partagé pendant quelques mois la cellule de... » J'indiquai le nom de l'actuel président d'un autre pays africain.

« Le président L. ? Oui, j'ai entendu dire qu'il avait fait de la prison. La même cellule ? Ça a dû être agréable pour eux, de se retrouver.

— M. m'a dit que la prison britannique qu'il a connue avant la libération était un lieu de villégiature en comparaison de votre prison. Ils ont failli en mourir, lui et le président L. »

Nous nous tenions l'un en face de l'autre, tandis que les giboulées du Devon assombrissaient les fenêtres. Nous étions loin de la chaleur des cieux africains.

Ses yeux étaient devenus fuyants. Il soupira. Il jeta un coup d'œil à sa montre, mais décida que l'ancienne amitié méritait bien une minute de plus.

« Ah, si nous avions su, quand nous étions jeunes, à quel point la vie pouvait être cruelle... » Et il se retourna d'un air lugubre vers les temps brumeux de nos enthousiasmes juvéniles.

« Mais, insistai-je. Vos prisons. Vous devez savoir à quel point elles sont terribles ? »

Son regard se durcit, tandis qu'il songeait très certainement qu'un trouble-fête sera toujours un trouble-fête. Puis il se laissa gagner par les larmes. « Je dis souvent à ma femme : ma chérie, je lui dis, si nous avions su à l'aube de notre combat ce que nous savons aujourd'hui — ah, que la vie est cruelle, la vie est vraiment une chose cruelle, très cruelle.

— Pas aussi cruelle que vos prisons où notre vieil ami M. et le président L. ont failli mourir.

— Je me dis parfois qu'il y a une espèce de malédiction qui transforme tous nos désirs en leur contraire.

— Une minute. Vous êtes ministre de l'Intérieur, non ? Bon, alors ! C'est *vous* qui êtes responsable de vos prisons.

— Et subitement on vient vous dire que vous êtes responsable de la souffrance de vieux amis.

— Eh bien, pourquoi n'amélioriez-vous pas les conditions de détention dans vos prisons ? Certains jours, ils ne recevaient strictement rien à manger. Ils n'avaient même pas de couverture. Ils...

— Cruel... cruel... » Et il balaya des yeux le mur blanc, en face de lui, en quête de quelque consolation ou réconfort.

« C'est *vous* qui êtes ministre de l'Intérieur.

— Je suis ravi que nous ayons parlé de ces choses. Parfois je me dis que mes subordonnés ne me disent pas ce qu'ils devraient me dire. Je vous en sais gré. » A ces mots, il sourit, mais d'un air malheureux, parce que la tristesse, nous le savions tous les deux, gouvernait la vie. Il hocha la tête, fut secoué d'un rire bref étouffé de sanglots, aussitôt interrompu par un coup d'œil sur sa montre. Il sortit précipitamment de la cuisine pour rejoindre sa voiture qui bouchait presque l'allée.

On imagine Gengis Khan à qui l'on demanderait : « Qu'est-ce que ça vous fait d'avoir vingt millions de morts sur la conscience ?

— Mais je n'y suis pour rien, dirait-il, indigné. Je n'étais rien qu'un fétu de paille dans les vents de l'histoire. »

419

En 1956, alors que je visitais la Rhodésie du Sud et la Rhodésie du Nord, les quelque quarante mille Tongas qui vivaient sur les rives du Zambèze se faisaient chasser de leurs villages. Parce qu'ils ne voulaient rien entendre, on les forçait à monter dans des camions, parfois à la pointe d'un fusil, et on les transportait vers des terres hautes et sèches à quelques kilomètres de là. Puis on les laissait en plan, à eux de se débrouiller. Beaucoup trouvèrent la mort. Cette opération n'était pas de celles dont un gouvernement pût être fier. Le prétexte de cette expulsion des Tongas était l'achèvement prochain du barrage de Kariba, et les mouvements nationaux de la jeunesse de Rhodésie du Sud, de Rhodésie du Nord et du Nyassaland en firent un enjeu capital. Des discours politiques sans nombre furent tenus devant des auditoires qui criaient au scandale, geignaient, voire pleuraient. Il y eut des émeutes. Il y eut des pétitions. Les libéraux blancs de l'époque (ou les « amis des Cafres ») furent éloquents. Le mauvais traitement des Tongas du fleuve était le symbole de tout ce qu'il y avait de mauvais dans le gouvernement des Blancs.

En 1989, lorsque je confiai à des gens du centre de formation que j'allais rendre visite aux Tongas, ils me dirent : « Vous n'y songez pas ! » « Ce sont des primitifs. » « Ils portent des peaux de bêtes et dorment dans la cendre de leurs feux. » Je dis que j'avais des amis qui connaissaient bien les Tongas, qu'ils vivaient dans des cabanes et portaient des vêtements, mais on me répondit : « Alors ce sont les habits que nous avons dû donner dans les collectes de charité. »

Il est vrai que je n'ai vu au Zimbabwe de population plus pauvre que les Tongas du fleuve. Ils sont maigres, voire chétifs. Leurs villages sont pouilleux. (Pas les villages des chefs de tribu, cependant, qui sont faits de belles cabanes, hautes et bien bâties.) Depuis qu'on les a arrachés à leur terre, à leurs sanctuaires et aux tombes de leurs ancêtres, les Tongas ont mené une existence dure, pénible. Leur vie n'a été qu'un long combat, de saison en saison. Dans l'incapacité de pêcher, éloignés des riches terres alluviales qui donnaient deux ou trois récoltes par an, ils essayèrent des plantes qui résistent à la sécheresse, tels le millet, le rapoka et d'autres petites céréales, mais des hardes de queleas attendaient qu'ils fussent mûrs et, alors même que femmes et enfants passaient des jours et des semaines à marteler des bouts de ferraille et des casseroles, les oiseaux s'abattaient en nuées si épaisses que le ciel s'en trouvait assombri et ils dévoraient tout, tel un essaim de criquets. Les queleas forment ces volées sans nombre que nous regardons tourbillonner de manière si attrayante sur nos écrans de télévision. Les Tongas essayèrent alors le maïs, mais c'était sans compter avec les éléphants, qui raffolent du maïs. Les éléphants étaient passés juste avant nous, et avaient dévasté les champs.

Ceux-ci se trouvaient près des villages derrière Binga, à l'autre extrémité du lac Kariba, loin de la cité de Kariba, sur ses collines, avec ses hôtels touristiques, ses tours et ses guides — sans conteste l'un des endroits les plus pittoresques du Zimbabwe, où l'on se croirait sur quelque rivage de Grèce ou de Sicile : les collines sauvages, pâles et rocailleuses, les îles, l'eau bleue, le ciel bleu, et les éléphants que l'on voit même surgir en ville, les troupeaux de buffles, les oiseaux et les chevreuils... Ces rives et leurs délices sont pour les visiteurs qui apportent les si précieuses devises étrangères et prennent en photo la faune ou, sur le lac, les crocodiles et les hippopotames.

Mais les crocodiles déchirent les fragiles filets des pêcheurs de Binga et les hippopotames menacent leurs embarcations.

Binga est en plein essor. Elle consiste en plusieurs arpents de maisonnettes de deux ou trois pièces — de ces maisons que l'on décrit comme un habitat de moyenne densité — disposées ici de biais dans l'épaisse poussière blanche tirant sur le rose où surgiront bientôt des jardins. L'air fleure bon l'âne, la bique et la vache, et les coqs vous réveillent tout au long de la nuit aux heures qui sont les leurs. Il faisait pleine lune à Binga. Devant nombre des maisonnettes papillotaient les feux de bois jugés plus attrayants que les cuisines et les fours auxquels vont les préférences des Blancs. Les employés en tout genre de l'aide au développement pullulent à Binga. Ce sont des gens dévoués. Il vaut mieux pour eux. Souvent, la température dépasse les quarante degrés plusieurs jours d'affilée. Pour y venir, il faut faire des kilomètres sur une route de terre battue qui exige des véhicules sérieux, des Land Rover par exemple.

L'électricité devait bientôt arriver à Binga : les lignes à haute tension étaient déjà en place, prêtes à entrer en service. Les gens ne seront plus obligés de se coucher à vingt heures trente, les yeux fatigués par la lueur des bougies. La construction d'un nouvel hôpital, un bel endroit, un don des États-Unis, venait de s'achever. C'est un hôpital de pointe, qui a besoin d'électricité pour fonctionner comme prévu. Mais cette électricité ne profitera pas aux villageois. Le grand barrage qui a privé les Tongas de leurs foyers ne leur a pas profité. Le lac n'irrigue pas les terres qui entourent ses longues rives : car Kariba est un lac immense, telle une mer. Je puis recommander aux visiteurs de visiter Kariba, car il n'est rien au monde qui puisse s'y comparer. Mais qu'ils n'aillent pas chez les Tongas du fleuve, ça leur briserait le cœur.

Nous sommes assis à l'ombre en compagnie de pêcheurs tongas, sous de grands arbres pareils à des tours vertes. Sur ces fameux tabourets tongas qui se vendent à prix d'or dans les boutiques pour touristes. Les pêcheurs nous racontent leur histoire : deux des nôtres parlent leur langue. Installés loin du lac et sommés de se faire fermiers, ils s'en sortirent mal et une poignée d'entre eux retournèrent furtivement sur la côte attraper du poisson, car leurs familles mouraient de faim. Enfin, les pouvoirs publics renoncèrent à les arrêter et autorisation leur fut donnée de former un collectif de pêche. Ils sont quarante et disposent de quatre bateaux. Il est hors de question qu'un pêcheur ou une embarcation de plus rejoigne le collectif. Certains enfants jouaient avec ardeur autour des cabanes. Parce qu'ils mangeaient du poisson, ces enfants se portaient bien, à la différence des enfants apathiques que nous avions déjà vus au village, à bonne distance de la côte. Mais ceux-ci n'étaient pas vraiment censés vivre ici : les pères les conduisent dans ce village d'hommes pour les nourrir, pendant les vacances scolaires. Les pêcheurs eux-mêmes mangent peu de poisson : ils le vendent pour payer la scolarité de leurs rejetons, car, à l'instar de tous les parents du pays, ils sont bien décidés à ce que leur progéniture reçoive l'éducation qui leur ouvrira les portes du monde moderne, loin de cette misère.

Comme les familles ne sont pas autorisées à venir dans le village des pêcheurs, ce sont les hommes qui reprisent les filets de pêche partout suspendus à des cordes, et que souvent les crocodiles déchirent. Les filets sont coûteux et un filet déchiré est une tragédie. La vie des pêcheurs est une guérilla contre les crocodiles et les hippopotames, de même qu'à des kilomètres de là leurs femmes redoutent les éléphants. Les arbres fantomatiques qui se dressent encore partout dans les eaux, vestiges de la forêt qui fut noyée par leur montée, sont un atout : le poisson aime les vieux troncs et les pêcheurs rament tranquillement d'un tronc mort à l'autre, à l'affût du poisson. Mais les crocodiles savent que les poissons aiment les arbres morts, et ils sont là, eux aussi.

Les pêcheurs ne manquent pas d'humour. Ils sont philosophes. Quand ils parlent de leur pauvreté et de l'indifférence des officiels, ils rient. Apprenant qu'il y a un écrivain parmi leurs visiteurs, ils suggèrent que leur vie mériterait d'être racontée parce que — semblent-ils penser —, si elles savaient *vraiment,* les autorités auraient le cœur moins dur. Quand ils nous expliquent qu'ils ne peuvent plus traverser le lac à la rame pour aller voir leurs parents sur les côtes zambiennes, ils rient. « La police ne connaît d'autre langage, avec nous, que celui des fusils. » « Les passeports ne sont pas faits pour les pauvres. » « Pourquoi me faudrait-il un passeport pour faire un demi-mille à la rame, jusqu'aux villages où vit ma famille ? » Un pêcheur observe qu'il aime voir dans les journaux les photos des présidents Mugabe et Kaunda qui s'embrassent avec une émotion fraternelle : il supporte beaucoup mieux de ne pouvoir rendre visite aux siens, en Zambie.

Deux ou trois générations séparent ces hommes de la population que l'on a forcée à partir. Quand on leur demande si les Tongas parlent de leur passé, on nous répond que les vieux le font, mais que les enfants ne croient pas à leur histoire.

« Jadis nous vivions au bord de l'eau : c'était un grand fleuve alors, c'était le Zambèze. Nous pêchions, nous chassions et nous faisions trois récoltes par an sur cette terre riche. Aujourd'hui, nous ne faisons plus qu'une récolte par an et il nous est interdit de chasser : si nous le faisons, on nous jette en prison. Et seuls une poignée d'entre nous ont le droit de pêcher. »

Jadis nous vivions au paradis où la Nature était si bonne que nous n'avions guère besoin de nous vêtir et que les fruits tombaient des arbres. Puis un ange est venu, armé d'un sabre flamboyant...

Au bel hôpital, qui a un caractère espagnol, avec ses hauts murs arrondis et ses motifs ajourés en briques rouges, une construction parfaite étant donné le climat — œuvre, pour une fois, d'un architecte zimbabwéen —, nous sommes assis dans une pièce avec une jeune femme, shona, responsable de la santé dans le district. Elle est très cultivée et débordante d'énergie. Avec ses qualifications, elle trouverait du travail partout, mais elle est là, aux côtés des Tongas. Ce qui fait d'elle un oiseau rare, tellement il est malaisé de persuader les infirmières et les enseignants de venir dans ces trous perdus. Conçu pour trente-six infirmières, cet hôpital n'en a encore que dix-huit. Le médecin, très aimé, a mal tourné parce qu'il buvait trop, on ne le remplacera pas sans peine. « Ce sera très certainement un expatrié. Ça leur est égal que le boulot soit dur, ils acceptent les sales boulots. Dieu sait ce que deviendraient ces hôpitaux et ces écoles éloignés de tout sans eux.

— Mais, dit l'interlocuteur de cet homme, n'oubliez pas que les expatriés veulent bien vivre à la dure trois ou quatre ans, puis ils retournent vers la bonne chère. Il est compréhensible que ces gens, qui mènent la belle vie pour la première fois, aient du mal à y renoncer et à s'échiner au fin fond de la brousse.

— Pourquoi ne choisiraient-ils pas de commencer par vivre un an ou deux à la dure avant de prendre du bon temps ?

— Ah, mais c'est que vous oubliez une chose : quand on descend de l'échelle, il est difficile d'y remonter. »

La jeune infirmière noire pense manifestement qu'elle a mieux à faire que de rester assise à bavarder avec nous. Mais elle est polie et sourit. « Je traite des femmes qui souffrent de malnutrition depuis leur conception. On n'en voit jamais dans les autres régions du Zimbabwe. Vous voyez une adolescente, puis vous vous apercevez que c'est une femme qui a cinq ou six enfants : rabougrie par une mauvaise alimentation. Les accouchements nous posent des problèmes terribles. Quatre-vingt-dix pour cent de ces gens ont la bilharziose. Il y a encore des lépreux. Une cinquantaine de bébés et d'enfants sont morts de la malaria au cours de la dernière saison des pluies. La malaria progresse. Ah oui, le sida : je savais que vous alliez poser la question. » Elle s'oblige à sourire. « Nous sommes au courant du sida. Mais ce n'est pas le pire. Ça vous étonne que je dise ça ? Écoutez-moi, on peut expliquer à des analphabètes qu'un moustique va leur donner la malaria. Ils peuvent le voir, le moustique. Mais allez leur expliquer une maladie sophistiquée comme le sida : " Il y a une toute petite chose, mais que vous ne pouvez pas voir — ça s'appelle un virus — et qui peut changer de forme, s'adapter pour ressembler à une autre petite chose, juste un peu plus grosse, et qui en vit et finit par la tuer... et souvenez-vous que huit années se passent parfois avant qu'elle ne soit mortelle. " Ces gens ne nous croient pas quand nous leur parlons du sida. Nous avons des étagères qui croulent sous les préservatifs — inutilisés. Oui, je vois tout le temps des gens qui meurent du sida mais nous ne l'appelons pas par son nom. Nous ne faisons pas non plus de dépistage systématique : c'est considéré comme une atteinte à la liberté de l'individu. » Elle rit, mais elle est en colère. Probablement est-ce une colère généralisée, celle que nous ressentons tous : comment peuvent-*ils* être aussi bêtes ? « On me dit que la campagne contre le sida commence à produire ses effets dans d'autres régions du pays, mais ici... »

Bientôt elle dit qu'elle doit y aller, qu'il le faut, sans quoi elle n'aura jamais le temps de finir son travail.

On nous explique que cette jeune femme et un collègue masculin sillonnent continuellement une vaste région, exhortant, enseignant, consultant : quand il n'y a ni cours ni consultations ici. « Ils ne s'arrêtent jamais. Quand je les vois, je me dis que tout ira bien. Le Zimbabwe s'en sortira. »

Le service des consultations externes de cet hôpital est un grand espace sous les arbres. Il y a un genre de hangar où les gens peuvent dormir s'ils en ont envie, mais la plupart préfèrent le grand air. Des femmes arrivent de leur village, attendant que leurs couches commencent, ou pour suivre un traitement. Elles sont toutes, sans exception, de taille inférieure à la moyenne, apathiques. La comparaison avec les gens bruyants et exubérants du centre de formation fait mal. Je me demande si, de toute leur vie, elles ont jamais mangé des assiettées de sadza garnie de viande, de sauce et de légumes.

Une jeune femme s'assied à même la poussière, sous les arbres. Un petit enfant s'assied tranquillement à côté d'elle. La femme est en train de fabriquer une corbeille. Les corbeilles tongas sont sûrement les plus belles qui soient. Cette chose miraculeuse prend vie entre ses mains maigres et poussiéreuses. Dans cette tête, sa tête, qui ressemble davantage à une tête d'enfant, et qui est poussiéreuse, germent les motifs subtils que ses doigts exécutent. Les corbeilles sont réputées et se vendent deux, trois, quatre dollars du Zimbabwe aux amateurs qui traversent les villages. Les corbeilles se vendent un ou deux dollars de plus aux échoppes du pays. Quand elles arrivent dans les jolies boutiques des villes, elles coûtent plusieurs fois leur prix de départ. Les tabourets tongas sont également réputés. Nous nous asseyons avec un fabricant de tabourets tongas, accroupi dans la poussière, à côté de son feu où il a mis ses outils à rougir. Des blocs de bois traînent sous les arbres, attendant qu'il les transforme. Le tabouret neuf est parfois enfoui sous terre, pour lui donner de la patine : les touristes les préfèrent ainsi. Ce fabricant demande cinq, six, sept dollars par tabouret. Il lui faut deux jours pour en faire un, et il gagne donc moins que le salaire minimum. A la National Gallery de Harare, j'ai vu les mêmes tabourets se vendre jusqu'à cent, cent vingt dollars.

Tout le monde reconnaît que les Tongas sont de merveilleux artistes. Les corbeilles et les tabourets se retrouveront dans des chambres du monde entier, où les visiteurs s'exclameront : « Quel joli tabouret, quel beau panier ! »

Les jeunes enseignants, chez qui je séjourne, ont acheté quelques objets qu'ils comptent ramener en Amérique, dans le Middle West, comme cadeaux.

Ils sont très pieux et se tuent au travail. D'autres enseignants, dans d'autres maisons, ne le sont pas et se tuent aussi au travail.

Une enseignante expatriée, des environs de Chicago, est consternée parce que la grande majorité de sa classe de mathématiques ne comprend rien à ses cours. « Ils sont là, ils donnent l'impression de comprendre, puis on s'aperçoit qu'ils n'ont rien compris. » Sur une classe de quarante, huit, pense-t-elle, ont une chance d'obtenir leur certificat s'ils suivent assidûment des leçons particulières. Ce sont les vacances, mais tous les jours elle prend des routes épouvantables pour se rendre à l'école, où la retrouvent les huit élèves venus de leurs villages. Certains ont plusieurs kilomètres dans les jambes. Elle passe des heures avec eux, à réviser les problèmes. Cette même fille me raconte une histoire. A Harare, elle faisait la queue depuis trois ou quatre heures, comme c'est la règle dès qu'on a affaire à la bureaucratie. Elle était la seule Blanche sur une centaine d'usagers. La jeune employée noire qui pressait les doigts des gens dans l'encre pour prendre leurs empreintes ne levait pas les yeux sur les visages qui défilaient devant elle. Lorsqu'elle vit la main blanche, elle leva la tête, puis dit sèchement : « Vous êtes-vous lavé les mains ? — Non. » L'employée n'avait encore posé la question à personne. « Alors, allez vous les laver. »

Cet incident est un reflet de l'arbitraire des Blancs envers les Noirs dans l'ancien temps.

Surtout, n'allez pas penser que tous les enseignants expatriés et les agents de l'aide au développement soient utiles. J'étais dans un village lorsqu'un jeune Anglais qui travaillait aux champs avec les villageois est arrivé. Il s'en allait ce jour-là et il était abattu. « Venir ici est vraiment la meilleure chose que j'aie jamais faite. J'ai tout appris. Ce sont des gens merveilleux. »

J'interrogeai l'agent de vulgarisation qui m'avait amenée voir ce garçon. Certains villageois étaient présents. Il me dit : « Ils nous envoient ces jeunes gens. Ils sont censés nous apprendre. Ils veulent nous aider. Mais c'est nous qui devons leur apprendre ce qu'ils sont censés nous enseigner. Quand ils arrivent, ils sont malappris, ils ne savent pas se tenir. Qu'est-ce qu'ils apprennent dans leurs écoles ? Celui-ci a fait une dépression. Parfois ils boivent parce qu'ils sont seuls. Ils ont du mal à être amis avec nous. »

La femme chez qui le jeune homme vivait, avec son fils, ajouta : « Mais il n'est pas méchant. Il essaie d'être gentil. »

L'agent de vulgarisation : « Ces jeunes gens sont payés pour venir ici nous instruire. Mais nous, nous ne sommes pas payés pour tout leur apprendre. »

L'hôtesse, une grande femme littéralement resplendissante de santé, est soudain devenue une autre : elle est devenue le jeune homme. Voûtée, la tête penchée, le menton en avant, elle promène d'un visage à l'autre des yeux où l'agressivité se mêle aux excuses, son corps tout entier se faisant suppliant. Elle est le pauvre garçon que l'on peut voir à cet instant même, solitaire, tendant la main, offrant un biscuit à un petit enfant qui s'en empare timidement. Redevenue elle-même, la femme rit. Tout le monde rit avec elle.

Au fin fond du Zimbabwe, deux enseignantes américaines vivent ensemble dans une minuscule maison à la lisière d'un village poussiéreux, près d'une école bâtie au milieu d'un grand espace de poussière. Toutes les deux sont issues de familles aisées d'une grande ville du Middle West. Elles sont habituées à une vie facile. Un soir, leur souper terminé, elles s'assoient côte à côte à la petite table où elles partagent leurs repas et corrigent des devoirs à la lueur d'une chandelle. On frappe à la porte. Elles ouvrent et entre un vieil homme accompagné de deux jeunes gens : un petit chef de clan local et ses assistants. « Bon sang ! » songent les filles. « Il est déjà huit heures trente et il est temps de se mettre au lit si nous voulons être levées demain matin à cinq heures. » La bougie se noie dans une mare de cire et elles s'empressent d'en allumer une autre. « Entrez, entrez, s'exclament-elles, asseyez-vous, prenez un siège, qu'est-ce que je vous sers ? Une bière, du thé, du café, de l'eau minérale ? » Le vieil homme s'assied, et les deux jeunes gens restent debout derrière lui.

Les filles connaissent le vieux. C'est le père de deux élèves.

« Je suis venu pour une affaire grave », dit-il.

Les filles échangent un regard : ce qui veut dire que c'est à Gwenda qu'il veut parler, car sa fille a souvent maille à partir avec son professeur, Gwenda.

La fille qui n'est pas Gwenda se retire à la cuisine où elle corrige des exercices à la lumière d'une nouvelle bougie.

Gwenda l'encourage d'un sourire.

« Je suis venu vous demander d'être ma seconde épouse, dit le vieux.

— Je vous demande pardon ?

— Je vous aime. Vous devez être ma femme, insiste-t-il.

— Enfin, pensez-vous que nous pourrions construire une relation ?

— Oui, je vous aime.

— Mais votre première épouse serait malheureuse. Elle serait jalouse.

— On ne connaît pas la jalousie chez nous. »

Ah bon ? — on entend littéralement penser la fille de la pièce à côté, qui écoute aux portes. Au demeurant, la maison est si petite que tout le monde est au courant de tout ce qui se fait ou se dit. Ce qui rend Gwenda plus nerveuse encore.

« Mais vous êtes plus âgé que mon père.

— C'est sans importance. Dans notre culture, ça ne compte pas. »

Debout, tenant à la main une bouteille de bière qu'elle n'a pas décapsulée, Gwenda le regarde fixement. Soudain, l'inspiration : tandis qu'elle parle, elle se sait sauvée : « Mais mes parents s'y opposeraient absolument, jamais ils ne consentiraient à me voir vivre si loin d'eux. Ils ne donneraient pas leur permission.

— En ce cas, répond le vieux, je n'ai plus rien à dire. »

On décapsule les bouteilles de bière. Les deux jeunes hommes sont priés de s'asseoir. Les deux jeunes enseignantes discutent une heure environ puis, d'un commun accord, tous décident que, oui, ils seront bons amis.

L'AMOUR OU JE NE SAIS QUOI. II

La même petite maison, les deux mêmes filles, et à peu près à la même heure de la nuit. Branle-bas au-dehors. Elles tirent un rideau. Une connaissance professionnelle, un jeune homme au service de la communauté, titube dans la poussière, ivre. « Gwenda ! beugle-t-il, Gwenda ! »

« Mais je n'ai rien fait pour l'encourager, proteste Gwenda devant le regard sarcastique de sa collègue.

— Tu n'oses pas sortir », dit-elle.

Gwenda n'est pas, comme on aurait pu le penser, une beauté hors du commun. Elle est jolie. Son amie aussi, qui n'a pas manqué d'occasions elle non plus.

Mais Gwenda a bon cœur : si l'on ne vient pas à son secours, le jeune homme va probablement tomber.

« Bon, maintenant, dit-elle brusquement, il est temps d'aller au lit.

— Gwenda ! crie-t-il en l'embrassant. J'ai eu une journée terrible. Je viens d'aider à réenterrer six Combattants de la liberté qui avaient été tués dans ce village. Je vous aime. Je veux avoir une petite amie blanche. »

Elle le repousse d'un : « Mais je n'ai aucune envie d'un petit ami noir. Les mariages interculturels sont très difficiles. Qui plus est, j'ai un ami au pays.

— Oui, oui. Pensez-y. Je vous aime. »

D'un ton sévère : « Vous êtes très égoïste. Vous devez apprendre à considérer le point de vue des autres. » Et elle rentre.

Le lendemain matin, ils se retrouvent au supermarché. C'est un petit supermarché, que l'on prendrait facilement pour une boutique de village. Ce n'est pas le genre d'endroit où l'on peut éviter des rencontres intempestives.

Lui : « On me dit que je me suis mal conduit envers vous hier soir.

— Oui, c'est vrai.

— Alors j'en suis navré. Je me sens vraiment triste ce matin.

— J'accepte vos excuses. »

« La fête des Morts, a dit un prêtre jésuite, a pris un nouveau sens. Les âmes des morts sont celles des combattants tués pendant la guerre et restés sans sépulture. »

Dans tout le Zimbabwe on dépêche des équipes d'anciens Combattants de la liberté dans les régions où ils se sont battus, pour essayer de retrouver des combattants tués et inhumés négligemment, quand ils ne sont pas demeurés sans sépulture. Les cadavres ou les ossements sont alors enterrés suivant les rites appropriés. Beaucoup croient que le pays est plein de spectres insatisfaits et vengeurs, et que la responsabilité de maint problème du Zimbabwe leur incombe.

LES FERMIERS BLANCS ET L'ÉQUIPE DU LIVRE

Nous sommes de nouveau avec le fermier qui, l'an passé, nous chantait ses hymnes à la terre et nous observons des groupes de saisonniers en train de planter du tabac. On est loin de l'opération aléatoire de jadis, tributaire de la venue des pluies. Des conduites d'eau percées et de longs tuyaux permettent désormais de planter des semaines plus tôt. « De l'eau, nous avons tellement d'eau maintenant », s'exclame le fermier, qui pense au nouveau barrage, plein à cause des bonnes pluies, et qui déjà irrigue les fermes environnantes. On fait trois récoltes par an sur cette terre. « De l'exploitation minière », dit le fermier, irascible, parce que lui qui aime la vraie terre, il est obligé de travailler avec ça : un genre de poussière de brique imbibée de produits chimiques. Cette terre ne fait plaisir ni à voir ni à toucher. Ce n'est pas dans ce champ que nous verrons le fermier se pencher pour prendre une poignée de terre et s'en émerveiller — un geste d'adoration. Mais du doigt il désigne une ferme, de l'autre côté du fleuve : « Voilà un fermier ! Il ne perd jamais de temps, lui, à se ronger les sangs la nuit, à se demander ce que la Nature va nous balancer. C'est vraiment une ferme de pointe, ils ont tout, vous devriez aller la voir. C'est moi qui vous le dis, Israël n'a rien à nous apprendre dans ce district... oui, bien sûr, il est blanc. Les Affs n'aiment pas beaucoup ce genre d'agriculture, et c'est tant mieux. Je préférerais qu'ils n'y viennent jamais. »

Il poursuit, maussade et découragé, d'une manière qui lui était coutumière *alors* et que je n'ai pas oubliée, à cause de ses « ennuis » avec ses ouvriers.

Tout était de sa faute, dit-il : il ne l'a pas volé. Soudain, la saison dernière, il n'avait plus supporté de voir les ouvrières saisonnières assises sur le sol de l'appentis à nouer du tabac, heure après heure, leurs bébés sur le dos. Huit heures par jour. C'était insensé. Il leur avait offert une crèche et deux nourrices qualifiées pour s'en occuper et soulager les femmes de leur fardeau. Les femmes refusèrent, affirmant qu'elles ne confieraient pas leurs bébés à des étrangères, à cause du danger de la sorcellerie. « La sorcellerie ! Ce n'est pas raisonnable ! Ça n'a pas de sens ! C'est irrationnel ! Je suis revenu à la charge cette année, mais elles n'ont pas voulu en entendre parler ; et l'atmosphère est détestable, mais elles ne me diront pas pourquoi. Tout ce que je sais, c'est que je suis l'empêcheur de tourner en rond. »

J'interrogeai l'Équipe du livre à ce sujet. Nous étions tous les cinq assis sous un arbre, à discuter des affaires du monde. Pour Sylvia et Talent, il allait de soi que le fermier, étant blanc, souhaitait une crèche parce que les femmes seraient plus efficaces. Je dis que ce n'était pas cela : il était bouleversé de voir les femmes ainsi chargées. Elles ne voulaient pas l'admettre. « Vous rendez-vous compte que vous imaginez tout de suite le pire parce que c'est un fermier blanc ? Vous ne voulez vraiment pas créditer les Blancs du moindre sentiment humain ? » Rien n'y fit. Tandis que j'insistais, elles dirent, comme si c'était la preuve de sa malveillance, plutôt que de son incompréhension : « Et de toute façon, il prend les choses de trop haut. Il aurait dû faire des enquêtes dans le village agricole et trouver des femmes qui aient déjà la confiance de toutes les autres. Ça n'aurait pas été facile, parce que de toute manière elles se méfient les unes des autres. Elles sont de tribus différentes.

— Mais, demandai-je, en s'y prenant autrement, vous pensez qu'il pourrait leur faire accepter une crèche ? » Longue discussion : somme toute, probablement pas. Cathie était malheureuse de cette histoire de sorcellerie et eût aimé que les autres reconnussent que c'était exagéré. Mais Talent, Sylvia et Chris soulignèrent que la sorcellerie est un problème grave, et qu'il ne suffit pas de l'ignorer pour qu'il disparaisse.

Je rapportai au planteur de café l'incident et les commentaires de l'Équipe du livre.

« Si bonnes que soient nos intentions, combien de fois faisons-nous fausse route par pure ignorance, nous autres Blancs ? Il ne me serait jamais venu à l'idée d'aller trouver une femme du village pour lui parler de l'ouverture d'une crèche. Jamais je n'aurais pensé à la sorcellerie. Pourquoi y aurais-je songé ? Pourquoi ne viennent-ils jamais nous parler quand nous nous fourvoyons dans ce genre d'aventures ? »

Les fermiers blancs sont des méchants : voilà le fond du problème. Certains, il est vrai, ne comptent pas parmi les gens les plus attachants du monde. Mais les autres, qui se donnent tant de mal ? C'est tellement dommage pour eux. Je pense à la formule d'Alan Paton : « Je crains que le jour où ils se rallieront à l'amour, nous ne soyons ralliés à la haine. » Le mot « amour » n'est pas celui que j'emploierais. Mais je me souviens d'une discussion avec un ami noir qui voulait à tout prix garder des fermiers blancs l'image de cruels barbares : il céda du terrain pas à pas, puis s'exclama : « Mais ils n'aiment pas leur patrie comme nous ! » Or, s'il y a une chose par laquelle les Blancs se sont distingués, dès le début, c'est bien l'amour du pays. Ce que je disais... c'était plus qu'il n'en pouvait supporter. Je repense à la duchesse (c'en était une, je crois) de Proust qui, confrontée à une vérité désagréable, s'exclamait : « Alors, au moins ne m'en parlez pas ! » Dès qu'il est question de sensibilité politique, il est toujours un point où quelque invisible équilibre bascule, après quoi les gens ne veulent plus rien entendre. *Basta !* Suffit !

Les Noirs parlent des Blancs comme s'il y avait, et qu'il y avait toujours eu, une couche de gens qui demeuraient les mêmes, crispés sur leurs privilèges, quoi qu'il advienne. Oui, certains sont partis, ils ont « sauté le pas », mais ceux qui sont restés sont ceux qui étaient ici depuis toujours... mais en fait il n'y a jamais eu de minorité blanche stable et homogène. Depuis l'occupation, en 1890, 600 000 Blancs sont passés par ce pays. A l'apogée de la « suprématie blanche », sous Smith, ils étaient 250 000. A mon époque, *alors,* les Blancs étaient entre 100 000 et 150 000. Seuls une poignée d'entre eux — des fermiers, des fonctionnaires, des hommes politiques, des hommes d'affaires — se fixaient. Les autres venaient, puis s'en allaient. Ils partaient parce que l'idée d'être associés à l'oppression blanche leur faisait horreur, ou pour cause de faillite. Aujourd'hui encore, rares sont les Noirs qui seraient prêts à imaginer qu'un Blanc puisse être pauvre : dans le passé, l'écart était trop grand ; tous les Blancs étaient riches. Dans les années trente, des hommes jeunes quittaient la Grande-Bretagne pour cause de chômage et de marasme, acceptant le premier boulot venu en Rhodésie ; souvent ils échouaient et — sous réserve, bien sûr, de trouver des parents qui pussent payer le voyage — s'en retournaient au pays où les attendaient le chômage, la boisson et la démoralisation sous toutes ses formes, mais les Noirs voyaient en eux des riches.

Une ouvrière catholique me dit qu'on lui avait offert un voyage en Irlande et qu'elle avait eu la surprise de voir de pauvres gens, « des gens aussi pauvres que nous », donnant de l'argent pour les missions et le denier du culte. « D'où croyez-vous que venait l'argent, alors ?

— Oh, répondit-elle gaiement, je pensais que tous les Blancs étaient riches. Je ne savais plus où me mettre quand j'ai vu tous ces pauvres gens compter leurs sous pour nous les donner. »

Une jeune Noire, intelligente, ambitieuse, dont les parents sont fiers, réussit examen sur examen et obtient une bourse qui la conduit aux États-Unis, à l'université. Elle n'est pas plus tôt arrivée qu'elle reçoit, à chaque courrier, une avalanche de lettres, de sa famille et de son clan, mais aussi de son village et des villages voisins, réclamant de l'argent, des vêtements, toutes sortes de choses. Des livres, aussi. Elle a créé une bibliothèque dans son village et a donné quantité de livres, certains expédiés des États-Unis. Entreprise coûteuse : les postes américaines ne sont pas bon marché et les douanes du Zimbabwe taxent tous les paquets selon leur bon plaisir. Elle fait des démarches auprès de diverses fondations pour obtenir des livres, car son traitement ne lui permet guère d'extras. Les requêtes continuent à affluer. Elle fait de son mieux pour y répondre. Elle vit plus frugalement que la plupart des étudiants, mange peu, s'habille pauvrement, à cause de tout ce qu'il lui faut envoyer chez elle. En désespoir de cause, elle lance un appel dans un journal local, demandant des vêtements, de l'argent pour son village. Un représentant du Zimbabwe en poste à Washington la prévient qu'elle ternit la réputation du Zimbabwe, que si elle recommence elle perdra sa bourse.

Étant dans la gêne, elle ne partage guère la vie normale des étudiants. Elle est seule. Chez elle, elle était proche de l'une de ses sœurs. Non sans mal, elle économise sou par sou pour lui payer le voyage. La fille arrive, jette un coup d'œil sur le petit appartement, la maigre nourriture et les modestes vêtements de sa sœur, et se met à lui reprocher de l'avoir trompée. « Tu nous a tous trompés. » A quoi s'attendait-elle ? Eh bien, évidemment, à ce qu'elle avait vu dans « Dallas », « The Colbys », « Dynasty », car c'est comme ça que les gens vivent aux États-Unis. Elle reste trois jours puis veut à tout prix retourner dans son village, au Zimbabwe. La malheureuse étudiante est déprimée : il lui faut un an pour se remettre du choc de ce rejet. Elle se dit qu'elle ne pourra plus jamais remettre les pieds au Zimbabwe, qu'elle n'a pas les moyens de satisfaire ces demandes. A moins qu'elle ne se fasse religieuse ?

La même fille fut invitée par un professeur au dîner de

Thanksgiving. Sollicitée de dire ses grâces, elle pria : « Pardon-nez-nous, mon Dieu, d'avoir assez de nourriture sur cette table pour nourrir mon village une semaine entière. » Quelques-uns des convives en furent choqués, et citent l'anecdote en exemple de manque de savoir-vivre et d'ingratitude.

Je racontai l'incident à un père jésuite qui, après un temps de silence, observa : « Très bientôt, ces villageois diront, comme ils me le disent parfois : " Pardonnez-nous, père, c'était par ignorance. " »

Mais la vraie question, c'est certainement de savoir combien de temps, somme toute, pareille ignorance peut persister.

La réponse doit être que les Noirs ont relégué tout ce qu'ils pensaient des Blancs, toutes leurs croyances à leur sujet, dans quelque région de légende ou de mythe, où il n'y a rien à en attendre.

Alors que j'étais assise, seule, sous la véranda à flanc de colline qui domine les montagnes, les rivières et les lacs, un jeune homme noir s'avança précautionneusement depuis les arbres et, souriant, s'assit à côté de moi. Je demandai du thé. Son nom : Never Harare, « Jamais Harare ». Pourquoi « Jamais » ? Parce que sa naissance a beaucoup tardé, pense-t-il. Quel est son vrai nom ? Ungana : il s'étonne que je pose la question. Bien qu'il ait plusieurs années de scolarité derrière lui, il n'a qu'un certificat et il est maintenant travailleur saisonnier. Il parle un bon anglais. Il est très intelligent. Il va présenter sa candidature à la police, mais il n'a pas les qualifications requises. Alors pourquoi postuler ? Je reconnais cet air sur son visage : *ça pourrait arriver, n'est-ce pas ?* Je lui demande ce qu'il voudrait être, si son désir le plus cher pouvait être exaucé. C'est une question que l'on ne peut pas poser en Grande-Bretagne sans s'attendre à des petits sourires gênés. En Afrique, où l'on ne s'embarrasse pas de telles inhibitions, la question ouvre aussitôt la porte à... dans ce cas précis, et tout de suite, à l'imagination. Il s'illumine : il pense que j'ai une baguette magique et que je peux exaucer son désir le plus cher. Il voudrait être fermier. Je veux savoir pourquoi il ne demande pas de la terre, dans le cadre des plans d'aménagement du territoire. La déception lui coupe bras et jambes : ce qu'il voulait dire, c'était fermier comme les Blancs, pour vivre la vie des vérandas. Retrouvant ses esprits, du moins un peu, il demande ce qu'il en coûterait d'acheter une ferme comme celle-ci ? Des mille et des cents. Nous échangeons des regards circonspects, tous les deux plongés dans des calculs et des évaluations. Je cherche à savoir s'il croit pouvoir cultiver la terre sans la moindre expérience, sans parler des capitaux, et être capable de se débrouiller avec les prêts bancaires et les découverts. Je songe aux fermiers de cette région, à leur savoir-faire : beaucoup ont une expérience de l'agriculture — un père, un frère, un parent dans un comté britannique, avec, pour beaucoup d'entre eux, de l'argent à eux... comme on dit. Mais comment les voit ce jeune homme au visage vif et plein d'espoir ? Il ne les voit pas. Il veut juste vivre cette vie, comme tous les autres à qui on l'a promise — du moins le croyaient-ils, quand ils se battaient encore dans la brousse. Comment se voit-il lui-même ? En homme à qui l'on a fait des promesses. Comment imagine-t-il sa vie, s'il était réellement ici, assis sous cette véranda, en propriétaire ? Eh bien, naturellement, une vie de fermier blanc... Mais il sait, dans une autre région de son esprit, que la ferme tout entière serait aussitôt envahie par ses parents jusqu'à la dixième génération et qu'il ne connaîtrait en aucune façon la vie des vérandas. Peu importe. Il rêve... Quand il est sorti de la brousse pour venir s'asseoir à côté de moi, le fermier lui-même ayant été appelé ailleurs, il marchait dans un rêve, et maintenant il le vit, prenant le thé sous cette véranda avec une vieille femme qui dit : « Quel est ton désir le plus cher ? » même si elle ne va pas accomplir ce qui sonne à ses oreilles comme une promesse.

Si je disais : « Jamais Harare, il se trouve que j'ai sur moi le titre de propriété d'une ferme encore mieux que celle-ci, et le voici », rien ne lui paraîtrait impossible. Tous les Blancs sont riches, et parfois ils ont bon cœur. S'ils sont bien lunés, ils peuvent sur un coup de tête offrir une ferme à quelque jeune ami.

Lors de mon séjour, en 1956, je lus des romans d'écrivains noirs — rien que des hommes, en ce temps-là —, et dans tous les romans figurait une scène où l'employeur blanc invitait chez lui le héros : « Prenez donc ce bon lit, mangez ce bon repas, voici de beaux habits. » Après quoi, le héros vivait comme Oliver Twist, en protégé choyé, pour devenir enfin — au terme d'un processus qui n'était pas décrit — riche et puissant. D'une minute à l'autre, le pauvre garçon qui mangeait de la vache enragée se retrouvait fils ou filleul choyé d'un bienfaiteur blanc, d'un riche.

Avant que Jamais Harare ne redisparût dans les arbres, je lui

436

demandai s'il lui arrivait de penser aux combattants tués pendant la guerre du Bush. Je ne dis pas : « Ils sont morts pour que vous soyez libres », mais c'est à cela que je pensais. Il sourit : poli, nerveux. Il ne voyait pas pourquoi je posais cette question, mais, pour me complaire, il répondit qu'il aimait à penser à eux. Puis : « Je n'ai connu aucun camarade. J'étais à l'école. »

LES COMBATTANTS

Deux vétérans de la guerre du Bush parlent sur ce ton sardonique mais spirituel dont ils ont le secret.
« Le général Untel a dit l'autre jour...
— Général ? Général ? Il y a général et général...
— Je veux dire un vrai général, de *notre* guerre à nous.
— Je vois, tu veux dire un général.
— Le général a dit : " Pourquoi les jeunes ne nous respectent pas ? " J'ai répondu : " Parce qu'ils ne nous connaissent pas. Il y a une génération qui ne saurait avoir le moindre souvenir de la guerre. " Il me dit : " Mais nous avons gagné le Zimbabwe pour eux. " Je dis : " Mais nous, les gars de la brousse, nous appartenons à l'histoire maintenant. " Il dit : " Mais pourquoi nous battions-nous ? " Je dis : " Oui, je me pose souvent la question. "
— La vertu trouve en elle sa propre récompense, dit le second.
— Ah, je vois. Je n'y avais pas pensé. La prochaine fois que je verrai le général, je lui dirai : " Général, je vais vous dire, la vertu trouve en elle sa propre récompense. " Il dira : " Et merde ! Je veux être dans les livres d'histoire avec tous les honneurs. " Je dirai : " Nous pourrions bien être dans les livres d'histoire, mais est-ce que ces gosses vont les lire ? " »

Un prêtre qui dirigeait une mission loin de Salisbury tout au long de la guerre du Bush raconte : « Les garçons venaient quand les forces de sécurité avaient le dos tourné. Ils voulaient passer une soirée ordinaire. Nous faisions un repas, ils buvaient, ils dansaient : une petite soirée. Ils m'ont appris à swinguer — vous voulez voir ? C'étaient de très jeunes gens, encore des gamins pour certains, seize, dix-sept ans. »

Un autre homme, qui voyait souvent les Combattants de la liberté, et qui passait son temps à jouer au plus fin pour qu'ils ne croisent pas les troupes gouvernementales, expliqua : « Si la guerre s'est terminée, ce n'est pas à cause de la vaillance des gars de la brousse. Ils étaient démoralisés, ils se saoulaient tous les soirs tellement leur vie était dure. Non, la guerre a pris fin pour des raisons économiques — les sanctions — et parce que tout le monde en avait ras le bol. »

Un ancien Combattant de la liberté : « Ils se sont servis de nous. Nous nous sommes battus pour eux. Nous les avons écoutés et nous les avons crus. Et soudain, plus personne n'y croit. »

Un livre d'un combattant blanc vient de sortir, *White Man, Black War*. Il ressemble aux bouquins des soldats américains du Vietnam, tout pleins des horreurs auxquelles ils ont pris part. L'auteur était de tout cœur derrière les Blancs, mais une conversion est intervenue. Il déteste aujourd'hui ce qu'il admirait jadis : tout était mauvais du côté des Blancs, tous les Noirs sont irréprochables. Un tel retournement psychologique n'a rien d'extraordinaire, mais ce qui est intéressant, c'est la façon qu'il a maintenant de fustiger les Blancs, qu'il présente tous — jusqu'au dernier — comme des gens arrogants, racistes, malveillants avec les Noirs. Il en existe beaucoup, je le sais, mais je n'en ai rencontré aucun au cours de ce voyage. Les Blancs qui correspondaient à ce portrait sont devenus de bons citoyens. Quand on pense aux changements intervenus en six ans à peine, quels changements attendre des six ou dix prochaines années ?

Pendant la guerre de libération, les Combattants de la liberté reçurent les conseils des ngangas, qui leur expliquaient comment mener leurs campagnes. Est-ce dans les livres d'histoire ? C'est dans les livres des historiens sérieux. Qu'enseigne-t-on sous le nom d'histoire à un garçon ou à une fille dans les collèges modernes ? A moins qu'ils n'aient de la chance avec leur professeur : des slogans, des mythes politiques. Mais si vous parlez à un combattant de la guerre du Bush, il ou elle rendra hommage aux ngangas.

J'en fais part à un ancien combattant des armées de Smith, qui me répond : « Les ngangas nous conseillaient nous aussi. Probablement est-ce pour cela que nous avons perdu. »

Une réception. L'invité d'honneur est un chef, une femme. Si beaucoup de femmes se sont battues avec les gars de la brousse, peu sont devenues des chefs. Certaines ont bien tourné, d'autres mal : exactement comme les hommes. Les gens réunis dans cette pièce se connaissent tous et cette femme était une amie bien avant de devenir chef, ou même bien avant qu'elle ne rejoigne les Combattants de la liberté.

« On » dit qu'elle n'avait pas envie d'être chef, mais que le camarade Mugabe a déclaré : « C'est un ordre. » Il l'aime bien parce qu'elle dit le fond de sa pensée et qu'il est entouré de flagorneurs.

Elle parle tout au long du dîner, puis encore après, tandis que nous sommes tous assis à boire du café et du vin du Zimbabwe. « Elle doit surveiller ses paroles par les temps qui courent... », m'avait-on dit, mais elle parle comme des gens qui d'habitude font attention à ce qu'ils disent, mais qui n'en éprouvent pas présentement le besoin, parce qu'ils sont entre amis.

Elle parle des camps de la brousse, qu'elle a connus jeune fille, puis, comme la guerre s'éternisait, jeune femme. C'est dans la guérilla qu'elle avait vécu ses années de formation. Sa tâche était de donner des cours aux garçons et aux filles que la guerre privait d'école, mais aussi aux jeunes gens qui avaient fui les misères des villages en temps de guerre et qui devraient affronter les rigueurs de la vie, à l'issue de la guerre, sans formation. Comme la vie ordinaire devait sembler lointaine, alors, dans ces classes qui se tenaient sous les arbres, toujours sur le qui-vive à cause à l'ennemi.

Pendant quelques minutes, on aurait cru l'entendre réciter l'histoire officielle de la guerre, pleine des clichés consacrés — « la guerre contre l'impérialisme », « les forces populaires », puis vinrent d'autres expressions, d'autres mots, et bientôt la « version autorisée » laissa place à ses pensées et à ses mots à elle. Elle se souvenait...

Certaines personnalités officielles, que l'on disait parfaites, aussi accomplies que des statues... Tel ou tel soldat fameux, désormais « Père de la Révolution », le meilleur soldat de tous, ne connaissait rien à la politique, qu'il méprisait. L'un était toujours ivre... L'autre se conduisait si mal avec les femmes soldats qu'il fallait les cacher jusqu'à son départ. Une fois, une femme commandant dit à cet homme, qui l'avait envoyée chercher une fille pour la nuit : « C'est moi qui suis responsable de ces filles. Elles sont ici pour se battre au nom de la liberté, non pour te servir de putains. » Puis elle parla des « procès » dans les camps, sur le modèle des « grands procès » des pays communistes. Ils se déroulaient dans la brousse, en pleine nature, des gens étaient pendus ou fusillés parce qu'ils étaient convaincus de — eh bien de quoi ? De trahison, bien sûr, mais c'était une lutte pour le pouvoir, voilà tout. « Le véritable enjeu, c'était le pouvoir », répétait-elle sans cesse, se devait-elle de répéter sans cesse, douloureusement, sans que rien ne pût l'arrêter. Tous ces camarades, de bons camarades, que l'on avait tués à cause des ambitions qu'on leur prêtait.

La pièce de cette paisible banlieue de Harare semblait hantée de spectres de jeunes hommes — de très jeunes hommes, des gamins en vérité, que leurs camarades avaient assassinés à grand renfort de formules juridiques, au nom du Peuple. Combien ? Nul ne le sait. Ces meurtres se perpétrèrent dans les camps : par dizaines, voire par centaines. En ce temps où « je me dis aujourd'hui que nous étions en train de perdre la tête ».

Toutes ces victimes étaient autant de briques ou de pierres avec lesquelles s'était édifié cet État « communiste », de même qu'on enfouissait jadis la dépouille d'une personne sacrifiée, ou plus tard d'un animal, dans les fondations d'un temple ou d'un édifice consacré : une pierre angulaire.

A l'écouter, elle qui avait vraisemblablement été, pour le moins, « du côté des tueurs », il fallait tous nous demander comment nous avions fait pour nous accoutumer à la barbarie. Comme des millions d'autres de par le monde, elle s'était laissé emporter par un vent de folie, comme on se laisse entraîner par une chute d'eau, et il ne restait plus désormais que ce « je me dis aujourd'hui que nous étions en train de perdre la tête ».

Le lendemain il fut question de la soirée : quelle chose étrange ! Pourquoi maintenant, tant d'années après, éprouvait-elle le besoin de parler et de parler, comme un animal qui n'en finit pas de lécher l'endroit où il a mal.

Alors, peu à peu, des détails d'abord passés inaperçus prirent du relief... Par exemple elle avait confié qu'on lui avait attribué un pantalon provenant d'un magasin de vêtements, après que le souffle d'une explosion lui eut fait perdre le sien. Elle ne pouvait se résoudre à le jeter, ce vieux pantalon vert qui avait fait son temps.

Ce que nous avions entendu toute la soirée, c'était le monologue du vieux soldat évoquant une époque si haute en couleur, dont chaque minute s'était gravée si fortement dans sa mémoire que rien ne saurait jamais avoir autant de réalité. Comment ne l'avais-je pas compris tout de suite ? Après tout, j'avais connu ça, moi aussi, avec mon père qui parlait et reparlait de *sa* guerre. Soudain il me vint à l'esprit — que n'y avais-je pensé plus tôt ! — que tous les hommes et les femmes de l'appareil gouvernemental, les grands chefs et les petits chefs, sont venus des camps, de la guerre du Bush, et qu'ils passent ensemble toutes leurs journées de travail. La guerre les a soudés, et ce sont leurs souvenirs de guerre qui les soudent aujourd'hui. Ils discutent entre eux : « Tu te souviens ? » Mais il ne sert à rien de poser la question, car tous se souviennent, ils le savent, et ne peuvent oublier. Même lorsqu'il est apparemment question d'autre chose, c'est de cette guerre qu'ils parlent : c'est toujours le cas des gens qui portent les cicatrices de violentes émotions. Il n'arrivera jamais rien à ces hommes d'aussi fort que ce qu'ils ont connu, alors qu'ils n'avaient pas même vingt ans, pour nombre d'entre eux.

Ce soir-là, un coin de rideau avait été brièvement levé pour nous sur la solitude du vieux soldat, dont la guerre appartient au passé, alors que le monde est plein d'hommes nouveaux, qui ne veulent pas entendre.

Mais le plus intéressant, c'est l'avenir. Les histoires officielles, les « versions autorisées », que l'on donne pour vraies, qui font partie des cérémonies officielles, que l'on enseigne dans les écoles : toute une génération de jeunes gens y a eu droit, comme aux « fondements sacrés » du Zimbabwe. Mais ceux qui ont combattu pendant cette guerre et savent ce qu'il en est approchent de la trentaine, voire de la quarantaine. Bientôt, il s'en trouvera au moins quelques-uns pour écrire leurs mémoires, leur autobiographie, leurs souvenirs. Ainsi sera révélée la vérité sur la guerre et il y aura deux versions, les histoires officielles et la vérité. Il doit être évident pour tout le monde que cela nous pend

441

au nez. Et pourtant, on continue à ressasser la « version autorisée », au point qu'un romancier évoquant la guerre en termes assez modérés, laissant entendre que les camarades ne furent pas toujours parfaits, s'est fait éreinter par la critique. En fait, il existe déjà une histoire orale et une histoire officielle et, inévitablement, les chefs auront l'air d'idiots.

S'il y eut jamais raison de se demander : *Qu'est-ce qu'ils ont dans la tête, ces politiciens ?* — la voici.

ÉDUCATION

Je suis interviewée par une jeune femme intelligente, un pur produit de l'université du Zimbabwe. Elle était l'une des meilleures de sa promotion. Elle me fait si forte impression que je parle d'elle à diverses personnes, dont les propos se résument à ceci : elle ne s'en sortirait pas aussi bien maintenant. Primo, elle est blanche. Secundo, elle ne fait pas de politique. Tertio, c'est une femme. En soi, il n'y a rien à redire. Mais, avec toutes ces qualités réunies, elle ne s'en sortirait pas. Que je n'aille pas imaginer que le Zimbabwe est comme partout ailleurs. Dans l'ensemble, on est d'un bon naturel, chaleureux, bon vivant. Non, c'est du côté des staliniens retranchés qu'il faut chercher la bigoterie. Et au passage, je n'ai pas trouvé ça extraordinaire, ce politicard blanc qui fait sien le racisme noir. Ils haïssent et persécutent les leurs et pendant ce temps, bien sûr, ils se plaignent du racisme.

Il est aussi certaines idées du passé qui ne s'effaceront pas sans mal. Déjà, toute une génération de jeunes gens qui étudient la littérature ou l'histoire sont imprégnés d'idées staliniennes, ou de réalisme socialiste. Un historien, le père de l'histoire de la Rhodésie et du Zimbabwe, expliqua à ses étudiants qu'il s'était fourvoyé dans certaines de ses interprétations. Les étudiants n'en voulurent rien savoir. « Mais ce n'est pas ce qu'on nous a dit. — Mais puisque je vous le dis, ce qu'on vous a appris est faux. C'est moi qui ai écrit cette histoire et aujourd'hui je sais qu'elle est fausse sur certains points. » Mais c'était inutile : ce qu'ils savaient, c'était l'histoire. Aujourd'hui, où l'on rejette partout le marxisme et le communisme, les marxistes et les communistes d'hier resteront, mais en se donnant un autre nom, en s'imaginant même avoir changé, tout en gardant en eux, intacts, de gros blocs d'idées qui appartiennent au marxisme et au communisme, sans les soumettre au moindre examen.

Un ami de passage dans une université américaine où l'on enseigne l'histoire comme il y a vingt ou trente ans me confia qu'il pensait sans cesse à *Pères et fils,* à ce chapitre où Bazarov entraîne son ami dans un voyage à travers le passé sous la forme de deux vieux, deux petites gens qui incarnent les « Lumières » : rien de ce qui est arrivé n'a pu les changer, ils vivent dans un rêve de droiture passée, de rectitude triomphante.

FÉTUS DE PAILLE
PAR VENT MAUVAIS ET CAPRICIEUX ‑

Au cours de ce voyage — pas le précédent, celui de 1988 — j'ai entendu toutes sortes de gens parler d' « intellectuels » d'un ton péjoratif.

« Qu'est-ce qu'il faut entendre par intellectuels ?

— Les étudiants, qui font du grabuge.

— Les dissidents.

— Quels dissidents ?

— Oh, vous savez, les gens négatifs, qui passent leur temps à critiquer. »

De même, les gens parlent de « traîtres » avec autant de légèreté qu'on le fait ici. « Mais traîtres à *quoi ?* — Si vous me posez la question, je crains fort de ne pouvoir vous aider. » L'ombre portée des années soixante est encore épaisse.

Au Zimbabwe, l'expression est un héritage de la guerre, quand on exécutait les gens par dizaines, qu'on s'en « débarrassait », parce qu'elle avait le pouvoir de déstabiliser les façons de penser. Aujourd'hui, elle peut désigner les gens que l'on désapprouve, un peu comme le mot « fasciste » que depuis quelque temps nous mettons à toutes les sauces.

Entre « traître » et « espion sud-africain », il est souvent impossible de faire la différence. En Zambie, où tout va à vau-l'eau et où l'on a besoin de boucs émissaires, on voit des espions sud-africains partout, mais l'Afrique du Sud n'a nul besoin d'espions : si le but est de « déstabiliser » ses voisins, la paranoïa suffirait à les paralyser.

Entre Bulawayo et Harare, un barrage routier : le policier se montra soupçonneux parce que j'avais une carte étalée sur les genoux. Quel besoin avions-nous d'une carte ? Nous répondîmes que nous n'étions pas sur la route principale et que nous avions donc besoin d'une carte. Les pensées les plus naturelles en ce genre de circonstances — de vrais espions n'auraient guère besoin d'étaler des cartes sur leurs genoux, par exemple — paraissent manquer de poids face à l'hostilité farouche de l'homme. Ce domaine de la grosse farce, si utile au théâtre, procède du contraste entre le sérieux (devons-nous imaginer) de l'espionnage et ses manifestations à la base ; par exemple, un petit fonctionnaire disait qu'il gardait l'œil ouvert car les espions de la République sud-africaine pullulaient au Zimbabwe, le plus souvent sous couvert de tourisme. Dans tous les coins pittoresques ou intéressants — autant dire à peu près partout — des groupes de Sud-Africains prennent l'air et admirent le paysage. Tous, obligés d'emprunter des routes peu fréquentées, auraient des cartes étalées sur les... mais nous sommes déjà dans le domaine de la farce, qui est la marque des espions et de l'espionnage.

Tekere est bien sûr à la solde des Sud-Africains : les propagandistes du gouvernement et la CIO, les services secrets, propagent la rumeur, qu'il retourne à son avantage en en plaisantant. Quand Joshua Nkomo est tombé en disgrâce, on a voulu le faire passer pour un espion. Personne n'y a cru. Tous ceux qui critiquent le régime, les dirigeants estudiantins, les gens qui manifestent des signes de talent et d'originalité — tous peuvent se trouver soudain décrits comme des espions d'Afrique du Sud. Ce n'est pas chose rare, nous le savons, dans les sociétés totalitaires. Et l'envie a toujours été génératrice d'espions.

Certains responsables haut placés et sains d'esprit essaient de combattre cette lubie. Canaan Banana, à l'université, est de ceux-là. Il vient de déclarer publiquement que le Zimbabwe est une démocratie et que tout le monde est en droit de dire à chaque instant le fond de sa pensée.

L'agitation règne à l'université depuis la libération. Il y a d'abord les étudiants. Puis les gens qui y travaillent et qui réfléchissent. Puis, bon nombre d'universitaires venus d'autres pays, qui ont des idées et des informations. Tout est fait pour que l'université reste sous la coupe du parti, mais elle est pareille à un bœuf en ébullition qui ne voudrait pas entendre parler d'attelage. La toute dernière restriction a suscité des cris d'indignation et de fureur : quiconque veut entreprendre des recherches doit désormais solliciter l'autorisation du ministère de l'Intérieur. Mais souvent, on ne veut pas le savoir : tout le temps, de toutes les façons, à tous les niveaux, des hommes attachés de tout cœur à l'honneur du Zimbabwe tâchent de le sauver de ses propres folies. « Un de ces jours Mugabe tirera les choses au clair. »

Tout le monde s'inquiète du nouveau ministère des Affaires politiques. Au sommet, le ministère rassemble des hommes et des femmes de qualité, tous jeunes, ou du moins tout juste d'âge mûr. Ils sont dévoués et efficaces. Mais dans un pays comme le Zimbabwe, où les gens formés manquent, ce qui se passe aux échelons inférieurs n'est pas nécessairement à l'image de la compétence des chefs.

Je me dis parfois que les chefs de tous les pays qui formulent des politiques si brillantes, en apparence, quand ils les exposent parmi leurs collègues intelligents, pourraient prendre la peine de se demander ce qu'il adviendra de ces mêmes politiques dans la bouche de quelque fonctionnaire local, par exemple. « Pourquoi avez-vous cette carte dépliée sur les genoux ? »

Un rédacteur en chef : « Mugabe devrait interdire aux chiens de la CIO de s'accrocher à nos basques. Vous ne les remarquerez pas, parce que vous êtes en visite, mais ils sont toujours dans les parages à flairer je ne sais quoi. Par exemple, un romancier projetait d'écrire un thriller sur un pays où se préparait un coup d'État fomenté de l'extérieur. Il s'est ouvert de son idée à un ami : quelques jours plus tard, la CIO est venue et lui a conseillé de ne pas écrire le livre ; les gens penseraient qu'il voulait parler du Zimbabwe. Alors il ne l'a pas écrit. Il aurait pu passer outre ? C'est facile à dire ! Si je vivais en Grande-Bretagne, je n'y aurais pas prêté attention non plus. Mais quand les types de la CIO viennent bavarder un moment, on ne plaisante pas. Ils savent comment vous effrayer. Et n'oubliez pas que le meilleur rédacteur en chef que ce pays ait jamais eu — celui du *Chronicle* de Bulawayo — s'est fait sacquer. S'il y a une affaire délicate, au moment même où vous vous dites : j'ai une femme et des enfants à charge, les gars de la CIO se trouvent justement dans les parages, comme c'est drôle ! " Et si nous allions bavarder de choses et d'autres autour d'un verre ? " »

À Londres, une experte internationale parle de la catastrophe zambienne, de la démoralisation : « Ils passent leur temps à jeter un coup d'œil par-dessus leur épaule pour s'assurer que la police secrète n'est pas en train de les écouter. » Je dis n'avoir rien vu de tel au Zimbabwe. Au contraire, je n'ai croisé personne qui ne m'ait assuré dire le fond de sa pensée : on imagine mal ces gens exubérants, irrévérencieux, spirituels, tolérer la Police de la Pensée. « Ce n'est pas ce que je me suis laissé dire, tranche-t-elle. J'estime que le Zimbabwe va devoir bientôt décider s'il veut suivre l'exemple de la Zambie. Leur culture est autoritaire, hiérarchique, il n'est pas facile pour eux de défier l'autorité. Les grands mouvements politiques sont une chose, mais c'en est une autre de défier un petit chef au fin fond de la brousse. Il y a dans leurs traditions, leur culture, leur histoire, quelque chose qui les rend démunis quand ils se heurtent aux nôtres. Notre organisation distribue de l'argent pour les projets, mais cet argent sera toujours en partie détourné, à moins qu'on ne fasse des contrôles tout du long — et quel exemple reçoivent-ils de leurs dirigeants ? Quand ils tournent les yeux vers Harare, ils ne voient que des chefs qui s'enrichissent en fricotant. Que leur adviendrait-il s'ils se plaignaient ? Et maintenant que Mugabe réclame haut et fort un régime de parti unique, il n'y aura plus la moindre opposition. »

Je demandai si elle avait jamais quitté Harare pendant son séjour au Zimbabwe. Elle se montra gênée : « Non, je regrette, je ne suis jamais sortie de Harare. »

Un poème de *Tso Tso* :

> *De courtes cordes me lient... lient*
> *De courtes cordes me lient la langue*
> *De courtes cordes me lient*
>   *la langue, raide et muette,*
> *Bridée à jamais, ainsi lotie,*
>   *les portes de son antre fermées.*

> *Langues ! Même les langues, qui l'aurait imaginé,*
> *Rendues muettes par une toile d'araignée ?*

En ces temps de brûlantes balles
parmi les slogans et les chants
Ces années de sanglantes baïonnettes
bercées de « sincères » et lancinantes promesses
Qui aurait jamais imaginé
les masses ainsi garrottées ?
Langues-Gues-Gues-Gues.

(S. Kumbirai Rukuni)

FIGURES

On me montre un morceau de pierre où s'est imprimée l'empreinte d'une feuille. La feuille est pareille au petit poisson de ma cheminée, dont la forme s'est obstinément préservée à travers tant de milliers d'années. Le poisson, la feuille me font penser à quelque chose, à Londres dans les années soixante. Pour une raison ou pour une autre — elle m'échappe —, un groupe de gens avaient pris l'habitude de se retrouver presque tous les soirs, de s'installer autour de ma grande table de cuisine, de discuter et de boire du vin. Il y avait des vieux, des jeunes des quatre coins du monde. Nous jouions à ce jeu : chacun recevait un bloc de papier à dessin et des crayons de couleur. Nous griffonnions. Je ne sais comment tout a commencé. J'ai retrouvé une pile de dessins dernièrement et je sus aussitôt qui avait dessiné quoi. Nous avions chacun un style caractéristique, et des thèmes qui revenaient d'un soir à l'autre, semaine après semaine. Certains d'entre nous n'en pouvaient plus et s'efforçaient de fuir cette cage de la nécessité qui nous faisait reproduire les mêmes motifs, quel que fût notre acharnement à changer. Un homme, devenu athée après avoir été élevé en catholique, dessinait des petites figures serrées et dans chacune, à un endroit ou à un autre, il y avait une croix. Il n'y avait pas moyen pour lui de l'éviter. Quand il refusait que son crayon fît une croix, nous lui faisions valoir qu'on retrouvait encore la croix dans la physionomie générale du dessin. Une jeune fille, prise dans l'un de ces labyrinthes psychologiques dont il paraît impossible de jamais s'extraire, dessinait des figures emberlifico-

447

tées et noueuses qui évoquaient des tresses. Elle ne pouvait dessiner autrement. A peine approchait-elle son crayon de la feuille qu'il semblait, de son propre mouvement, tracer ces nœuds noirs et tourbillonnants. Une femme alors au zénith de sa vie, débordante de satisfaction et d'optimisme, dessinait des feuilles et des fleurs. Voulait-elle dessiner d'autres choses, qu'un animal, une personne ou une coupe se transformait à demi en légume, s'épanouissait en feuilles et en fruits. Une femme en plein désarroi — allait-elle ou non quitter son mari ? — approchait le crayon de la feuille, traçait une ligne ou une forme, la biffait, recommençait, biffait encore : en fin de soirée, son carnet de croquis était couvert de ratures. Ainsi en allait-il pour chacun d'entre nous : des gouverneurs et des organisateurs inconnus de notre conscience nous avaient assigné un mode particulier.

LIVRES

Le président Mugabe a dit que chaque village disposerait d'une bonne bibliothèque. J'ai visité d'autres écoles, certaines aussi mauvaises que celle de « l'homme sans caractère », d'autres bonnes. Mais dans d'excellentes écoles, il y a des étagères vides, dans des pièces baptisées bibliothèques où l'on devrait trouver des livres. Les livres des écrivains africains sont tous lus jusqu'à tomber en lambeaux. Ce sont des rebuts des meilleures bibliothèques, parmi lesquels pourraient se trouver peut-être des livres qui plairaient aux enfants, mais personne ne prend la peine de faire le tri. Peut-être se dit-on que mieux vaut n'importe quel livre que rien. Pourtant, on sent un tel appétit de livres, de conseils de lecture dans ce pays où la révolution électronique ne s'est pas encore produite. Les radios captent ou non la BBC et l'Afrique du Sud, c'est selon. Il y a un peu de vidéo et quelques émissions de l'Université libre, mais seule une minorité en profite puisque la plupart des écoles n'ont pas de poste de télévision. Dans des pays comme le Zimbabwe, les livres demeurent aussi influents qu'ils l'étaient jadis. On ne dira jamais assez l'influence des livres, fût-ce d'un seul. Dambudzo Marechera, l'auteur de *House of Hunger* (La maison de la faim), a raconté comment, enfant famélique qui fouinait dans les tas d'ordures des maisons blanches à l'affût de restes de nourriture et de vêtements, il était tombé sur l'*Encyclopédie enfantine* d'Arthur Mee. La découverte changea sa vie. Pourtant, même les grandes bibliothèques de Harare et de Bulawayo manquent de fonds. Si vous leur expédiez des livres, vous recevrez peut-être une lettre : désolé, mais n'en envoyez plus, nous n'avons pas les moyens de payer les droits de douane. L'université du Zimbabwe elle-même manque de ressources pour mettre son fonds à jour.

MUSIQUE

Dimanche matin, fête du mbira. Le mbira est un socle de bois pourvu de bandes de métal de longueurs et de largeurs diverses, par étages. Il se tient entre deux mains et on peut en jouer en marchant. Quand j'étais jeune, on entendait le tintement léger et enjoué du mbira lorsqu'on marchait dans la brousse, puis on apercevait celui qui en jouait, habituellement un jeune homme portant une houe en bandoulière, ses doigts faisant la conversation avec le piano à main (ainsi que nous l'appelions), tandis qu'il fouillait la brousse des yeux en quête de gibier.

Quand on en joue assis, l'instrument est placé à l'intérieur d'une calebasse, pour la résonance, et l'on emploie des capsules de bière métalliques pour donner plus de gravité et de timbre.

Il y avait beaucoup de gens, une quarantaine peut-être, sous la véranda fermée par des chambres sur trois côtés. On surveillait la piscine, pour le cas où des enfants trottinants s'en seraient approchés.

Des élèves d'une école des environs de Harare étaient assis bien sagement dans leurs costumes de danse, consommant des sodas et des cacahuètes. Ils sont connus et divertissent les chefs en visite, dans les réceptions et les banquets. Aujourd'hui, ils sont là pour le plaisir. Au repas : de la sadza, accompagnée de sauce d'arachide et de feuilles vertes ; du riz au curry ; du ragoût de poulet, du pain, et les fameuses mangues de Mutare. Glace. Coca-Cola à flots.

L'orchestre mbira se composait de trois musiciens noirs, dont l'un passe pour le meilleur du Zimbabwe, et de quelques amateurs qui se joignirent à eux pour l'accompagnement. Les enfants dansaient au son du mbira. C'est une danse trompeuse. Elle commence par de simples pas feutrés, les pieds à plat, le corps tranquille, puis elle s'amplifie, lentement, en mouvements frénétiques où l'on a peine à suivre la variété et la vitesse du rythme, car au moment fort de la danse il semble que les pieds des danseurs soient toujours en l'air, volant après des bras et des épaules pleins d'énergie, chaque partie du corps répondant à un battement différent. Il y avait une fillette — huit ans peut-être — qui regardait les gestes des plus âgées et les suivait attentivement. Elle était toute concentrée, s'appliquant à adapter ses bras, ses pieds, son corps à la danse. Jadis, j'ai vu à Grenade des danseurs de flamenco (avant que les groupes de flamenco ne se soient mis au diapason de l'industrie touristique). Quatre ou cinq femmes d'âges différents dansaient ensemble, la plus âgée approchant peut-être de la soixantaine. Elles initiaient une néophyte, une fille de douze-treize ans. Les femmes plus âgées l'observaient, la corrigeant et l'encourageant de gestes presque imperceptibles. Le public tout entier, sachant que c'était un grand jour pour la nouvelle danseuse, se joignait aux claquements de mains, l'interpellait. Un jour, elle serait une danseuse de flamenco célèbre, comme sa grand-mère, sa mère, sa tante et sa sœur aînée... Et elle dansa des heures, absorbée par son rituel. De même la fillette de ce dimanche-là, sous la véranda.

Les gens réclamaient un morceau de mbira, puis un autre : musique douce, délicate, musique subtile, dont le rythme dépasse l'entendement, de même que les figures virevoltantes des danseurs étaient trop rapides pour qu'on pût les saisir.

« Cette musique est pour nous ce que le Nouveau Testament est pour vous, observa un célèbre joueur de mbira. Elle est sacrée. »

Plus tard, à Londres, en allumant la radio, j'entendis le plus ensorcelant des morceaux que j'avais écoutés ce matin-là, joué avec un accompagnement orchestral occidental, dans le cadre d'un concert. On dit que les joueurs de mbira du Zimbabwe sont appréciés à l'étranger, mais à peine connus là-bas : il y a à New York un centre de mbira. De même, souvent les jeunes gens négligeront leurs chansons et leur musique jusqu'au jour où ils les entendront jouer par des orchestres de passage, qui ont eu le coup de foudre et les ont adaptées.

Quand j'étais petite, il y avait un homme qui s'appelait Hugh Tracey (« Quel personnage, ce Hugh Tracey! ») qui faisait la tournée des villages pour enregistrer et recueillir les musiques. Les Blancs le considéraient comme un original, voire un traître. Certaines de ces musiques n'eussent pas survécu sans lui.

UN CANEVAS DE PIÈCE? DE FILM?

Une femme de notre temps

Le jeune homme qui commandera un jour un mouvement national, une armée de guérilleros, son pays, qui représentera son peuple depuis son lieu d'exil ou sa prison, ne montre aucune des qualités que l'on attend d'un chef populaire. Il est timide, érudit, c'est quelqu'un qui observe. L'homme le plus connu du parti et du peuple possède toutes ces qualités. Quand il prend la parole, les foules se déchaînent. Il se tient en face d'elles, les bras grands ouverts comme pour une étreinte, et l'auditoire lui envoie des vivats. On se dit que c'est lui qui conduira son pays, mais les talents qui le rendent si populaire sont aussi sa ruine : il aime être aimé, il apprécie secrètement la réputation d'homme « raisonnable » qu'on lui fait chez les Blancs; il a horreur de l'impopularité. Il consent à traiter avec les Blancs qui font de lui un « vendu », voire un traître. Quoi qu'il en soit, c'est l'homme timide et érudit qui prend sa place et révèle sa vraie nature de négociateur, de chef militaire, de président du parti habile et tenace : une présence énergique, tout au long des années qu'il passe en prison. (Les hommes qui ont dirigé des pays africains ont tous tenu un ou plusieurs de ces rôles. Quand au second qui manque de charisme et qui s'avance pour prendre le pouvoir, c'est arrivé plus d'une fois.)

Quand son parti gagne les élections, la guerre du Bush, ou arrache l'indépendance à une puissance européenne parce que les « vents du changement » en ont décidé ainsi, il devient aussitôt le seul homme qui aurait jamais pu diriger le pays : rien de plus persuasif que la sagesse rétrospective, quand on écrit l'histoire. Mais tandis qu'il se révèle apte à manœuvrer l'ancienne puissance coloniale, à traiter avec les dirigeants des autres pays africains, à voyager pour rencontrer les grands de ce monde, devenir un chef populaire n'est pas chose aisée. Il n'a jamais eu la moindre éloquence, et il n'en a pas davantage aujourd'hui. Il n'a jamais fait vibrer les foules. Il observe ses collègues, dont certains se sont illustrés dans les combats de l'indépendance, et qui savent se gagner les cœurs et les esprits, qu'ils semblent porter tels des insignes ou des médailles, car à peine se dressent-ils sur une estrade qu'on les dirait nimbés d'une aura de confiance : je vous aime, vous m'aimez. Il soupire secrètement après son peuple comme un amoureux timide. Il lui arrive de pleurer en parlant, de bredouiller, de passer pour un pédant à force de se surveiller.

L'homme ainsi retranché dans sa timidité paraît bientôt fier, austère, voire froid. Certains le surnomment le saint. Il est réputé pour son intégrité. Il vit simplement et tient à ce que chacun le sache. Il tâche de modérer les débordements de ses proches qui se remplissent frénétiquement les poches.

Son premier amour, sa première épouse, meurt, à moins que ses manières simples de villageoise (à l'image des siennes) ne lui apparaissent comme un handicap. Il fait la connaissance d'une femme qui aussitôt le séduit. Elle possède tout ce qui lui manque. Grande, bouillonnante, belle ; exubérante, rieuse, extravertie, elle en impose à tous par son charme. (Il pourrait être intéressant de la faire venir d'une autre région de l'Afrique, ou d'une autre tribu, ce qui augmenterait ses attraits à ses yeux, mais aussi la méfiance du peuple envers une étrangère.) Cet homme a l'impression d'avoir passé toute sa vie en prison et que cette femme l'en a libéré : soudain, tout ce qui lui était difficile devient aisé. Quand ils passent la soirée avec des amis (il semble qu'il y ait désormais des réceptions tous les soirs), elle communique avec tous, en se servant de tout son corps. Quand elle se campe sur une tribune (ce qu'elle fait de plus en plus, revendiquant son droit d'être la Mère de la Nation), elle captive les foules par sa poitrine et ses cuisses majestueuses autant que par son joli visage, sa voix pleine. Il la regarde, admiratif, énamouré, mais gêné. Comment fait-elle ? Quel est ce don qui lui fait si cruellement défaut ? Il plaisante avec elle — mais à sa manière à lui, comme si les blagues pouvaient devenir dangereuses si l'on n'y veillait : elle n'a pas été élue, et si elle a tout à fait le droit d'être la Mère de la Nation dans son rôle d'épouse, elle ne doit pas aller au-delà.

« La bonne blague ! » s'exclame-t-elle et, voyant qu'elle l'a blessé, car il se renferme comme ces feuilles d'acacia qui se replient à peine approche-t-on le doigt, elle l'embrasse et, de nouveau, il sent la vie couler en lui.

Souvent elle crie : « La bonne blague ! » Quand il dit qu'ils doivent se contenter d'un train de vie modeste. Quand elle rentre d'une conférence où elle a passé son temps à bavarder avec d'autres épouses, et confie maintenant qu'elle a ouvert un compte dans une banque suisse, et qu'il dit : « Non, il est malhonnête de dépenser l'argent du Peuple. » Quand l'occasion se présente à elle (assez souvent, avec le développement du pays) de prendre part à des transactions toujours plus louches, et qu'il lui en fait le reproche. Il lui faut longtemps avant de comprendre qu'elle n'a pas une once, dans tout son corps, de tout ce qu'il a toujours revendiqué : son honnêteté, qui a fait sa réputation dans toute l'Afrique et dans le monde. Elle ne voit pas vraiment ce qu'il veut dire quand il rappelle : « Nous devons donner l'exemple », ou : « Nous ne devons pas laisser la corruption gangrener notre pays comme les autres. » « Pourquoi pas ? La corruption ? Mais tout le monde la pratique », pourrait-elle dire négligemment, dans un éclat de rire. Et elle le taquine, comme elle le fait parfois, sur ses inhibitions, de manière plus intime. Elle va jusqu'à employer les mêmes mots : « Où es-tu allé chercher toutes ces idées ? Qui dit non ? Y a-t-il une loi qui dit que nous ne devons pas... »

Eh oui, il y a une loi, car il l'a fait adopter, qui interdit aux ministres et aux fonctionnaires de posséder plus que... plus qu'une maison, par exemple.

Ils ne tiennent pas compte de cette loi. Les citoyens attendent de lui qu'il la fasse appliquer et qu'il se range à leurs côtés, aux côtés de son peuple, qui l'a porté au pouvoir, qui lui a fait confiance, dans l'idée qu'il resterait des leurs, dans le camp de la pureté de la révolution, du parti, de la guerre d'indépendance. Il ne fait rien. Ils ne comprennent pas pourquoi. Ils ne savent pas encore que la Mère de la Nation a les doigts dans plus d'un tiroir-caisse, bien qu'ils portent un regard froid sur les ministres et les patrons du parti et sachent parfaitement ce qu'ils fricotent.

Le dirigeant observe sa femme qu'il aime, qui lui procure ce contact vital dont il a besoin avec le monde, et qui, allégrement, voire fièrement et assurément sans vergogne, s'enrichit. Un scandale éclate et il est impossible d'éviter que certaines personnalités soient traînées devant la justice. Elles sont reconnues coupables. La nation attend qu'elles soient châtiées. Et les chuchotis vont bon train maintenant : il ne saurait laisser la justice suivre son cours, parce que les coupables ont dit que s'ils écopaient, ils mouilleraient sa femme.

Ce qui le blesse plus que tout, c'est qu'elle ne comprenne jamais le tort qu'elle lui fait, qu'elle parle toujours comme si c'était sa « timidité » qui le rendait si bégueule. Ce n'est que lorsque les régimes corrompus d'Europe de l'Est et les pays de l'ex-Union soviétique commencent à s'effondrer l'un après l'autre, tant leurs citoyens les abominent, qu'elle se demande — pour la première fois — si les manières d' « indécrottable paysan » de son mari ne pourraient pas être un atout. En fait, elle est secrètement contrariée par les critiques des vieux dirigeants communistes, qu'elle admirait précisément pour les qualités qui inspiraient parfois à son mari quelque doute. Elle aime la cruauté. Les tortures, les « méthodes énergiques » des dictateurs ne la choquent pas. Elle pense que leur pays ne s'en porterait que mieux, « ferait bonne impression », comme elle dit, si eux aussi apprenaient à la population à craindre le gouvernement. Et elle encourage les sbires du parti à intimider les adversaires, à truquer les élections, à rosser ceux qui formulent la moindre critique.

Mais soudain, voici que son mari tape du pied, qu'il dit : « Suffit ! », qu'il l'engueule, avec le désespoir glapissant d'un homme qui sent que tout lui échappe. Tous les régimes qu'il a choisis pour alliés s'effondrent, dans un grand concert de haine et de mépris, et voici que cette femme, cette force de la nature, qui est tout pour lui, il lui faut la rappeler à l'ordre... tandis qu'elle se calfeutre, couche ses feux, boude, montre qu'elle est blessée de mille et une façons ; il se replie de plus en plus, exactement comme cette feuille d'acacia, qui frémit légèrement à peine en approche-t-on le doigt. Quand il l'attrape, l'obligeant à se soumettre à son autorité, il a l'impression de se mutiler, de se couper de toutes les forces secrètes de la nature, cependant que, soumise, elle a le sentiment que la course précipitée de sa vie, fondée sur cet instinct sûr qui prend possession de tout ce qu'il effleure, a reçu un coup d'arrêt... un coup d'arrêt brutal, mais surtout *inique,* au point qu'elle se retrouve désormais prisonnière de ses froides réprimandes.

La dernière scène pourrait se dérouler dans un aéroport. Lui, elle, leur entourage sont en route pour quelque conférence internationale. Un attentat a détruit le salon d'honneur et ils se retrouvent tous dans un coin d'une vulgaire salle des départs que l'on s'est empressé d'isoler. Ils ont appris aujourd'hui l'effondrement d'un autre pays, et elle voit à ses côtés les visages qui étaient encore tout récemment ceux du Premier ministre, des ministres — ils figurent toujours parmi le petit cercle des hôtes de marque, même s'ils n'auront probablement plus le droit de se trouver ici avant longtemps. Dans cette zone arrive le dirigeant déchu du jour, avec sa famille, et il se dirige droit vers son mari, le suppliant de lui donner asile. Il bluffe, se pavane, prétend que ce n'est qu'un rejet temporaire de la part de son peuple, qu'il reviendra bientôt au pouvoir. Elle chuchote à son mari qu'il ne faut à aucun prix donner asile à ce fugitif, parce que l'opinion publique ne manquera pas de les mettre dans le même sac. C'est le vieil instinct qui parle — mieux vaut ne pas approcher la défaite, ça porte malheur —, mais elle emploie le langage de la raison. Son mari, comme toujours homme de principes, offre l'hospitalité de son pays à ce dirigeant en disgrâce : « Bien sûr, il faut aider les amis qui ont des ennuis. »

Elle sait que son « ami » est un de ceux qu'en fait il n'aime guère ; c'est elle qui l'a aimé, admiré, et elle l'admire encore, bien qu'il passe pour un tyran (dit la presse), une brute épaisse, un meurtrier, un bourreau.

Elle se tient un peu à l'écart, observant l'homme qu'elle a épousé, en grande conversation avec le président réfugié et sa famille. Il est gauche, inflexible, raide... « arrogant », dit-on de lui, même si elle est sûre qu'il ne l'est pas... quel est exactement le mot qui va de pair avec toutes ces qualités qui lui ont toujours rendu de si fiers services ? Tandis qu'elle se tient là, personnage pathétique, bien qu'elle n'en ait pas conscience, hautaine, défiante, un groupe de femmes de leur pays entre dans la salle des départs, c'est-à-dire dans la zone des passagers ordinaires, de l'autre côté de la corde tendue à la hâte pour les séparer. Elles font partie d'une délégation qui s'est rendue en Indonésie pour une conférence des femmes sur les technologies de substitution. Elles l'aperçoivent, elle, la Mère de leur Pays, et s'arrêtent en se mettant à chuchoter. Elle a été à l'école avec les deux femmes qui dirigent la délégation et qui s'approchent du cordon en claquant doucement des mains pour la saluer.

« Vous souvenez-vous de nous, Mère ? demande son ancienne camarade d'école.

— Oui, je me souviens. Bien sûr. »

Elles se dévisagent, la Grande Dame et ses humbles condisciples.

Puis l'une dit : « Ne nous oubliez pas, Mère. » Doucement, et s'en retourne.

L'autre dit : « Ne nous oubliez pas, Mère. » Et s'en retourne.

Les unes après les autres, les femmes s'avancent, se campent en face de la Mère, mais de l'autre côté du cordon, et disent : « Ne nous oubliez pas, Mère » — puis elles s'en vont rejoindre le groupe et restent le dos tourné.

(Il y a plusieurs femmes de ce type, qui occupent de hautes positions dans diverses régions de l'Afrique.)

QUELQUES VISIONS DE L'AVENIR
DE L'AFRIQUE AUSTRALE

Un éminent juriste sud-africain, un libéral : « Tout le monde se laisse hypnotiser par les stéréotypes politiques. On ne veut voir qu'une seule chose, l'injustice de l'apartheid. Mais le pays fonce, les Noirs foncent, en dépit de tout, et ils débordent de talent et d'énergie. Oui, j'imagine que le sang va couler... » — il agite la main d'un geste d'agacement — « mais pas autant que tout le monde l'imagine. Vous verrez, nous trouverons un terrain d'entente. Et puis, la seule limite c'est le ciel. D'ici quinze à vingt ans, ce sera l'une des régions les plus excitantes de la planète. Les freins seront lâchés, pleins gaz ! »

Un homme politique européen de passage : « Aucun espoir ! Pas à cause du Zimbabwe, mais à cause de l'Afrique du Sud. L'Afrique du Sud va s'embraser et elle entraînera le Zimbabwe avec elle. Si vous voulez voir l'avenir, consultez le passé : la

Zambie s'est affaiblie en aidant le Zimbabwe et maintenant c'est la catastrophe. Le Zimbabwe s'affaiblit en aidant le Mozambique. Il ne fait pas bon être un nageur confirmé quand on est entouré de voisins qui se noient. »

Un libéral sud-africain : « Pourquoi l'Afrique du Sud résoudrait-elle ses problèmes ? Elle ne l'a jamais fait. Aussi loin que je m'en souvienne, et ça fait cinquante ans, elle a toujours été une tyrannie brutale, répugnante et triomphante. Voyez au nord : le Botswana a une population infime mais chacun ne pense qu'à s'y enrichir au plus vite. La Zambie n'arrive pas à se nourrir. Le Zimbabwe y parvient mais ne prend pas soin de sa terre. La Namibie, l'Angola et le Mozambique sont ruinés par la guerre. L'Afrique australe tout entière sera une région sinistrée de plus, pleine de gouvernements répressifs et corrompus.

Un universitaire zimbabwéen s'est rendu au Zaïre et rapporte : « Des villes qui, il y a dix ans encore, étaient de vraies villes sont abandonnées. Pas d'électricité, pas de transports, ni de courrier, les hôtels ne travaillent pas, pas d'essence. J'ai visité la bibliothèque centrale. Naguère, c'était une bonne bibliothèque. Il y a des années que les bibliothécaires ne sont plus payés et qu'ils nourrissent leurs familles en vendant les livres. Des étagères vides : rien. Les écoles ne fonctionnent pas... pas de manuels. On ne peut pas dire : " C'en est fait de l'Afrique ", parce que l'infrastructure n'était pas africaine. C'est bizarre, ça donne le frisson, comme dans un film fantastique... Vous pénétrez dans une banlieue dont vous vous souveniez comme d'une banlieue riche et la seule chose que vous voyez, c'est la fumée de centaines de feux en plein air, où l'on fait la cuisine ; tous les arbres et les arbrisseaux y passent, et quand ils auront disparu... Comment tout cela a-t-il commencé ? Coupures d'électricité. Un par un, les services se sont effondrés. Il ne reste plus la moindre infrastructure.

« Vous ne voyez pas ce qui se passe au Zimbabwe ? Nous avons eu des coupures d'électricité des semaines durant. Les chemins de fer ne marchent pas. Le téléphone est capricieux[1]. Les bassins houillers ne produisent même pas assez de charbon pour les hôpitaux : cette semaine, le principal hôpital de Harare

---

1. Les Japonais construisent un nouveau central téléphonique au Zimbabwe. (N.d.A.)

n'a pu faire la moindre opération. Pas de charbon pour les sueries, alors que le tabac est la principale source de devises. Ils empruntent six locomotives à l'Afrique du Sud, et dès la première semaine, deux sont bonnes pour la casse et deux autres sont en panne, attendant qu'on les répare. Et au moment même où le Zimbabwe s'arrête dans un grincement de roues, Mugabe met cinquante-cinq pour cent de nos voies ferrées à la disposition de la Zambie, pour qu'elle achemine son fret jusqu'aux ports. Les routes : ce pays est totalement incapable d'entretenir son réseau routier, à moins qu'on ne lui fasse l'aumône. Je me rends dans la province de X, j'apprends que les routes sont remises à neuf. Ce sont les Suédois qui paient. Le lendemain, sur une nouvelle route : cette fois, ce sont les Français. Allons-nous continuer ainsi, à vivre de la charité ? Aboulez, aboulez, aboulez ! Donnez-nous des bibliothèques, donnez-nous des locomotives, donnez-nous tout le bataclan. »

ALORS QUE FAIRE ?

Un étudiant marxiste : « La révolution bourgeoise a échoué. Il nous faut maintenant une révolution prolétarienne. »

Un fermier noir : « Les transports, c'est la clé de tout. Si seulement le camarade Mugabe mettait de l'ordre dans nos transports... »

Un Blanc (né au pays, il compte y rester et fait partie d'innombrables conseils, commissions et organismes de charité) : « D'abord commencez par enlever tout ce qui freine les investissements. Mais ça ne changera rien tant que les choses ne bougeront pas par ailleurs. On en a déversé de l'argent dans ce pays, par millions. L'essentiel a été gaspillé. Les agences de l'Aide, elles ne comprennent pas les priorités, elles ne comprennent pas à quel niveau elles auraient dû commencer. Les chemins de fer marcheront le jour où l'on aura appris la mécanique à ces gars. L'industrie marchera le jour où elle aura un personnel qualifié. Regardez les avions du Zimbabwe : ils volent, n'est-ce pas ? Ils ne tombent pas du ciel ? Non, ils ont décidé d'avoir une compagnie aérienne : tous ces pays en veulent une, question de prestige. Mais ils ont donné l'argent pour former les gars à enseigner. Parce qu'il fallait le faire. Si j'avais entre les mains cet argent de l'Aide, je créerais des collèges pour former les professeurs. Il y a un vide : le voilà. En faire une affaire de prestige. Mugabe devrait s'y rendre illico, faire des discours et distribuer des récompenses. Parce que vous savez ce qui s'est passé ? Tous ces jeunes gars, tous ces Noirs, ils veulent étudier la littérature. Que Dieu nous vienne en aide ! Ils ont hérité de tout ce snobisme de l'Angleterre où les ingénieurs sont des pouilleux. Quand je suis allé aux États-Unis, l'an passé, je n'ai cessé de rencontrer des ingénieurs de l'aéronautique, des Anglais, des Écossais, qui travaillent en Amérique et en Europe, où l'on apprécie les ingénieurs. Mais ici, c'est une question de vie ou de mort : nous avons besoin de former des ingénieurs, et qu'ils soient respectés. Tant que nous n'aurons pas cette couche de gars noirs convenablement formés, on jettera l'argent par les fenêtres.

« Saviez-vous que chaque année les Japonais forment quatre cents fois plus d'ingénieurs et de techniciens que nous ? » (« Nous » : les Britanniques.)

« Formation, formation, formation, FORMATION, FOR-MATION — *c'est de formation que nous avons besoin. DE FORMATION.* »

POLITIQUE

Un fermier (blanc), qui dirige une ferme commerciale dans un district voué aux technologies de pointe, où il n'y a pas si longtemps Selous troquait avec Lo Magondi, a demandé la carte du ZANU-PF. Deux dignitaires du parti l'ont soumis à un interrogatoire.

« Pour commencer, dit-il d'un ton belliqueux, j'ai trois choses à vous dire. Premièrement, j'ai une grande gueule et je ne vais pas changer. » (Ses attaques contre la politique du gouvernement l'avaient rendu célèbre.)

« Et ensuite, camarade ?

— Ça fait trente ans que je cultive la terre dans ce pays, et je vais continuer à le faire de mon mieux.

— Et ensuite ?

— Jamais je ne quitterai ce pays. Vous pourriez incendier ma maison sous mes yeux et me dire d'aller vivre dans un gourbi, je resterais.

— Bienvenue au ZANU-PF, camarade. »

RENONCEMENT

Les gens quittent le Zimbabwe pour des raisons apparemment mineures : la goutte qui fait déborder le vase...

« A cause de *quoi* partez-vous ? Vous êtes fou.

— Si vous voulez. J'ai déménagé. J'ai élevé un mur autour du jardin, un mur *dura*. » (Un genre de clôture de ciment.) « A longueur de journée au service j'entends : " Ainsi vous élevez un mur dura, comme tous les Blancs, vous mettez tous des clôtures. " Or tout le monde sait que la première chose que fait un chef quand il achète une maison, avant même d'emménager, c'est d'élever son mur. Tout ce que j'entends, c'est les Blancs ceci, les Blancs cela. J'en ai assez de ce racisme. Ça empire. Je me tire. »

Un scientifique est parti parce que, après avoir maintes fois demandé en vain du matériel de laboratoire qu'on lui avait refusé sous prétexte de pénurie de devises, il a vu à l'aéroport des « dizaines de ces foutus chefs s'en aller à l'une de leurs conférences quelque part. Il y a toujours assez d'argent pour ça. »

Pour un autre, la goutte qui a fait déborder le vase, c'est le nouveau manuel d'histoire en usage dans les écoles, censé corriger les erreurs de l'histoire de l'Afrique vue par les Blancs. Pour commencer, il n'y a qu'un seul bref chapitre sur les cent ans de domination blanche, qui ont transformé la culture noire. « Ça s'appelle de la discrimination positive. » Ensuite, il y est dit que les chasseurs-cueilleurs ont peuplé le Moyen-Orient jusque vers un millier d'années avant le Christ. « Il n'est pas question d'apprendre aux gosses noirs qu'il y a eu des civilisations resplendissantes tout autour de la Méditerranée bien avant qu'ils en eussent entendu parler. » Et puis, cette bande d'aventuriers polyglottes, désespérés, sans le sou, qui avaient une bonne descente et qui sont arrivés pour tenter leur chance dans les mines de diamant de Kimberley sont présentés comme des « capitalistes ». Et puis, dans un livre destiné aux filles comme aux garçons, on invite les élèves à s'imaginer roi dans l'Afrique médiévale, un roi paré de fanfreluches avec ses épouses qui s'empressent autour de lui. « Pas un mot du rôle important que les femmes ont joué, elles n'ont pas été simplement les épouses du roi, tout ça n'est qu'un tissu d'âneries. Non, je suis historien. Ce qui veut dire *des faits*. Si ces gens ont envie de toutes ces âneries politiques, alors je me tire. »

Mais : l'homme qui est parti à cause de cette histoire de clôture est revenu. « Je voudrais prendre ce foutu pays par les épaules et le secouer pour lui faire entrer un peu de bon sens dans la caboche. Mais je n'ai envie de vivre nulle part ailleurs. »

Au demeurant, on retrouve aussi des Zimbabwéens noirs, voire un chef ou deux, loin de leur pays. Après une soirée passée à jouer au jeu connu sous le nom « Le choix des mots », on entend : « Oui, c'est ainsi... c'est drôle comment les choses tournent, parfois. »

LA VÉRANDA DANS LES MONTAGNES

De nouveau je contemple les collines, les lacs, les rivières et les forêts et, dans le ciel, un minuscule aéroplane, propriété d'un fermier du pays. Le planteur de café l'accompagne. Ils font le tour des montagnes, des vallées et des zones communautaires, à l'affût de signes d'érosion des sols, qu'il leur faudra alors signaler au Comité de protection des sols.

A longueur de journée, et de soirée, j'écoute, assise, le foisonnement des idées.

Partout, dans les zones communautaires, vous voyez ces grosses biques. Comment se fait-il que les Noirs ne produisent pas de fromage de chèvre ? Ils aiment les saveurs fortes. Ça leur plairait sûrement. Pourquoi ne... ?

Une femme revient tout juste d'Argentine, avec : « Ils ont les mêmes cultures qu'ici. Maïs, potirons, tomates, légumes, pommes de terre. Mais les pauvres en font des dizaines de plats différents. Pourquoi ne pas prendre exemple sur les Argentins ? »

461

Un vieux de la vieille s'est dit que les expédients, les inventions, les improvisations des fermes blanches des premiers temps, du temps où il n'y avait ni électricité ni réfrigérateurs ni eau courante, pourraient être aujourd'hui de quelque utilité dans les zones communautaires les plus démunies. Par exemple, les rafraîchisseurs qu'ont supplantés les réfrigérateurs. Les étagères sont protégées par un double grillage de volière, dont l'espace intermédiaire — trois ou quatre centimètres — est rempli de charbon de bois. Le sommet de ce garde-manger est pourvu d'une rigole métallique percée de tout petits trous. On la remplit d'eau, qui suinte lentement à travers le charbon, en sorte que les parois du garde-manger sont toujours humides et que l'évaporation rafraîchit l'intérieur du placard, où le beurre, le lait, la viande enveloppée de feuilles de papayer pour la rendre plus tendre sont alors conservés à une température plus basse qu'à l'extérieur.

Des rafraîchisseurs d'eau en toile étaient suspendus aux chevrons ou à des branches d'arbre, avec de la limonade ou du thé froid.

Moi : « Devant chez nous, il y avait un énorme réservoir métallique où, par temps chaud, l'eau devenait si brûlante qu'on ne pouvait plus y mettre la main. Aujourd'hui, j'ai peine à croire qu'il ne nous soit jamais venu à l'idée de nous servir de cette eau pour le bain ou la lessive. »

« Pourquoi ne font-ils... ? »

« Pourquoi ne faisons-nous... ? »

« Et si... ? »

Dans la vallée du café, la campagne du gouvernement sur le sida porte ses fruits. « Il ne s'agit pas seulement du gouvernement, nous nous y mettons tous. Mais c'est triste, parce que au lieu de boire de la bière et de danser dans les parties, ils ont tous peur de se saouler et de prendre du bon temps. Maintenant, ils se tournent tous vers la religion, vous savez, la religion des chants et des danses. Une bonne chose, parce qu'ils ont déjà la vie assez dure pour ne pas avoir droit à quelque amusement le week-end. »

Le planteur de café s'est fait agresser à Mutare en plein jour. Il venait de la banque, où il avait déposé des chèques. Les voleurs pensaient qu'il était aller retirer la paie du mois pour ses ouvriers. « Ils savaient certainement ce qu'ils faisaient, dit le planteur, un rien admiratif. L'un m'a fait trébucher, l'autre m'a fouillé les poches. Je n'étais pas encore relevé qu'ils avaient filé. J'ai couru au coin de la rue, mais la voiture était déjà trop loin pour relever le numéro d'immatriculation. Ils avaient dû guetter l'instant où il n'y avait personne d'autre dans la rue. Eh bien, pas de veine, je n'avais que deux dollars sur moi. »

UNE PROTAGONISTE PASSIONNÉE

Dans un beau parc de Harare, j'ai été victime d'habiles pickpockets. Deux jeunes à l'allure engageante nous abordèrent, moi et mon compagnon, et nous demandèrent si nous voulions bien parrainer une marche de soutien à je ne sais trop quoi. L'un d'eux m'invita à déplier le formulaire au dos duquel j'inscrirais ma contribution et qu'il eut l'obligeance de retourner pour me permettre de le signer. Tandis que j'apposais ma signature, j'avais les mains occupées, et il en profita pour glisser la sienne dans mon sac et empocher plus d'une centaine de livres. Pendant ce temps, son acolyte détournait l'attention de mon ami.

Quand je racontai cet incident à une femme qui ne supporte pas la moindre critique à l'égard du Zimbabwe, elle prit d'abord l'air navré, mais elle se ressaisit : « Vous dites qu'ils ont bien mené leur affaire ? — Ah oui, très brillants, je n'imagine pas, à Londres, des pickpockets qui aient autant de charme, de force de persuasion. » Elle se rassit, avec un soupir satisfait de mère fière.

SOURCES THERMALES

Sous les Blancs, c'était une station réputée, mais elle tombe en ruine aujourd'hui, la piscine et les cabines de bain demeurant inutilisées. Des aménagements d'antan, il ne subsiste qu'un kiosque de vente de boissons fraîches. Des jeunes gens s'entassent sur des bancs autour de tables à tréteaux, buvant de la bière et jouant aux cartes avec des bouts de carton ou des dessous-deverre. A une table séparée, un vieil homme tient sa cour, entouré de jeunes hommes et de garçons qui écoutent ses souvenirs. Ils sont comme hypnotisés par lui, ils boivent ses paroles ; souvent ils rient, puis retrouvent aussitôt le silence, de crainte de laisser passer quelque chose. Cette scène, dans ce cadre d'une beauté sauvage, me rappelle, une fois encore, l'Italie, son piquant, son allégresse. Asseyez-vous à côté des joueurs de cartes et l'esprit d'allégresse vous emportera.

Je pense à Guy Clutton-Brocks : « Il n'y a pas de gens plus heureux au monde. Ils se réjouissent de tout, partout, à tout moment. Et nous, nous sommes les plus tristes. »

Aussi loin que je m'en souvienne, j'ai toujours entendu des groupes de Blancs se demander pourquoi il en allait ainsi, à tous les niveaux, du : « Mais bon sang, qu'est-ce qui cloche en nous ? » au : « Qu'y a-t-il dans notre culture, où ça a commencé, qu'est-ce qui s'est passé qui fait que nous ayons tant de mal à nous réjouir ? Le climat septentrional ? Le protestantisme ? La révolution industrielle ? » (« Quand on doute, il n'est qu'à blâmer la révolution industrielle. »)

Nous sommes tous tellement malmenés par les idéologues qu'il est difficile de dire que les Africains ont quelque chose que les Blancs n'ont pas, ou que nous avons quelque chose qu'ils n'ont pas, mais le fait est que, du nord au sud de l'Afrique, les voyageurs en ont toujours attesté, ils savent se réjouir.

Le missionnaire Moffat (l'aîné) écrivait dans son journal comment il restait éveillé, la nuit, au clair de lune, dans son lit de camp, pour écouter, de l'autre côté du fleuve, les Noirs qui dansaient et chantaient au rythme de leurs tambours et, d'une manière générale, se réjouissaient. A ses yeux, Dieu lui avait donné pour mission de mettre fin à tous ces plaisirs coupables. Eh bien, ils ont certainement essayé.

Des heures durant, cet après-midi-là, des jeunes hommes sont venus nonchalamment prendre une bière et jouer aux cartes ; certains sont allés rejoindre l'auditoire du vieux.

Où, en Europe, verrait-on aujourd'hui des hommes jeunes et des garçons attroupés autour d'un vieillard qui raconte des histoires ?

Si l'on pose la question : « Mais où étaient les femmes ? » — eh bien, elles préparaient le feu et la cuisine pour le souper de ces messieurs, elles lavaient les enfants et les mettaient au lit, après avoir biné la terre, ensemencé les champs, rentré les récoltes, réparé les murs de la cabane, regarni la toiture de chaume.

CONTEURS ET ÉCRIVAINS

Contes, récits, blagues, anecdotes jaillissent sans cesse des lèvres de ces gens comme des bulles de savon. Jacasseries, pourrait-on dire, mais la dimension épique est toujours présente, car le Zimbabwe est ressenti comme important, et ce parce que les souvenirs des vieux royaumes comme le Monomotapa (ou, plutôt, le Munhumotapa) sont toujours là. Quand, plus tard, les colons blancs ont dit : « C'est le pays de Dieu », ils ne savaient pas que leur orgueil était de beaucoup antérieur à leur arrivée et qu'il se perpétuerait longtemps après qu'ils seraient partis.

Le Zimbabwe a de bons écrivains, étonnamment nombreux, à qui l'on doit de bons romans, mais la forme de la nouvelle leur convient à merveille, précisément peut-être parce que, lorsque les gens se réunissent pour se divertir de « jacasseries », les histoires de voisinage ou de chefs prennent tout naturellement la forme de contes. A côté de ceux qui écrivent en anglais, il en est beaucoup qui emploient d'autres langues, le shona, le ndébélé, etc., mais ils sont rarement traduits. A quoi ressemblent leurs livres ? Violents, tel est le verdict : truffés de meurtres, de crimes, de passions, d'incestes, achetés et lus en grand nombre.

Quand on a invité les femmes qui venaient aux réunions de l'Équipe du livre à composer des récits, des poèmes — des femmes qui commencèrent par se récrier : « Oh non » et par se montrer timides, mais qui presque aussitôt se mirent à suggérer des idées, des débuts de contes —, j'ai vu naître des écrivains dont nous pourrions bien entendre parler tôt ou tard. Ou, tout au moins, une atmosphère propice à l'apparition d'écrivains.

Il existe déjà un bon roman de femme, Tsitsi Dangaremba, mais il a eu du mal à voir le jour. Quatre éditeurs du Zimbabwe ont refusé *Nervous Disorders* (Crises de nerfs). Les Women's Press de Londres l'ont pris et c'est après seulement que la Zimbabwe Publishing House a trouvé le courage de le publier. On lui reprochait d'être « négatif », de brosser un tableau inique de la vie des Noires qui, quant à elles, tiennent des propos du style : « C'est la première fois que je vois aussi clairement ma vie de femme shona. » Bref, c'est un livre révolutionnaire. Les critiques étaient tous des hommes, tous hostiles. Et ça n'a pas changé.

La plupart des critiques du Zimbabwe sont mauvais, mais ils ont la force de leur ignorance, et le support de l'idéologie. Non seulement les universitaires ne pouvaient rien savoir de ce qui se passait en Union soviétique et dans les pays communistes, mais ils ignoraient tout des nombreux romans où l'on se gaussait du jargon et des prétentions du marxisme. Ces romans étaient interdits.

Parmi les nouveaux écrivains, il est des groupes qui refusent tout talent aux « pères de la littérature zimbabwéenne » comme Charles Mungoshi. Pas possible ! serait-on tenté de s'écrier, si l'on n'avait si souvent observé le phénomène en d'autres pays.

En Suède et en Norvège, par exemple, la nouvelle génération d'écrivains des années soixante-dix a rejeté tous ses aînés, jugés dépourvus de talent, recourant au marxisme pour mieux justifier leur envie : le marxisme a toujours été le plus utile complice de l'envie. L'information sur l'état de la littérature dans les pays communistes, où le « réalisme socialiste » et la critique marxiste régnaient depuis des décennies, leur était parfaitement accessible, mais leur besoin de dénigrer leurs prédécesseurs était si fort qu'ils réussirent à se persuader que le « réalisme socialiste » était bien vivant. En Suède et en Norvège, les années soixante-dix sont désormais évoquées comme celles d'un nouveau Moyen Âge, et les écrivains qui en sont les premiers responsables ne sont pas en reste.

Il s'est produit quelque chose de semblable dans la Grande-Bretagne des années quatre-vingt, sous l'effet, en l'occurrence, de la « politique de la terre brûlée » connue sous le nom de thatchérisme. *Elle* disait « l'un de nous », « nous et eux », « pas l'un des nôtres », et ainsi faisaient également les nouveaux groupes de jeunes, qui ne reconnaissaient de talent qu'à leurs copains et à eux, et imposèrent un style de critique si vindicatif que les collègues européens demandaient souvent : « Mais qu'est-ce qui vous arrive ? — Thatcher ! » répondait-on souvent, mais ce n'était qu'un phénomène ancien sous des dehors nouveaux. Toute une génération de nouveaux lecteurs et de nouveaux écrivains est aujourd'hui convaincue que la rancœur et la malveillance sont inséparables de la critique littéraire, de même qu'au Zimbabwe une génération croit qu'il n'est de vraie critique sans le jargon du marxisme.

En Grande-Bretagne, s'ils se dégagent d'une recension ou d'une critique, ces relents de haine ou d'envie reconnaissables entre tous, il est facile de laisser celle-ci de côté pour mettre la main sur quelque chose de plus intelligent. Pas au Zimbabwe, car il n'y a pas le choix.

On m'a invitée à une réunion des écrivains du Zimbabwe. Il y avait plus de cadres du parti et de chiens de garde que d'écrivains. Les « poids lourds » — jamais mot ne fut plus approprié —, hommes massifs et pesants dans leurs costumes trois-pièces, donnaient l'impression d'appartenir à une autre espèce que les écrivains. C'était vrai. Et ça l'est toujours. Il était pénible de voir des écrivains sérieux subir patiemment et dignement des assauts du style : « Je vois que pour vous l'écrivain doit rester enfermé dans une tour d'ivoire, camarade », lancés par une jeune militante tout émoustillée par ce qu'elle croyait être sa finesse et son savoir-faire politiques et qui nous invitait du regard à l'admirer. Tout ceci est tellement bête, direz-vous, non, ça ne peut pas durer, mais ça dure, et ce sont les bons écrivains, les écrivains sérieux, qui en pâtissent, qui font les frais... de cette revanche des médiocres, qui trouvent toujours de nouveaux exutoires — politiques, surtout — à l'Envie. En 1989, le verdict était le suivant : « Tout écrivain, tout roman ou poème qui retient l'attention ou fait l'objet d'une recension à l'extérieur du Zimbabwe est par définition petit-bourgeois et trahit les besoins du peuple noir — cet écrivain est un vendu. » On a rarement l'occasion d'observer l'Envie se manifester aussi clairement : cercle de haine aussi resplendissant qu'empoisonné, qui exclut tout ce qui n'est pas en lui, ne reconnaît de mérite à personne en dehors de lui. Il n'est de meilleure recette pour s'assurer que soit automatiquement discrédité tout écrivain zimbabwéen, passé ou futur, qui retiendrait tant soit peu l'attention. (Cette recette est appliquée au Nigeria, où tout écrivain, homme ou femme, dont les romans sont pris au sérieux à l'étranger est forcément un traître.)

Au Zimbabwe, les écrivains ont tendance à boire, ou meurent jeunes, quand ils ne renoncent pas carrément à écrire. Ce que je ferais, moi aussi.

Voici quelques-uns des écrivains du Zimbabwe, quelques-uns des livres que j'ai admirés :

Charles Mungoshi	*Waiting for the Rain*
	The Setting Sun
	The Rolling World
	Coming of the Dry Season
Tsitsi Dangaremba	*Nervous Disorders*
Shimmer Chinodya	*Dew in the Morning*
	Victory Thorns (le roman sur la guerre du Bush qui fut mis à l'index)
S. Nyamfukudza	*The Non-Believer's Journey*
Musaemura Zimunya	*Country Dawns and City Lights*
William Saidi	*The Old Bricks*
Tim McLoughlan	*Karima*
Chenjerai Hove	*Up in Arms*
	Bones

L'HEURE DE RENTRER, DE REPARTIR

Je décidai de faire un rapide voyage dans mon pays mythique, peut-être pour m'assurer qu'il était encore là, et même pour visiter le sombre et étouffant bungalow sur cette colline toujours baignée par le clair de lune, la lumière des étoiles ou celle du soleil, brassée par tous les vents de la terre et du ciel. « Hello ! dirais-je sans doute à ces gosses, tâchant de percer la crasse des carreaux. Hé ! Comment allez-vous ? Dites-moi, quel est votre vœu le plus cher ? »

Mais à l'embranchement, à l'endroit où il y avait jadis le bosquet d'acacias d'un côté, le kraal des mombies de l'autre, un grand panneau annonce maintenant : « Entrée interdite sous peine de poursuites. »

Très juste, ça aussi.

Les scénaristes connaissent certainement leur métier.

Avant de quitter le Zimbabwe, non loin de Harare, alors que

le soleil venait de se coucher, j'entrevis le passé — tous nos passés — en la personne d'un jeune homme au pas léger qui redescendait des collines, les yeux guettant le spectre du gibier évanoui. Il avait une lance dans le dos, une fronde à la main : trois chiens de chasse efflanqués l'accompagnaient.

1990, L'ANNÉE DES MIRACLES

Une jeune femme se trouve dans un avion en provenance du Moyen-Orient ; un homme l'aborde et lui demande : « Dites-moi ce qui s'est passé dans le monde. J'ai séjourné plusieurs mois dans l'Himalaya, et je n'ai pas vu de journaux ni écouté les nouvelles. Dieu merci.

— Eh bien, voyons voir, dit-elle. L'Union soviétique a abandonné le communisme, les colonies soviétiques ont abandonné l'Union soviétique. Le mur de Berlin est tombé et l'Allemagne est réunifiée. En Afrique du Sud, ils ont abandonné l'apartheid.

— Très drôle, dit-il. Et maintenant, dites-moi ce qui s'est vraiment passé. »

Au Zimbabwe, c'est le camarade Mugabe et le ZANU-PF qui ont gagné les élections et personne ne parle de Tekere. « *Qui ça ?* » demanderont-ils bientôt.

Mugabe s'accroche toujours au parti unique, mais ses collègues ne veulent pas en entendre parler.

1991

Le camarade Mugabe abandonne officiellement le communisme.

Qui prétend que les erreurs des autres ne sont jamais d'aucun enseignement ?

Mais l'université du Zimbabwe est encore assujettie au contrôle du parti.

Pourquoi ? Tout le monde se le demande.

J'essaie de me mettre à la place de Mugabe et je découvre que j'éprouve toutes les émotions des vieux quand ils voient ce qu'ils ont vénéré leur filer tranquillement entre les doigts. C'est un homme fier, un homme austère, un homme de principes. Ce rempart, ce bouclier qu'était la Ve Brigade est devenu ce qu'il y a de plus honni au Zimbabwe. Le palais du Peuple, le QG du parti et le stade, tous copiés sur les communistes, sont des éléphants blancs. Ses collègues et camarades ont découvert dans le vol leur seconde nature. Le communisme a disparu, la mainmise du parti unique sur l'État a été rejetée, le désordre règne dans l'économie du Zimbabwe comme dans toutes les autres économies soumises à l'influence communiste. Mais il y a l'université du Zimbabwe qui, elle au moins, reste à portée de main.

Et encore, en passant...

1992

Kenneth Kaunda n'est plus président de la Zambie. Il a démissionné. Volontairement. Dans ce pays mal administré, son successeur n'a pas une tâche bien enviable.

Au Zimbabwe, on ne dit pas : « Pourquoi Mugabe ne fait-il... ? » « Mugabe devrait... » Le peuple s'est lassé d'attendre et d'espérer.

La monnaie a été dévaluée. Le « dollar Zim » vaut un quart de ce qu'il valait avant. Les pauvres, dont la situation était déjà désespérée, sont encore plus mal lotis. Un nouvel acronyme, l'ESAP, résume la nouvelle politique économique. Ça veut dire — attendez un peu — « politique économique d'aménagement structurel ». Ou, comment obtenir les avantages du capitalisme sans renoncer au socialisme. Les Povos, à qui il est demandé de se serrer la ceinture, prétendent qu'ESAP signifie « encore des souffrances assenées aux pauvres » ou, comme on dit en shona, « Fini le sucre ! ». La récolte de sucre a été mauvaise pour cause de sécheresse. Les dirigeants implorent les investisseurs étrangers tout en agonissant d'injures les multinationales. Peut-être attendent-elles que le téléphone marche et qu'il y ait moins de paperasserie. Dans les districts agricoles, certains fermiers ont renoncé à attendre quoi que ce soit du téléphone et se sont rabattus sur les réseaux de radioamateurs créés pendant la guerre du Bush. « Pourquoi ne pas employer le langage des tambours ? demandent les facétieux. Les Africains se débrouillaient fort bien avec. »

Dans une réunion, un homme a interpellé Mugabe : « Nous nous en sortions mieux sous Smith. » Il s'est fait embarquer.

Mais d'un bout à l'autre du pays, les gens répètent la même chose. Et : « Au moins Smith avait-il le mérite de la probité. » Ou même : « Nous avons besoin d'un nouveau dirigeant », car, comme d'autres pays apparemment plus sophistiqués, ils croient qu'un changement de dirigeant ne peut être qu'un changement en mieux. Il est probable, court la rumeur, qu'ils auront bientôt un nouveau dirigeant : Mugabe, dit-on, va démissionner. « Les mauvais chefs lui ont brisé le cœur, à ce malheureux Robert », disent-ils.

On entend moins souvent le mot chef. Était-ce, somme toute, un terme d'affection ?

Sally Mugabe, l'épouse de Robert Mugabe, est morte. Tout le pays s'est retrouvé uni dans une même compassion, dit-on : tout au moins pour un temps.

La famine menace. Dans le passé, on constituait chaque année des réserves de céréales dans les silos. Les réserves de cette année ont été distribuées, notamment aux régions faméliques en Éthiopie, ou vendues au Mozambique. Pendant ce temps, le gouvernement a découragé la culture du maïs — la culture de base — en demandant aux fermiers de cultiver les produits qui rapportent des devises. Il semble que les conseils des experts du FMI et de la Banque mondiale soient en partie responsables de cette sottise. Puis les pluies ne sont pas venues. Et voici que le Zimbabwe achète des céréales à l'Afrique du Sud, elle-même à court de maïs à cause de la sécheresse, et qu'il lui faut sortir des devises. Avec ce petit exercice de planification inspirée, on peut être sûr que le Zimbabwe tendra la sébile cette année. Et si les pluies sont encore mauvaises l'an prochain ?

L'Équipe du livre a vécu douze mois difficiles. Le livre des femmes a déplu à deux ministères. Il a fallu des interventions au plus haut niveau pour sauver le livre. Son titre, *Construire des communautés dignes de ce nom*, reflète le sentiment qu'ont les femmes d'être les parents pauvres de la communauté. Huit équipes locales ont été constituées. Dans certaines régions, des équipes se forment spontanément.

Le jeune professeur de l'école de la brousse s'est raccommodé avec sa femme.

L'assistant agricole, le champion de parachutisme, est maintenant prédicateur dans une secte de chrétiens charismatiques.

Ayrton R. a envoyé à l'école les deux derniers enfants de Dorothy. En vertu de l'ESAP, nombre d'enfants sont désormais tenus d'acquitter des droits d'inscription. C'est lui qui paie les livres et les vêtements. Ils ne sont pas contents : ils n'aiment pas l'école, surtout parce qu'ils se font houspiller par leurs camarades. « Pourquoi irions-nous à la même école que les enfants de domestiques ? » Mais : ils seront instruits, alors que leurs parents ne le sont pas. Ils sont également contrariés parce que Ayrton R. a une jolie maison, et pas eux.

Le *Herald*, le principal organe de presse du pays, est devenu un journal incisif et critique, il ne ressemble plus à la *Pravda*. Il y a d'excellentes revues et de nouveaux journaux et magazines indépendants se préparent.

Dans un bureau de l'administration où il y avait foule, un fonctionnaire se montra grossier avec une vieille dame blanche qui se plaignait d'attendre depuis cinq heures. Un *Noir* lui répondit : « On ne parle pas comme ça à une vieille femme, ça ne nous plaît pas. » Les autres lui donnèrent raison. « Oui, votre conduite ne nous plaît pas. » Le fonctionnaire devint aimable.

Un Irlandais, Declan Gould, qui a passé sept ans à secourir les sans-abri et les pauvres, a été déporté, interdit de séjour, en vertu de la législation jadis en vigueur en Rhodésie du Sud, que l'on a gardée telle quelle, inchangée.

Quand quelque chose ne va pas, on continue à crier au sabotage de l'Afrique du Sud. Visiblement, nombre de Zimbabwéens n'ont pas remarqué que la situation a changé en Afrique du Sud.

Les choses se passent mal à l'université du Zimbabwe. A sa création, sous la fédération, elle avait été dotée d'une constitution libérale, comme il est de règle dans les pays démocratiques. En vertu d'une nouvelle loi, *The University Amendment Act,* elle sera désormais sous le contrôle du gouvernement, c'est-à-dire du ZANU-PF. Le vice-chancelier sera en mesure de se débarrasser de tout universitaire qui ne lui plaît pas : sans appel. Les étudiants n'ont pas fini d'en baver. Les universitaires qui peuvent s'en aller s'en vont, ou projettent de le faire. Les gens espèrent que cette loi rétrograde va être abandonnée.

Les écrivains du Zimbabwe se sont réunis ce mois-ci, en janvier, afin de protester contre le harcèlement des agents de la *Central Intelligence Organization,* dont la bêtise et la cruauté viennent sans doute de ce qu'ils ont été formés par la police secrète de l'infâme Ceauşescu. Les gens voudraient savoir quel besoin a une démocratie d'une police secrète.

Sur une ferme commerciale — blanche — on me sert d'ignobles blagues racistes inspirées par l'incompétence gouvernementale. Mais : il devrait y avoir deux cents personnes sur cette ferme, les ouvriers et leurs familles. Il y en a sept cents. Le fermier explique : « J'en aurais quatre mille à l'heure qu'il est, mais je suis forcé de les renvoyer. Je n'aime pas ça. Ils ont envie d'être ici, parce qu'ils s'en tirent mieux chez moi que dans les zones communautaires. Toutes les fermes blanches sont plus peuplées que les zones communautaires de même superficie. » Il irrigue de vastes champs, utilisant la précieuse eau qu'il pourrait employer aux cultures lucratives que demande le gouvernement, de manière à nourrir ses sept cents bouches tant que durera la sécheresse. « Au moins mes gens seront-ils nourris, puisque ces imbéciles n'y arrivent pas. Et tous les autres qui ne cessent de venir quémander de la nourriture ? Je suis obligé de les renvoyer, sans quoi je serais à court pour mes gens. Vous croyez que je le vis bien ? »

Une nouvelle loi permet de confisquer irrévocablement la terre des fermiers blancs, dans certaines régions expressément désignées. Cette menace permanente maintient une partie productive de l'économie agricole dans un état d'incertitude, les fermiers hésitant désormais à investir pour placer leur argent dans des biens mobiliers. Pendant ce temps, le gouvernement dispose de grandes superficies qui ne sont pas encore attribuées. On dit que cette loi a pour but de détourner l'attention des Povos des erreurs des pouvoirs publics.

Le Zimbabwe projette d'abattre trente mille éléphants cette année, au lieu de trois mille ou cinq mille en temps ordinaire. Sans quoi les troupeaux commenceraient à mourir de faim. Mais : un jeune homme entreprenant proteste, il n'est pas vrai que l'on ne peut pas dresser les éléphants africains. Il dresse des éléphants. Ainsi verra-t-on peut-être bientôt des éléphants au travail.

Le troupeau de porcs en liberté, aussi heureux que des chiens domestiques, et qui donnaient une idée de ce que devait être une vie de cochon au paradis, a dû être parqué, tellement ils font de dégâts.

Le noble et rusé Seamus, l'ami de son maître, est mort.

Sept zèbres font leur toilette dans la brousse. Le premier, une femelle, se frotte les joues, puis le front, puis le cou, des deux côtés, contre un arbre. Puis un flanc, puis l'autre, très méthodiquement. Elle se place sous une branche basse et se frotte le dos. Puis elle jette son dévolu sur un plançon, se met en position et avance de telle sorte que la branche lui gratte le ventre. Une autre répète le même manège. Puis une autre, toutes y passent, sous le regard d'un mâle que tout ceci met en émoi et qui est en érection : une bonne longueur de tuyau en caoutchouc. Mais il se contente de les observer et lorsqu'elles ont terminé, il va se frotter et se gratter aux mêmes arbres. Les zèbres n'ont pas fait attention à nous, qui les observons à dix pas de là.

La sécheresse est si grave dans certaines régions que le bétail mais aussi les chèvres robustes et les animaux sauvages dépérissent. A peine nés, les veaux sont abattus.

Au Victoria Falls Hotel — un vieil hôtel colonial, l'un des plus grands du monde, spacieux, romantique, léthargique, frais pendant les grandes chaleurs, comme le décor d'un film de Merchant Ivory — un jeune homme noir se pavanait dans un jean neuf déchiré aux genoux, comme le veut la mode, mais dont il avait paré les trous d'épingles à nourrice de couleur. Il fanfaronnait, sans être dupe, et acceptait les applaudissements avec aplomb.

Nul ne sait comment évaluer les effets à long terme de cette calamité qu'est le sida, dont le gouvernement dit qu'il fera au moins un million de morts d'ici à l'an 2 000, sur une population de neuf millions d'habitants. C'est chez les femmes de l'Afrique subsaharienne que le taux d'infection est le plus fort du monde : une femme sur quarante est contaminée. Dans les zones rurales du Zimbabwe, nombreuses sont les femmes qui couchent avec des hommes pour nourrir leurs enfants et tous ceux dont elles ont la charge, et pour payer les droits d'inscription. On les traite de prostituées. Dans un dispensaire urbain, récemment, un bébé sur quatre était séropositif. La plupart des hommes refusent de mettre des préservatifs. La promiscuité force l'admiration. De la part des hommes, bien sûr. « Un bon taureau shona féconde beaucoup de femmes. »

Un rédacteur en chef : « Une seule chose sauverait ce pays. Que le gouvernement cesse de ressasser des mantras comme l'ESAP. Il faut examiner froidement la situation, sans laisser l'idéologie la dénaturer. Il faut examiner les critiques, au lieu de les juger systématiquement hostiles. Il faut décrire notre situation telle qu'elle est. Puis agir. Mais notre gouvernement en est-il capable ? »

Une lettre : « Quand je pense à nos rêves, à l'indépendance, j'ai envie de pleurer sur le Zimbabwe. Oh, c'est si triste, tellement triste, vous ne trouvez pas ? Il m'arrive de pleurer. »

Mais : un visiteur de retour du Zaïre, du Kenya, de Tanzanie, du Mozambique, a déclaré : « Laissez-moi vous dire une chose ! En comparaison de tous ces pays-là, le Zimbabwe fait tout pour se sortir du pétrin. A Nairobi, les taudis s'étendent sur des kilomètres et tout le monde s'en fiche. Au Zimbabwe, on a honte et on essaie de reloger les sans-logis. »

On a joué aux épitaphes, et on a conclu qu'une seule convenait à Robert Mugabe : « Un homme de bien tombé parmi les voleurs. » Épitaphes rejetées : « Dieu le récompensera d'avoir essayé. » « Ci-gît un héros de tragédie : la paranoïa l'a détruit, sans qu'il ait compris combien le peuple était bien disposé à son égard. »

Un météorologue : « La corruption ? Ne me faites pas rire. En comparaison d'un Robert Maxwell, ce sont des enfants de chœur. Des erreurs de planification ? Et alors ! Ils apprendront. Non, l'Afrique australe se dessèche, voilà les nouvelles. Voilà les seules nouvelles. » Mais : « Nous avons survécu à la guerre. Nous survivrons à la sécheresse. » (Une villageoise de Masvingo, où les pluies ont été extrêmement rares depuis dix ans.)

LETTRES, COUPS DE FIL, AVRIL 1992

« La saison des pluies est terminée pour cette année : sept mois à tirer avant les prochaines. Même si les pluies étaient bonnes cette année, il nous faudrait trois ou quatre ans pour réparer les dégâts. Les aviculteurs tuent leurs bêtes, faute de grains. On abat les cochons, faute de nourriture. Déjà les mombies meurent par centaines de milliers. Je suis allé dans les districts orientaux : on les entend beugler et gémir pendant qu'ils se meurent. Qu'allons-nous faire ? Personne ne sait quoi faire. »

« Les Povos sont en colère. Ah ça oui, ils sont en colère, vous pouvez me croire ! Si le gouvernement organisait des élections aujourd'hui, pas une seule voix ne se porterait sur Mugabe. A travers tout le pays, les gens disent : " Pourquoi avons-nous fait cette guerre ? Pour quoi ? Nous aurions aussi bien fait de garder Smith... " Oui, l'orage va éclater, mais ce ne sera pas de la pluie. »

« Mugabe essaie de détourner l'attention des Povos en affirmant que les fermiers blancs thésaurisent les céréales, mais ce n'est pas vrai. Les Povos sont mieux nourris sur les fermes blanches que dans les zones communautaires. Ils cherchent à se rapprocher des fermes blanches. »

« Si Mugabe démissionne, qui allons-nous avoir à sa place ? »

« Un simple petit écart sur la courbe météorologique, ou un changement majeur et définitif du climat ? Qui s'en soucie ? Les fermiers n'en ont rien à faire, la population non plus. La seule chose qui préoccupe les gens, c'est : les pluies seront-elles au rendez-vous en novembre ? »

ENCORE UN PEU D'HISTOIRE

La Rhodésie du Sud devint une colonie autonome en 1924, bien que la défense et la politique indigène demeurassent soumises à la surveillance des Britanniques. Jamais, pas une seule fois, les Britanniques ne protestèrent contre la politique indigène en Rhodésie du Sud, qui fut toujours calquée sur la politique répressive de l'Afrique du Sud. Quand le projet de fédération de la Rhodésie du Sud, de la Rhodésie du Nord et du Nyassaland tourna court, à cause de l'opposition des Noirs, la Rhodésie du Nord accéda à l'indépendance pour devenir la Zambie en 1963. La Rhodésie du Sud réclama son indépendance au même moment, mais elle lui fut refusée, à moins que les Blancs ne promissent d'abandonner le pouvoir à la majorité noire dans un délai raisonnable. Les Blancs s'obstinèrent et la Grande-Bretagne décida des sanctions. Au nom des Blancs de Rhodésie du Sud, Ian Smith proclama l'indépendance : ce fut la Déclaration unilatérale d'indépendance, appelée aussi l'UDI. La Rhodésie du Sud connaissait bien depuis quelques années des actes de sabotage, des émeutes, des manifestations sans grande conséquence, mais on peut considérer que l'UDI, en 1965, marqua le début de la guerre d'indépendance, tandis que divers partis, puis diverses armées, se formaient et prenaient le maquis. Les principaux partis étaient la ZANU, l'Union nationale africaine du Zimbabwe, conduite par Robert Mugabe, et la ZAPU, l'Union populaire africaine du Zimbabwe, de Joshua Nkomo, qui avait séjourné dix ans dans un camp de détention, dans un coin perdu et désolé, sans aucun confort. « Comme la face cachée de la lune », confiera-t-il. Ces armées, et d'autres de moindre importance, ne furent pas toujours unies pendant la guerre de guérilla contre les troupes gouvernementales : tableau confus, que ne devait guère clarifier la masse des soldats noirs qui se battaient du côté des autorités. Les troupes gouvernementales étaient en majorité noires. Quand les Blancs eurent enfin compris qu'ils ne pouvaient gagner cette guerre, la Grande-Bretagne négocia un accord de paix prévoyant des élections auxquelles, pour la première fois, toute la population noire serait appelée à voter. Elle vota pour Robert Mugabe et la ZANU, et Mugabe devint Premier ministre. Joshua Nkomo, à qui l'on proposa les fonctions de président, refusa. Commença alors une période où on le tint pour un ennemi de Mugabe et du gouvernement. Il était d'autant plus facile d'interpréter ainsi ce désaccord que Robert Mugabe représentait les Shonas, et Nkomo les Matabélés. Les Shonas, ou Mashonas, sont les indigènes. Les Matabélés étaient des rejetons de la nation zoulou, en Afrique du Sud, qu'ils avaient fuie, remontant vers le nord afin d'échapper à des rois zoulous tyranniques et militaristes. Ils instaurèrent, dans ce qui est aujourd'hui le sud-ouest du Zimbabwe, un régime militariste et tyrannique dont la métropole était Bulawayo. Bulawayo signifie le « lieu du crime » et, à l'époque où le roi Lobengula se fit dépouiller de sa terre par la fourberie des Blancs, elle méritait bien son nom. Les historiens débattent de l'ampleur des harcèlements auxquels les Matabélés soumirent les Mashonas, qui n'ont jamais été un peuple belliqueux.

L'AFRIQUE-ORIENTALE PORTUGAISE, PUIS LE MOZAMBIQUE

Tandis qu'en Rhodésie du Sud la guérilla noire se battait dans la brousse, les Noirs combattaient les Portugais en Afrique-Orientale portugaise. Ils gagnèrent, des années avant la naissance du Zimbabwe. Cette guerre fut conduite par le Frelimo, ou Front de libération, que dirigeait Samora Machel, un homme qui avait toutes les qualités du héros populaire. Intelligent et courageux, beau et spirituel, il eût sans doute su diriger un gouvernement capable de faire du Mozambique un pays agréable à vivre. Il trouva la mort en 1986, dans un accident d'avion très certainement commandité par la police secrète sud-africaine. Lorsque disparut la Rhodésie du Sud blanche, la Renamo, qui était une création des Sud-Rhodésiens blancs pour abattre le Frelimo, fut reprise en main par les Sud-Africains. Armée et financée par l'Afrique du Sud, la Renamo — ou Mouvement de la résistance nationale, c'est-à-dire de la résistance contre le Frelimo — a ruiné le Mozambique et obligé des millions de gens à se réfugier au Malawi et au Zimbabwe. Les bandes de la Renamo continuent à incendier, piller, violer et massacrer : l'Afrique du Sud a peut-être rappelé ses meutes, mais sans grand effet. A la mort de Samora Machel, c'est Joachim Chissano qui lui a succédé à la présidence — probablement la tâche la moins enviable qui soit au monde.

La Rhodésie du Sud, enclavée dans les terres, avait sa ligne de chemin de fer jusqu'au port de Beira et cette voie ferrée, ce port et l'oléoduc qui lui apporte son pétrole ont une importance vitale pour le Zimbabwe enclavé dans les terres. Ce sont les armées du Zimbabwe qui ont protégé la voie et l'oléoduc et les ont remis en état à chaque fois qu'ils eurent à souffrir des combats. En outre, de même que la pauvre et précaire Zambie aida elle aussi la guérilla dans sa lutte contre les gouvernements blancs de Rhodésie du Sud et du Malawi, ce qui lui valut de voir son territoire, parfois même ses villes, bombardé depuis la Rhodésie du Sud, le Zimbabwe épaula ensuite le Frelimo contre l'ennemi commun, l'Afrique du Sud.

En principe, c'était le marxisme qui liait ces pays, mais reste le véritable lien : comment demeurer maîtres de leur territoire et de leur politique contre les pressions extérieures.

Et qu'adviendra-t-il maintenant que l'Afrique du Sud n'est plus dans les mêmes dispositions ? Il faut se demander, je crois, ce que font aujourd'hui ces centaines, voire ces milliers d'hommes et de femmes dont les compétences ne trouvent plus à s'employer : sabotage, destruction, minage, déstabilisation des pays noirs voisins. Ces individus malins, astucieux et brutaux gardent-ils les bras croisés, le sourire bienveillant, tandis que le Mozambique, qu'ils ont détruit, tâche de se rétablir ? que le Botswana, où ils dépêchaient leurs agents pour tuer et saboter, se met à prospérer ? que le Zimbabwe, où ils ont fomenté toutes sortes de troubles, retrouve la paix et l'unité ? Eh bien, à quoi ces gens emploient-ils leur temps à présent ?

L'AGRICULTURE

Sous les Blancs, la grande majorité des Noirs vivaient dans les réserves indigènes, où on les cantonnait, tandis que les Blancs se gardaient la bonne terre pour leurs fermes. Il y avait aussi des zones d'achat indigènes où les Noirs pouvaient acheter de la terre. L'existence de ces fermiers noirs prospères est une raison de la réussite de l'agriculture zimbabwéenne. A la libération, les réserves sont devenues des zones communautaires. Les zones de réinstallation sont celles où l'on fixe des Noirs sur des terres jusqu'alors non distribuées (il en reste encore beaucoup) ou qui appartenaient auparavant à des Blancs. Les zones de réinstallation voulaient ressembler aux kolkhozes d'Union soviétique, si patent que fût leur échec. On débat aujourd'hui du régime de propriété de ces fermes nouvellement installées.

Glossaire

Mots empruntés à l'afrikaans

biltong : viande séchée
donga : ravine
dorp : bourg ou village
kopje : colline
lager : camp, place défendue
mealie : maïs
skellum : méchant homme ou animal, fourbe
spoor : piste, d'hommes ou d'animaux
vlei : vallée

Mot emprunté au swahili

boma : lieu sûr, quartier général

Mots empruntés au portugais

Chef : chef, patron, *boss*
povos : les pauvres
viva ! : hello ! hourra !

Mots indigènes

guti : brume
honkey : mot argotique pour désigner un Blanc. Parce que les
Blancs, disent les Africains, parlent du nez. Y aurait-il des

degrés de *honkiness,* de couinement, entre les Français d'un côté et les Américains de l'autre ?

mombies : bétail

mudzimo : esprit ou âme

musasa : l'arbre le plus commun au Mashonaland

nganga : chamane, homme ou femme, médecin-sorcier

sadza : bouillie épaisse de farine de maïs

Notes

Les Matabélés	Les habitants du Matabeleland. De plus en plus souvent on les appelle les Ndébélés, du mot qui jadis désignait leur langue. Jadis, les Matabélés vivaient au Matabeleland et parlaient ndébélé ; aujourd'hui, les Ndébélés vivent au Matabeleland et parlent ndébélé.
Les Mashonas	De même, les Mashonas vivaient au Mashonaland et parlaient shona. De plus en plus, les Shonas vivent au Mashonaland et parlent shona.
La Guerre	Ainsi appelait-on la guerre de libération ou, suivant l'appellation populaire, la guerre du Bush : les combattants du côté noir étaient les Combattants de la liberté, les Gars de la Brousse, ou les Camarades. D'un autre point de vue, c'étaient les Terroristes ou les « terrs ».

Table

La composition de cet ouvrage
a été réalisée par l'Imprimerie BUSSIÈRE,
l'impression et le brochage ont été effectués
sur presse CAMERON dans les ateliers de B.C.A.,
à Saint-Amand-Montrond (Cher),
pour le compte des Éditions Albin Michel.

Achevé d'imprimer en octobre 1993.
N° d'édition : 13251. N° d'impression : 2006-93/509.
Dépôt légal : octobre 1993.